D1288086

Historia global de América Latina

Del siglo XXI a la Independencia

Héctor Pérez Brignoli

Historia global de
América Latina

Del siglo XXI a la Independencia

Alianza editorial
El libro de bolsillo

Diseño de colección: Estudio de Manuel Estrada con la colaboración de Roberto
Turégano y Lynda Bozarth
Diseño de cubierta: Manuel Estrada
Fotografía de Lucía M. Diz

© Héctor Pérez Brignoli, 2018
© Alianza Editorial, S. A., Madrid, 2018
    Calle Juan Ignacio Luca de Tena, 15
    28027 Madrid
    www.alianzaeditorial.es

ISBN: 978-84-9181-102-2
Depósito legal: M. 5.680-2018
Printed in Spain

Si quiere recibir información periódica sobre las novedades de Alianza Editorial,
envíe un correo electrónico a la dirección: alianzaeditorial@anaya.es

Índice

13 Agradecimientos

21 Un sueño entre dos siglos. 2010-1810
21   El sueño de Diego Rivera
25   2010-1810
27   América Latina
28   La periodización y la organización del texto
32   Historia global, historia conectada...
33   Miradas y viajes
35   Otra vez el sueño de Diego Rivera

37 1. La desesperación de Bolívar. Las independencias en perspectiva comparada
38   La ruptura del sistema colonial y la independencia de los Estados Unidos
39   Rebeliones anticoloniales fracasadas: Túpac-Amaru y los Comuneros del Socorro
44   La Revolución francesa
46   La Revolución y la independencia de Haití
51   Las guerras europeas y la caída de la Monarquía española
58   La corte portuguesa se muda a Brasil
63   1808-1814: Representación, Juntas y Constitución
68   La primera ola revolucionaria, 1810-1814
76   La segunda ola revolucionaria, 1815-1822
80   La etapa final: 1822-1825
84   1822: El «Grito de Ipiranga» y la independencia del Brasil

88	La revolución, la guerra y el nacimiento de la vida política
101	Una tipología de las revoluciones
103	La búsqueda de un nuevo orden estatal
107	La economía política de la «larga espera» y la *Pax Britannica*
114	Hacia la construcción de los Estados nacionales
117	La desesperación de Bolívar
119	2. Utopías latinoamericanas
120	La utopía del progreso
125	Disgresión: El concepto de raza
144	La utopía reformista
163	La utopía nacional populista
186	La utopía comunista
210	La utopía autoritaria-conservadora
213	La utopía neoliberal
216	La utopía indígena
226	Ideología y utopía
228	3. El cortocircuito de la modernidad
233	El sistema colonial, primer cortocircuito de la modernidad
244	Reformas borbónicas y pombalinas; la Independencia: el segundo cortocircuito de la modernidad
257	El liberalismo, tercer cortocircuito de la modernidad
293	Interludio: los juegos imperiales
316	Industrialización, populismo y Guerra Fría: el cuarto cortocircuito de la modernidad
361	4. Heitor Villa-Lobos. La música con los colores de la nación
361	Un proyecto ambicioso
370	Un músico brasileño

381		Un creador internacional
387		El nacionalismo musical
395		*Bachianas Brasilerias Núm. 5*
398		Conclusión
400	5.	Antonio Berni (1905-1981), pintor de mayorías
400		Reencuentros, 1997-1963
402		Antonio, el pintor
413		Obreros y campesinos
417		Vida cotidiana y cultura popular
422		Juanito Laguna
426		Ramona Montiel
430		*Crucifixión* y *Apocalipsis*
433		Arte y política
438		Al filo de 1960, la revolución estética de Berni
445		Un arte de resistencia
450	6.	*Banana Republics* y la *Fábula del tiburón y las sardinas*
450		*Banana Republics*
459		«Repúblicas bananas»
466		«Chiquita banana»
470		La *Fábula del tiburón y las sardinas*
475		Conclusión
476	7.	Globalización sin desarrollo, 1980-2010
477		La década perdida
489		El retorno de la democracia y la ofensiva neoliberal
489		Argentina
498		Brasil
502		Chile
509		Perú
516		Colombia
528		Ecuador

533   Uruguay

539   Paraguay

540   Centroamérica: guerra, paz y violencia

544   México

548   Neopopulismo y giro a la izquierda

549   Hugo Chávez y la República Bolivariana de Venezuela

557   Evo Morales y la refundación de Bolivia

560   La Argentina de los Kirchner

563   El Brasil del PT

565   Cuba

572   Conclusión

576   El sentido de la historia latinoamericana

581   Bibliografía general seleccionada

599   Índice de cuadros y gráficos

601   Índice de ilustraciones

603   Índice onomástico

Para Ciro Flamarion Cardoso (1942-2013)

In memoriam

Agradecimientos

Me dedico a estudiar la historia de América Latina desde hace muchos años, pero este libro fue pensado durante mi estadía en el *Wissenschaftskolleg zu Berlin,* en 2008-2009; los diálogos con Ottmar Ette, Ibrahima Thioub, Dipesch Chakrabarty y Sina Rauschenbach me abrieron nuevas y estimulantes perspectivas en un ambiente privilegiado, marcado a la vez por la excelencia más simple y sencilla. Luego tuve la oportunidad de seguir trabajando en el libro durante 2012-2013 en el *Kulturwissenschaftliches Kolleg Konstanz;* debo agradecer el apoyo constante de los profesores Rudolf Schlögl y Fred Girod, y la infaltable amistad de Sina Rauschenbach. La magnífica biblioteca del Instituto Iberoamericano de Berlín fue, y sigue siendo, un espacio de privilegio para la investigación, el diálogo y la amistad, del que me he beneficiado continuamente a lo largo de los años, sobre todo gracias a becas cortas de investigación del Servicio Alemán de Intercambio Académico (DAAD).

El acceso en línea a bases de datos a través de la biblioteca de la Universidad de Costa Rica ha sido otro recurso indispensable, que no termina de asombrarme, sobre todo cuando recuerdo mis primeras armas en la investigación, luchando con los ficheros y las notas manuscritas en cuadernos, en los viejos edificios de la Biblioteca Nacional de Buenos Aires, de la Bibliothèque National de France en París o de la Library of Congress en Washington DC.

El texto que se ofrece al lector es una larga reflexión que combina la narrativa historiográfica clásica con la indagación analítica de las humanidades y las ciencias sociales. No está destinado a la comunidad de historiadores especializados, sino más bien a un público más amplio, de personas interesadas en el pasado y el presente de América Latina; provocar, discutir, problematizar, son los propósitos básicos del texto, con la expectativa de que el lector saque sus propias conclusiones.

El capítulo 1, dedicado al período 1780-1850, y el capítulo 7, volcado a la historia más reciente, son ampliamente narrativos, con la idea de que al lector de nuestros días le interesarán los detalles de la época de la independencia, festejada en los bicentenarios, y los de la historia más reciente, con la que le ha tocado convivir. Entre medio se presentan capítulos temáticos: la historia social de las ideas, en el capítulo 2; una combinación de historia económica e historia política en el capítulo 3; un acercamiento a la creación musical a través de la obra de Villa-Lobos en el capítulo 4; un abordaje desde las artes plásticas siguiendo los trazos de los pinceles de Antonio Berni en el capítulo 5; y por fin, en el capítulo 6, se estudian ciertas imágenes y estereotipos que marcan las relaciones entre los Estados Unidos y la América Latina.

Una presentación muy preliminar del capítulo 1 se realizó en el marco del congreso «Entre Imperios y Naciones. Iberoamérica y el Caribe en torno a 1910», el cual tuvo lugar en A Coruña en julio de 2010. Los temas del capítulo 2 fueron presentados en dos cursos cortos de posgrado en 2015, uno en la Pontificia Universidad Católica de Chile y otro en la Universidad de Costa Rica. Los temas del capítulo 6 fueron presentados en varias reuniones de la Red Transcaribe de la Universidad de Costa Rica, animadas por Werner Mackenbach.

Esta obra cierra una trayectoria de muchos años; en forma más general, debo recordar y agradecer a los que me enseñaron el camino de esta disciplina. José Luis Romero, en primer lugar; sin sus clases en la Facultad de Filosofía y Letras de la Universidad de Buenos Aires, en el viejo edificio de la calle Viamonte, nunca me hubiera dedicado a la Historia; su ejemplo de seriedad intelectual y generosidad, unidos a la magia de su palabra y su escritura, me marcaron para toda la vida. En Francia, Pierre Vilar me permitió entrar de lleno en el mundo de los historiadores. En los cursos de Celso Furtado tuve la suerte de estudiar en serio el pasado y el presente de América Latina; ahora sé que no podría haber tenido una guía mejor ni más experimentada; y también en París, la interacción con estudiantes latinoamericanos me permitió ampliar mi limitada experiencia argentina. El azar y las amistades me llevaron a empezar mi carrera académica profesional en El Salvador y Honduras, y a continuarla en Costa Rica; aún no la he concluido, como creo que lo prueba este libro. No puedo terminar estos agradecimientos sin recordar a Tulio Halperín Donghi, mi profesor y amigo, cuya ausencia desde 2014 deja un vacío imposible de llenar.

El libro está dedicado a Ciro Flamarion Cardoso, mi amigo y colega de tantos años; es un tributo a su memoria y a su manera de practicar la historia.

Yolanda ha leído todo el texto y aportado importantes sugerencias y correcciones; ella, mis hijos y mis amigos me han acompañado y apoyado en este ya largo periplo.

Gracias es la palabra para terminar, no sin antes subrayar, como es usual, que soy el único responsable de los errores que el lector pueda encontrar.

La publicación en Alianza Editorial, al cuidado de Javier Setó y Jesús M. Peña, no hubiera podido estar en mejores manos.

Berlín, octubre de 2008
San José, Costa Rica, diciembre de 2016.

Historia global de América Latina
Del siglo XXI a la Independencia

División política de América Latina.

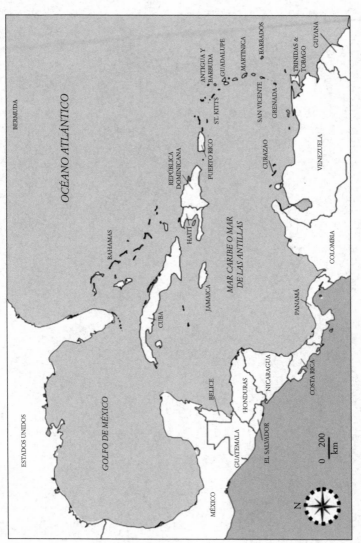

División política de América Central y el Caribe.

Un sueño entre dos siglos. 2010-1810[1]

El sueño de Diego Rivera

En julio de 1970, viajando de París a Centroamérica, hice escala en la Ciudad de México; me alojé en el Hotel del Prado, en cuyo comedor Diego Rivera (1886-1957) había pintado, en 1947, un inmenso mural de 15,67 metros de ancho por 4,17 metros de altura.

Se trata de la obra *Sueño de una tarde dominical en la Alameda Central;* el terremoto de 1985 destruyó el Hotel del Prado, pero por suerte no el mural, el cual pudo ser trasladado a su emplazamiento actual en 1986[2]. Mientras desayunaba, ad-

---

1. Ricardo Pérez Escamilla, *Raíces iconográficas. Mural Sueño de una tarde dominical en la Alameda Central de Diego Rivera,* México, Instituto Nacional de Bellas Artes, 2010; Gerry Souter, *Diego Rivera,* México, Numen-Sirocco, 2012; Andrea Kettenmann, *Diego Rivera, 1886-1957. A Revolutionary Spirit in Modern Art,* traducido por Antony Wood, Colonia, Taschen, 2006; Antonio Rodríguez, *Posada. El artista que retrató una época,* México, Editorial Domes S.A., 1977.
2. Museo Mural Diego Rivera; véase http://www.museomuraldiegorivera.bellasartes.gob.mx. En el sitio web hay disponible un recorrido virtual.

mirando el mural, no tuve conciencia de que estaba empezando a pensar el libro que el lector tiene ahora en sus manos. Diego Rivera, comisionado por el arquitecto Carlos Obregón Santacilia para pintar un mural en el hotel, el cual quedaba justo enfrente de la Alameda, se imaginó una tarde dominical en ese paseo emblemático de la Ciudad de México, pero en un sueño. Eso le dio libertad absoluta sobre los personajes reunidos en el paseo y sobre el momento cronológico del evento. Rivera apreciaba mucho a su profesor de historia José María Vigil y Robles (1829-1909), y lo imagina soñando la historia de la Alameda, que es a la vez, también la historia de México.

Sobre los frondosos árboles de la Alameda que ocupan todo el fondo del mural, se escalonan tres planos diferentes; en el primero, enfrente del observador aparecen unos treinta personajes, algunos bien identificados y otros más bien anónimos; el segundo plano es más abigarrado de personajes y se recorta sobre el tercero, mucho más alejado e inanimado, ya que muestra cúpulas de iglesias y grandes edificios públicos en la extrema izquierda y la extrema derecha del amplio panel; en el centro se ve una fuente del parque y se alza un globo aerostático, con las siglas RM y un tripulante que agita la bandera de México.

Visto en forma panorámica, el mural tiene tres focos luminosos que llaman la atención: en el centro, el globo aerostático, en la izquierda un manojo de globos infantiles multicolores, en la derecha llamas rojas y amarillas que surgen de un revolucionario zapatista, con sombrero, fusil, cananas y caballo, y que parecen quemar también algunos árboles de la Alameda. Otro punto focal importante del mural es la indígena del primer plano, justo en una vertical debajo del globo aerostático; está de espaldas pero mirando a su izquierda; el perfil es inconfundiblemente maya, con una larga y negra cabellera y un vestido de amarillo encendido; por las medias y la pose, parece una prostituta que se enfrenta a los engalanados varones del Porfiriato, y a su derecha a un viejo militar lleno de medallas. El puro centro del mural, en el primer plano, es ocupado por José Guadalupe Posada (1851-1913), el genial grabador que registró como nadie la vida cotidiana y la historia de México en la segunda mitad del siglo XIX e inicios del siglo XX; lleva traje negro formal y bastón, pero se distingue bien de las acartonadas galeras de los personajes del Porfiriato; a su derecha, y dándole el brazo, la calavera Catrina, un personaje fantástico creado por Posada y que Rivera recrea con blancos, grises y amarillos, con un vestido de fiesta y una serpiente emplumada de estola. A la derecha de la Catrina, Diego Rivera niño le da la mano, y entre los dos, un poco más atrás, aparecen una maternal Frida Kahlo (1907-1954), esposa y compañera del pintor, y un joven José Martí, el periodista y poeta cubano que vivió muchos años en la Ciudad de México.

En el mural aparecen unos 150 personajes, representativos de la historia de México desde la conquista hasta mediados del siglo XX; no es mi propósito mencionarlos a todos, sino más bien intentar descubrir la lógica del collage construido por Rivera. Los testigos son dos: don José María Vigil, el profesor de historia de Rivera, hasta los primeros años del siglo XX, y luego el propio Diego. Los personajes parecen agruparse en tres núcleos: en el centro del mural hallamos los actores del Porfiriato, coronados por un engalanado perfil de don Porfirio Díaz, sostenido por un querubín republicano; en la izquierda, Benito Juárez domina sobre lo que parece ser una montaña o pirámide de políticos y gente sencilla. En el extremo izquierdo se ve a don José María Vigil, por encima de personajes coloniales, incluyendo los ajusticiados por la Inquisición y la figura serena pero firme de Sor Juana de la Cruz, con una pluma en la mano. El núcleo de la derecha gira en torno a los múltiples actores de la Revolución mexicana, prolongándose hasta el momento de producción del mural.

Pasemos ahora a otro elemento fundamental del mural: se trata de un sueño, lo que permite entender las libertades del collage, donde no aparecen, por ejemplo, los personajes principales de la Independencia de México, como Hidalgo y Morelos; tampoco hay muchas referencias al pasado prehispánico; lo indígena aparece mediado por el mestizaje. En el tercer plano del mural (a la derecha del núcleo central) aparece la banda del parque en un templete o quiosco de música; la banda está tocando, así que también podría pensarse que en el sueño los personajes bailan al ritmo de un vals mexicano.

Visto en conjunto, el mural tiene algo de cinematográfico; es como si se sucedieran imágenes de la historia de México en un paseo sin fin por la Alameda. Rivera diseñó el mural recurriendo a gran cantidad de grabados, litografías, fotografías, pinturas y periódicos, pero recreó todos los personajes y les dio vida propia. No deja de resultar asombroso cómo una tal cantidad de eventos y personajes adquieren, desde la perspectiva del observador, un tono armonioso y un movimiento que tiene mucho de cadencia suspendida.

En el mural hay implícitos varios tiempos y momentos cronológicos; si nos situamos en el centro, parecería que estamos en 1910, durante el centenario de la Independencia, pero si nos desplazamos a la izquierda parece que estamos en la época de la Reforma; hacia la derecha, nos envuelve en cambio la Revolución mexicana. Si un libro de historia fuera capaz de captar una descomposición del tiempo y una reconstitución de las imágenes como la que logra el pincel magistral de Diego Rivera, creo que sería maravilloso.

En mi caso personal, debo apenas contentarme con la inspiración. La historia de América Latina como un largo sueño de dos siglos es lo que quiero proponer al lector en las páginas que siguen. No es un sueño para escapar de la realidad; como nos lo muestra con creces el mural de Diego Rivera, es un sueño para conocernos mejor, para meditar y también para reírnos, a pesar de todos los pesares.

2010-1810

Debo explicar la naturaleza de la especificación cronológica incluida en esta introducción; no es la que se esperaría en una obra de historia, habituados como estamos a los esquemas «de los orígenes a nuestros días». Sin embargo, este esquema sólo refleja una convención ilusoria: la narrativa histórica es una reconstrucción intelectual que propone el historiador utilizando las reglas del oficio erudito a partir del momento en que produce su texto, es decir, desde el momento presente. El conocimiento histórico sólo se produce desde el presente hacia el pasado, y la ruta inversa es obviamente imposible; Benedetto Croce lo subrayó en una fórmula mil veces repetida: toda historia es historia contemporánea[3]; las preguntas (explícitas o implícitas) que organizan la reconstrucción del pasado sólo se pueden plantear en y desde el presente. ¿Esto implica que el pasado es entonces pura creación subjetiva, pura ficción inventada o imaginada por el historia-

---

3. Véase R. G. Collingwood, *Idea de la historia,* traducido por Edmundo O'Gorman y Jorge Hernández Campos, México, Fondo de Cultura Económica, 1986 [1952], pp. 188-200; Benedetto Croce, *Teoria e storia della storiografia,* 2.ª ed., Bari, Laterza, 1920.

dor? No, de ninguna manera. La historiografía no es igual a la ficción literaria; la reconstrucción del pasado que realiza el historiador reposa en tres operaciones fundamentales[4]:

a) la fase documental, de búsqueda y estudio crítico de las fuentes;

b) la fase de análisis, explicación e interpretación de los conductas y acciones humanas implicadas en los procesos reconstruidos;

y c) la escritura de un texto, por lo general narrativo, de naturaleza literaria.

La primera operación constituye la base del oficio de historiador, es lo que lo distingue de las otras disciplinas científicas; la segunda implica el recurso a la teoría y los esquemas interpretativos; la tercera convierte al historiador en un escritor.

Las tres operaciones constituyen campos en expansión; todo lo que es producto de la acción humana, y deja huellas, puede convertirse en fuente histórica, y los métodos para tratarlas varían con los cambios en las disciplinas involucradas; las teorías e interpretaciones constituyen una elección del historiador, dentro del vasto campo de opciones que le ofrecen las ciencias sociales y las humanidades; la narrativa se nutre sobre todo de la literatura, y el libro (o el artículo) constituye el producto historiográfico final, por excelencia; nada impide, sin embargo, que en la civilización audiovisual de nuestros días se agreguen videos, películas y

---

4. Michel de Certeau, *La escritura de la historia,* traducido por Jorge López Moctezuma, México, Universidad Iberoamericana, 1993, pp. 67-116; Enrique Florescano, *La función social de la historia,* México, Fondo de Cultura Económica, 2012, pp. 259-277; Marc Bloch, *Introducción a la historia,* traducido por Pablo González Casanova y Max Aub, México, Fondo de Cultura Económica, 1952.

presentaciones, al igual que otras formas de comunicación, como productos historiográficos.

Una nota adicional al tema del incesante diálogo entre presente y pasado: el conocimiento histórico es acumulativo, es decir, el historiador nunca parte desde un cero absoluto; interroga al pasado desde el presente, a partir de preguntas generadas por las preocupaciones de su tiempo, pero en un contexto determinado por su conocimiento de la historiografía. No podría ser de otra manera.

América Latina

En 1999, en la introducción general a una obra colectiva publicada en nueve volúmenes, escribía Germán Carrera Damas[5]:

> A lo largo de sólo medio milenio, América Latina se ha conformado como una de las grandes regiones geoculturales del mundo. Su unidad territorial es evidente. Su madurez sociocultural es un hecho cotidianamente comprobado. Su significación en el escenario mundial de la cultura no requiere de nueva argumentación. Su esfuerzo sostenido y crecientemente exitoso por constituirse como un conjunto de sociedades modernas, democráticas y orientadas hacia niveles cada día más altos de bienestar es reconocido. En suma, América Latina es una realidad que puede ser historiada como totalidad. Por eso, hemos escrito esta Historia General de América Latina.

> Basten estas reflexiones como justificación del objeto de estudio del libro que se propone al lector. América Latina se consti-

---

5. UNESCO, *Historia General de América Latina,* 9 vols., Madrid / París, Ediciones UNESCO / Editorial Trotta, 1999-2006.

tuye a lo largo de cinco siglos como resultado de una matriz colonial, originada en la conquista española y portuguesa, y la articulación con las civilizaciones indígenas de América y los millones de esclavos africanos trasplantados brutalmente por la trata. A partir del siglo XVII, con la intrusión de otras potencias europeas, la América ibérica se fue también conformando en un contrapunto incesante con la América anglosajona. El libro arranca con los procesos de Independencia, entre 1780 y 1830, y se cierra con los tiempos que corren, entre 2010 y 2015.

José Luis Romero[6] consideraba que lo que él llamaba la «vida histórica» –es decir, ese contrapunto permanente entre el orden fáctico y el orden potencial de las ideas, los sueños y expectativas, propio de toda sociedad humana– se podía observar a través de tres enfoques básicos: a) el devenir de una comunidad; b) el devenir de la humanidad vista como una totalidad; y c) la biografía de un individuo considerado como sujeto del devenir histórico. En el libro que se ofrece al lector, he escogido trabajar con el primer enfoque, el típico de las historias nacionales y regionales comparadas, y también con el tercero, es decir, el de las experiencias individuales. Un poco más adelante indicaré las razones que me llevaron a utilizar esta combinación de perspectivas.

La periodización y la organización del texto

La escritura de la historia implica operaciones de contracción del tiempo y el espacio; de otro modo, la síntesis sería imposible. Voy a explicitar las opciones seguidas en el texto que se propone al lector.

6. Véase José Luis Romero, *La vida histórica,* Buenos Aires, Editorial Sudamericana, 1988.

Arrancamos con una narrativa relativamente detallada del período 1780-1830 y un enfoque comparativo de los procesos de Independencia en las diferentes regiones de América Latina, destacándose su inserción en el contexto internacional. Como es bien sabido, es al final de estos procesos cuando se configura el mapa de los Estados naciones latinoamericanos con una fisonomía, que en sus líneas generales, se prolonga hasta hoy. Una narrativa comparativa similar, es decir por países, sólo se retoma en el capítulo final, dedicado a estudiar el período 1980-2010.

En los cinco capítulos restantes se utilizan otros enfoques; no hay una narrativa comparativa que siga una secuencia cronológica por países; una de las razones para esta opción fue la necesidad de obtener un texto breve y conciso. Así se prefirió seguir ciertos temas, a mi manera de ver cruciales, para iluminar la dinámica histórica latinoamericana durante los siglos XIX y XX. No hay pretensión alguna de exhaustividad y sólo se examinan ciertos casos y ejemplos; se supone, sin embargo, que los temas tratados sí son muy significativos y relevantes para entender y explicar la historia latinoamericana.

En obras generales y de síntesis, como la que se propone al lector, el historiador se ve obligado a comprimir un siglo en una página, para decirlo de una forma gráfica y extrema. Hay pues un inevitable proceso de selección de temas, problemas y acontecimientos[7]. Por otra parte, también he tratado de multiplicar los puntos de observación y las fuentes

---

7. Véase H. I. Marrou, «Comment comprendre le métier d'historien», en *L'Histoire et ses méthodes,* Encyclopedie de la Pléiade, París, Gallimard, 1961, pp. 1465-1540.

de documentación. Esto se puede ver mejor al considerar los temas de los capítulos 2, 3, 4, 5 y 6.

El capítulo 2 estudia la historia social de las ideas organizando la exposición en torno a las utopías que fueron surgiendo después de la Independencia. El capítulo 3 combina enfoques de la historia económica y la historia política para plantear los «cortocircuitos de la modernidad» que caracterizan el pasado latinoamericano a partir del período colonial. La modernidad se expresa en un conjunto de relaciones innovadoras que conectan las economías latinoamericanas con el mercado mundial; en el orden interno, esas vinculaciones implican una transformación en las relaciones sociales de producción. Sin embargo, en el curso del tiempo, uno o más cortocircuitos alteran el funcionamiento de esas complejas redes de conexión; el resultado es una modernidad a medias, o alterada, que se distancia notablemente de los esquemas y expectativas originales.

Los juegos imperiales –esto es, las profundas asimetrías que se observan en la dinámica de las relaciones internacionales– se estudian también en el capítulo 3 y se reconsideran, en una perspectiva muy diferente, en el capítulo 6. En este último caso, se examinan algunas imágenes mediáticas clásicas que impregnan y condicionan las relaciones entre los Estados Unidos y los países de Centroamérica y el Caribe, y por extensión también con los países del conjunto de América Latina.

Los capítulos 4 y 5 enfocan la creatividad cultural a través de la vida y la obra de Heitor Villa-Lobos y Antonio Berni,. Un músico brasileño y un pintor argentino ilustran la aventura de buscar un lenguaje artístico propio en un contexto empapado por el nacionalismo, el compromiso social y la libertad individual. Preferir la biografía individual en lugar de ofrecer un panorama general de las corrientes artísticas puede parecer una elección extraña en un libro que busca esclarecer perspectivas y tendencias generales; se explica, sin embargo, por la relativa ausencia de una bibliografía general lo suficientemente densa, con lo cual el peligro sería tener que contentarse con un panorama general de lugares comunes. En el caso de Villa-Lobos, se busca ilustrar las complejidades del nacionalismo a través de la creación artística (músico académico, brasileño y universal), el compromiso político y social (educación coral de las masas y adhesión al proyecto populista de Getúlio Vargas) y la elaboración de un lenguaje musical absolutamente original. En el caso de Antonio Berni, se trata de una pintura que logra expresar las transformaciones del mundo de los trabajadores y el entorno urbano, en una trayectoria que va desde los desocupados rurales de la década de 1930 hasta la vida marginal de las masas urbanas en las décadas de 1960 y 1970. Son dos ejemplos que a su vez nos permiten penetrar en la vida cultural y artística de Brasil y Argentina durante varias décadas del siglo XX.

Estos estudios individuales tal vez resulten menos extraños si se leen a la par de obras como el fascinante estudio de Carl Schorske sobre Viena a finales del siglo XIX[8] o algunos de los ensayos de Paul Veyne sobre el mundo grecorromano[9]; debo confesar, sin embargo, que la inspiración para hacerlo me vino de ejemplos más antiguos, como aquel en que José Luis Romero tomó a Dante y la *Divina Comedia* como

8. Carl E. Schorske, *Fin-de-Siècle Vienna. Politics and Culture,* Nueva York, Vintage Books, 1981.
9. Paul Veyne, *L'empire Gréco-Romain,* París, Éditions du Seuil, 2005.

testigos de la crisis medieval, y aquel en que Pierre Vilar consideró a Don Quijote como un testigo sin par de la decadencia española[10].

Historia global, historia conectada...

Espero que el adjetivo «global», incluido en el título, no se entienda como un simple sacrificio a la moda. América Latina empezó sus días, en el siglo XVI, como parte de una red global de intercambios, entonces incipiente, pero destinada a crecer y expandirse en forma más o menos continua. Sólo este rasgo constitutivo bastaría para autorizar el adjetivo «global». Pero hay más.

«Global» también quiere decir conectado[11]. Los intercambios en red implican transferencias de bienes, ideas y personas en un contexto de relaciones de dominación marcadas por el hecho colonial; la impronta de los intercam-

10. José Luis Romero, «Dante Alighieri y el análisis de la crisis medieval», *Revista de la Universidad Nacional (Colombia)*, vol. 16, núm. 16 (1950), pp. 9-23; Pierre Vilar, *Crecimiento y desarrollo. Economía e historia. Reflexiones sobre el caso español*, Barcelona, Ediciones Ariel, 1964, pp. 431-448, artículo publicado originalmente en 1956.
11. Sebastian Conrad, *Historia global. Una visión para el mundo actual*, traducido por Gonzalo García, Barcelona, Crítica, 2017; Serge Gruzinski, *Les quatres parties du monde. Histoire d'une mondialisation*, París, Éditions de la Martinière, 2004; Serge Gruzinski, *L'aigle et le dragon. Démesure européenne et mondialisation au XVIe siècle*, París, Fayard, 2011; Sanjay Subrahmanyam, «Connected Histories: Notes towards a reconfiguration of Modern Eurasia», en *Beyond Binary Histories. Reimagining Eurasia to c. 1830*, editado por Victor Lieberman, 289-315, Ann Arbor, University of Michigan Press, 1997; Sanjay Subrahmanyam, *Vasco da Gama*, Nueva Delhi, Cambridge University Press, 1997.

bios no es la de una relación simple: en el plano cultural, los intercambios implican una vinculación que se puede caracterizar como un proceso de transculturación o aculturación[12].

Desde este punto de vista, tanto la América Latina como la América Anglosajona son productos del mestizaje y las interconexiones culturales. El texto que se propone al lector presta atención a estas conexiones y las examina en diferentes escalas y perspectivas. Es sobre todo en este sentido que debe entenderse el adjetivo «global».

Miradas y viajes

Muy a menudo se han establecido paralelos entre el discurso historiográfico y un viaje imaginario, a veces maravilloso, hacia el pasado; el viaje de exploración fue un recurso fundamental en la constitución de disciplinas como la etnología, la geografía y la biología, y nombres famosos como los de Alexander von Humboldt y Charles Darwin brillan con luz propia en ese ámbito.

En la elaboración de este libro he pensado a menudo en otro tipo de viaje, o más bien, movimiento. Me refiero a las ideas de Walter Benjamin sobre el *flâneur* y el callejeo como instrumentos y actitudes del conocimiento. Como es bien conocido, Benjamin elaboró estas ideas en París, en la década de 1930, como un pretexto para experimentar, sentir y

12. Véase Héctor Pérez Brignoli, «Aculturación, transculturación, mestizaje: metáforas y espejos en la historiografía latinoamericana», *Cuadernos de Literatura (Universidad Javeriana de Colombia),* vol. XXI, núm. 41 (2017), pp. 96-113; Serge Gruzinski, *La pensée métisse,* París, Fayard, 1999.

vivir el espacio urbano; la metáfora del *flâneur* puede obviamente extenderse a otros ámbitos ya que nos permite enfocar la mirada en las cosas más diversas, a menudo aparentemente no relacionadas, para de este modo «descubrir en el análisis del más pequeño elemento aislado el cristal entero del acontecimiento total»[13]. Como lo expresó Karl Schlögel en una obra compleja y fascinante[14]:

> Cada forma de moverse tiene su específica manera de ver, su privilegio y presumiblemente también su lugar y su coyuntura histórica. Cada una produce un género y una retórica específicos: modos de escribir, informar, exponer, sistematizar, cada una tiene sus propios medios con que informarse y valerse.

Espero que estas observaciones permitan al lector comprender la inclusión de biografías individuales en los capítulos 4 y 5, y la atención a artefactos culturales muy específicos en el capítulo 6. Una justificación adicional para esta orientación de la mirada del historiador se puede encontrar en las reflexiones de Carlo Ginzburg sobre el papel de los indicios y las huellas en la construcción historiográfica[15]. Se podrían agregar, claro está, muchas más.

---

13. Citado en Karl Schlögel, *En el espacio leemos el tiempo. Sobre Historia de la civilización y Geopolítica,* traducido por José Luis Arántegui, Madrid, Ediciones Siruela, 2007, p. 131.

14. *Ibid.,* p. 258.

15. Véase Carlo Ginzburg, *El hilo y las huellas. Lo verdadero, lo falso, lo ficticio,* Buenos Aires, Fondo de Cultura Económica, 2010; Carlo Ginzburg, *Mitos, emblemas, indicios. Morfología e historia,* Barcelona, Gedisa, 1989. También el tomo LXVII, núm. 769-770 de *Critique. Sur les traces de Carlo Ginzburg,* junio-julio de 2011.

Otra vez el sueño de Diego Rivera

Volvamos, para concluir, al mural de Diego Rivera. El sueño permite descomponer el tiempo y crear simultaneidades que sólo están presentes en la imaginación del artista. Lo mismo ocurre con el espacio; el pincel convoca una multitud de planos que se perciben como una secuencia fílmica de vida y movimiento. El ojo puede enfocar un personaje, un grupo o un conjunto todavía más amplio, y alejándose un poco puede percibirse todo el mural; este continuo movimiento del todo a los detalles, y viceversa, es similar al típico itinerario del historiador. La paleta de Diego Rivera captura el pasado desde el presente con un lenguaje estético y nos entrega un producto artístico; el historiador recurre necesariamente a otras formas del conocimiento, pero puede incorporar la obra de arte como un testimonio más en la «operación historiográfica».

Estos son los puntos de encuentro que he tratado de trabajar en este libro. Y el sueño del mural de Diego Rivera ha sido para mí una palanca de inspiración, en buena parte, inconsciente.

Señalemos, para terminar, y en la forma más sencilla posible, los desafíos y dificultades que me planteó la escritura del libro que el lector tiene en sus manos. Por un lado, se trató de la imperiosa necesidad de proponer una síntesis, a pesar de la evidente imposibilidad de abarcar todas las fuentes y toda la bibliografía. Por otro, se trató de lograr selecciones significativas frente a cualquier intento de exhaustividad y enciclopedismo. Se optó por proponer un diálogo permanente entre diversas miradas y enfoques, tratando de encontrar hilos conductores relevantes y significativos. Y debe tenerse siempre presente que, al fin de cuentas, lo que interesa es que el lector tenga a su alcance las herramientas para elaborar, en forma crítica, su propia imagen del pasado.

Ese pasado que como dijo alguna vez Romila Thapar, una distinguida historiadora de la India, es, al fin de cuentas, «la contribución del historiador al futuro»[16]. Espero haber logrado, al menos, caminar en esa dirección.

16. Romila Thapar, *The Past and Prejudice,* Sadar Patel Memorial Lectures, Nueva Delhi, National Book Trust, 1975, p. 1.

1. La desesperación de Bolívar. Las independencias en perspectiva comparada

El 15 de agosto de 1805, el joven Simón Bolívar subió al Monte Sacro en Roma; evocando desde allí un pasado glorioso y milenario, pero ayuno en la emancipación del espíritu, juró solemnemente ante su maestro Simón Rodríguez y su amigo Fernando del Toro, que no iba a tener descanso hasta liberar a su patria de la opresión del poder español. Veinte años después, el 26 de octubre de 1825, Sucre y Bolívar escalaron el Cerro Rico de Potosí, en el corazón de los Andes, y desde la cima de esa montaña de plata, cementerio de indios y símbolo de la riqueza colonial, brindaron por la recién concluida gesta de la emancipación americana[1]. Ambos escenarios son casi teatrales y podrían formar parte de una ópera romántica, de esas que hicieron sensación en el

1. John Lynch, *Simón Bolívar. A Life,* New Haven, Yale University Press, 2006. pp. 26-27 y 200-201; el texto del juramento del Monte Sacro en Simón Bolívar, *Doctrina del Libertador,* editado por Manuel Pérez Vila, Caracas, Biblioteca Ayacucho, 2009. Publicado originalmente en 1976, pp. 3-4.

siglo XIX y que siguen todavía conquistando nuestros corazones. Pero encuadran también un complejo proceso histórico marcado por la guerra, la violencia extrema y la formación de nuevos Estados naciones, en un contexto global.

La ruptura del sistema colonial y la independencia de los Estados Unidos

La guerra de la Independencia de los Estados Unidos (1775-1783) comenzó como un conflicto entre las Trece Colonias y la Gran Bretaña, y concluyó con una guerra global en la que participaron, como aliados de la nueva república que proclamó su independencia en 1776, Francia, España y Holanda. Se trató obviamente de una revolución anticolonial, pero más bien de tipo preventivo, es decir, contra el intento británico de imponer un orden colonial que antes de 1775 no existía. El discurso movilizador fue conservador: invocó la defensa de las viejas libertades atropelladas por un imperialismo voraz y se expresó a través de las organizaciones y asambleas existentes. La guerra fue librada básicamente por las milicias de colonos blancos, pero su curso fue decidido por la intervención de Francia y sus aliados a partir de 1778. La organización política de la nueva república, plasmada en la Constitución de 1787, mostró rasgos muy originales, aun en el contexto ideológico del Siglo de las Luces, que alimentó sus bases más profundas. Hanna Arendt los percibió con gran agudeza, por lo cual conviene retomar brevemente sus consideraciones[2].

2. Hannah Arendt, *Sobre la revolución,* traducido por Pedro Bravo, Buenos Aires, Alianza Editorial, 2008 [1963]; véase también Charles

El punto de partida es el principio del autogobierno *(self-government)* derivado del pacto del *Mayflower (Compact Mayflower,* 1620) por el cual los «Padres Peregrinos» se comprometieron «en la presencia de Dios a aliarse y asociarse para formar un cuerpo político civil»[3]. La institución de la Corte Suprema limitada a «determinar el sentido de la Constitución», la organización federal del Estado y el establecimiento de un poder legislativo bicameral pusieron en práctica una concepción de la soberanía que evitó la expresión de la voluntad popular como indivisible; el ejercicio del poder no fue así concebido como la imposición de una voluntad central al conjunto del cuerpo político de la república. En la visión de Arendt, esto es crucial para entender que la organización federal de los Estados Unidos es una ruptura moderna con la concepción de la soberanía absoluta; y por supuesto, no puede perderse de vista que este análisis de Arendt se inscribe en su interés básico por esclarecer los orígenes del totalitarismo[4].

Rebeliones anticoloniales fracasadas: Túpac-Amaru y los Comuneros del Socorro

Humboldt escribió que en 1781, justo cuando la Gran Bretaña perdía las Trece Colonias, la gran rebelión indígena de Túpac Amaru II[5] estuvo a punto de quitarle el Perú a la

Taylor, *Imaginarios sociales modernos,* traducido por Ramón Vila, Barcelona, Paidós, 2006, capítulo 8.
3. El texto completo se puede ver en http://www.ncmayflower.org/mayflowercompact.htm.
4. Hannah Arendt, *Los orígenes del totalitarismo,* traducido por Guillermo Solana, Madrid, Alianza Editorial, 2006 [1951].
5. Boleslao Lewin, *La rebelión de Túpac Amaru y los orígenes de la Independencia de Hispanoamérica,* 3.ª ed., Buenos Aires, Sociedad

Monarquía española[6]. ¿La apreciación es exagerada? No lo fue para las élites criollas, que vivieron hasta bien entrado el siglo XIX bajo el gran miedo de una guerra interétnica; sí lo es, en cambio, si consideramos que la rebelión fue vencida con bastante rapidez y sólo logró un apoyo parcial de las masas indígenas. Luego de una represión brutal, las autoridades españoles lograron restablecer el equilibrio inestable del gobierno colonial.

Las Reformas borbónicas[7] aumentaron muchísimo la presión fiscal y trastocaron, en parte, el tire y afloje característico del poder de la Monarquía Católica en las Indias. Los movimientos antifiscales de indios, mestizos y criollos se incrementaron, y siempre estallaron bajo el lema «Viva el rey y muera el mal gobierno»; dicho de otro modo, siempre se inscribieron en el contexto del «pactismo» tradicional,

Editoria Latinoamericana, 1967 [1943]; Scarlett O'Phelan Godoy, *Un siglo de rebeliones anticoloniales. Perú y Bolivia, 1700-1783,* Cuzco, Centro de Estudios Rurales Andinos Bartolomé de las Casas, 1988; Alberto Flores Galindo (ed.), *Túpac Amaru II-1780,* Lima, Retablo de Papel Ediciones, 1976; Sergio Serulnikov, *Conflictos sociales e insurrección en el mundo colonial andino. El norte del Potosí en el siglo XVIII,* Buenos Aires, Fondo de Cultura Económica, 2006; Steve J. Stern (ed.), *Resistencia, rebelión y conciencia campesina en los Andes, siglos XVIII al XX,* traducido por Carlos Iván Degregori y Sandra Patow de Derteano, Lima, Instituto de Estudios Peruanos, 1990.

6. Alejandro de Humboldt, *Ensayo político sobre el Reino de la Nueva España,* traducido por Vicente González Arnao, edición de Juan A. Ortega y Medina, México, Editorial Porrúa, 1966 [1822], p. 74; Alejandro de Humboldt, *Viaje a las Regiones Equinocciales del Nuevo Continente,* traducido por Lisandro Alvarado-Eduardo Röhl y José Nucete-Sardi, 5 vols., Caracas, Monte Avila, 1991 [1816-1831], tomo II, p. 307.

7. Tulio Halperín Donghi, *Reforma y disolución de los imperios ibéricos, 1750-1850,* Madrid, Alianza Editorial, 1985, pp. 17-74.

propio de la Monarquía hispánica[8]. En el sur andino peruano y el Alto Perú hubo tres coyunturas de protesta social:
1726-1737; 1751-1756 y 1777-1783, en las cuales se «reacti-
varon las contradicciones dentro de la estructura colonial
y, por lo tanto, [se] crearon condiciones de descontento
general»[9]. Ahora bien, todos estos movimientos de protesta, incluyendo el de Túpac Amaru en su fase inicial, buscaron la supresión de cobros considerados como arbitrarios,
el alejamiento de funcionarios odiosos, y/o reivindicaciones
similares; es decir, no se plantearon la destrucción del régimen colonial, y confiaban en la justicia del rey. Los líderes
de estos movimientos fueron mestizos, caciques de la élite
indígena o curas criollos, y se apoyaron en redes solidarias
de parentesco, logrando movilizar algunos sectores de la
masa indígena[10].

La rebelión del sur andino en 1780-1781 culminó un extendido ciclo de sublevaciones y protestas iniciado en 1777
y presentó planos de acción muy diversos, desde la lucha
antifiscal contra el «mal gobierno» hasta el proyecto proto-
nacional de la élite indígena. En la visión inicial de Túpac
Amaru el Inca, se conformaría una monarquía que uniría
los habitantes del Perú, apoyándose en la Iglesia pero sepa-
rándose de España; no se trataba pues de una simple vuelta
atrás a un pasado mítico. Sin embargo, la práctica rebelde
desbordó este proyecto y tornó la lucha en un violento con-

---

8. El pactismo se refiere al vínculo indisoluble que liga al monarca
con sus vasallos, y a los vasallos entre sí a través de las corporaciones
y estamentos. En el imaginario político, el rey siempre protege y vela
por sus súbditos.
9. O'Phelan Godoy, *Un siglo de rebeliones anticoloniales. Perú y Bolivia, 1700-1783*, p. 290.
10. *Ibid.*, pp. 293-294.

flicto interétnico, con visos mesiánicos[11]. Una de las conclusiones de Flores Galindo sobre la rebelión, formulada en términos de la larga duración y la posibilidad de lo que no fue, nos dice[12]:

> En 1780 la revolución tupamarista fue el intento más ambicioso de convertir a la utopía andina en un programa político. De haber triunfado, el Cuzco sería la capital del Perú, la Sierra predominaría sobre la costa, los gobernantes descenderían de la aristocracia indígena colonial, el indio y su cultura no habrían sido menospreciados.

Menos radical, pero igualmente peligrosa, fue la rebelión de los Comuneros del Socorro, en Nueva Granada (1781)[13]. Las restricciones al cultivo de tabaco impuestas por el monopolio (estanco) de ese producto y el aumento desmesurado de la alcabala[14] provocaron primero protestas y luego una rebelión masiva de campesinos y artesanos mestizos, encabezados por algunos criollos. A fines de mayo de 1781, unos veinte mil rebeldes se agolparon en Zipaquirá, al norte de Bogotá; la capital apenas contaba con una fuerza militar muy débil. Varias autoridades huyeron, pero el arzobispo condujo negociaciones con los sublevados, aceptando la mayoría de sus peticiones. La protesta cedió, y una vez

---

11. Alberto Flores Galindo, *Buscando un inca: indentidad y utopía en los Andes, ensayo,* La Habana, Casa de las Américas, 1986.
12. *Ibid.,* p. 93.
13. John Leddy Phelan, *The people and the King : the Comunero Revolution in Colombia, 1781,* Madison, University of Wisconsin Press, 1978; Marco Palacios y Frank Safford, *Colombia. País fragmentado, sociedad dividida. Su historia,* traducido por Ángela García, Bogotá, Editorial Norma, 2002, pp. 162-171.
14. Impuesto sobre las transacciones comerciales.

producida la desmovilización, las autoridades emplearon todo tipo de pretextos para no cumplir lo acordado; es más, persiguieron a los sublevados con castigos que incluyeron el destierro perpetuo, la cárcel, los azotes y varias ejecuciones sumarias. El carácter antifiscal del movimiento fue uno de sus rasgos dominantes, pero las peticiones también incluyeron el reclamo de que se nombraran criollos en los puestos administrativos y políticos importantes.

La pacificación que siguió fue relativa; en 1794-1795 hubo una nueva crisis, esta vez relacionada con miembros ilustrados de la élite criolla. Antonio Nariño tradujo y publicó la Declaración de los Derechos del Hombre que circulaba en Francia como producto de la Revolución, y varios estudiantes empezaron a reiterar los reclamos de los Comuneros en rumores y pasquines; las autoridades creyeron que había una conspiración subversiva y detuvieron a Nariño y a otros jóvenes criollos. Un ambiente parecido de inseguridad volvió a presentarse más tarde, en 1808 y 1809.

Se podría agregar una lista larga de conatos a lo largo y lo ancho de la América Latina, considerados por la historiografía tradicional como movimientos precursores de la Independencia: la resistencia de los comuneros del Paraguay (1721-35); la rebelión contra el monopolio comercial de la Real Compañía Guipuzcoana de Caracas (1749); la *Inconfidencia Mineira* en Brasil (1789); la conspiración de Gual y España en Venezuela (1797), etc. Estos incidentes nunca prefiguran completamente los futuros movimientos de Independencia, pero es raro que no revelen alguno de sus componentes[15].

15. Pierre Vilar, «La participación de las clases populares en los movimientos de Independencia de América Latina», en *La Independen-*

Sólo en situaciones excepcionales, las rebeliones antifiscales y anticoloniales llevarán a la ruptura completa con el sistema. Incluso el ilustrado Nariño esperó varios años el perdón del rey. Motines, tumultos, diferentes tipos de protesta, fueron la expresión de furores populares concretos que tenían su lugar en la sociedad colonial; si bien reflejaban en carne viva la situación de explotación y desigualdad, también mostraban la fuerza de la dominación ideológica y la incapacidad de los sublevados para romper con el sistema colonial.

Esta situación es todavía más extrema en el caso de las rebeliones de esclavos. Tanto en Brasil como en las Antillas el levantamiento de los esclavos sólo tenía vía de salida exitosa en el cimarronaje, es decir, la huida hacia las selvas y montañas interiores, escapando así al control colonial. Intentos como las rebeliones de Coro (1795) y Maracaibo (1799) en Venezuela, y Salvador (1798) en Brasil, rápida y severamente reprimidas, confirman lo dicho[16]. Por esto mismo, la revolución de Haití tendrá, como veremos más adelante, un carácter absolutamente excepcional.

La Revolución francesa

La Revolución de los Estados Unidos fue esencialmente política, es decir, no tuvo un componente de reforma social. Fue realizada por los colonos blancos y excluyó explícita-

---

cia en el Perú, editado por Heraclio Bonilla, 155-174, Lima, Instituto de Estudios Peruanos, 1972 [1965], p. 161.
16. Matthias Röhring Assunção, «L'adhésion populaire aux projets révolutionnaires dans les sociétés d'esclavagistes: les cas du Venezuela et du Brésil (1780-1840)», *Caravelle,* vol. 54 (1990), pp. 291-313.

mente a los negros, a los esclavos y a los aborígenes. La Revolución en Francia, en cambio, fue un verdadero cataclismo político y social[17]. En este sentido, se constituyó en una suerte de modelo de las revoluciones del futuro, desde las explosiones de 1848 hasta la Revolución bolchevique.

Las etapas del proceso son bien conocidas: a) la crisis del Antiguo Régimen; b) la Revolución constituyente (parlamentaria, municipal y campesina, 1789-1791); c) la escalada revolucionaria, resultado de la conspiración aristocrática, la contrarrevolución y la radicalización de las masas urbanas (1791-1792), con su culminación en la caída de la Monarquía el 10 de agosto de 1792; d) la Revolución jacobina y el Terror, cerrados con la caída de Robespierre el 9 de Termidor (1792-1794); e) el liberalismo moderado del régimen del Directorio (1795-1799; f) la dictadura y el Imperio iniciados por el golpe militar de Bonaparte el 18 Brumario (1799-1815). La secuencia revolución-radicalización-reacción-dictadura que se observa por vez primera en la Revolución francesa se reencuentra, *mutatis mutandi,* en casi todas las revoluciones «modernas» de los siglos XIX y XX.

La Revolución inspira pero también genera miedos y rechazos, y su legado es, sin duda alguna, múltiple, ambivalente y contradictorio, fuente de la libertad y también del totalitarismo moderno. Su impacto es social, político, ideológico y cultural, y espacialmente se parece a un fuego de artificio que se prolonga en el tiempo con intensidades muy variables; Hobsbawm tiene sin duda razón cuando aduce

17. Michel Vovelle, *Introducción a la historia de la Revolución Francesa,* traducido por Marco Aurelio Galmarini, Barcelona, Editorial Crítica, 1981; François Furet, *Penser la Révolution Française,* París, Gallimard, 1978.

que los ecos de *La Marsellesa* se escuchan todavía hoy, más de dos siglos después de las primeras fanfarrias[18].

La Revolución y la independencia de Haití

En América Latina los primeros efectos directos de la Revolución francesa se observaron en Saint-Domingue, la colonia azucarera más rentable y productiva del Caribe. No es fácil imaginar hoy lo que era Saint-Domingue en esa época. Para fijar las ideas, recordemos que en 1789 Le Cap-Français era una ciudad del tamaño de Boston y tenía un teatro para 1.500 espectadores donde se representaban obras de Molière y Beaumarchais[19]. La riqueza de la colonia dependía del trabajo en las plantaciones azucareras de medio millón de esclavos y había generado una estructura social conflictiva y polarizada. La minoría blanca (unos 40.000 en 1789) comprendía grandes plantadores muy ricos y muchísimos blancos pobres, contraste este que también se observaba en los 30.000 libres de color o *affranchis*. Las tensiones sociales eran grandes y cruzadas, entre libres y esclavos, blancos pobres y mulatos ricos, mulatos y esclavos, etc. Las vinculaciones con la metrópoli eran muy significativas, al punto que en 1789 un 15% de los 1.000 miembros de la Asamblea Nacional poseían propiedades en las colonias y vínculos con el comercio colonial[20].

---

18. Eric J. Hobsbawm, *Los ecos de la Marsellesa,* traducido por Borja Folch, Barcelona, Editorial Crítica, 1990.
19. Laurent Dubois, *Avengers of the New World. The Story of the Haitian Revolution,* Cambridge, Mass., The Belnap Press of Harvard University Press, 2004, p. 24.
20. *Ibid.,* p. 21.

En 1790 la Asamblea Constituyente francesa decreta la legalización de las asambleas coloniales integradas solo por blancos, con lo cual se consagra el principio del autogobierno y se institucionaliza el racismo; recién en 1792 la ciudadanía es otorgada a los libres de color. Pero para ese momento, Saint-Domingue ardía ya bajo la rebelión de los esclavos, que había comenzado en el norte de la isla en agosto de 1791[21]. A las masacres iniciales le sucede la internacionalización del conflicto: los grandes plantadores buscan el apoyo inglés, mientras los esclavos se organizan militarmente y buscan la alianza con los españoles, refugiándose en la parte oriental de la isla.

En esa coyuntura llega de Francia una expedición militar dirigida por los comisarios jacobinos Sonthonax y Polverel. El 29 de agosto de 1793 Sonthonax toma la iniciativa de abolir la esclavitud, con lo cual logra la alianza inmediata de las fuerzas rebeldes comandadas por Toussaint Louverture. El 4 de febrero de 1794, la Convención decidió abolir la esclavitud en toda la República, incluyendo las colonias. No cabe duda de que esta decisión fue provocada por los eventos en Saint-Domingue; desde el punto de vista de los derechos humanos, este fue el momento culminante y más radical de la revolución. Louverture se convierte pronto en el exitoso dirigente de las fuerzas francesas: general de brigada en 1796, general de división en 1797. Los ingleses abandonan la lucha en 1798 y Louverture es nombrado gobernador y capitán ge-

21. Véase C. R. L. James, *Los jacobinos negros. Toussaint L'Ouverture y la Revolución de Haití,* traducido por Ramón García, Madrid, Turner / Fondo de Cultura Económica, 2003 [1938]; Dubois, *Avengers of the New World. The Story of the Haitian Revolution;* Franklin W. Knight, *The Caribbean. The Genesis of a Fragmented Nationalism,* 2.ª ed., Nueva York, Oxford University Press, 1990, pp. 196-226.

neral. Entretanto, los grandes plantadores han emigrado a Cuba, Luisiana, Jamaica, Venezuela y Trinidad, muchas veces con sus bienes y esclavos.

Luego de la guerra y la emigración, la economía de la isla es la sombra de lo que fue. Louverture se propuso la reorganización de la industria azucarera, y para eso decreta la obligación, por parte de los antiguos esclavos, de volver a trabajar en las plantaciones como asalariados; la mitad del producto generado debía ser entregado al Estado, y la otra mitad debía dividirse entre los trabajadores y el propietario.

En este contexto Napoleón decidió volver a controlar la colonia y envió una gran fuerza expedicionaria en 1802. Louverture fue traicionado y cayó prisionero, pero los antiguos esclavos siguieron luchando bajo la conducción de Jean-Jacques Dessalines, un antiguo esclavo y lugarteniente de Louverture. Luego de una guerra de dos años y la virtual aniquilación de las fuerzas francesas, éstas se rindieron en diciembre de 1803. El 1.º de enero de 1804, Dessalines y los generales negros victoriosos proclamaron la independencia de Haití, bautizando al nuevo país con uno de los nombres amerindios de La Hispaniola; surgió así el primer Estado independiente de América Latina y la primera república negra del mundo.

En Francia, Napoléon había restablecido la esclavitud en julio de 1802, decretando la vigencia de las leyes y reglamentos existentes antes de 1789; la situación colonial quedó sin muchos cambios en Guadalupe, Martinica y la Guayana, al tiempo que se produjo la venta de la Luisiana a los Estados Unidos en 1803. Ni la cuestión colonial ni la esclavitud encontraron, pues, una solución «moderna» en el balance final de la Revolución francesa.

La Revolución haitiana sufrió posteriormente un silencio historiográfico, estudiado en detalle por Michel-Rolph Trouillot[22], tanto dentro de las copiosísima bibliografía sobre la Revolución francesa cuanto en las obras generales sobre el período 1789-1848; lo mismo ocurre con la historiografía latinoamericana. Las referencias episódicas al evento subrayan por lo general su discontinuidad, es decir, su carácter excepcional o anómalo, y por lo tanto incomparable. La historiografía haitiana, por su parte, tiende a adoptar la perspectiva de una épica heroica fundacional, independiente o autosuficiente. Este silencio historiográfico se explica por una mezcla de miedo (a la insurrección) y racismo (incapacidad de los negros) que cobra sentido dentro de una «narrativa de la dominación global»[23] donde no hay espacio para una revolución desde abajo exitosa que rompa radicalmente con lo esperado. ¿Los jacobinos negros de Haití dando una lección de humanidad y moralidad a la Francia de las luces? Esta es la piedra en el zapato que resulta difícil de aceptar, a menos que uno adopte una filosofía de la historia como la de Walter Benjamin, donde sea obligado leer la historia «a contrapelo», es decir, buscando en los márgenes, en los silencios, en los bordes, en los pequeños agujeros, los chispazos de luz de lo que viene[24].

22. Michel-Rolph Trouillot, *Silencing the Past. Power and the Production of History,* Boston, Beacon Press, 1995.
23. *Ibid.,* p. 107.
24. Véase Adolfo Gilly, *Historia a contrapelo. Una constelación,* México, Ediciones Era, 2006; Walter Benjamin, *Écrits Français,* París, Gallimard / Folio, 1991, pp. 432-455; Walter Benjamin, *Oeuvres III,* traducido por M. de Candillac, Rainer Rochlitz y Pierre Rusch, París, Gallimard / Folio, 2000, pp. 427-443.

Pero hay más todavía. En el silencio historiográfico hay algo también de olvido voluntario, ya que la revolución haitiana fue bien conocida por la intelectualidad europea de comienzos del siglo XIX[25]. La dificultad para el reconocimiento parece residir en la historia haitiana posterior a la independencia y la revolucionaria liberación de la esclavitud. El nuevo Estado cayó pronto en la violencia, el racismo entre negros y mulatos, y largas dictaduras; la democratización en el reparto de la propiedad rural, iniciada por Pétion en 1809 en el sur, y extendida luego por Boyer a todo el país, creó un campesinado minifundista únicamente interesado en los cultivos de subsistencia, con lo cual las exportaciones decayeron notablemente, al igual que los recursos del Estado. A esto se sumaron las dificultades para obtener el reconocimiento diplomático externo, lo cual obligó a firmar un oneroso tratado con Francia en 1825 y a cargar con un endeudamiento externo leonino y progresivo. En breve, la construcción de un Estado moderno fracasa, y ese efecto negativo –con su círculo vicioso y acumulativo de pobreza, deterioro ambiental, autoritarismo, explotación y represión– se prolonga hasta hoy.

No es fácil conciliar el avance revolucionario de finales del siglo XVIII con el rosario acumulativo de dos siglos de fracasos, y eso explica también, en parte, los olvidos y silencios de la historiografía. Quizás convenga estudiar la historia de Haití a la luz de las experiencias africanas posteriores a la independencia y la descolonización, es decir, en la segunda mitad del siglo XX.

25. Véase Susan Buck-Morss, *Hegel, Haiti, and Universal History,* Pittsburgh, University of Pittsburgh Press, 2009, pp. 40-45; un ejemplo es la novela corta de Kleist, escrita en 1811: Heinrich von Kleist, *Die Verlobung in St. Domingo / Fiançailles à Saint-Domingue,* traducido por Pierre Deshusses, París, Gallimard, 2001 [1811].

Las guerras europeas y la caída de la Monarquía española

La Revolución francesa y el Imperio no sólo fueron un modelo ideológico e institucional, sino también fuentes inspiradoras de nuevas prácticas políticas. Las guerras europeas que se desataron modificaron el balance del poder entre las monarquías y propiciaron la ruptura de los imperios coloniales. Haití fue, en este sentido, apenas un comienzo.

España fue aliada de Gran Bretaña en la primera coalición europea contra Francia de 1793 a 1795; en la paz de Basilea que puso fin a la guerra, España tuvo que ceder Santo Domingo[26] a Francia. A partir de 1795 y hasta 1808 España fue aliada de Francia y estuvo enfrentada con Gran Bretaña. En 1802, al firmarse la paz de Amiens, Napoleón obtuvo la confirmación de sus triunfos, pero España, su aliada, perdió la isla de Trinidad en beneficio de Gran Bretaña. Mientras que en el continente europeo los ejércitos franceses de Napoleón cosechaban una victoria tras otra, el Atlántico estaba dominado por la Marina británica, lo que volvía cada vez más difíciles las comunicaciones entre España y América. Dos momentos culminantes en este aspecto fueron las batallas navales del Cabo San Vicente en 1797 y sobre todo la de Trafalgar, en octubre de 1805, la cual, como se sabe, constituyó un verdadero desastre para la flota franco-española.

El bloqueo británico obligó a autorizar el comercio con las potencias neutrales, con lo cual el monopolio comercial

---

26. Se trata de la parte española de la isla. Recuérdese que el asentamiento francés en la parte occidental de La Hispaniola, conocido como Saint-Domingue, comenzó en 1697.

español llegó a su fase final; ya no se trataba de contrabando sino de transacciones regulares, a la vista, paciencia y participación de las mismas autoridades coloniales. En el comercio con las potencias neutrales se fueron desarrollando nuevas redes de intereses y se fueron labrando nuevos núcleos de poder. Las tensiones fueron más que evidentes entre 1802 y 1804, cuando frente a la paz momentánea con Gran Bretaña se restringió el comercio con los neutrales; pero la guerra estalló de nuevo en diciembre de 1804, y ese fue, Trafalgar mediante, un punto donde ya no hubo retorno. El sistema comercial monopolista estaba saltando en pedazos.

Pero la derrota naval y la crisis comercial eran sólo una cara del inexorable declive de la Monarquía española. Las pérdidas territoriales en América –que incluían Santo Domingo y Trinidad en las Antillas, y la Luisiana, devuelta a Francia en 1802[27]– no eran mucho a la par de la crisis financiera originada en los costos de la guerra. Para hacer frente a los gastos crecientes, el gobierno real disponía de cuatro mecanismos básicos[28]: a) los donativos graciosos y forzosos, incluyendo campañas religioso-patrióticas para «obtener fondos tanto de los más humildes habitantes del virreinato como de los individuos más opulentos»[29]; b) los préstamos sin réditos, es decir, sin intereses; c) los préstamos con intereses, negociados internamente pero también

---

27. Este territorio colonizado originalmente por Francia había sido cedido a la Corona española en 1762, en virtud del Tratado de Fontainebleau. Napoleón vendió la Luisiana a los Estados Unidos en 1803 como parte de un esfuerzo para financiar las guerras europeas.
28. Véase Carlos Marichal, *La bancarrota del Virreinato. Nueva España y las finanzas del Imperio español (1780-1810),* México, Fondo de Cultura Económica / El Colegio de México, 1999.
29. *Ibid.,* p. 98.

en el exterior (Holanda en particular); y d) la emisión de títulos en papel, garantizados con recursos fiscales y redimibles, que fueron conocidos como «vales reales». Los tres primeros mecanismos venían de larga data, y se aplicaban regularmente para enfrentar situaciones excepcionales; el cuarto, es decir, la emisión de obligaciones en papel, los vales reales, fueron implementados por primera vez para hacer frente al déficit originado por los gastos de la guerra de la Independencia de los Estados Unidos (1779-1783).

El otro aspecto crucial de los gastos exorbitantes de la Corona es que, en una proporción significativa, eran provistos por el imperio colonial, y en particular, por el Virreinato de la Nueva España. Esto tampoco era nuevo, pero adquirió nuevas significaciones en la coyuntura política finisecular del Siglo de las Luces. El obispo de Michoacán, Manuel Abad y Queipo, lo expuso en 1805, con claridad meridiana, al afirmar que los fondos de la Nueva España no eran inagotables como se creía, sino que ya estaban virtualmente agotados[30].

Los vales reales mantuvieron su valor durante los diez años de paz, entre 1783 y 1793, pero la guerra con la Convención francesa (1793-1795) comprometió las cosas e inauguró un largo período de inestabilidad financiera; hacia 1795 los vales se habían depreciado un 22%. La alianza con Francia y la guerra con Gran Bretaña (1796-1802) precipitaron la debacle. A pesar de los préstamos directos y los donativos forzosos, la necesidad de fondos obligó a una medida más radical: en 1798 Carlos IV autorizó la apropiación

---

30. Citado en *ibid.,* pp. 300 y 266; véase también José Carlos Chiaramonte, *Pensamiento de la ilustración: economía y sociedad iberoamericanas en el siglo XVIII,* Caracas, Biblioteca Ayacucho, 1979, p. 370.

de un cierto número de propiedades eclesiásticas para garantizar nuevas emisiones de vales reales. El recurso a la desamortización[31], perfectamente coherente con el regalismo[32] borbónico, permitió enfrentar la crisis fiscal pero generó un intenso debate político y exacerbó las tensiones sociales. El respiro de la paz de Amiens (1802) fue engañoso, pues en 1803 Napoleón exigió la firma de un «Tratado de Subsidios», por el cual España se comprometía a pagar un cuantioso subsidio mensual a Francia, evitando así participar directamente en la guerra[33]. Al año siguiente, en diciembre de 1804, los nuevos apuros financieros llevaron a Carlos IV a extender la desamortización a las Indias a través de lo que se llamó la «consolidación de vales reales»; al mismo tiempo estalló de nuevo la guerra con Gran Bretaña[34].

31. La desamortización consistió en poner a la venta los bienes de propiedad eclesiástica, llamados de «manos muertas» debido a que no podían enajenarse por ser de propiedad corporativa. La disposición también afectó a las rentas eclesiásticas derivadas de las capellanías, es decir, los fondos que la Iglesia recibía anualmente, y en forma perpetua, como legado de un difunto para diversas obras pías; dichos fondos eran habitualmente prestados por la Iglesia y las órdenes religiosas a propietarios, mineros y comerciantes, constituyendo un elemento básico del crédito a largo plazo de la economía colonial. Véase Arnold J. Bauer, «The Church in the Economy of Spanish America: Censos and Depósitos in the Eighteenth and Nineteenth Centuries», *Hispanic American Historical Review,* vol. 63, núm. 4 (1983), pp. 707-33.
32. Doctrina jurídica que afirma la preeminencia de la Corona en cuanto a las regalías o privilegios recibidos del Papado para el manejo y control de la Iglesia en sus dominios.
33. Se negoció en Francia, para cumplir el tratado, un préstamo de 5 millones de dólares. Véase John Lynch, *Bourbon Spain. 1700-1808,* Oxford, Blackwell, 1989, p. 405.
34. Brian Hamnett, «La quiebra del gobierno metropolitano y la crisis del régimen imperial, 1805-1810», en *Entre Imperio y naciones. Iberoamérica y el Caribe en torno a 1810,* editado por Pilar Cagiao Vila

La trama financiera implicada en estas transferencias es de una gran complejidad y revela no sólo la dependencia colonial de Hispanoamérica sino también su inserción en conexiones económicas globales que, a través del Atlántico, vinculaban a Europa con los Estados Unidos y América Latina. Conocemos bien esta trama financiera gracias al admirable y detallado estudio de Carlos Marichal, emprendido desde un mirador privilegiado: el Virreinato de la Nueva España[35]. En efecto, hacia fines del período colonial, la Nueva España contribuía más que ninguna otra región a las finanzas imperiales; así, por ejemplo, en 1798-1802 un 66% de las remesas enviadas por la América española a la metrópoli provenían de México; por otra parte, el Virreinato transfería regularmente importantes recursos para los gastos de defensa del Gran Caribe (Cuba, Puerto Rico, Santo Domingo, Trinidad, las Floridas y Nueva Orleans) y las Filipinas. Esto quiere decir que «los costos fiscales de sostener el imperio en el hemisferio occidental no recayeron sobre España sino que eran absorbidos mayoritariamente por los súbditos hispanoamericanos»[36].

Los grandes gastos militares y navales, el creciente servicio de la deuda interna y externa, y una situación económica interior marcada por una sucesión de carestías y malas

y José María Portillo Valdés, 55-79, Santiago de Compostela, Universidad de Santiago de Compostela, 2012, pp. 63-68.

35. Marichal, *La bancarrota del Virreinato. Nueva España y las finanzas del Imperio español (1780-1810)*.

36. *Ibid.*, p. 36; véase también Carlos Marichal, «Beneficios y costes fiscales del colonialismo. Las remesas americanas a España, 1760-1814», *Revista de Historia Económica*, vol. XV, núm. 3 (1997), pp. 475-505.

cosechas[37] colocaron a la metrópoli ibérica al borde del colapso financiero. En estas circunstancias, las transferencias fiscales coloniales, y en particular de la Nueva España, resultaban cruciales, y sin fuerza naval suficiente y en guerra con Gran Bretaña, las comunicaciones transatlánticas directas eran imposibles y el recurso al comercio con los países neutrales, como ya se indicó antes, resultaba indispensable.

Pero el comercio no se limitó a las mercancías; a través de complicadas operaciones político-financieras, los cargamentos de plata y oro mexicanos se dirigían hacia Francia, Holanda e Inglaterra para saldar las deudas españolas[38]. Se dio así la paradoja de que

> la mayor parte de los fondos de la Consolidación reunidos en la Nueva España entre 1805 y 1808 se destinaron a liquidar una serie de deudas contraídas con Napoleón [...] los fondos, más de 10 millones de pesos plata, terminaron mayoritariamente en las arcas de la tesorería francesa[39].

Más paradójico todavía era el hecho de que la Monarquía española, más calculadora que católica, expropiaba los bienes de la Iglesia para intentar salvar un sistema fiscal exhausto y una política exterior ruinosa[40]. Por otra parte, y ello fue absolutamente claro luego de Trafalgar, las co-

---

37. En particular las crisis de subsistencias de 1803, 1804 y 1805. Véase Gonzalo Anes, *Las crisis agrarias en la España moderna,* Madrid, Taurus, 1970, p. 432.

38. En estas operaciones intervinieron, entre otros, el consorcio Gordon y Murphy, el banquero francés Ouvrard y el consorcio Hope-Baring.

39. Marichal, *La bancarrota del Virreinato. Nueva España y las finanzas del Imperio español (1780-1810),* p. 27.

40. Lynch, *Bourbon Spain. 1700-1808,* p. 418.

nexiones financieras transatlánticas que combinaban la Real Hacienda con las tesorerías coloniales y los banqueros de Londres, París, Filadelfia y Ámsterdam revelaban la configuración de un nuevo sistema global que dominará todo el siglo XIX: el de la *Pax Britannica*.

El colapso final de la Monarquía española se produjo entre marzo y mayo de 1808. La incapacidad de Carlos IV era algo notorio desde el inicio de su reinado en 1788, lo mismo que los desplantes autoritarios de la reina María Luisa de Parma; durante la mayor parte de su gobierno, el poder estuvo en manos del valido Manuel Godoy. La espiral de guerras, derrotas, carestías, crisis agrarias y gastos exorbitantes, culminó en marzo de 1808 en el llamado «Motín de Aranjuez». Fue este un complot aristocrático, apoyado por el ejército y encabezado por el Príncipe de Asturias, heredero de la Corona; la participación oportuna de una plebe urbana indignada le dio algún color popular, pero en realidad se trató de un golpe palaciego que obligó a la abdicación de Carlos IV y a la huida del ministro Godoy[41]. Fernando VII, el nuevo y joven monarca, entró triunfalmente en Madrid el 24 de marzo; el día antes, la tropas francesas comandadas por el general Murat lo habían precedido. Los ejércitos franceses ocupaban España en tránsito hacia Portugal, país aliado de Gran Bretaña y opuesto a las políticas de Napoleón, que iba a ser sometido por la armas y obligado a cerrar sus puertos al comercio inglés.

En los hechos, el gobierno metropolitano se desintegraba. Carlos IV y la reina María Luisa fueron enviados a Francia; Fernando VII fue en busca de Napoleón, convencido de que iba a contar con su apoyo; la reunión tuvo lugar el

41. *Ibid.*, pp. 419-421.

10 de mayo, en Bayona; allí Fernando le devolvió la corona a su padre, y éste la cedió a Napoleón, quien a su vez nombró a su hermano José nuevo rey de España; ambos Borbones quedaron prisioneros del emperador. Así cayó la Monarquía, en un episodio tragicómico y teatral.

Pero el escenario se estaba llenando de ángeles negros; el 2 de mayo, el pueblo de Madrid se alzó contra los franceses; la mascarada de los príncipes y la guerra entre los Estados se trastocaba así en una guerra civil, feroz y despiadada. Francisco de Goya, pintor genial y testigo sufriente, puso toda la violencia y el horror de la lucha sin cuartel en sus aguafuertes y grabados; así, a través de sus ojos podemos ver la que sería después considerada como la primera guerra de guerrillas del mundo[42].

La corte portuguesa se muda a Brasil[43]

Portugal era un aliado tradicional de la Gran Bretaña; en el contexto de las guerras napoleónicas, la Corona portuguesa practicaba una neutralidad comercialmente beneficiosa para ambas potencias. Sin fuerza naval después de

42. Carl Schmitt, *La notion de politique. Théorie du partisan,* traducido por Marie-Louise Steinhauser, París, Flammarion, 1992 [1932-1962], pp. 207-225.
43. La principal referencia es el fascinante libro de Patrick Wilcken, *Império à Deriva. A corte portuguesa no Rio de Janeiro (1808-1821),* Porto, Civilização Editora, 2004. Véase también: Jorge Couto (ed.), *Rio de Janeiro, Capitale de l'empire portugais (1808-1821),* traducido por Annie Marques dos Santos, París, Editions Chandeigne / Librarie Portugaise, 2010; Jurandir Malerba, *A corte no exílio: civilização e poder no Brasil à vésperas de Independência (1808 a1821),* São Paulo, Companhia das Letras, 2000.

Trafalgar, Napoleón diseñó un bloqueo europeo contra los barcos y las mercancías inglesas; victorioso sobre los ejércitos austríacos, prusianos y rusos, en julio de 1807 impuso el tratado de Tilsit y pudo exigir el bloqueo a todo el continente, Rusia incluida. Sólo le faltaba cerrar los puertos neutrales de Suecia, Dinamarca y Portugal. Los ingleses se adelantaron a Napoleón, atacaron Copenhague y el 7 de setiembre de 1807 capturaron la poderosa flota danesa, evitando así que pudiera entrar al servicio de Napoleón.

La jugada siguiente ocurrió en Lisboa. Un ultimátum franco-español exigió a Portugal el cierre de puertos, la ruptura de relaciones diplomáticas con Gran Bretaña y el arresto de los súbditos ingleses. Don Juan, príncipe regente de Portugal, vacila, como fue su estilo desde que tuvo que asumir la Corona ante la locura de su madre, la reina María I, en 1799. Pero en octubre Napoleón envía una fuerza de 25.000 hombres al mando del general Junot para atacar y ocupar Portugal; el paso por España es obligado y la cooperación hispana entusiasta. La cancillería británica tenía, de todos modos, planes de contingencia, transmitidos pacientemente a don Juan por el embajador, el vizconde de Strangford[44]; la corte debía trasladarse a Brasil bajo la protección de la armada británica; a cambio del apoyo, Portugal otorgaría privilegios comerciales a los barcos y mercancías inglesas. Don Juan no tenía en verdad muchas opciones:

---

44. Para detalles sobre estos planes, incluyendo un memorial secreto de 1805, véase José Jobson de Andrade Arruda, «L'ouverture de ports et la rupture du système colonial luso-brésilien», en *Rio de Janeiro, Capitale de l'empire portugais (1808-1821)*, editado por Jorge Couto, 101-164, París, Editions Chandiegne / Librairie Portugaise, 2010, especialmente pp. 113 y siguientes.

a) perder el trono y aceptar la ocupación francesa; b) resistir a las exigencias británicas, lo que lo conduciría a una situación similar a la de Dinamarca, perdiendo la flota y probablemente el imperio colonial en beneficio de Londres; y c) plegarse al traslado a Brasil, el cual contaba además con el respaldo creciente de su Consejo de Estado. A mediados de octubre la flota inglesa comandada por el almirante Sidney Smith apareció frente a Lisboa y adoptó posiciones de bloqueo, mientras las tropas francesas cruzaban los Pirineos.

Después de largas vacilaciones don Juan firmó un decreto de expulsión de los súbditos británicos y envió al marqués de Marialva a París para convencer a Napoleón de su alineamiento; al mismo tiempo ofrecía la mano de su hijo, don Pedro, a una princesa de la familia Bonaparte. Pero Marialva fue detenido en Madrid y no pudo continuar; un enviado a la frontera conferenció con el general Andoche Junot y tampoco logró detener la invasión. El 23 de noviembre llegó a Lisboa desde Londres una copia del periódico oficial de Napoleón, *Le Moniteur,* donde se decía que el emperador había decidido poner fin a la dinastía de Braganza.

Así las cosas, la partida de la flota se fijó para el 27 de noviembre de 1807. A bordo de 23 navíos de línea y 31 navíos mercantes se embarcaron el tesoro real, los 60.000 volúmenes de la biblioteca real y los archivos[45], una imprenta, y un sinfín de vajillas, porcelanas, vestidos, carruajes, etc. Se mudaba la corte entera, desde la reina María I y el príncipe re-

---

45. Lilia Moritz Schwarcz, Paulo Cesar Azevedo y Angela Marques da Costa, *A longa viagem da biblioteca dos reis. Do terremoto de Lisboa à independência do Brasil,* São Paulo, Companhia das Letras, 2002.

gente hasta los sirvientes y lacayos, incluyendo a nobles y dignatarios eclesiásticos; se trasladaba así a los trópicos la sede burocrática y simbólica del imperio. Se estima que salieron de Lisboa unas 10.000 personas; una flota inglesa de seis navíos, al mando de Lord Sidney Smith custodiaba el convoy portugués. La salida del puerto fue difícil, por vientos desfavorables y tormentas, pero a los pocos días la situación se normalizó y comenzó la travesía del Atlántico. Los barcos que transportaban a la familia real fondearon en Salvador el 22 de enero de 1808; otra parte de la flota siguió directamente hacia Rio de Janeiro. Don Juan desembarcó en Rio, su nueva capital, el 8 de marzo. La primera ceremonia en la catedral fue un solemne *Te Deum,* el cual fue seguido de una semana de festividades. La adaptación de la corte no fue fácil:

> Los exiliados pasaron las primeras semanas en estado de choque cultural y emocional. En las cartas que enviaron a Lisboa expresaron el horror que sentían ante la nueva vida que tenían en Rio. El clima, lo insalubre de la ciudad y el bajo nivel de sus habitantes llenaban las misivas de nostalgia agridulce y de intensas añoranzas europeas[46].

Conviene detenerse un momento para evaluar el significado profundo del traslado de la corte y la capital imperial de Lisboa a Rio. El fenómeno en sí era totalmente inédito; los monarcas rara vez salían de su reino, y nunca dejaban el ámbito europeo. Aún a finales del siglo XIX, cuando las condiciones de viaje habían mejorado notablemente, reyes

46. Wilcken, *Império à Deriva. A corte portuguesa no Rio de Janeiro (1808-1821),* p. 111.

y emperadores sólo visitaban otras ciudades europeas a menudo con propósito de vacaciones y celebraciones sociales. En el caso portugués se trató de la mudanza de la capital imperial, en términos materiales y simbólicos. Al mismo tiempo, Brasil dejó de ser una colonia y se convirtió, de hecho y de derecho, en parte de la metrópoli. Esto quedó particularmente claro cuando el 16 de diciembre de 1815 el Estado del Brasil fue elevado a la categoría de Reino del Brasil, y el imperio pasó a denominarse Reino Unido de Portugal, Brasil y Algarve[47].

En términos económicos, los cambios inmediatos fueron muy significativos. En 1808 don Juan decretó la apertura de los puertos brasileños al comercio con todas las naciones, y en 1810 firmó un tratado de comercio y navegación con Gran Bretaña. El monopolio comercial colonial, erosionado desde hacía ya muchos años por el contrabando, quedaba definitivamente anulado[48], y las mercancías inglesas obtenían tarifas preferenciales que eliminaban el proteccionismo que antes beneficiaba a los textiles y manufacturas portuguesas. La principal relación comercial del Brasil se establecía ahora directamente con Inglaterra; los vínculos con Portugal pasaban a un segundo plano, cada vez menos importante. La persistencia todavía de algunos privilegios típicos del Antiguo Régimen no ocultaban la dirección clara de la nueva política económica: la Corona portuguesa adoptaba, en forma gradual, el libre cambio.

47. Couto, *Rio de Janeiro, Capitale de l'empire portugais (1808-1821)*, p. 17.
48. Fernando A. Novais, *Portugal e Brasil na crise do Antiguo Sistema Colonial (1777-1808)*, 2.ª ed., São Paulo, Editora Hucitec, 1981; Arruda, «L'ouverture de ports et la rupture du système colonial luso-brésilien», en *Rio de Janeiro, Capitale de l'empire portugais (1808-1821)*.

La nueva situación no dejaba de tener algo de paradójico: el traslado de la corte garantizaba la continuidad monárquica, pero al mismo tiempo significaba el fin del sistema colonial[49]. Dadas las nuevas circunstancias, ¿era la independencia inevitable? La respuesta es afirmativa si se considera, como de hecho ocurrió, que la élite portuguesa fue incapaz de redefinir las relaciones entre Portugal y Brasil en un marco igualitario, es decir, renunciando definitivamente al viejo pacto colonial. La situación llegó al punto de no retorno cuando don Juan, coronado como Juan VI a la muerte de la reina María en 1816, tuvo que regresar a Lisboa, obligado por la revolución liberal portuguesa de 1820.

1808-1814: Representación, Juntas y Constitución

Las abdicaciones de Bayona, seguidas de la insurrección y el rechazo generalizado de las imposiciones de Napoleón, precipitaron una profunda crisis de representación y legitimidad, originada en la quiebra de la monarquía absoluta. En setiembre de 1808 se constituyó en Aranjuez, con representantes de las diferentes Juntas provinciales, la Junta Central Gubernativa del Reino, ejerciendo el poder en nombre de Fernando VII. Debido al incontenible avance de las tropas francesas, la Junta pronto tuvo que refugiarse en Sevilla. Como ha subrayado François-Xavier Guerra, el problema es que al no haber habido nunca por parte del rey

---

49. Arruda, «L'ouverture de ports et la rupture du système colonial luso-brésilien», en *Rio de Janeiro, Capitale de l'empire portugais (1808-1821)*, p. 104. Véase también Emilia Viotti da Costa, *Da monarquia à república: momentos decisivos*, 6.ª ed., São Paulo, Fundação Editora da UNESP, 1999, pp. 19-60.

una delegación explícita de la soberanía en la Junta, su carácter sería irremediablemente ambiguo[50]. La legitimidad del poder de la Junta se asentaba en la concepción hispana tradicional del «pactismo» como fuente de la soberanía real: al desaparecer el gobierno legítimo de la Monarquía, el poder vuelve a los «pueblos», es decir, a las diferentes comunidades políticas que lo forman, reinos y ciudades-provincias[51]. En enero de 1809 la Junta Central convoca a los americanos a la elección de 9 diputados para ser incorporados a la Junta Central; en el texto de la convocatoria se lee[52]:

La Junta Suprema central gubernativa del reyno, considerando que los vastos y preciosos dominios que España posee en las Indias no son propiamente colonias o factorías como las de las otras naciones, sino una parte esencial e integrante de la Monarquía española y deseando estrechar de un modo indisoluble los sagrados vínculos que unen unos y otros dominios, como asimismo corresponder a la heroica lealtad y patriotismo de que acaban de dar tan decisiva prueba a la España.

La declaración resulta algo insólita, pero no ofrece dudas: las Indias son posesiones de España, y la representación que se ofrece es un reconocimiento otorgado por la lealtad, no un derecho; la marca colonial es más que evidente y se refleja bien en la desigualdad de la representación; la Península tiene 36 diputados frente a los 9 de América y Filipinas. De todos modos, en 1809, las Indias juran lealtad a

50. François-Xavier Guerra, *Modernidad e Independencias. Ensayos sobre las revoluciones hispánicas,* México, Editorial MAPFRE / Fondo de Cultura Económica, 1993, p. 179.
51. *Ibid.,* pp. 338-339.
52. Decreto del 22 de enero de 1809, citado en *ibid.,* p. 185.

Fernando VII y a la Junta Central, que gobierna en su nombre; de hecho, en muchas partes, este será el último ritual político del Antiguo Régimen.

Así pues, en el conjunto de los territorios hispanoamericanos las autoridades existentes se las arreglaron para eliminar cualquier intento de formar juntas locales; en México esto implicó destituir al virrey Iturrigaray, favorable al Cabildo de la Ciudad de México (setiembre de 1808), mientras que una Junta establecida en Quito fue rápidamente eliminada por fuerzas enviadas desde Perú por el virrey Abascal, en 1809; en ese mismo año, intentos similares en el Alto Perú (La Paz y Chuquisaca) fueron sofocados por fuerzas militares enviadas desde Lima y Buenos Aires. Tanto en Quito como en el Alto Perú los cabecillas de estos intentos fueron cruelmente ejecutados.

En enero de 1810 la situación comenzó a cambiar drásticamente. El avance de los franceses obligó a la disolución de la Junta Central, refugiada ahora en Cádiz y defendida por la escuadra británica; al final fue reemplazada por un Consejo de Regencia de cinco miembros. La autoridad central se esfumaba, y su representatividad se volvía más que problemática. En estas circunstancias, el Consejo de Regencia convocó finalmente las Cortes y emitió un manifiesto dirigido a América el 14 de febrero de 1810 en el que, entre otras cosas, se lee algo un poco sorprendente[53]:

Desde este momento, Españoles Americanos, os veis elevados a la dignidad de hombre libres: no sois ya los mismos que antes, encorvados bajo un yugo mucho más duro mientras más distan-

53. *Ibid.*, pp. 146-147. Los comentarios que siguen se basan sobre todo en las apreciaciones de François-Xavier Guerra.

tes estabais del centro del poder; mirados con indiferencia, vejados por la codicia; y destruidos por la ignorancia. Tened presente que al pronunciar o al escribir el nombre del que ha de venir a representaros en el Congreso nacional, vuestros destinos ya no dependen ni de los Ministros, ni de los Virreyes, ni de los gobernadores; están en vuestras manos.

El lenguaje es moderno y se respira, en la pluma de su redactor, Manuel Quintana, un liberalismo radical: se anuncia la libertad del futuro y se condena el despotismo del Antiguo Régimen; pero también se dice, como subraya François-Xavier Guerra, que los americanos habían estado durante tres siglos en un estado de servidumbre. Era una invitación a la elección de representantes que también podía leerse como un llamado a la emancipación. Pero ya era un poco tarde para entusiasmar con unas Cortes cuya reunión era incierta y en las que sólo habría 28 diputados americanos y más de 200 de la Península. Cuando las Cortes finalmente se reúnen, en setiembre de 1810, están presentes sólo los diputados de México, América Central y Perú; el resto del imperio está insurreccionado y no reconoce al Consejo de Regencia. Esta es una historia que contaremos en la sección siguiente.

Luego de varios años de discusiones en el refugio de Cádiz, las Cortes completaron una Constitución en 1812, la cual fue jurada tanto en la Península como en las zonas de América que continuaban reconociendo la autoridad de las Cortes y del Consejo de Regencia. En la Ciudad de Guatemala, por ejemplo, la ceremonia se realizó el 24 de setiembre de 1812 y tuvo una solemnidad casi religiosa, con campanas, salvas de artillería y bandas militares; en la Plaza Mayor la efigie de Fernando VII presidía la ceremonia, mientras tres secretarios se alternaron en la lectura de la Constitución[54].

La Constitución de 1812 proponía una monarquía constitucional parlamentaria, garantizaba la libertad de prensa y el derecho de amparo y suprimía la Inquisición; respondía a un liberalismo moderado, conservando muchos componentes de la tradición hispánica, como el respeto al fuero eclesiástico y al fuero militar. El sistema electoral era libre e indirecto, y en la base, estaba bajo el control de los curas de las parroquias. En el caso del mundo colonial, la Constitución fracasó en dos reivindicaciones americanas fundamentales: la libertad de comercio y la representación igualitaria; en este sentido, los liberales peninsulares no fueron capaces de superar el síndrome colonial[55].

De todos modos, la Constitución tuvo corta vida; como bien se sabe, al retornar Fernando VII al trono en mayo de 1814, la suprimió. En enero de 1820, la rebelión del general Riego obligó al rey a restaurarla y a aplicarla otra vez en las posesiones americanas todavía leales. En México y Centroamérica, el nuevo episodio constitucional concluyó con la independencia, en setiembre de 1821; en Perú duró hasta 1823, cuando las fuerzas francesas enviadas por la Santa Alianza a España derrotan a los liberales, y Fernando VII restaura otra vez el absolutismo.

Tanto en España como también en América, el primer liberalismo tuvo un camino interrumpido, lleno de contra-

---

54. Mario Rodríguez, *El experimento de Cádiz en Centroamérica, 1808-1826,* traducido por Marita Martínez del Río de Redo, México, Fondo de Cultura Económica, 1984, pp. 139-140.
55. Para un análisis detallado de la Constitución de 1812 véase *ibid.,* pp. 108-199, incluyendo su aplicación en el caso de Centroamérica en 1812-1814 y 1820-1821.

dicciones y dificultades. Como lo han esclarecido bien los detallados estudios de François-Xavier Guerra y sus discípulos[56], en las revoluciones hispánicas la modernidad política osciló entre un imaginario que veía a la nación como un sinónimo de la Monarquía Católica, en la que pueblos, corporaciones y estamentos se articulaban en torno a la figura del rey –es decir, un imaginario tradicional, anclado en el Medioevo y la conquista– y un imaginario absolutamente nuevo, derivado de la Revolución francesa, que veía a la nación como un conjunto de individuos-ciudadanos, titulares ellos mismos de la soberanía. Este conflicto permanente en los marcos de referencia de las élites y las masas populares sólo se fue decantando poco a poco a través de la dinámica misma de las revoluciones y las guerras, y constituye el mar de fondo de la historia política a lo largo de todo el siglo XIX.

La primera ola revolucionaria, 1810-1814

El período 1808-1814 abarca pues la crisis metropolitana y sus múltiples reflejos coloniales; se produjo allí una primera oleada revolucionaria, con la constitución de Juntas de Gobierno que tomaron las riendas del poder en «nombre de Fernando VII», el monarca cautivo de los franceses. En los hechos, la voluntad secesionista fue clara en ciertos sectores

---

56. Guerra, *Modernidad e Independencias. Ensayos sobre las revoluciones hispánicas;* François-Xavier Guerra y Annick Lempérière (eds.), *Los espacios públicos en Iberoamérica. Ambigüedades y problemas. Siglo XVIII-XIX,* México, Fondo de Cultura Económica / CEMCA, 1998. Véase también José Carlos Chiaramonte, *Nación y Estado en Iberoamérica. El lenguaje político en tiempos de las independencias,* Buenos Aires, Editorial Sudamericana, 2004.

criollos y vacilante en otros; el conflicto se cruzó enseguida con otros: los españoles y sus aliados se dividieron en constitucionalistas y absolutistas, y la «guerra de castas» hizo también su aparición en el movimiento insurreccional que encabezó el cura Hidalgo en el Bajío mexicano; otro tanto ocurrió en Venezuela con la rebelión de los llaneros y la movilización de pardos, mulatos y esclavos.

Los cambios y conflictos comenzaron en 1808 y 1809, pero estas primeras escaramuzas se resolvieron, sin excepciones, en favor de la causa realista. Así ocurrió en el Alto Perú y en Quito, donde los criollos intentaron reemplazar a las autoridades españolas. Los enfrentamientos, sin embargo, se tornaron crecientemente ásperos, oscilando la reacción realista entre la represión moderada y los castigos ejemplarizantes. En esos primeros choques, y en la forma de resolverlos, ya se anticipaba, en cierta forma, el patrón de los enfrentamientos futuros.

La caída de la Junta Central de Sevilla, en enero de 1810, tuvo otras consecuencias. Se establecieron Juntas rebeldes en Caracas (19 de abril), Buenos Aires (25 de mayo), Bogotá (20 de julio) y Santiago de Chile (18 de setiembre); la reacción realista siguió controlando en cambio el Perú, México y Guatemala, Montevideo e importantes zonas de Venezuela y Nueva Granada. La Junta de Buenos Aires intentó extender su control hacia el Paraguay y el Alto Perú, como partes que eran del Virreinato del Río de la Plata, pero las expediciones militares enviadas con ese propósito fracasaron reiteradamente en 1811, 1813 y 1815. El Alto Perú seguirá siendo un centro de la reacción realista hasta 1825, mientras que el Paraguay asumió su propia independencia en 1811, junto con una decisión de aislamiento casi total. La Junta de Buenos Aires y los gobiernos que la sucedieron lograron consolidar la independencia a través de la radicalización de la revolución, la consolidación de los cuerpos militares y el aprovechamiento de las oportunidades económicas derivadas del auge de las exportaciones de productos ganaderos[57]; a ello se sumaron ventajas geopolíticas al ser una región suficientemente alejada de los bastiones del poder realista. En 1816 el Congreso, reunido en Tucumán, proclamó la independencia de las Provincias Unidas del Río de la Plata. Los éxitos en sostener el poder revolucionario no culminaron, sin embargo, en la construcción de un Estado nacional duradero; en 1820 la guerra civil acabó con el gobierno central y las provincias asumieron su propia soberanía.

Los movimientos independentistas partieron, invariablemente, de Cabildos abiertos en los cuales la supremacía criolla era abrumadora, y no cesaron en proclamar una legitimidad que para muchos era dudosa. El pacifismo inicial dio pronto paso a la guerra, único medio de extender y defender esos movimientos revolucionarios. La reacción tampoco se hizo esperar y los partidarios del rey reclutaron adhesiones, y obtuvieron recursos de regiones y caudillos muy variados.

Nada es más ilustrativo, en ese sentido, que la agitada historia de Venezuela entre 1810 y 1815. La primera revolución controló Caracas, pero no logró vencer a las fuerzas realistas que dominaban el oeste y el interior. Por otra parte, en la naciente República el poder estaba monopolizado por una cerrada oligarquía, lo que comprometió cualquier

---

57. Véase Tulio Halperín Donghi, *Revolución y guerra. Formación de una élite dirigente en la Argentina criolla,* Buenos Aires, Siglo XXI Argentina Editores, 1972.

apoyo de los sectores populares, y sus jefes más prominentes –Francisco de Miranda y Simón Bolívar– carecían de experiencia política y militar. Después del terremoto de Caracas, el Jueves Santo de 1812 (26 de marzo) –utilizado por los realistas como signo divino de que la revolución era impía–, la desorganización en las filas rebeldes fue en aumento, y en pocos meses las fuerzas realistas controlaron todo el país. Bolívar perdió la importante fortaleza de Puerto Cabello; Miranda, presidente con la suma del poder, capituló, y en un confuso episodio donde se le acusó de traición, fue entregado a los jefes realistas.

Así concluyó, en julio de 1812, la que los venezolanos llamaron «Patria Boba». Monteverde, el jefe realista vencedor, aplicó una política extremadamente represiva que, lejos de restablecer la paz, allanó el camino para un rápido retorno revolucionario. Simón Bolívar penetró desde Nueva Granada con un pequeño ejército y logró rápidos y sorprendentes éxitos; en la historiografía este episodio es conocido como la «Campaña Admirable». El 6 de agosto de 1813 Bolívar era dueño de Caracas. Al iniciar las operaciones militares en Cartagena, en diciembre de 1812, Bolívar reflexionó sobre la experiencia revolucionaria anterior[58], y orientó su acción con cuatro principios: a) la revolución exigía un poder centralizado y autoritario; b) había que contar con un ejército regular y disciplinado; c) no había lugar para la tolerancia y las concesiones, algo bien expresado en el decreto de la guerra a muerte[59]; y d) el desengaño en

58. Véase Halperín Donghi, *Reforma y disolución de los imperios ibéricos, 1750-1850*, pp. 138-139. El Manifiesto de Cartagena está reproducido en Bolívar, *Doctrina del Libertador*, pp. 10-19.
59. Trujillo, 15 de junio de 1813, Bolívar, *Doctrina del Libertador*, pp. 24-26.

cuanto a la vocación revolucionaria de los pueblos hispano-americanos. La revolución debía de «hacer por la fuerza libres a los pueblos estúpidos que desconocen el valor de sus derechos». Pero luego de los rápidos éxitos iniciales, la estrella de Bolívar declinó. La lucha de facciones y la movilización de los llaneros a favor de los realistas, liderada por un pequeño comerciante y antiguo contrabandista asturiano, José Tomás Boves, lo vencieron. La guerra fue cruenta y salvaje; en junio de 1814, los llaneros destrozaron el ejército de Bolívar en La Puerta; la segunda República ya agonizaba. Bolívar se retiró nuevamente a Nueva Granada, mientras el poderoso cuerpo expedicionario español comandado por el general Pablo Morillo desembarcaba en abril de 1815; la restauración realista fue completa.

Los conflictos interregionales marcaron negativamente las rebeliones en Nueva Granada[60]. Luego de un intento subversivo fracasado en Casanare, los criollos de Cartagena establecieron un gobierno autónomo en mayo-junio de 1810; el ejemplo de Caracas jugó sin duda un papel determinante. En julio de 1810 lo mismo ocurrió en Pamplona, Socorro, Bogotá y otras ciudades; hubo, pues, una proliferación de juntas con predominio criollo, desplazando a las autoridades realistas. Pero esta misma fragmentación hizo imposible la construcción de un poder efectivo y unificado, en circunstancias en las que muchos focos de resistencia realistas estaban lejos de haber sido eliminados; y hay que recordar, por otra parte, que Quito y Pasto, en el sur, estaban bajo el firme control del virrey de Perú.

60. Véase el capítulo sobre la independencia de Frank Safford en Palacios y Safford, *Colombia. País fragmentado, sociedad dividida. Su historia,* pp. 189-226.

El más fuerte de los conflictos intraprovinciales fue el que se produjo entre las Provincias Unidas de Nueva Granada, constituidas en 1811 por Cartagena, Antioquia, Tunja, Pamplona y Neiva, y el estado de Cundinamarca, con capital en Bogotá, liderado por Antonio Nariño. En noviembre de 1812, Bolívar, derrotado en Venezuela, llegó a Cartagena y se incorporó a la lucha independentista; auxiliado por los neogranadinos reconstruyó su ejército y volvió a Venezuela, iniciando, como ya vimos, la así llamada «Campaña Admirable». Al alejarse Bolívar aumentó la amenaza realista; en julio de 1813, las fuerzas realistas del sur derrotaron a Nariño y controlaron todo el valle del Cauca; Cundinamarca, Antioquia y otras provincias declararon entonces su independencia absoluta de España. Pero la radicalización fue tan notable como el aumento de las luchas fratricidas, y el triunfo realista se volvió inevitable. Nariño cayó derrotado en Pasto y fue hecho prisionero. Derrotado otra vez en Venezuela en 1814, Bolívar volvió a Nueva Granada para luchar en un panorama que se tornaba cada vez más confuso; hastiado, dejó Cartagena para refugiarse en las Antillas (mayo de 1815). En ese mismo momento la poderosa expedición española comandada por el general Morillo desembarca en Venezuela; desde allí penetra en Nueva Granada y somete todos los focos independentistas; Cartagena, el último bastión insurgente cae heroicamente en diciembre, luego de un terrible sitio de 108 días. La represión no se hace esperar, y los sonrientes valles andinos pronto se llenan de cadalsos. Lo que la historiografía bautizó después como la «Patria Boba» llegaba así a su fin.

El Virreinato del Perú, bajo la rígida conducción del virrey Abascal fue el centro de la reacción realista. De allí partieron las expediciones militares que lograron mantener el Alto Perú dentro de la causa del rey, y de allí salieron también las fuerzas españolas que consiguieron reconquistar Quito en 1809 y 1812, y Chile en 1814.

El caso uruguayo muestra otra variante de interés. En 1810, frente al independentismo de la Junta de Buenos Aires, Montevideo se convirtió en bastión de la lealtad monárquica, pero el virrey Elío no fue capaz de asegurarse el control de la campaña, insurreccionada por los gauchos de Artigas después del llamado «Grito de Asencio» (26 de febrero de 1811). Acudió entonces a las fuerzas portuguesas, que ocuparon el interior del país. La reacción fue ahora doble: Buenos Aires prefirió pactar con Elío antes que admitir la ocupación lusitana y reconoció su poder sobre la Banda Oriental; Artigas no aceptó un armisticio que consideró una traición, y emprendió el célebre «Éxodo oriental»: 4.000 gauchos y otros tantos civiles lo siguieron con ganado y propiedades a la vecina provincia argentina de Entre Ríos. El retiro portugués se produjo en 1812, después de fuertes presiones británicas, y al fin Montevideo cayó en poder de las fuerzas de Buenos Aires en 1814.

Pero la conclusión del poderío español en el Río de la Plata tampoco significó un completo triunfo bonaerense. En febrero de 1815, Artigas controla Montevideo y la Banda Oriental, y encabeza (junto con los caudillos de Entre Ríos, Santa Fe y Corrientes) la oposición federal al centralismo de Buenos Aires. Un año después, poderosas fuerzas portuguesas vuelven a invadir el territorio uruguayo; esta vez con un notorio visto bueno del gobierno de Buenos Aires. Ocurre entonces lo inevitable: Artigas cae derrotado, y después de una poco exitosa guerra de guerrillas tiene que retirarse al Paraguay en 1820. La experiencia de la llamada «Patria Vieja» ha concluido.

En México la rebelión siguió cauces diferentes. El alzamiento en la zona del Bajío, que estalló en setiembre de 1810 bajo el liderazgo de un párroco ilustrado, Miguel Hidalgo y Costilla, adquirió casi enseguida el carácter de una verdadera guerra social. Un momento culminante fue la toma de la alhóndiga en Guanajuato, con la matanza de todos los refugiados en ese vasto depósito de granos, transformado en fortaleza, y el saqueo subsiguiente de la ciudad. Las clases propietarias hicieron, como era de esperarse, un frente común y lograron derrotar al movimiento en enero de 1811. Hidalgo fue capturado y ejecutado en marzo de ese mismo año. La lucha continuó hacia el sudoeste de la ciudad de México, bajo el liderazgo de otro clérigo, José María Morelos y Pavón. Pero el recuerdo de los desmanes ocurridos en el Bajío siguió deteniendo la adhesión masiva de los criollos, y sin ella, el movimiento estaba irremisiblemente condenado. Morelos fue derrotado y ejecutado en 1815, y sus seguidores quedaron reducidos a un puñado de idealistas arrojados. La herencia de esta primera fase puede resumirse en dos hechos fundamentales: una momentánea identificación de los criollos con la Monarquía, y una militarización permanente de las bases del poder. La insurrección plebeya no sólo afirmó solidaridades entre los pudientes, sino que los obligó a extender los cuerpos de milicias, básicamente controlados por los criollos, mucho más allá de cualquier límite preexistente.

En Centroamérica, salvo cuatro intentos localizados y rápidamente fracasados –en San Salvador y Nicaragua (noviembre-diciembre de 1811), Guatemala (diciembre de 1813) y San Salvador (enero de 1814)–, nadie disputó el control a las autoridades realistas; en ese contexto pacífico se pudo desarrollar el experimento constitucional de Cádiz, seguido con aplicación e ingenua confianza tanto por los diputados del reino de Guatemala en España como por los habitantes del istmo[61].

La segunda ola revolucionaria, 1815-1822

1815 fue un año aciago. Bolívar se refugiaba en Jamaica y las tropas realistas del general Morillo devastaban la Nueva Granada. En Chile, las fuerzas realistas enviadas desde el Perú habían derrotado a O'Higgins en Rancagua, en octubre de 1814, poniendo fin a la también llamada «Patria Vieja»; alrededor de 3.000 personas, incluyendo mujeres y niños, cruzaron la cordillera y se refugiaron en Mendoza. La restauración triunfaba por doquier, y en el Río de la Plata las autoridades de Buenos Aires abrazaban una situación casi desesperada. La llamarada revolucionaria parecía a punto de extinguirse.

El 6 de setiembre de 1815 Bolívar escribió una larga carta a Henry Cullen, un caballero inglés residente en Jamaica interesado en las luchas por la Independencia hispanoamericana. El texto, conocido como la «Carta de Jamaica» circuló en traducción al inglés y sólo fue publicado en español en 1833[62]. Bolívar reflexiona sobre la experiencia revolucionaria, retomando textos anteriores, como la ya citada «Memoria de Cartagena», y también anticipando ideas que aparecerán en sus discursos y decretos de años futuros. Es, por supuesto, uno de los textos más famosos e importantes es-

61. Véase Rodríguez, *El experimento de Cádiz en Centroamérica, 1808-1826.*
62. Bolívar, *Doctrina del Libertador,* pp. 66-87.

critos por Bolívar. La confianza en el porvenir es rotunda: América será independiente de España aunque falte todavía un largo y espinoso camino por recorrer; ello es así tanto por la voluntad de los pueblos hispanoamericanos como por la incapacidad española para mantener el imperio. Al reflexionar sobre la naturaleza del gobierno futuro, el idealismo de Bolívar se transforma en un realismo doloroso: no llegaremos a lo mejor sino a «lo más asequible»:

Los acontecimientos de la Tierra Firme nos han probado que las instituciones perfectamente representativas no son adecuadas a nuestro carácter, costumbres y luces actuales. En Caracas el espíritu de partido tomó su origen en las sociedades, asambleas y elecciones populares; y estos partidos nos tornaron a la esclavitud. Y así como Venezuela ha sido la república americana que más se ha adelantado en sus instituciones políticas, también ha sido el más claro ejemplo de la ineficacia de la forma democrática y federal para nuestros nacientes estados[63].

La fragmentación en repúblicas será inevitable y habrá incluso alguna monarquía, pero: «algunas serán tan infelices que devorarán sus elementos ya en la actual ya en las futuras revoluciones»[64].

El por qué de este futuro incierto, de la tremenda dificultad para acceder a la democracia representativa, al modelo de los Estados Unidos o de la Gran Bretaña, reside precisamente en la herencia colonial. En la visión de Bolívar:

63. *Ibid.*, pp. 78-79.
64. *Ibid.*, p. 84.

Estamos dominados de los vicios que se contraen bajo la dirección de una nación como la española, que sólo ha sobresalido en fiereza, ambición, venganza y codicia[65].

Y luego de tres siglos en que los hispanoamericanos carecieron de derechos y libertades políticas, no podría esperarse otra cosa. Por otra parte, la posición de los criollos que encabezan las luchas por la Independencia es sumamente compleja:

Mas nosotros, que apenas conservamos vestigios de lo que en otro tiempo fue, y que por otra parte no somos indios ni europeos, sino una especie media entre los legítimos propietarios del país y los usurpadores españoles: en suma, siendo nosotros americanos por nacimiento y nuestros derechos los de Europa, tenemos que disputar estos a los del país y mantenernos en él contra la invasión de los invasores; así nos hallamos en el caso más extraordinario y complicado[66].

En la difícil encrucijada de 1815, el texto de Bolívar vale sobre todo como un momento particularmente lúcido de autorreflexión y preparación para reiniciar las luchas por la emancipación.

El éxito de la restauración realista fue efímero. Sólo dos años después, en 1817, San Martín atravesaba la cordillera de los Andes, y en 1818, después de la brillante victoria de Maipú, aseguraba la liberación de Chile; en el lejano sur quedarán todavía unos focos insignificantes de resistencia española hasta 1826. Bolívar, por su parte, logró el importante auxilio del Haití independiente y consiguió reanudar

65. *Ibid.,* p. 79.
66. *Ibid.,* pp. 73-74.

la lucha en Venezuela (1817). Estableció una sólida base en Angostura (hoy Ciudad Bolívar), sobre los Llanos del Orinoco, y desde allí convocó de nuevo a la lucha contra los realistas. En 1819, en una marcha heroica y arrojada, atravesó los Llanos, subió las empinadas cuestas de la cordillera y llevó su ejército hasta la sabana de Bogotá; el 7 de agosto de 1819 derrotó a las fuerzas realistas en Boyacá. La Nueva Granada quedó así otra vez liberada. La campaña de Venezuela fue más larga y difícil, pero quedó resuelta después de la batalla de Carabobo, en junio de 1821.

¿Qué es lo que explica el pronto fracaso de la restauración realista? En primer lugar, es evidente que hubo grupos independentistas decididos y escasamente dispuestos a claudicar, mientras que el genio militar de Bolívar y San Martín jugó un papel que fue, en más de un punto, decisivo. En segundo lugar, la incapacidad del bando realista en ofrecer alguna solución viable se manifestó en una amplísima gama de situaciones y posibilidades. En cierta forma podría decirse que el extremismo dominó la restauración, desde la represión sanguinaria hasta la supresión de la Constitución de Cádiz y de la libertad de expresión. Escasamente conciliadora, la restauración creó más enemigos que lealtades, en el contexto de una metrópoli exhausta, que no disponía de medios militares suficientes como para la reconquista. Es más, la imposición misma del absolutismo, decidida por Fernando VII en 1814, fue muy pronto discutida en la propia España. En enero de 1820, las tropas del general Riego, acantonadas en Cádiz y listas para el embarque hacia América, se pronunciaron en favor de la revolución liberal.

Los avatares del caso mexicano, con sus inevitables repercusiones en Centroamérica, ilustran bien el otro extremo, esto es, el de una revolución pacífica y conservadora. Después de la derrota de Morelos en 1815, los ejércitos criollos garantizaron la estabilidad del régimen en estrecha alianza con la Iglesia y los peninsulares; se delineó así una alianza dominada por los criollos mexicanos que reconstituía, en verdad, los privilegios y fueros coloniales. Todo esto fue virtualmente alterado por la nueva revolución liberal española en 1820. Las nuevas Cortes, de un liberalismo más encendido que las de 1812, intentaron modificar este orden francamente conservador imperante en la Nueva España; la reacción fue inmediata, y surgió así el llamado «Plan de Iguala». Bajo la conducción de Agustín de Iturbide, los ejércitos criollos proclamaron las tres garantías básicas: religión, independencia y unión entre españoles y mexicanos. Los tratados de Córdoba, firmados en agosto de 1821 por el enviado español O'Donojú, reconocieron la independencia mexicana. Guatemala y sus provincias se adhirieron, casi sin ruido, al Plan de Iguala el 15 de setiembre de 1821. La secesión triunfaba así con una fórmula inequívocamente conservadora, provocada por la revolución liberal en la metrópoli.

Bolívar y San Martín se encontraron en Guayaquil el 27 de julio de 1822, en una entrevista justamente famosa. San Martín eligió el retiro de la escena y Bolívar se decidió a completar la empresa libertadora en Perú y el Alto Perú. Comenzaba así a escribirse el último capítulo de las guerras de Independencia.

La etapa final: 1822-1825

Como ya lo hemos dicho, el Perú se había constituido en centro de la reacción realista, en parte por la energía y persistencia del virrey Abascal –un absolutista convencido y capaz–, y sobre todo por las vacilaciones y reticencias de las élites criollas. La experiencia peruana estaba demasiado marcada por la rebelión indígena y la guerra de castas como para permitir un alineamiento fácil de los criollos en la aventura de la independencia. El alzamiento de Túpac Amaru (1780-1781) fue, en este sentido, sintomático. La violencia antiespañola aterrorizó también a los criollos, pero el conflicto estuvo lejos de ser una simple lucha entre indios y privilegiados. Las fuerzas que aplastaron el levantamiento incluyeron milicias de gentes de color y también la participación de prominentes caciques indios, como Mateo Pumacahua. Este último, luego de prestar importantes servicios a la causa realista en 1811, se unió a un intento de rebelión que tuvo lugar en Cuzco en 1814. Pero la lucha antiespañola se desbordó enseguida y adquirió el carácter de una verdadera guerra de castas. Las masas indígenas masacraron a los europeos en La Paz, y dirigidas por el propio Pumacahua tomaron la ciudad de Arequipa en noviembre de 1814. Los ejércitos realistas sofocaron la rebelión con prontitud, pero el episodio marcó otra vez, y con no poco dramatismo, los límites entre las aspiraciones criollas y el miedo a la rebelión de los de abajo.

La situación hubiera permanecido bloqueada de no haber mediado dos circunstancias ajenas a ese conflicto social básico. La primera se refiere a las expediciones libertadoras de San Martín y de Bolívar. La segunda a la división, en las filas realistas, entre constitucionalistas y absolutistas. Comencemos por esto último.

En 1816 el virrey Abascal fue reemplazado por Joaquín de la Pezuela; pero si éste compartía el credo absolutista de su enérgico predecesor, hay que decir que llegaron también nuevos jefes militares (Valdés, Canterac y La Serna) que no ocultaban sus simpatías liberales. La situación empezó a ser crítica cuando Pezuela fue incapaz de enfrentar la liberación de Chile por las fuerzas de San Martín en 1817-1818, y se desbordó cuando la expedición libertadora desembarcó en Pisco el 10 de setiembre de 1820. Hay que notar, de paso, que la revolución liberal española de enero de 1820 estaba cambiando también los datos de la situación. El gobierno de la Península promovía ahora las negociaciones con la insurgencia, pero los frutos de este diálogo serán magros: los liberales españoles tampoco ofrecían una verdadera alternativa a los intereses independentistas. Pezuela fue destituido por los militares constitucionalistas (enero de 1821) y el nuevo virrey La Serna no tuvo más remedio que abandonar Lima.

El Cabildo de Lima proclamó la independencia el 14 de julio de 1821 y San Martín fue nombrado Protector del Perú, recibiendo la suma del poder. Se abrió entonces una *impasse* destinada a durar casi cuatro años. Los realistas dominaban la Sierra y eran sólo molestados por fuerzas guerrilleras en el sector central; San Martín se afirmaba en la costa y recibía la adhesión del norte, pero las élites costeñas seguían manifestando la misma reticencia de antaño. Entre tanto, el balance de las fuerzas militares favorecía claramente a los realistas: el ejército argentino-chileno apenas alcanzaba los 5.000 hombres, mientras que las fuerzas de Canterac y La Serna llegaban a los 12.000 y controlaban un extenso territorio, con un firme apoyo en el Alto Perú. San Martín renunció a una estrategia de triunfo rápido y acabó envuelto en un sinfín de intrigas políticas y un marasmo económico notorio. A mediados de 1822 su poder y prestigio no sólo estaban erosionados: la amenaza realista parecía agrandarse y las deserciones de la élite peruana se incrementaban. En estas circunstancias concurrió a la entrevista con Bolívar, en el puerto de Guayaquil; sin la ayuda de las fuerzas venezolanas y colombianas, el triunfo resultaba imposible. Ya comentamos los resultados de este encuentro famoso: San Martín eligió el retiro y Bolívar esperó el momento propicio para intervenir.

Entretanto, la anarquía hacía estragos en el Perú: en junio de 1823 una fuerza realista tomaba Lima; cuando llegó Bolívar, en setiembre, había dos presidentes y un Congreso ineficaz. Si la causa emancipadora se salvó con gloria fue por dos circunstancias: una, la decisión y el genio militar de Bolívar y Sucre; dos, las luchas intestinas en las filas realistas. 1824 fue el año decisivo. Bolívar se estableció en el norte del Perú y logró reconstruir el ejército libertador, en el que pelearon, unidos, chilenos, peruanos, argentinos, venezolanos y neogranadinos. Los realistas sufrieron otra vez de los cambios en la metrópoli: Fernando VII restauró una vez más el absolutismo en octubre de 1823. Canterac y La Serna, constitucionalistas convencidos, se enfrentaron entonces al jefe realista del Alto Perú, Pedro de Olañeta, un español más absolutista que el propio rey. No pudieron reducirlo, y a principios de 1824, este líder ultraconservador logró establecer un régimen independiente que perduraría hasta 1825.

Las luchas finales tuvieron lugar en la Sierra. El 6 de agosto de 1824 Bolívar derrotó a Canterac en la meseta de Junín; el 8 de diciembre, mientras Bolívar liberaba Lima, Sucre obtenía el triunfo final en las pampas de Ayacucho. Sólo quedaba por reducir el extravagante régimen de Olañeta: Sucre penetró en el Alto Perú y derrotó al jefe realista en Tumusla (1 de abril de 1825). Como ya fue evocado al inicio de este capítulo, en octubre de 1825 Bolívar y Sucre ascendieron al Cerro Rico de Potosí, la montaña de la plata, y en su cumbre enarbolaron las banderas y brindaron por la independencia; la gesta emancipadora llegaba así al final, con un toque simbólico y hasta cierto punto poético.

1822: El «Grito de Ipiranga» y la independencia del Brasil

En la década de 1810 el contraste entre Brasil e Hispanoamérica era más que notable. El imperio portugués era gobernado desde Rio de Janeiro y las instituciones estatales se afirmaban cada vez más, consolidando los vínculos entre las diversas regiones de un territorio inmenso, con un vasto interior todavía en gran parte inexplorado. La revolución de Pernambuco en 1817, rápidamente sofocada, reveló de todos modos la presencia de ideales revolucionarios republicanos y el choque latente entre peninsulares y brasileños.

La situación sólo se tornó inestable a partir de 1820 debido a los sucesos portugueses: la rebelión liberal en Oporto, la convocatoria a Cortes Constituyentes y la exigencia del regreso de Juan VI a Lisboa precipitaron sin duda los acontecimientos. El movimiento liberal se extendió a Brasil, pero pronto se reveló que su programa incluía también la restauración del lazo colonial, invertido desde 1808; esta amenaza, cada vez más visible, unificó pronto a la élite brasileña. Juan VI decidió regresar a Lisboa y dejó a su hijo, el príncipe don Pedro, como regente del Brasil. En julio de 1821 el rey se embarcó hacia Portugal con 3.000 cortesanos y una buena parte del tesoro; entretanto, se elegían a los representantes a Cortes que se reunirían pronto en Lisboa y elaborarán una Constitución, la cual será jurada por el monarca en octubre de 1822.

En diciembre de 1821 las Cortes exigieron el retorno de don Pedro a Portugal. La reacción brasileña fue rápida: los partidarios de la independencia reunieron unas 8.000 firmas solicitando al príncipe su permanencia en Brasil; el 9 de enero de 1822 don Pedro anunció su decisión de quedarse; dicho momento fue festejado después como el *Dia do Fico;* la ruptura con Lisboa resultaba así inevitable.

En los meses siguientes, José Bonifacio de Andrada e Silva, naturalista ilustrado, nacido en Brasil pero educado en la Universidad de Coimbra y alto funcionario del gobierno en São Paulo, ganó la confianza de don Pedro y se convirtió en el estratega de la independencia brasileña. José Bonifacio era conservador y logró conciliar la Monarquía con el constitucionalismo alrededor de la figura de don Pedro. En agosto se convocó una Constituyente y en setiembre llegó el decreto de las Cortes de Lisboa en que declaraban al regente en rebeldía; don Pedro lo recibió a orillas del río Ipiranga, cuando viajaba de São Paulo a Rio. En un gesto teatral muy expresivo, don Pedro pisoteó el decreto y desenvainando su espada proclamó la independencia del Brasil; el episodio es conocido como el «Grito de Ipiranga»; era el 7 de setiembre de 1822. El 14 de setiembre, ya en Rio, es aclamado como emperador; el 12 de octubre jura la futura Constitución y el 1 de diciembre es coronado como Pedro I. El nuevo emperador juró cumplir con la Constitución futura, si ésta resultaba ser digna del Brasil y de él mismo; la fórmula establecía condicionamientos y límites al liberalismo que muy pronto se hicieron evidentes. El régimen se consolidó poco a poco, venciendo tanto la resistencia interna cuanto los intentos portugueses de reconquista.

Más difícil fue el control de las diversas facciones en pugna: liberales, masones, republicanos, peninsulares que permanecían con influencia cerca del emperador y conservadores. El emperador clausuró la Asamblea Constituyente, pero en 1824 aprobó una Constitución redactada por el Consejo de Estado. El Senado y la judicatura eran de nombramiento imperial, mientras que la cámara baja era de elección restringida; el ejecutivo era ejercido por el soberano y un gabinete también era nombrado por el emperador. La Monarquía brasileña era así constitucional pero no parlamentaria; se creó también una nobleza vitalicia aunque no hereditaria.

En 1825 la independencia brasileña fue reconocida por Portugal y la Gran Bretaña; pronto siguió un tratado comercial con los ingleses que reiteró las ventajas otorgadas por el entonces regente don Juan en 1810. Pero el conflicto con las Provincias Unidas del Río de la Plata y la secesión de la Provincia Cisplatina, a partir de 1825, marcó negativamente el reinado de Pedro I.

Como se explicó antes, las tropas portuguesas, con el beneplácito de Buenos Aires, habían ocupado Montevideo y la Banda Oriental en 1816, desplazando del poder a José Gervasio Artigas; dicho territorio se incorporó al imperio, pero la unión era débil. Una rebelión interna alentada por Buenos Aires estalló en 1825 y a fines de ese año se produjo la declaración de guerra. Hostilidades navales y terrestres ocurren en 1826 y 1827; mientras que la superioridad naval brasileña es manifiesta, las fuerzas terrestres retroceden a Rio Grande do Sul y sufren varias derrotas, la más significativa en Ituzaingó el 20 de febrero de 1827. Bajo la mediación británica se producen entonces negociaciones de paz que culminan en 1828 con la aceptación por ambas partes de la independencia de la Banda Oriental, conocida más tarde como República Oriental del Uruguay.

Los efectos de esta guerra fueron negativos para ambos contrincantes. La derrota del ejército imperial desprestigió notablemente el régimen y dejó una cuantiosa deuda pública, difícil de enfrentar en una coyuntura económica desfavorable. En Buenos Aires, por otro lado, la guerra acabó con el reciente y efímero intento de construcción del Estado nacional, bajo la presidencia de Bernardino Rivadavia (1826-1827).

Centralismo y autonomía regional, autoritarismo y liberalismo, progresismo y conservadurismo fueron los principales ejes de confrontación en los primeros años de la vida política imperial; por otra parte, don Pedro apenas lograba conciliar lo que era su indudable fe liberal con su también genuina vocación autoritaria[67]. La situación se resolvió en abril de 1831 cuando el emperador decidió volver a Portugal para defender los derechos de su hija María de la Gloria a la Corona portuguesa, los cuales estaban siendo amenazados por el pretendiente don Miguel y la facción absolutista. Don Pedro abdicó la Corona imperial en favor de su hijo de cinco años. Concluyó así el primer reinado y comenzó un período de regencia.

Cuando se compara la evolución brasileña con las peripecias de las revoluciones hispanoamericanas, el contraste no puede ser mayor: la estabilidad y el orden por un lado frente a la guerra, el desorden y las turbulencias, por el otro. Sin embargo, este contraste sólo es válido en líneas muy generales; como lo subrayó con su habitual agudeza Tulio Halperín Donghi, la originalidad brasileña no consistió tanto en la habilidad de eludir las tormentas cuanto en lograr na-

---

67. Halperín Donghi, *Reforma y disolución de los imperios ibéricos, 1750-1850*, pp. 319-320.

vegarlas sin naufragar[68]. Así pues, la continuidad y la legitimidad terminaron imponiéndose a pesar de las crisis.

La revolución, la guerra
y el nacimiento de la vida política

La revolución, la guerra y las luchas políticas fueron novedades profundas en la vida latinoamericana. Uno podría llegar a decir que se trataba de los boletos de entrada en la modernidad, o quizás mejor, en las turbulencias progresistas del siglo XIX, una centuria que se prolongará como sabemos hasta el estallido de la Primera Guerra Mundial. Pero antes de proseguir precisemos más el significado de la guerra.

Santander, uno de los lugartenientes de Bolívar, decía en *1819:* «La República es un campo de batalla en donde no se oye otra voz que la del General»[69]. La guerra se incorporó a la vida cotidiana a partir de 1810 y llegó para quedarse. Los enfrentamientos oponían fuerzas regulares, milicias y montoneros, es decir, una gran variedad de beligerantes, desde militares profesionales hasta tropas irregulares, reclutadas por caudillos locales. Había sin embargo una característica común: se trataba de luchas fratricidas que enfrentaban a americanos con americanos. España no disponía de un ejército de ocupación en sus colonias y la gran expedición comandada por Morillo que destruyó la rebelión en Venezue-

---

68. *Ibid.,* p. 113.
69. Citado en Clément Thibaud, *Repúblicas en armas. Los ejércitos bolivarianos en la guerra de Independencia en Colombia y Venezuela,* traducido por Nicolás Suescún, Bogotá, IFEA / Planeta, 2003, p. 355.

la y Nueva Granada en 1815-1816 fue, en este sentido, una notable excepción. Las guerras de la Independencia fueron pues guerras civiles, cuyo significado profundo resultó oscurecido tanto por los discursos elaborados por sus protagonistas como por la retórica historiográfica nacionalista que se impuso en la segunda mitad del siglo XIX. La invocación de la guerra a muerte que se extiende pronto en todos los escenarios de la lucha dividió los campos en forma tajante y abrió el camino para las ejecuciones sumarias, las confiscaciones y el pillaje; en una palabra, se trató de una lucha sin cuartel, en nombre del rey o de la patria.

El testimonio del boliviano José Santos Vargas (1796-1853), agricultor, guerrillero y comandante en las luchas por la Independencia, es particularmente detallado e ilustrativo, cubriendo desde 1814 hasta 1825; la lucha es intermitente y a muerte. Así relata lo ocurrido a unos indios realistas el 30 de diciembre de 1816, cerca del rio de Coriri[70]:

> Estando en esto sorprenden, los amarran a los 11, que no había habido más, no escapa uno, lo sacan al morro de Calasaya donde los mataron a todos ellos a palos, pedradas y lanzazos. Algunos con tanto heroísmo dice que morían que era por demás; algunos decían que por su rey y señor morían y no por alzados ni por la Patria, que no saben que es tal Patria, ni qué sujeto es, ni qué figura tiene la Patria, ni nadie conoce ni se sabe si es hombre o mujer, lo que el rey es conocido, su gobierno bien entablado, sus leyes respetadas y observadas puntualmente. Así perecieron los 11.

---

70. José Santos Vargas, *Diario de un comandante de la Independencia americana, 1814-1825,* editado por Gunnar Mendoza, México, Siglo XXI, 1982, p. 118.

En su visión, los indios realistas lo son por ignorantes y obedientes. José Santos abrazó el partido de la Patria desde muy joven y escribe su testimonio para «que se sepa todo lo que había costado a la Patria su libertad, la sangre que se había derramado en un puñado de hombres»[71]. Pero su testimonio es esquivo en cuanto a qué se entiende por la Patria, más allá de la búsqueda de la libertad y la independencia de la opresión española. Al parecer fue su hermano, un eclesiástico capellán de algunas guerrillas, quien lo motivó a abrazar dicho partido y a llevar en un diario la crónica de la guerra, donde «todo era andar tras de la muerte». Al lograrse la independencia, José Santos se dedica a la agricultura en el cantón de Mohosa y legalmente se indianiza, asumiendo el estatus jurídico de indio originario, miembro de un *ayllu* y ocupante de un terreno del Estado por el cual paga 10 pesos de contribución al año; así aparece en un registro de indios tributarios de 1832[72]. Allí sigue viviendo en 1853, cuando, antes de morir, dedica su diario al presidente Belzú solicitando un premio; y firma la obra: «Escrita por un comandante del partido de Mohosa, ciudadano José Santos Vargas».

Una terrible violencia fue el rasgo común de la guerra; degüellos, cabezas cortadas erigidas en picas a la entrada de los pueblos o en las plazas, fusilamientos sumarios, torturas y prisiones fueron prácticas corrientes en todos los bandos y facciones. No falta incluso el canibalismo; José Santos escribe:

> El compadre Hilario Cusi, el que lo entregó, le abrió el pecho, le sacó el corazón y se lo comió [...] Esto sucedió de día, en concurso de mucha gente entropada[73].

71. *Ibid.,* p. 12.
72. Véase el prólogo de Gunnar Mendoza, *ibid.,* p. XXIII.
73. *Ibid.,* p. 31.

Otro episodio terrible ocurrió el 29 de setiembre de 1819, en Lequepalca, cuando se celebraba la fiesta de San Miguel. Llegó un grupo de guerrilleros de la Patria buscando a adictos al rey y sólo encuentran a un muchacho de 9 o 10 años y lo matan «sin tener tantita lástima»; más tarde indios ebrios machucan los huesitos y los ponen en un batán o piedra de moler. Al día siguiente llegan los partidarios del rey y sólo encuentran a cuatro indios de un pueblo vecino; los detienen y los sentencian a muerte. Ante los ruegos y alegatos de que ellos nada tenían que ver con la muerte del muchacho les dicen:

> Vean el estado en que han puesto a un inocente, a un muchacho, ¿y para qué sería? Sin duda para comer. Pues ahora se lo han de comer.

De nada valen ruegos y lamentos; a los infelices no les queda más que comer

> carne humana por no perecer a manos de unos bárbaros y ebrios que cualquiera atrocidad hubieran cometido, porque estaban fuera de su razón, ya con la embriaguez, ya con la aflicción de ver el cadáver del muchacho hecho así pedazos molido[74].

La guerra a muerte proclamada por Bolívar en 1813 condenaba a los peninsulares que se opusieran a la independencia, pero perdonaba a los americanos felones y los invitaba a abandonar la traición:

74. *Ibid.*, pp. 253-254.

Y vosotros, americanos, que el error o la perfidia os ha extraviado de la senda de la justicia, sabed que vuestros hermanos os perdonan y lamentan sinceramente vuestros descarríos, en la íntima persuasión de que vosotros no podéis ser culpables y que sólo la ceguedad e ignorancia en que os han tenido hasta el presente los autores de vuestros crímenes, han podido induciros a ellos. No temáis la espada que viene a vengaros y a cortar los lazos ignominiosos con que os ligan a su suerte vuestros verdugos. Contad con una inmunidad absoluta en vuestro honor, vida y propiedades; el solo título de americanos será vuestra garantía y salvaguardia. Nuestras armas han venido a protegeros, y no se emplearán jamás contra uno solo de nuestros hermanos[75].

Pero este llamado no sirvió de mucho. En setiembre de 1814, derrotado y amargado, se rinde a la evidencia de la guerra civil:

Así, parece que el cielo para nuestra humillación y nuestra gloria ha permitido que nuestros vencedores sean nuestros hermanos y que nuestros hermanos únicamente triunfen de nosotros. El ejército libertador exterminó las bandas enemigas, pero no ha podido ni debido exterminar unos pueblos por cuya dicha ha lidiado en centenares de combates. No es justo destruir los hombres que no quieren ser libres, ni es libertad la que se goza bajo el imperio de las armas contra la opinión de seres fanáticos cuya depravación de espíritu les hace amar las cadenas como los vínculos sociales[76].

Las revoluciones hispanoamericanas empezaron con una crisis de representación, ante el derrumbe de la Monarquía

---

75. Bolívar, *Doctrina del Libertador,* pp. 25-26.
76. Manifiesto de Carúpano del 7 de setiembre de 1814, *ibid.,* p. 51.

borbónica, liderada por las élites criollas. Pero la resolución del conflicto y la obtención de la independencia solo se logró a través de la guerra, un enfrentamiento fratricida en el cual fue decisiva la participación popular. Mientras que la motivación de las élites para apoyar la causa de la patria o la causa del rey se puede seguir con facilidad a través de la profusa historiografía disponible, no ocurre lo mismo con las motivaciones de la adhesión popular. El diario de José Santos Vargas, recién evocado, tan prolijo en la narración de la terrible guerra de guerrillas que ocurre en el altiplano boliviano entre 1811 y 1825, nos dice, en cambio, muy poco sobre las causas de adhesión de los indios y mestizos a las facciones en pugna.

En Venezuela, el triunfo de Bolívar entre 1817 y 1821 se explica sobre todo por el cambio de partido de los llaneros, los mismos jinetes que comandados por Boves lo habían derrotado en 1814[77]. Los Llanos, una extensa planicie que se localiza al norte del Orinoco y el Apure, y termina en las sierras de la costa venezolana, era una zona de frontera, de clima muy caliente en el que se alternan fuertes inundaciones invernales y no menos extremas sequías veraniegas. La ganadería extensiva y diversas actividades de caza y recolección eran la fuente principal de vida de una población fronteriza, dispersa, pero relativamente integrada al mundo

77. Véase Clément Thibaud, «De la ficción al mito: los llaneros de la Independencia en Venezuela», *Tiempos de América,* vol. 10 (2003), pp. 109-119; Thibaud, *Repúblicas en armas. Los ejércitos bolivarianos en la guerra de Independencia en Colombia y Venezuela,* capítulo V, Röhring Assunção, «L'adhésion populaire aux projets révolutionnaires dans les sociétés d'esclavagistes: les cas du Venezuela et du Brésil (1780-1840)», 291-313, p. 299; Miguel Izard, *El miedo a la revolución. La lucha por la libertad en Venezuela (1777-1830),* Madrid, Tecnos, 1979, p. 149.

de la costa. El alzamiento de los llaneros contra la República fue al parecer una reacción al reclutamiento militar forzoso. No se trató de un movimiento étnico racial contra los blancos ni tampoco de un movimiento antioligárquico o reaccionario. Reconquistada Venezuela, el general Pablo Morillo prescindió de los llaneros; fue precisamente esta situación la que explica aparentemente su movilización por parte de Bolívar y otros jefes rebeldes, una vez que éstos decidieron asentar las bases de la resistencia precisamente en los Llanos. Como vimos antes, fue aquí donde se reunió el decisivo Congreso de Angostura (hoy Ciudad Bolívar) y fue desde aquí de donde partieron las expediciones libertadores de Nueva Granada y el ataque final al poder español en Venezuela en 1821. Los llaneros ocupan así una posición paradójica que no ha sido fácil entender: fueron tanto los jinetes reaccionarios liderados por Boves cuanto los centauros dorados de las gloriosas campañas de Bolívar entre 1819 y 1821.

Otro ejemplo que conviene evocar es el de la rebeliones mexicanas del período 1810-1821, que hoy conocemos mucho mejor gracias al estudio monumental de Eric Van Young[78]. La nueva perspectiva, polémica[79] pero de gran interés, proviene tanto del enfoque teórico como de la observación de los insurgentes a nivel local e individual. La conclusión básica de Van Young es que hubo más bien un conjunto

78. Eric Van Young, *La otra rebelión. La lucha por la Independencia de México, 1810-1821,* traducido por Rossana Reyes Vera, México, Fondo de Cultura Económica, 2006.
79. Véase Alan Knight, «Eric Van Young, The other rebellion y la historiografía mexicana», *Historia Mexicana,* vol. LIV, núm. 1 (2004), pp. 445-515; Eric Van Young, «Réplica de aves y estatuas: respuesta a Alan Knight», *Historia Mexicana,* vol. LIV, núm. 2 (2004), pp. 517-73.

de rebeliones con significados distintos para los criollos y mestizos protonacionales y la gente común. La insurgencia popular fue predominantemente rural, manejó un discurso religioso tradicional y creyó en un monarquismo ingenuo. Los cabecillas locales provenían de grupos sociales no indígenas, eran intermediarios entre la sociedad campesina indígena y los estratos dominantes del mundo colonial, y estaban unidos a ambos mundos; pero el nacionalismo incipiente de sus peroratas era escuchado de otra manera por la gente común. La rebelión de base era comunitaria y de objetivos localistas, y los cabecillas, sobre todo los curas de parroquia, deben verse más bien como facilitadores. Para Van Young, la base de la insurrección popular son los tumultos locales, de contenido étnico y comunitario más que agrarista; así concluye que

las energías, los objetivos y las formas acostumbradas de expresión colectiva que animaron los levantamientos localistas al menos desde mediados del siglo XVIII se traspasaron hasta la insurrección de 1810-1821, con algunas alteraciones, ciertamente, pero con los mismos potenciales, límites y efectos[80].

En esta visión, la insurgencia popular tiene su propia dinámica, fue profundamente conservadora y ocasionó un conjunto imprevisible y aparentemente caótico de cortocircuitos en la compleja trama de lealtades y jerarquías del mundo colonial. La rebelión de la élite criolla tuvo otros orígenes y motivaciones; para Van Young es la distancia etnocultural que separaba la ciudad del campo y los indíge-

80. Van Young, *La otra rebelión. La lucha por la Independencia de México, 1810-1821*, p. 875.

nas rurales de la élite criolla insurgente lo que explica las diferencias; no es que el mundo indígena y rural esté aislado o inmóvil, se trata simplemente del hecho de que comparten otra visión del mundo.

Con la revolución y la guerra nació también la vida política. Este fue un fenómeno inédito, desatado por la caída de la Monarquía borbónica y la crisis de legitimidad y representación, pero preparado estructuralmente por cambios que se remontan al siglo XVIII y que se localizan tanto en Europa como en América.

Una transformación fundamental que comenzó en el siglo XVIII como una de las conquistas de la naciente sociedad burguesa europea fue el desarrollo, cuidadosamente estudiado por Habermas, de una esfera pública autónoma[81]. Aunque con retraso frente al desarrollo en el Occidente europeo y las Trece Colonias que dieron origen a los Estados Unidos, las ciudades latinoamericanas también experimentaron el desarrollo de dicha esfera pública autónoma desde finales del siglo XVIII. Aumentos en la alfabetización, la circulación de libros e impresos, la aparición de la prensa y la formación de una incipiente sociedad civil fueron los vehículos transmisores de las ideas de la Ilustración y de las noticias relativas a los acontecimientos europeos; se fue así constituyendo una opinión pública elitista, en términos sociales, pero autónoma frente a los poderes conjuntos de la Iglesia católica y la monarquía absoluta.

81. Jürgen Habermas, *The Structural Transformation of the Public Sphere,* traducido por T. Burger y F. Lawrence, Cambridge, Mass., MIT Press, 1989; también Taylor, *Imaginarios sociales modernos,* capítulo 6.

Al comienzo, los actores de la esfera pública se expresaron a través de las organizaciones corporativas propias de las sociedades coloniales, y en consecuencia, lo hicieron expresando claramente intereses sectoriales; pero más pronto o más tarde la expresión se fue tornando individual, y las demandas locales se arroparon con los trajes del bien común y la voluntad abstracta del pueblo soberano. Dicho en otros términos, al comienzo las élites se expresaron utilizando los conceptos que conocían, esto es, el derecho natural y de gentes, difundido en tres ámbitos diferentes[82]: a) la regulación de las relaciones interpersonales, incluyendo la de los particulares con las autoridades; b) la enseñanza universitaria; y c) el derecho público, lo cual permitió fundamentar doctrinariamente la legitimidad de los nuevos gobiernos. El imaginario social, o si se prefiere la representación de la sociedad comúnmente manejada, era la de un conjunto de corporaciones articuladas por la Monarquía Católica. La soberanía era plural y se aplicaba a los pueblos, es decir, a las ciudades, regiones y corporaciones.

El pasaje a una concepción unitaria de la soberanía, encarnada en el Estado, tardó su rato. Los súbditos del rey tendrían al final que convertirse en ciudadanos de la República, como ya había sido el caso en la Revolución francesa. Ese era obviamente, el camino de la modernidad. Opinión pública, libertad de prensa, ciudadanía, representación política, gobierno y constitución, eran así los elementos básicos del campo político, que se iba constituyendo, poco a poco.

Pero la revolución y la guerra condicionaron fuertemente la emergencia de ese novedoso espacio social. Asociaciones de

---

82. Chiaramonte, *Nación y Estado en Iberoamérica. El lenguaje político en tiempos de las independencias,* pp. 119-126.

nuevo tipo –tertulias, clubes, logias y partidos– canalizaban la acción política a través del sufragio y, sobre todo, de asonadas y golpes de mano. Con la guerra, el ejército cumplió un papel estructurador crucial, al punto que puede afirmarse siguiendo a Clément Thibaud que el ejército reemplazó, en los hechos, a un pueblo soberano inexistente. El ejemplo de Venezuela, de nuevo, es particularmente aleccionador.

La primera República, entre 1810 y 1812, basó su fuerza en las antiguas tropas coloniales y las milicias, con una gran autonomía de los cuerpos municipales; cayó, como vimos, ante las fuerzas realistas. La segunda independencia, 1813-1814, respondió al éxito de la «Campaña Admirable» de Bolívar, con un ejército reclutado en Nueva Granada, que se convierte en el «punto fijo obligado de la idea nacional y republicana»[83]; el centralismo y la dictadura no garantizaron sin embargo la supervivencia del régimen, derrotado en el campo de batalla por los llaneros de Boves movilizados para la causa realista. En la tercera independencia, 1817-1821, se conjugaron las milicias, la disciplina militar moderna y las fuerzas irregulares de las guerrillas, lideradas por caudillos como José Antonio Páez. La incorporación de casi 6.000 soldados de fortuna, sobre todo británicos, desmovilizados luego de la derrota de Napoleón en 1815, parece haber cumplido un papel de no poca importancia en la estructuración disciplinada y moderna de los ejércitos bajo el mando supremo de Bolívar[84].

En el caso de México, la militarización fue todavía más extrema. Antes de 1810 había un ejército de 32.000 hom-

---

83. Thibaud, *Repúblicas en armas. Los ejércitos bolivarianos en la guerra de Independencia en Colombia y Venezuela*, p. 512.
84. Palacios y Safford, *Colombia. País fragmentado, sociedad dividida. Su historia*, p. 219.

bres con unos 10.000 veteranos; hacia 1820 el ejército incluía 85.000 efectivos, en un 95% integrado por criollos y mestizos mexicanos[85]. Como se explicó antes, fue el radicalismo de la rebelión de Hidalgo, en 1810-1811, lo que selló la alianza entre criollos independentistas y realistas; y en 1821 fue precisamente el ejército «trigarante», comandado por el criollo Agustín de Iturbide, el que garantizó la independencia. Lo que faltaba era la unificación simbólica entre el «Grito de Dolores» pronunciado por Hidalgo el 16 de setiembre de 1810, y el ejército «trigarante». Ello ocurrió en 1823, como lo resume con elocuencia, Enrique Florescano[86]:

Nada tiene pues de extraño que el 16 de setiembre de 1823 cuando la nación independiente se disponía a celebrar la fecha gloriosa en que había declarado su libertad, el templo de Guadalupe fuera el lugar escogido para rendirle homenaje a los restos de los héroes, reuniéndose así, otra vez, el sentimiento religioso con los símbolos políticos libertarios. Ese día, narra el cronista de la gesta insurgente, Carlos María de Bustamante, «llegaron los venerables restos de Morelos a Guadalupe; serían las doce y media cuando entraron en la Villa y se presentaron a la Colegiata. Acompañábanlos tres músicas de indios de diversos pueblos, y en vez de cánticos y músicas lúgubres, tocaban

85. Leslie Bethell (ed.), *Historia de América Latina. 5. La Independencia,* traducido por Ángels Solà, Barcelona, Editorial Crítica, 1991, p. 55. Véase también Christon I. Archer, «En busca de una victoria definitiva: el ejército realista en Nueva España, 1810-1821», en *Las guerra de Independencia en la América Española,* editado por Marta Terán y José Antonio Serrano Ortega, 423-438; Mich. Zamora, El Colegio de Michoacán / CONACULTA / INAH, 2002.
86. Enrique Florescano, *Memoria mexicana. Ensayo sobre la reconstrucción del pasado: época prehispánica-1821,* México, Editorial Joaquín Mortiz, 1987, p. 295.

valses y sones alegres». Esta mezcla de fervor religioso y culto patriótico a los héroes se prolongó después de la guerra, particularmente en las fechas en que se celebraba el Grito libertario de Dolores. El tono de este culto religioso y nacionalista lo describe muy bien Jacques Lafaye al referirse al homenaje que recibieron los restos de los héroes de la independencia en la Catedral Metropolitana: «El otro día de ese 16 de setiembre de (1823) desde entonces fiesta nacional, formaciones del ejército acompañaron los restos de los próceres desde el convento de Santo Domingo hasta la Catedral. En una simbólica amalgama del nuevo orden nacional, la procesión en la que se mezclaban militares y eclesiásticos, escoltada por un escuadrón de granaderos y por la milicia nacional, acompañó a los héroes muertos hasta la Catedral. Alrededor de los despojos de Hidalgo, de Morelos y de sus compañeros de la primera hora, el coro de la nación mexicana [...] cantó, quizás por una vez, al unísono». Esta forma de nacionalismo religioso alcanzó su mayor expresión simbólica en el primer presidente republicano, quien cambió su nombre original (Félix Fernández) por el de Guadalupe Victoria.

El ejército, incluyéndose en ese cuerpo tanto las milicias como los militares profesionales y las fuerzas irregulares, fue así un factor clave en la constitución del nuevo campo de la política. El Estado, con sus funcionarios, instituciones y órganos del gobierno, fue obviamente la otra cara de dicho espacio social. Del orden revolucionario y las vicisitudes de la guerra se fue conformando así esta soberanía dual, virtualmente un águila de dos cabezas[87].

87. Véase Thibaud, *Repúblicas en armas. Los ejércitos bolivarianos en la guerra de Independencia en Colombia y Venezuela,* pp. 467-468 y pp. 518-520.

Una tipología de las revoluciones

Las características de la participación popular permiten clasificar las revoluciones de Independencia y entender mejor sus alcances y proyecciones. El caso de Haití, que se escapa del contexto político y cronológico de las independencias hispanoamericanas, ilustra bien, sin embargo, lo que significa una revolución «desde abajo» exitosa. Cuando ésta quedó consolidada, en 1804, los colonos blancos habían huido o habían sido masacrados, la economía de plantación estaba definitivamente arruinada y el poder quedaba en manos de los antiguos esclavos, negros y mulatos. Aunque único en el contexto americano, el ejemplo haitiano tuvo un valor particularmente ejemplarizante para los propietarios esclavistas y mostró hasta dónde podía llegar la revolución social implícita en todo proceso de independencia política.

La situación opuesta, esto es, la revolución «desde arriba», fue mucho más corriente, aunque tampoco puede verse como el simple resultado de una fría maquinación de las élites. En el caso brasileño fue precipitada por el retorno de la corte a Lisboa y la amenaza de volver a la misma situación colonial de un pasado ya tan lejano como poco grato; fue favorecida también por un grupo portugués disidente, aglutinado en torno a la figura de Pedro I. Recién cuando éste abandone el trono brasileño en 1831, los portugueses perderán todos los cargos en la antigua colonia, y el poder quedará definitivamente transferido a los criollos.

Los ejemplos de México y Perú reflejan otra situación peculiar: el miedo a la guerra de castas, el pánico ante la insurrección «desde abajo», cimentaron el conservadurismo y las vacilaciones en dar el paso decisivo. Dentro de estos rasgos comunes, hay también diferencias muy notables entre México y Perú. El predominio criollo fue muy neto en el caso de la Nueva España y nula la participación extranjera; el vuelco definitivo hacia la independencia fue precipitado por la revolución liberal española de 1820. En el Perú, al igual que en el Alto Perú, la independencia fue ante todo el resultado de las expediciones libertadoras, en el contexto de un poder realista muy sólido y de grupos criollos débiles y vacilantes.

El Paraguay ofrece un tercer tipo de revolución «desde arriba»: la favorecida por el aislamiento y el deseo de escapar a la sujeción de Buenos Aires.

Entre el modelo de la revolución «desde abajo», con movilización y dirección popular, y el modelo de revolución «desde arriba», con una participación muy reducida de los sectores populares, encontramos una gran variedad de situaciones «mixtas». En ellas, la hegemonía criolla sólo pudo afirmarse gracias a una fuerte participación popular. Ese fue el caso en Venezuela y Nueva Granada, al igual que en Quito, Chile y el Río de la Plata. La estabilización institucional exigió, enseguida, el control de esos mismos desbordes populares; así las cosas, las luchas de facciones fueron inevitables y se presentaron en el curso mismo de las guerras de Independencia.

Dicho en otros términos, la lucha por la emancipación no podía ser sino simultánea con los desafíos implicados por la construcción de un nuevo orden estatal y el establecimiento de sus nuevas bases económicas. Examinemos ahora estos problemas cruciales.

La búsqueda de un nuevo orden estatal

La emancipación significó, en un sentido amplio, la transferencia del poder de un grupo a otro. El enfrentamiento entre criollos y peninsulares fue sobre todo una lucha por los cargos y por la influencia en la administración. La conciencia creciente de que una ínfima minoría de «gachupines», «chapetones» y «godos» es la que se encuentra en la cúspide del poder era notable ya a finales del siglo XVIII y contrastaba con la riqueza económica y el poderío terrateniente de las élites criollas. Según Pierre Chaunu, los criollos sufrían de un verdadero complejo de inferioridad[88]. Ese conflicto intraélite será visto desde el principio como el motor sobre el que se construirá enseguida la idea de nación y de patria. Al decir «nosotros los americanos», los criollos asumieron el lenguaje del interés general, de toda la sociedad frente a la arbitrariedad y las exacciones de unos pocos. La noción de «patria» se modeló así sobre una concepción nacionalista eminentemente criolla[89].

El componente territorial fue otro referente básico en la formación de esta conciencia de grupo que triunfará y adquirirá un peso definitivo al conformarse los Estados nacionales. Dicho componente se vincula con otro: la solución de los conflictos regionales tal como se planteaban al final del período colonial.

Nada es más ilustrativo, en este sentido, que la situación centroamericana. El enfrentamiento entre guatemaltecos y

88. Pierre Chaunu, «Interpretación de la Independencia de América Latina», en *La Independencia en el Perú*, editado por Heraclio Bonilla, 123-153, Lima, Instituto de Estudios Peruanos, 1972 [1963].
89. Véase por ejemplo Severo Martínez Peláez, *La patria del criollo. Ensayo de interpretación de la realidad colonial guatemalteca*, Guatemala, Editorial Universitaria, 1970.

«provincianos» tenía que ver con cuestiones de autonomía administrativa (dependencia de la Audiencia y la Capitanía General) y comercial (monopolio de los comerciantes agrupados en el Consulado), y se condensaba en posiciones que iban desde el separatismo abierto (San Salvador) hasta el distanciamiento moderado (Costa Rica). Así las cosas, si Centroamérica llega unida a la independencia, y participa unida en la breve experiencia de la anexión al Imperio mexicano de Iturbide, las disensiones se presentan muy rápido en cuanto se intenta la experiencia de una República Federal (1824-1838): las guerras civiles se suceden (1826-1829; 1831-1833; 1837-1839) y la Federación se parte en pedazos. La fragmentación y el predominio de los intereses locales, de honda raíz colonial, se impusieron en la nueva organización republicana.

Un esquema que se repite, además, por doquier. La Gran Colombia se deshizo en 1830, y el intento de Confederación entre Perú y Bolivia fue apenas efímero (1836-1839) y sucumbió con la derrota del general Santa Cruz en la batalla de Yungay frente a una coalición de fuerzas chilenas y peruanas. El separatismo triunfaba por doquier. Un ejemplo más, el del antiguo Virreinato del Río de la Plata. En cuanto pudieron, Paraguay y Montevideo se independizaron de Buenos Aires, y el Alto Perú escapó al control de Buenos Aires una vez que las fuerzas enviadas por el virrey del Perú derrotaron a los porteños en Huaqui, cerca del lago Titicaca, en 1811. La fragmentación de las unidades administrativas coloniales no sólo reflejaba los avatares de una política complicada y a menudo azarosa que con inusitada frecuencia se resolvía en los campos de batalla; revelaba también la viabilidad de ciertas actividades económicas de exportación y el fracaso o las dificultades de otras; y tampoco dejaba de confirmar tendencias separatistas que tenían hondas raíces en el pasado.

En la constitución territorial, el caso de México es extremo, y también diferente del resto de los países latinoamericanos. Entre 1836 y 1848, México perdió frente a los Estados Unidos, la mitad del territorio comprendido en el antiguo Virreinato de la Nueva España. Primero fue la secesión de Texas, en 1836; luego fue la guerra y la derrota, en 1847-1848, con la pérdida de Arizona, Nuevo México y California[90].

En suma: el problema de la nación se planteó desde una perspectiva básicamente criolla y se demarcó primero en el conflicto entre criollos y peninsulares; al mismo tiempo, la necesidad de establecer bases territoriales implicó el predominio de unas regiones sobre otras o, dicho en otras palabras, la subordinación económica y administrativa de las regiones periféricas a los nuevos centros en expansión, o con perspectivas de lograrlo.

La definición de las naciones implicaba, a su vez, el problema de un nuevo orden estatal bajo la hegemonía criolla. Sólo en el caso brasileño, en que la independencia fue el puro resultado de una revolución «desde arriba» que no fue seguida ni precedida por guerras civiles extendidas, el orden social subyacente, basado en la esclavitud, quedó intacto. En esas condiciones, la transición al nuevo orden fue gradual y relativamente pacífica: una vez superado el conflicto entre criollos y portugueses mediante la independencia, quedará en pie un enfrentamiento básicamente ideológico entre conservadores y liberales. Como es sabido, este conflicto, que implicará una importante modernización del Estado, las instituciones y la legislación, se desenvolverá gradualmente a lo largo del si-

90. D. W. Meinig, *The shaping of America. Vol. 2, Continental America, 1800-1867. A Geographical Perspective on 500 Years of History*, New Haven, Yale University Press, 1993, pp. 128-158.

glo XIX para culminar en 1888 con la abolición de la esclavitud y en 1889 con la proclamación de la República.

En toda Hispanoamérica la construcción del nuevo orden estatal fue mucho más compleja y conflictiva. Las guerras civiles estuvieron presentes no sólo en las revoluciones que hemos llamado «mixtas» sino también en los casos de revoluciones «desde arriba», y abrieron un ancho campo para la manifestación de conflictos más antiguos y permanentes, entre privilegiados y desposeídos. Los indios, los esclavos y las castas (mestizos, pardos, mulatos, etc.) odiaban por igual a criollos y españoles, y con no poca facilidad, el conflicto asumió las formas de una lucha étnica y racial. En el curso de las guerras civiles, las clases subalternas reclamaron reajustes importantes, como la abolición del tributo indígena o la supresión de la mita, o cambios todavía más radicales como el fin de la esclavitud. Pero el único logro inmediato fue la eliminación de las distinciones de castas y la supresión de títulos nobiliarios y mayorazgos, lo cual despejó el camino para el ascenso social de los mestizos. Esto puede verse como una ampliación de las bases de la élite dirigente, cuyos miembros pasarían a ser reclutados de acuerdo al éxito económico en la agroexportación, el servicio militar o las hazañas en la política y en la administración. De ahora en adelante, el éxito económico o político, o la combinación de ambos, será crédito suficiente como para ingresar a los cuadros dirigentes en la cúspide de la pirámide social.

Otra perspectiva para examinar todo este proceso de construcción del orden estatal es la de los combates ideológicos. Podemos situar enseguida los dos polos básicos del enfrentamiento: de un lado, el absolutismo realista y las concepciones conservadoras; del otro, el constitucionalismo republicano y la ideología liberal. Pero estas alternativas en conflicto se cruzaron enseguida con otros dilemas de la organización estatal. El centralismo, asociado en principio con las concepciones conservadoras, fue muy seguido por los liberales, que deseaban un gobierno «fuerte». Y el presidencialismo, que en los hechos anulaba la independencia entre los poderes del Estado —otro postulado básico del credo liberal—, fue una opción seguida en forma casi unánime por los republicanos más encendidos. Hubo así presidentes con los poderes de un monarca absoluto y militares que nunca acataban los mandos civiles.

Desde la perspectiva del poder y sus contenidos básicos, los interminables conflictos entre liberales y conservadores pierden sustancia, y las diferencias entre ambos bandos tienden a minimizarse. El dilema básico puede ser formulado en términos diferentes del simple enfrentamiento ideológico. En el fondo se trataba de cómo conciliar la ideología y las instituciones propias del liberalismo con una estructura social arcaica y formas de poder y gobierno basadas primariamente en parentescos, clientelas y fidelidades personales. Las soluciones fueron surgiendo, en primer lugar, de los mismos hechos de fuerza y de las simplificaciones, brutales pero eficaces, impuestas por los desenlaces de las guerras civiles.

La economía política de la «larga espera» y la *Pax Britannica*

Tulio Halperín Donghi[91] ha caracterizado el período que sucede a la Independencia, entre 1820 y 1850, como el de la «larga espera». ¿Espera de qué? Básicamente, de un nuevo

91. Tulio Halperín Donghi, *Historia contemporánea de América Latina,* 13.ª ed., Madrid, Alianza Editorial, 1990 [1969], capítulo 3.

pacto colonial, en el marco del capitalismo industrial. Los elementos del nuevo orden –que la CEPAL caracterizó como el «desarrollo hacia fuera»– son bien conocidos: los países de América Latina se integran al mercado mundial como productores de materias primas agrícolas y minerales, y se convierten en consumidores de bienes industriales. Pero todo este engranaje, que funcionará a las mil maravillas entre 1870 y 1914, está lejos de existir en el período que consideramos. La «larga espera» es, en consecuencia, un período de maduración, de preparación de los cambios internos requeridos por las economías de exportación.

La reconstrucción a posteriori de esos cambios internos –como la reorganización del mercado de tierras y de mano de obra, o la modernización del sistema de transportes– es sencilla si nos colocamos en la perspectiva de finales del siglo XIX, cuando ya quedaron establecidos. Pero sería artificial concebir el desarrollo histórico de la «larga espera» como el de un destino ineluctable que conducía irremisiblemente a las soluciones que efectivamente triunfaron en la segunda mitad del siglo XIX. En vez de eso, debemos ver esa época complicada como un período de tanteos y experimentos, en que se jugaron varias posibilidades y alternativas.

Tratemos de resumir las líneas básicas de este proceso. Lo primero es, sin duda alguna, el impacto del librecambio. Los mercados latinoamericanos son inundados por los textiles británicos y la élite de comerciantes peninsulares cede el paso a los mercaderes británicos. El fenómeno es general, y se puede ver enseguida tras la Independencia desde México hasta el Río de la Plata. Otras consecuencias de la adopción del librecambio tardan un poco más en observarse, pero se presentan también con fuerza inexorable. La producción de las artesanías locales, sobre todo en el ramo textil, se resiente primero y quiebra después. Sólo aquella favorecida por la lejanía de los puertos y lo caro del transporte puede resistir el empuje de los textiles industriales. Uno tras otro, los viejos circuitos comerciales coloniales, que interconectaban vastos espacios interiores, fueron perdiendo fuerza y acabarán desapareciendo a lo largo del siglo XIX. Aunque todo este proceso fue precedido por una larga y profunda intromisión del contrabando, y fue favorecido por el aislamiento de la metrópoli ibérica que tuvo lugar desde finales del siglo XVIII, no puede negarse que la Independencia, al quebrar las viejas y extensas unidades administrativas coloniales, impulsó un cambio particularmente drástico. En otros términos, los efectos de la liberalización mercantil tuvieron más el carácter de una ruptura violenta que la fisonomía de un cambio gradual y paulatino. Sólo hallaron límites en las propias fuerzas económicas (déficit en la balanza comercial, endeudamiento, rápida desaparición del stock monetario en metálico) y en las quejas organizadas de las regiones e intereses perjudicados por la nueva situación. Esto último estuvo, con frecuencia, en la base de muchos alzamientos contra los avances de la centralización estatal.

Después de la euforia inicial, hacia 1825 la respuesta interna y externa a la apertura mercantil adquiere un carácter más pausado. Es obvio, en primer término, que los nuevos países tienen poco para exportar que interese en el mercado mundial. Además la guerra ha afectado seriamente la producción de cacao en Venezuela y la actividad minera en México y Perú. La escasez de capitales dispuestos para la inversión, la falta de caminos y obras de infraestructura, y el estrepitoso fracaso de los primeros empréstitos externos (crisis financiera de 1825) confluyen en este panorama de una economía postrada, que sólo en contadas regiones mostraba señales de un pronto restablecimiento.

El avance dependió, obviamente, de la disponibilidad de productos exportables. La solución aparentemente más simple consistió en la reconstrucción y aún la expansión de actividades que habían probado ser todavía rentables a finales del período colonial. Fue ese el caso del moderado auge del cacao venezolano entre 1830 y 1850, de la reactivación de las exportaciones de añil y grana en El Salvador y Guatemala, o del tenue restablecimiento de la minería de la plata en México, Bolivia y Perú. Aun el notorio florecimiento de las actividades ganaderas en las pampas rioplatenses (exportaciones de cueros y tasajo) o el boom minero de la plata en el Norte Chico chileno se sitúan en este contexto. En todos estos casos, hubo muy pocas variantes, con respecto al período colonial, en el mercado de tierras, las técnicas de producción y las relaciones de trabajo. Cambiaron, como ya se dijo, los circuitos mercantiles, y los comerciantes británicos (también franceses, alemanes, holandeses) reemplazaron a los peninsulares; pero los mercados consumidores siguieron siendo básicamente los mismos. Entre 1830 y 1850 hubo muy pocas innovaciones, en este sentido. Así, por ejemplo, habrá que esperar al *Gold Rush* californiano, a la apertura del ferrocarril transístmico por Panamá (1855) y al auge de las exportaciones peruanas de guano para que el comercio a lo largo de la costa del Pacífico sufra un verdadero cambio cualitativo.

El café, un producto de cotización ascendente en los mercados europeos, combina como ningún otro esta mezcla entre lo viejo y lo nuevo que caracteriza la economía de la «larga espera». En el valle del Paraíba (Brasil) se produce con mano de obra esclava, y la prosperidad económica que se extiende a toda la región de Río de Janeiro ofrece un sólido soporte a las instituciones imperiales. En Costa Rica las exportaciones cafetaleras dependen de la expansión de la frontera agrícola en manos de pequeños y medianos productores, mientras que en Venezuela el panorama es más complejo. Allí los hacendados predominan en el centro y las regiones costeras, pero dejan espacio a los medianos productores en la zona andina, destinada a convertirse en pivote de la expansión cafetalera en el último cuarto del siglo XIX. De los esclavos a los colonos inmigrantes, el café resume bien ese pasaje de las estructuras coloniales hacia una agricultura de exportación más moderna y capitalista. El proceso de transformación, sin embargo, será lento y durará, en ciertos casos, algo más de un siglo.

¿Cómo se articularon la economía y la política? Los nuevos Estados no sólo se enfrentaron al problema de afirmar su institucionalidad y construir un poder respetado y efectivo a escala nacional; requirieron para todo ello de recursos económicos suficientes.

Comencemos por el gasto estatal. Su peso es enorme en relación con el valor de las exportaciones[92]. Aunque en el conjunto de la economía hay un importante sector productivo que escapa a la comercialización, es obvio que el sector mercantil puede considerarse como el motor de la economía, ya que subordina y empuja al mismo tiempo a las actividades de autoconsumo que tienen lugar en el seno de las

92. Así por ejemplo, en el estado de Buenos Aires, los gastos del gobierno representaron el 67% del valor de las exportaciones en 1822, el 56% en 1834 y el 47% en 1837. Véase Tulio Halperín Donghi, *Guerra y finanzas en los orígenes del Estado argentino (1791-1850)*, Buenos Aires, Editorial de Belgrano, 1982, p. 11.

familias, las haciendas y las comunidades. En esos términos, la importancia cualitativa del gasto público resulta ser también igualmente notoria.

Ahora bien, dentro de los gastos del Estado, las erogaciones militares son particularmente impresionantes. De un lado, ello es hasta cierto punto normal si tenemos en cuenta el carácter casi continuo de las guerras civiles en el período posterior a la Independencia. Desde otra perspectiva, sin embargo, es también claro que este gasto es básicamente improductivo, y que con facilidad se escapa de los límites manejables por una administración que sólo posee recursos escuálidos. De aquí el papel de los agiotistas: ellos financian un Estado que no encuentra todavía recursos duraderos y vive, por consiguiente, en un déficit permanente. Las rentas de aduana y los empréstitos reemplazarán, finalmente, a los estancos, tributos, alcabalas y contribuciones forzosas como fuentes de las finanzas estatales; pero todo este proceso será lento y requerirá, para que se vislumbre exitoso, de una expansión comercial continua y sostenida. Entretanto, los prestamistas, guiados por el interés privado en la especulación, prestarán sin embargo un verdadero servicio público: asegurarán recursos mínimos a un Estado que pudo así sobrevivir cuando recién se empezaba a conformar una economía de verdadero alcance nacional[93].

El marco global de esta inserción de América Latina en el mercado mundial se conoce como la *Pax Britannica*[94]. Des-

93. Véase Barbara Tenenbaum, *México en la época de los agiotistas, 1821-1857,* traducido por M. Pizarro, México, Fondo de Cultura Económica, 1985, pp. 199 y sig.
94. Véase Jürgen Osterhammel, *The Transformation of the World. A Global History of the Nineteenth Century,* traducido por Patrick Camiller, Princeton, Princeton University Press, 2014, pp. 450-461; Niall

de 1815 hasta la Primera Guerra Mundial, y en ciertos casos con extensiones hasta 1930, Gran Bretaña fue la fábrica del mundo y Londres su capital financiera. Durante la «larga espera» se fue configurando una relación colonial de nuevo tipo, cuyas características veremos en detalle más adelante. Conviene precisar ahora, sin embargo, el significado profundo de la *Pax Britannica,* algo ya presente hacia 1810.

La dominación británica se basó en la potencia naval, industrial y financiera; políticamente combinó con rara astucia diferentes dosis de presión y persuasión. El imperio comprendía colonias formales, dominios, protectorados y países sometidos a una influencia británica variable a lo largo del tiempo y las circunstancias. América Latina después de la Independencia se encontraba precisamente en esta última situación. La influencia británica articulaba intereses mercantiles y financieros locales y globales, y los agentes del imperio, desde los hombres de negocios hasta los diplomáticos, casi siempre se las arreglaron para obtener los mejores beneficios en los tratados comerciales, las concesiones y los contratos. Y cuando hacía falta, la presencia de barcos de guerra de la Royal Navy promovía la persuasión que faltaba.

La *Pax Britannica* no se limitaba, sin embargo, a una relación básicamente comercial y financiera. Hubo otros dos componentes igualmente cruciales[95]: el primero, una comu-

Ferguson, *Empire. How Britain Made the Modern World,* vol., Penguin Books, Londres, 2004; Paul Kennedy, *The Rise and Fall of the Great Powers. Economic Change and Military Conflict from 1500 to 2000,* Nueva York, Vintage Books, 1989, pp. 151-169; Jane Burbank y Frederick Cooper, *Empires in World History. Power and the Politics of Difference,* Princeton, Princeton University Press, 2010, pp. 290-294.
95. Osterhammel, *The Transformation of the World. A Global History of the Nineteenth Century,* pp. 451-452.

nidad anglosajona global, integrada por migrantes concentrados en ciertos países como Estados Unidos, Canadá, Sudáfrica, Australia y Nueva Zelanda, pero también desparramados por el resto del mundo; viajeros, aventureros, negociantes, artesanos, etc., eran parte de una cadena humana de comunicación solidaria y leal con los intereses británicos. El segundo componente se refiere a una poderosa ideología que convertía a los británicos en agentes avanzados del progreso y la civilización, con un sentido protestante de misión. Esto operaba, por supuesto, en lo que hemos llamado la comunidad anglosajona global, pero también en las élites de los países dominados, que tenían idéntica fe en las ventajas del progreso y en los avances de la civilización.

Hacia la construcción de los Estados nacionales

Retomemos ahora los hilos conductores básicos en el proceso de formación de los Estados nacionales:

a) La Independencia abrió un vacío de poder que fue aprovechado por las élites criollas gracias a estructuras político-administrativas y recursos económicos previamente existentes.

b) La consolidación del Estado dependió del afianzamiento de un nuevo orden social, con bases económicas duraderas (dependientes de la exportación) y el control de un espacio territorial determinado. El desarrollo institucional y la construcción de una nueva ideología de la identidad cultural y psicosocial basada en el nacionalismo fueron requisitos adicionales pero igualmente indispensables.

c) Si vemos todo este proceso como una ampliación de las bases del poder de las élites criollas, lo más notable a subrayar es una doble y simultánea militarización y ruralización del poder. Aunque los centros administrativos del período colonial se mantuvieron, en muchos casos se reforzaron, y en otros surgieron nuevos, al menos durante el período 1820-1850 es obvio que militares y terratenientes tendieron a tener más peso político que burócratas y comerciantes.

d) La interrelación de estos factores produjo, entre 1820 y 1850, nuevos equilibrios y arreglos que pueden resumirse en dos rasgos fundamentales: la fragmentación política en la América española y el mantenimiento de la unidad en el caso brasileño, con un predominio de regímenes conservadores. Esto último contrastaba con el encendido liberalismo de los años de la Independencia, pero reproducía un esquema de etapas políticas bien conocido en la Europa revolucionaria: después de la revolución venía la restauración.

Prestemos atención ahora a dos resultados visibles desde el inicio en estos complejos procesos de construcción de los Estados nacionales. Por una parte, el nuevo sistema político que se erigió en garante del orden supuso una nueva articulación entre clases dirigentes y masas populares. El caudillismo implicó un sistema de dominación que combinaba el paternalismo y la cooptación entre dirigentes y masas. Sus expresiones típicas en mecanismos que iban desde las elecciones (sufragio universal, voto indirecto y público) hasta las insurrecciones armadas y guerras civiles, deben verse como un repertorio de opciones que tienen continuidad, y no necesariamente (como podríamos pensar en la actualidad) un carácter contradictorio o mutuamente excluyente. El sistema reflejaba tanto los conflictos entre las élites dirigentes cuanto la necesidad de saldarlos con un recurso a la movilización de las masas populares. Frente a este modelo predominante en Hispanoamérica, el Imperio brasileño ofrecía una alternativa diferente. Allí el voto censitario obligaba a alianzas políticas más negociadas y complejas, mientras que el poder «moderador» del emperador ejercía un arbitraje y un contrapeso que no existía en la América española.

El segundo resultado que vale la pena examinar se refiere a la peculiar articulación institucional que caracterizó a las nuevas naciones hacia mediados del siglo XIX. La administración estatal, representada por militares y burócratas, dependía de una ecuación de intereses que estaba dominada por los terratenientes y los comerciantes agiotistas. La Iglesia, readaptada desde temprano a los nuevos ámbitos nacionales, ofrecía la seguridad ideológica y los anclajes en la tradición que el liberalismo más radical de los tiempos de la Independencia no había podido dar. Trabajosamente, se había así constituido un nuevo equilibrio en las relaciones sociales y una nueva dinámica del poder.

De lo expuesto se deduce que en América Latina el Estado republicano precede a la construcción de la nación. La construcción político-institucional resulta de los avatares de la revolución y de la guerra, durante el proceso de Independencia, y se asienta, como no podía ser de otra manera, sobre las herencias del Estado colonial. La Independencia significó, en todos los casos, dos cosas diferentes: por un lado se trató de la secesión con respecto a la Monarquía borbónica; por otro, la constitución de repúblicas que fragmentaron el antiguo territorio del imperio colonial. En las décadas de 1810 y 1820 los habitantes de las nuevas repúblicas se identifican invariablemente como «americanos» y patriotas; pero hacia 1830, en cambio, las identificaciones provinciales y regionales desplazan esas etiquetas. El proceso de construcción de las naciones había comenzado y es algo que se extenderá a lo largo de muchas décadas bajo el empuje estatal.

La desesperación de Bolívar

Todos conocemos la desesperación de Bolívar al final de sus días. Aquella carta amarga y sin esperanza al general Flores donde dice[96]:

> [...] Ud. sabe que yo he mandado 20 años y de ellos no he sacado más que pocos resultados ciertos: 1.°) La América es ingobernable para nosotros. 2.°) El que sirve una revolución ara en el mar. 3.°) La única cosa que se puede hacer en América es emigrar. 4.°) Este país caerá infaliblemente en manos de la multitud desenfrenada, para después pasar a tiranuelos casi imperceptibles, de todos colores y razas [...]

En 1830, al otro día de las revoluciones y guerras de la Independencia Bolívar confesaba su incomprensión. Las revoluciones habían destapado la caja de Pandora y no había orden posible; lo mejor era emigrar. Doscientos años después ¿el mismo Bolívar habría visto las cosas con más distancia y coherencia? Obviamente la pregunta no tiene respuesta. Lo que Bolívar no podía anticipar eran las imperfecciones, o más bien contradicciones, intrínsecas del proyecto político, económico y cultural de la Ilustración. El sentimiento del fracaso en la construcción de los Estados nacionales modernos, el reclamo permanente por las promesas incum-

96. Bolívar, *Doctrina del Libertador,* p. 387.

plidas es, desde entonces, un tema recurrente entre los intelectuales latinoamericanos.

Lo que ha sido mucho más difícil de asumir es que ese relativo fracaso no es una peculiaridad latinoamericana, sino un problema recurrente en el mundo entero. Horkheimer y Adorno[97] lo percibieron con meridiana claridad al estudiar el impacto del fascismo y los horrores de la Segunda Guerra Mundial, pero por razones que no es del caso examinar aquí, eso tendió a considerarse como una peculiaridad alemana y no como un rasgo intrínseco del mundo generado por la Ilustración. Los años transcurridos desde la caída del Muro de Berlín parecen mostrar, en forma contundente, que el proyecto democrático es todavía una construcción con el futuro no garantizado. Bolívar parece condenado a seguir desesperado.

97. Max Horkheimer y Theodor W. Adorno, *Dialectic of Enlightenment,* traducido por John Cumming, Nueva York, Cointinuum, 1991 [1944].

2. Utopías latinoamericanas

Nos ocuparemos ahora de cómo los intelectuales se imaginaron América Latina –o más bien, las nuevas naciones independientes, o en curso de lograrlo– en los siglos XIX y XX. Cómo pensaron, entonces, el futuro.

La revisión de textos no puede ser, en modo alguno exhaustiva. Más bien elegimos los autores que nos parecen cruciales por su influencia e impacto, y elegimos algunos ejes centrales de su pensamiento para exponer las ideas básicas. Luego de la desesperación de Bolívar, al otro día de las independencias, resulta apropiado comenzar por los deseos y las esperanzas, para luego, en el capítulo 3, estudiar de cerca las realidades. El conjunto de estos deseos se puede entender como una especie de utopía colectiva que agitó y embebió los espíritus con grados de intensidad diversos y tuvo presencia completa y/o fragmentaria durante largos períodos de tiempo. Reconstruimos estas utopías como tipos ideales únicamente con un propósito analítico; en la realidad vivida, estos imaginarios sociales formaron parte de un collage espiritual, construido individualmente por cada actor, y expresado en textos, acciones, trayectorias y silencios. Sólo a nivel de la biografía personal es posible reconstruir plenamente las trayectorias individuales.

La utopía del progreso

Facundo (1845) es probablemente el libro más importante que se publicó en América Latina durante el siglo XIX. Su autor, el argentino Domingo Faustino Sarmiento (1811-88) combinó el periodismo furioso con la observación incisiva y desarrolló una brillante e inquieta carrera de hombre público, educador, escritor, político en el sentido más amplio del término. El *Facundo* propone un análisis sofisticado de la realidad social argentina del período de Rosas (1829-52) a través de categorías simples (a veces aterradoramente simplistas) y aplicables por extensión al conjunto de la América Latina de esa época. Una primera lectura de la obra –y así fue rápidamente entendida en el siglo XIX– permite obtener conclusiones drásticas y aparentemente operativas; sucesivas lecturas, apropiándose de la exuberante riqueza del texto, permiten poner en duda el alcance de las simplificaciones y sugieren más bien un conjunto de tensiones irresueltas.

El eje básico del *Facundo* es la famosa oposición entre «civilización» y «barbarie», expresada ya en el título del libro en 1845: «Civilización y barbarie. Vida de Facundo Quiroga y aspecto físico, costumbres y hábitos de la República Argentina»; en la cuarta edición de la obra, publicada en 1874, el título cambió a «Facundo o civilización y barbarie en las pampas argentinas». En la visión de Sarmiento,

Facundo, el caudillo riojano, es un arquetipo mítico en el que se conjugan el primitivismo rural de las pampas y desiertos inconmensurables, opuestos a la sensibilidad urbana. Barbarie de las pampas y civilización europea: he aquí un contrapunto metafísico que Sarmiento despliega, a lo largo del libro, en una multitud de ejemplos: pastoreo-agricultura; ignorancia-escuela; haraganería-laboriosidad; soledad-gregarismo; odio al extranjero-apertura a lo nuevo y diferente; odio a la cultura-buena educación y buenas maneras; familia feudal-ciudadanos; traje americano-traje europeo; tradición-ideas de progreso; desorden, ausencia de justicia-imperio de las leyes; predominio de la fuerza-predominio de la inteligencia, etc.

El fracaso de la construcción republicana luego de la Revolución de 1810 se explica precisamente a través de estas oposiciones: es el triunfo de la pampa de Facundo, y sobre todo, de Rosas, quien logra convertir la fuerza bruta en rutina burocrática, lo que lleva a la guerra social y compromete el avance de la civilización. En la visión de Sarmiento, estos determinantes no dependen de decisiones individuales; más bien son productos de determinaciones estructurales: el ambiente geográfico, las instituciones heredadas de la colonización española, las razas de sus habitantes...

¿La solución? Abrir las puertas al progreso: poblar el desierto con inmigrantes europeos industriosos, vencer las distancias con el ferrocarril, educar masivamente a los ciudadanos de las nuevas repúblicas. El programa ya está esbozado en el capítulo final del *Facundo*[1] y será completado en estudios posteriores. El modelo a seguir: los Estados

1. Domingo Faustino Sarmiento, *Facundo o civilización y barbarie*, Caracas, Biblioteca Ayacucho, 1977 [1845], pp. 238-244.

Unidos; Sarmiento lo repite aún en 1883, en un contexto en el cual tiene crecientes inquietudes sobre los resultados de este programa de modernización, implementado en la Argentina desde hace ya treinta años[2]:

> La América del Sur se queda atrás y perderá su misión providencial de sucursal de la civilización moderna. No detengamos a los Estados Unidos en su marcha; es lo que en definitiva proponen algunos. Alcancemos a los Estados Unidos. Seamos la América, como el mar es el Océano. Seamos Estados Unidos.

La propuesta de Sarmiento tiene tres componentes: primero, un diagnóstico basado en la famosa oposición entre «civilización y barbarie»; segundo, un programa de acción centrado en la educación, la inmigración y el progreso tecnológico; tercero, un modelo a seguir, el de los Estados Unidos.

El programa de acción, *mutatis mutandi,* aparece incesantemente a lo largo y ancho de la América Latina de la segunda mitad del siglo XIX: Justo Sierra en México, José María Samper en Colombia, Ramón Rosa en Guatemala y Honduras, Mauro Fernández en Costa Rica, José Victorino Lastarria en Chile... La lista de plumas inspiradas es casi infinita, y mucho más la de políticos que repiten y agregan esos propósitos a sus acciones e intenciones. El modelo a seguir, con sus matices, también fue ampliamente compartido. Inclusive un admirador irrestricto de Francia como el argentino Juan Bautista Alberdi (1810-1884) llegaba a afirmar que en Sudamérica los educadores debían tener una «fiebre de actividad y de empresa» como si fueran *«yankees*

---

2. Domingo Faustino Sarmiento, *Conflicto y armonías de las razas en América,* Buenos Aires, La cultura argentina, 1915 [1883], pp. 455-456.

hispanoamericanos»[3]. Sólo hacia finales del siglo XIX, cuando empezó a ser cada vez más evidente que la distancia entre los Estados Unidos y los países latinoamericanos se agrandaba, surgieron críticas elocuentes y lamentos sinceros. Desde la guerra con España y la ocupación de Cuba y Puerto Rico, el antiguo hermano del norte se convertía en una República imperial; con Europa al borde de la catástrofe de la Primera Guerra Mundial, ya no habrá modelos globales ni soluciones sencillas. El horizonte empieza, otra vez, a llenarse de incertitudes.

Detengámonos un momento en los problemas del diagnóstico de Sarmiento, basado en la oposición entre civilización y barbarie. Juan Bautista Alberdi proclamaba: «Todo lo que no es europeo es bárbaro», y a la pregunta sobre quiénes son europeos en América, respondía: «Los que hablamos español y creemos en Cristo». Pero en otros textos el mismo Alberdi, como casi todos los autores de la época, consideraba también parte de la barbarie precisamente la herencia española. Sarmiento lo reitera con claridad: «El siglo XIX y el siglo XII viven juntos: el uno dentro de las ciudades; el otro, en las campañas»[4]. La ambigüedad en la caracterización de la barbarie es evidente: es el ambiente geográfico (el desierto) más los indígenas, los negros, los mestizos y los españoles. La inquisitoria sarmientina conecta el sistema colonial con el atraso; indios, negros y mestizos son componentes de un sistema estructurado por los conquistadores españoles y la Iglesia católica; el resultado: hol-

3. Juan Bautista Alberdi, *Bases y puntos de partida para la organización política de la República Argentina,* editado por Francisco Cruz, Buenos Aires, La Cultura Argentina, 1915 [1852], p. 78.
4. Sarmiento, *Facundo o civilización y barbarie,* p. 48.

gazanería, rezos, etc., un mundo de distancia con los valores y los logros de la Europa anglosajona y los Estados Unidos. El chileno Francisco Bilbao (1823-1865) no se cansaba de repetir: España = Edad Media = catolicismo = feudalidad[5]. La pluma cortante de Sarmiento lo condensa en 1883[6]:

> La civilización yanqui fue la obra del arado y de la cartilla; la sudamericana la destruyeron la cruz y la espada. Allí se aprendió a trabajar y a leer, aquí a holgar y a rezar [...] Allí la raza conquistadora introdujo la virtud y el trabajo; aquí se limitó a vegetar en la burocracia y el parasitismo.

La civilización que vale la pena no es, pues, la europea sin más; la que sirve de guía es la civilización europea anglosajona, de la cual los Estados Unidos son una extensión feliz, excepcional y promisoria. Las dificultades para asumir la herencia española frente a los desafíos del progreso industrial angustian, y angustiarán todavía más después de 1898, a los intelectuales latinoamericanos. Desde diferentes ángulos y espejos, la preocupación seguirá presente durante todo el siglo XX, y sigue pesando todavía hoy.

¿Habrá que «deslatinizar» la América española para que el progreso sea posible? Alberdi lo cree; y según Leopoldo Zea[7], la idea de emancipación mental que debería completar la emancipación política, desarrollada por la influencia del positivismo adoptado por los liberales, pasa precisamente por esa deslatinización. El sentido del modelo norte-

---

5. Francisco Bilbao, *El evangelio americano,* editado por Alejandro Witker, Caracas, Biblioteca Ayacucho, 1988, p. 15.
6. Citado en Leopoldo Zea, *Pensamiento positivista latinoamericano,* 2 vols., Caracas, Biblioteca Ayacucho, 1980, tomo 1, p. XXI.
7. *Ibid.,* tomo 1, p. X.

americano es, pues, más profundo que la simple emulación tecnológica; hay que cambiar la manera de pensar, el mundo de los valores.

¿Personajes como Sarmiento y Alberdi creían al pie de la letra lo que escribían? ¿No hay en todo esto un cierto desdoblamiento esquizofrénico? La cuestión no es sencilla. Profundicemos primero en el significado asignado a la inmigración europea. Por una parte se trataba de poblar el desierto, de llenar las tierras vacías o escasamente habitadas; por otra, se trataba de promover la llegada de poblaciones europeas industriosas, es decir, anglosajonas. Este segundo propósito tenía una connotación racial evidente. Para entender bien los alcances de esto, hay que aclarar el concepto de raza.

Disgresión: El concepto de raza

Para nosotros, luego del genocidio judío perpetrado por los nazis durante la Segunda Guerra Mundial, la declaración de la UNESCO de 1952[8] y la *Civil Rights Act* promulgada por Lyndon B. Johnson en 1964[9], es fácil entender que el concepto de «raza» es una categoría de clasificación social culturalmente construida. Pero eso no era así antes de 1945. Desde el siglo XVIII se creía que el concepto tenía bases biológicas, científicamente definidas. En 1758, Linneo había incluido a los seres humanos en su sistema de clasificación de la naturaleza, y en 1795 el naturalista alemán Blumen-

8. UNESCO, *What is race?*, París, 1952.
9. Prohibió, en los Estados Unidos, la discriminación racial en las áreas públicas, incluyendo hoteles, restaurantes y teatros, las escuelas y los empleos. Fue una conquista del movimiento por los derechos civiles encabezado por Martin Luther King Jr.

bach distinguió cinco razas básicas utilizando el color de la piel y ciertas medidas del cráneo: caucásica o blanca, mongoloide o amarilla, etíope o negra, cobriza o malaya y roja o amerindia. En 1790, la *Naturalization Act* de los Estados Unidos había definido que sólo *«free white persons»*, es decir, blancos libres, eran elegibles para convertirse en ciudadanos norteamericanos. La medida excluía de la ciudadanía a un 20% de la población del país, es decir, a los esclavos y negros libres, y también a los amerindios[10].

La noción de raza fue reelaborada durante el siglo XIX, siendo característico el desarrollo de una nueva disciplina científica bautizada por su creador, Francis Galton, en 1883, con el nombre de «eugenesia». Esta rama de la biología y la medicina se ocupaba de la mejora en los rasgos humanos hereditarios y tuvo mucho apoyo y popularidad hasta la Segunda Guerra Mundial; pero los experimentos realizados en la Alemania nazi y el genocidio judío la pusieron pronto en entredicho. La genética, desarrollada paralelamente, abrió un campo más amplio y acabará por absorber el núcleo científico de la eugenesia.

La noción de raza implica, en primer lugar, una clasificación de los seres humanos según un rasgo fenotípico, es decir, visible, siendo el más común el color de la piel. Un segundo rasgo de esta noción es que se trata de algo heredado e inmodificable. El tercer rasgo, menos evidente pero más significativo, es que la noción de raza siempre implica jerarquías asimétricas, es decir, hay razas mejores o superiores, y

---

10. En 1866, la *Civil Rights Act* declaró que el derecho de ciudadanía se aplicaba a todos los nacidos en el país, sin que contara la raza, el color, o el estatus previo. Sin embargo, fue necesaria la *Indian Citizenship Act* de 1924 para que los amerindios obtuvieran la ciudadanía.

por ende, otras inferiores. La razón profunda para usar la noción de raza es que permite marcar esas diferencias: cada uno lleva así, definida por el color de la piel, una marca heredada de inferioridad o de superioridad.

La noción de raza se distingue claramente de la noción de «etnia»; en la raza, la base de la diferenciación es biológica; en la etnia, en cambio, la base de la diferenciación es cultural. En este sentido, un individuo podría dejar el grupo étnico de pertenencia pero nunca su raza.

La diversidad biológica y cultural de los seres humanos es algo comprobado y fuera de duda. Pero las investigaciones en los campos de la biología y la genética no han podido establecer conexiones significativas entre el fenotipo racial y las variaciones biológicas para explicar las diferencias. En los siglos XVIII y XIX, la noción de raza era el único concepto disponible para describir y explicar las variaciones biológicas de los seres humanos[11].

Hoy debemos reconocer que esta noción es pseudocientífica e inapropiada; la evolución es un factor crucial para explicar las diferencias, y cuando se observan las variaciones genéticas según grandes áreas geográficas resulta que la diversidad genética africana prácticamente engloba la diversidad genética asiática y europea[12]. No hay forma objetiva de establecer límites precisos para separar los grupos humanos cuando se toman criterios como el color de la piel o

---

11. Véase Alan H. Goodman, Yolanda T. Moses y Joseph L. Jones, *Race. Are we so different?,* American Anthropological Association, Malden, MA, Willey-Blackwell, 2012, p. 96.

12. Véase N. Yu, F. C. Chen, S. Ota, L. B. Jorde, y P. Pamilo *et al.,* «Larger Genetic Differences within Africans than between Africans and Eurasians», *Genetics,* vol. 161 (2002), pp. 269-274. Goodman, Moses y Jones, *Race. Are we so different?,* p. 131.

las medidas óseas; al igual que con el ADN, la continuidad o gradación de lo que se mide es característica. ¿Por qué entonces ha sido tan difícil abandonar la idea de raza?

La persistencia en el uso de la noción de raza tiene una explicación sociocultural. Como se señaló antes, la idea de raza lleva implícita la noción de superioridad-inferioridad entre los grupos raciales, por lo cual se convierte en un marcador de la desigualdad social. Dicho de otro modo, la raza opera como una justificación, generalmente inconsciente, de la desigualdad y la subordinación.

Dos aspectos relacionados son aquí importantes. En primer lugar, la segregación o *apartheid;* en segundo lugar, el racismo según el color de la piel.

La segregación se expresa en la separación física, incluyendo la prohibición de los matrimonios y uniones interraciales; la idea de evitar la «degeneración» o el «deterioro» es lo que está detrás de esta prohibición. La «raza superior» debe mantenerse «pura», es decir, libre de toda «contaminación». La segregación étnica se ha observado desde la antigüedad en sociedades muy diversas, y siempre ha constituido un aspecto importante de las desigualdades y jerarquías sociales.

Pero la definición en términos de raza (no de etnia), según un marcador biológico como el color de la piel, es, como ya se indicó, una invención del mundo moderno, y en particular del siglo XVIII[13]. La esclavitud existe en las sociedades humanas desde la antigüedad más remota, pero la trata africana que se desarrolló a partir de la expansión

13. Resulta fascinante considerar la construcción de la noción de raza blanca, véase Nell Irvin Painter, *The History of White People,* Nueva York, W. W. Norton, 2010.

oceánica europea en los siglos XVI y XVII fue algo nuevo, por lo menos, en dos sentidos distintos: por una parte, su dimensión cuantitativa (una diáspora de más de 10 millones desde el África negra a las Américas entre 1520 y 1870); por otra, su concentración casi exclusiva en esclavos negros africanos. Un discurso racista antinegro surgió así para justificar la esclavitud en las plantaciones de las Antillas, Brasil y el sur de los Estados Unidos, en términos de inferioridad racial[14]. El racismo fue así, en autores como Sarmiento, Alberdi y todos los adalides del liberalismo del siglo XIX un muro insuperable, una especie de concepto límite, justificado por un velo de «verdad científica».

* * *

Luego de este largo pero necesario *excursus* podemos retornar a nuestros abanderados del progreso en el siglo XIX.

Cuando Alberdi y Sarmiento acuden a la inmigración europea, la idea es que así se logrará «mejorar la raza», es decir, deslatinizar las poblaciones de las nuevas naciones. Alberdi se sintió obligado a especificar con detalle el sentido de su famoso aforismo: «gobernar es poblar» y escribió[15]:

Gobernar es poblar en el sentido que poblar es educar, mejorar, civilizar, enriquecer y engrandecer espontánea y rápidamente, como ha sucedido en los Estados Unidos. Mas para civilizar por medio de la población, es preciso hacerlo con poblaciones civilizadas; para educar a nuestra América en la libertad y en la in-

14. David Brion Davis, *The Problem of Slavery in Western Culture,* Ithaca, NY, Cornell University Press, 1966, pp. 281-288.
15. Alberdi, *Bases y puntos de partida para la organización política de la República Argentina,* pp. 14-15.

dustria es preciso poblarla con poblaciones de la Europa más adelantada en libertad y en industria, como sucede en los Estados Unidos. Los Estados Unidos pueden ser muy capaces de hacer un buen ciudadano libre, de un inmigrado abyecto y servil, por la simple presión natural que ejerce su libertad, tan desenvuelta y fuerte que es la ley del país, sin que nadie piense allí que puede ser de otro modo. [...] Si la población de seis millones de angloamericanos con que empezó la República de los Estados Unidos, en vez de aumentarse con inmigrados de la Europa libre y civilizada, se hubiese poblado con chinos o con indios asiáticos, o con africanos, o con otomanos, ¿sería el mismo país de hombres libres que es hoy día? No hay tierra tan favorecida que pueda, por su propia virtud, cambiar la cizaña en trigo. El buen trigo puede nacer del mal trigo, pero no de la cebada.

Sarmiento analiza y razona en el mismo contexto[16]:

¿En qué se distingue la colonización del Norte de América? En que los anglo-sajones no admitieron a las razas indígenas, ni como socios, ni como siervos en su constitución social. ¿En qué se distingue la colonización española? En que la hizo un monopolio de su propia raza, que no salía de la Edad Media al trasladarse a América y que absorbió en su sangre una raza prehistórica servil. ¿Qué le queda a esta América para seguir los destinos prósperos y libres de la otra? Nivelarse; y ya lo hace con las otras razas europeas, corrigiendo la sangre indígena con las ideas modernas, acabando con la Edad Media. Nivelarse por la nivelación del nivel intelectual y mientras tanto no admitir en el cuerpo electoral sino a los que se suponen capaces de desempeñar sus funciones.

16. Sarmiento, *Conflicto y armonías de las razas en América,* p. 450.

El programa liberal positivista de Sarmiento y Alberdi está ahora completo. Sólo falta incluir la incomodidad que experimentaban frente a la esclavitud imperante en los Estados Unidos hasta 1865. Sarmiento consideraba que su persistencia era producto de un mal cálculo económico, ya que el trabajo libre y la mecanización eran muy superiores al trabajo esclavo[17]. La esclavitud afectaba a las libertades básicas y era por lo tanto inadmisible en el mundo moderno, pero para ambos autores, la «raza negra» seguía siendo inferior y su mezcla con los blancos, perniciosa. Los indígenas eran «hombres prehistóricos de corta inteligencia»[18]; siguiendo las líneas más fuertes de la eugenesia, Sarmiento llega incluso a opinar sobre el tamaño del cerebro y la inteligencia humana[19]:

Una inteligencia que se ejercita agranda el órgano de que se sirve, como se robustece el buey a fuerza de tirar el arado. Hemos visto que el parisiense de hoy tiene el cerebro más grande que el del siglo XII. Es de creer que el del español no haya crecido más que en siglo XIV, antes que comenzase a obrar la Inquisición. Es de temer que el pueblo criollo americano en general lo tenga más reducido que los españoles peninsulares a causa de la mezcla con razas que lo tienen reconocidamente más pequeño que las razas europeas.

Podemos afirmar que en el clima intelectual de la segunda mitad del siglo XIX, Sarmiento y Alberdi, entre muchos otros, comparten el utilitarismo de Bentham con el positi-

17. *Ibid.,* p. 118.
18. *Ibid.,* p. 113.
19. *Ibid.,* p. 171.

vismo de Comte y John Stuart Mill y las ideas evolucionistas de Herbert Spencer. Las relaciones sociales y por ende también las posibilidades del progreso, aparecen, racializadas, es decir, dominadas fatalmente por un componente biológico hereditario; es lo que se llamó, empleando un término hoy desacreditado, «darwinismo social»[20]. La obsesión por la mejora racial alcanzó probablemente su clímax en la obra del boliviano Alcides Arguedas (1879-1946), *Pueblo enfermo,* publicada en 1909[21]:

> De no haber predominio de sangre indígena el país estaría hoy en el mismo nivel que muchos pueblos más favorecidos por corrientes migratorias venidas del viejo continente [Las soluciones propuestas por la Argentina son así imposibles en esa castigada tierra].

¿Cuál era la situación de América Latina en términos de las relaciones raciales a finales del período colonial? En Hispanoamérica la matriz colonial había heredado la segregación entre amerindios («república de los indios») y españoles («república de los españoles»), un número relativamente pequeño de esclavos africanos y un grupo creciente de castas o grupos mezclados. Alexander von Humboldt lo resumió así para el caso de México en 1804[22]:

---

20. Zea, *Pensamiento positivista latinoamericano,* tomo 1, pp. XXV-XXVI.
21. Alcides Arguedas, *Pueblo enfermo. Contribución a la psicología de los pueblos hispano-americanos,* Barcelona, Vda. de Luis Tasso Editor, 1909, p. 33.
22. Alejandro de Humboldt, *Ensayo político sobre el Reino de la Nueva España,* traducido por Vicente González Arnao, edición de Juan A. Ortega y Medina, México, Editorial Porrúa, 1966 [1822], p. 51.

La población mexicana está compuesta de los mismos elementos que la de las demás colonias españolas [...] Dejando de lado las subdivisiones, resultan cuatro castas principales: los blancos, comprendidos bajo la denominación general de españoles; los negros; los indios y los hombres de raza mixta, mezclados de europeos, de africanos, de indios americanos y de malayos; porque con la frecuente comunicación que hay entre Acapulco y las Islas Filipinas, son muchos los individuos de origen asiático, ya chino, ya malayo, que se han establecido en Nueva España.

El tema racial se presentó continuamente durante las luchas por la Independencia. Simón Bolívar, en un documento tan significativo como el discurso de inauguración del Congreso de Angostura en 1819, declaraba[23]:

Tengamos presente que nuestro pueblo no es el europeo, ni el americano del Norte, que más bien es un compuesto de África y de América, que una emanación de la Europa; pues que hasta la España misma deja de ser europea por su sangre africana, por sus instituciones y por su carácter. Es imposible asignar con propiedad a qué familia humana pertenecemos. La mayor parte del indígena se ha aniquilado, el europeo se ha mezclado con el americano y con el africano, y éste se ha mezclado con el indio y con el europeo. Nacidos todos del seno de una misma madre, nuestros padres, diferentes en origen y en sangre, son extranjeros, y todos difieren visiblemente en la epidermis; esta desemejanza trae un reto de la mayor trascendencia.

23. Simón Bolívar, *Doctrina del Libertador,* editado por Manuel Pérez Vila, Caracas, Biblioteca Ayacucho, 2009, p. 129.

La fórmula de Bolívar es simple: a) los americanos no son europeos sino productos de una mezcla racial imposible de clasificar; b) las diferencias en los colores de la piel son notables; c) esta falta de homogeneidad plantea un reto de integración.

La segregación y el racismo formó parte del arsenal institucional desplegado durante la colonización ibérica, pero su aplicación fue relativa. Al fin y al cabo, la mezcla racial formó parte también de la colonización y las poblaciones de mestizos y mulatos, en todas las variedades de combinaciones, crecieron continuamente a partir del siglo XVIII. La ambigüedad española y portuguesa frente a la mezcla racial tendrá un papel crucial en la formación de las sociedades latinoamericanas[24]. En Hispanoamérica, el «blanqueamiento» fue practicado en forma legal hasta fines del período colonial[25], mientras que la Independencia abolió las distinciones de castas; la esclavitud persistió, en algunos casos, hasta mediados del siglo XIX. En Brasil y Cuba la esclavitud africana, componente esencial de la próspera economía de plantación, tuvo un peso demográfico mayor, reforzado por el hecho de una abolición muy tardía, a finales del siglo XIX. Pero aún en estos casos, nunca hubo algo parecido a las *Jim Crow laws,* vigentes en muchos estados de los Estados Unidos hasta bien avanzado el siglo XX[26].

24. Véase Magnus Mörner, *La mezcla de Razas en la historia de América Latina,* Buenos Aires, Paidós, 1969, pp. 60-77.
25. Para ejemplos detallados sobre el caso de Nicaragua véase: Germán Romero Vargas, *Las estructuras sociales de Nicaragua en el siglo XVIII,* Managua, Editorial Vanguardia, 1988, pp. 287-360.
26. Conjunto de leyes y reglamentos que establecían la segregación y discriminación racial en muchos estados de los Estados Unidos hasta la década de 1960; la segregación se complementaba con las leyes que establecían la *one drop rule,* es decir, la creencia de que una gota

Sarmiento y Alberdi podían ignorar el problema del mestizaje y postular la mejora racial mediante la inmigración en un Río de la Plata escasamente poblado, y donde las poblaciones de indios pampas y araucanos fueron perseguidas y exterminadas siguiendo el modelo de los Estados Unidos. Otra, en cambio, era la situación en el resto de América Latina. Había zonas, como los altiplanos andinos del Perú, Bolivia, Ecuador, Guatemala, centro y sur de México y la península de Yucatán, donde el peso de las poblaciones indígenas era notable. En las áreas de la economía de plantación de Cuba y Brasil, el predominio de esclavos africanos era notorio, mientras que en Haití la abrumadora mayoría estaba constituida por negros y mulatos. Fuera de estas áreas, el dominio de las poblaciones mezcladas era indiscutible, y aunque el crecimiento demográfico positivo era un común denominador de todos los grupos raciales, en el balance final los mestizos (y mulatos) crecían más rápido que los otros grupos raciales. En contextos como estos, el planteamiento simplificado de Sarmiento y Alberdi llevaba, como fue el caso ya citado del boliviano Arguedas, a un fatalismo racial sin salida.

Desde un horizonte intelectual parecido pero con otra imaginación, surgieron ideas y soluciones distintas. Nada ilustra esto mejor que el mexicano Justo Sierra (1848-1912), educador, historiador, político y figura prominente del Porfiriato. Sierra comparte la visión social racializada propia de los liberales positivistas, pero valora en forma muy positiva al mestizaje. El indio sin mezcla

---

de sangre negra define racialmente a la persona como negra; legalmente la *one drop rule* se utilizaba para establecer la segregación, incluyendo la prohibición de los matrimonios interraciales. Véase Goodman, Moses y Jones, *Race. Are we so different?*

puede ser un buen sufridor, que es donde el hombre se acerca al animal doméstico; pero jamás un iniciador, es decir, un agente activo de civilización[27].

El atraso de los indígenas es un problema de educación y de nutrición; en cambio frente a los criollos retrógrados y conservadores, el mestizo «ha constituido el factor dinámico de nuestra historia»[28], y Sierra lo considera como el núcleo de la nacionalidad mexicana. Frente a autores como Gustave Le Bon, que consideran a los mestizos latinoamericanos como bastardos, sin energía ni porvenir, Sierra responde que el atraso se debe básicamente a la educación colonial[29]. Y resumiendo los logros y tareas del gobierno de la República restaurada luego del fallido Imperio de Maximiliano, escribe[30]:

Colonización, brazos y capitales para explotar nuestra gran riqueza, vías de comunicación para hacerla circular, tal era el desiderátum social; se trataba de que la República [...] pasase de la era militar a la era industrial; y pasase aceleradamente, porque el gigante que crecía a nuestro lado y que cada vez se aproximaba más a nosotros, a consecuencia del auge fabril y agrícola de sus Estados fronterizos y al incremento de sus vías férreas, tendería a absorbernos y disolvernos si nos encontraba débiles.

Reencontramos aquí, obviamente, el programa de Sarmiento y Alberdi, con una nota explícita sobre la amenaza

27. Justo Sierra, *Evolución política del pueblo mexicano,* Caracas, Biblioteca Ayacucho, 1977 [1899-1902], p. 296.
28. *Ibid.,* p. 299.
29. *Ibid.,* p. 298.
30. *Ibid.,* p. 265.

procedente del vecino del norte. Si México no se pega a la locomotora del progreso, puede ser tragado o disuelto. Orden y progreso es así una simple condición de supervivencia.

La mirada de Justo Sierra no se reduce pues a un simple elogio de las bondades del mestizaje. El futuro dependerá de una búsqueda en las propias fuerzas, identificadas en la turbulenta historia de México luego de la Independencia.

Ningún autor ilustra mejor esta vuelta sobre sí mismos de muchos intelectuales latinoamericanos a finales del XIX, que el cubano José Martí (1853-1895). Poeta y periodista errante, su apostolado fue la libertad política de Cuba, sometida a un colonialismo español tan remozado como obcecado; peregrino y perseguido, vivió en España, Estados Unidos, México y Guatemala, y colaboró asiduamente en periódicos como *La Nación* de Buenos Aires. Su palabra y su pluma destilaban torrentes de poesía, en la brevedad de una carrera fulgurante[31]. En 1891, Martí escribió[32]:

... el buen gobernante en América no es el que sabe cómo se gobierna el alemán o el francés, sino el que sabe con qué elementos está hecho su país, y cómo puede ir guiándolos en junto, para llegar, por métodos e instituciones nacidas del país mismo, a aquel estado apetecible donde cada hombre se conoce y ejerce, y disfrutan todos de la abundancia que la Naturaleza puso

31. Su obra, muy extensa y dispersa, fue recopilada y publicada después de su muerte, constituyendo un pilar fundamental de la cultura nacional cubana. Sobre su recepción, véase el magnífico estudio de Ottmar Ette, *José Martí. Apóstol, poeta, revolucionario: una historia de su recepción,* traducido por Luis Carlos Henao de Brigard, México, Universidad Nacional Autónoma de México, 1995.
32. José Martí, *Nuestra América,* 3.ª ed., Caracas, Biblioteca Ayacucho, 2005, p. 33.

para todos en el pueblo que fecundan con su trabajo y defienden con sus vidas. El gobierno ha de nacer del país. El espíritu del gobierno ha de ser el del país. La forma del gobierno ha de avenirse a la constitución propia del país. El gobierno no es más que el equilibrio de los elementos naturales del país.

La confianza (y la esperanza) de Martí en la naturaleza de cada pueblo de «Nuestra América» (léase América Latina), tiene mucho de la bondad humana originaria de Rousseau; y hay un cierto toque de ingenuidad cuando declaraba, refiriéndose sin duda a Sarmiento[33]:

Por eso el libro importado ha sido vencido en América por el hombre natural. Los hombres naturales han vencido a los letrados artificiales. El mestizo autóctono ha vencido al criollo exótico. No hay batalla entre la civilización y la barbarie, sino entre la falsa erudición y la naturaleza.

Pero el «mestizo autóctono» de Martí no es el gaucho primitivo de Sarmiento, sino el mexicano educado de Justo Sierra; en libertad, un pueblo mestizo como el de «Nuestra América» conquista también el progreso[34]:

De aquella América enconada y turbia, que brotó con las espinas en la frente y las palabras como lava, saliendo, junto con la sangre del pecho, por la mordaza mal rota, hemos venido, a pujo de brazo, a nuestra América de hoy, heroica y trabajadora a la vez, y franca y vigilante, con Bolívar de un brazo y Herbert Spencer de otro; una América sin suspicacias pueriles, ni con-

33. *Ibid.*, p. 33.
34. *Ibid.*, p. 29.

fianzas cándidas, que convida sin miedo a la fortuna de su hogar a las razas todas...

Bolívar y Spencer, la fórmula poética de Martí es convincente en su brevedad: la bravura y el arrojo de los mestizos se suma al credo del progreso positivista; pero la realización es propia, no debe haber imitaciones ciegas ni copias apuradas[35]:

Injértese en nuestras repúblicas el mundo; pero el tronco ha de ser el de nuestras repúblicas.

En la Hispanoamérica de mediados del siglo XIX, la utopía del progreso parecía inalcanzable debido a la inestabilidad política. Sarmiento esbozó una explicación de las guerras civiles basada en contradicciones culturales y raciales, y el enjuiciamiento de la herencia española fue moneda corriente entre los liberales latinoamericanos. Por otra parte, la idea de que el progreso material dependía del orden y la estabilidad era un axioma ampliamente compartido. Frente a los desórdenes de las repúblicas, ¿no era acaso preferible la solución imperial brasileña?

Notemos enseguida que la independencia del Brasil en 1822 no planteó ningún problema de legitimidad. Don Pedro I ofrecía la garantía de la continuidad, y la Monarquía constitucional establecida en 1824 ofrecía, al menos en apariencia, un buen balance entre el absolutismo y las revoluciones. Pero la prosperidad económica dependía de las exportaciones de azúcar y café producidas en las plantaciones esclavistas del nordeste y la región de Rio de Janeiro. De he-

35. *Ibid.,* p. 34.

cho, la Constitución de 1824, otorgada por el emperador, reproducía parcialmente la declaración francesa de los Derechos del Hombre y el Ciudadano de 1789, pero no mencionaba siquiera la esclavitud, es decir, el sistema laboral dominante en la economía brasileña de la época. La élite que apoyaba el Imperio era así liberal en algunos principios económicos y políticos, pero profundamente conservadora en lo social[36]. La modernización económica se desenvolvía pegada al esclavismo y a las relaciones clientelistas. La utopía del progreso se enfrentaba así a contradicciones tan o más profundas que las encontradas en Hispanoamérica.

Sílvio Romero (1851-1914), crítico e historiador de la literatura, polemista feroz y arbitrario pero también brillante y sincero, fue uno de los pensadores más originales[37]. Entre sus libros y centenares de artículos polémicos y ocasionales se destaca la *Histórica da Literatura Brasileira* (1888), en donde formula sus ideas básicas sobre la cultura y la sociedad del país. Al igual que ocure con Sarmiento, Romero desenvuelve argumentos sobre el medio geográfico y las configuraciones raciales propias de la historia brasileña, oscilando entre el darwinismo social, el positivismo de Comte y Spencer y el conservadurismo liberal de Taine. Escribe hacia 1880[38]:

36. Emilia Viotti da Costa, *Da monarquia à república: momentos decisivos,* 6.ª ed., São Paulo, Fundação Editora da UNESP, 1999, pp. 131-168.
37. Véase Thomas E. Skidmore, «The essay: architects of Brazilian national identity», en *The Cambridge History of Latin American Literatures. Volume 3, Brazilian literature; bibliographies,* editado por Roberto González Echevarría y Enrique Pupo-Walker, 345-362, Cambridge, Cambridge University Press, 1996; también el prólogo en Sílvio Romero, *Ensayos literarios,* editado por Antônio Cândido, Caracas, Biblioteca Ayacucho, 1982.
38. Romero, *Ensayos literarios,* p. 10.

Somos un pueblo que desciende de una gastada y corrupta rama de la vieja raza latina, a la que se agregaron dos de las razas más degradadas del globo, los negros de la costa y los pieles rojas de América, y por ello no nos distingue todavía ni una cualidad digna de encomio, a menos que fuera la debilidad lastimosa de disfrazarnos con grandezas que no nos quedan, imitando, remedando sin objetivo ni criterio todos los vicios y locuras que traen una etiqueta de París. El servilismo del negro, el prejuicio del indio y el genio autoritario y mezquino del portugués produjeron una nación informe, sin cualidades fecundas y originales. [...] El genio brasileño no ha encontrado todavía su camino; y por ello no tenemos todavía una industria nuestra, una literatura nuestra, un arte, una filosofía nuestras; vivimos de falsificaciones del pensamiento ajeno.

El progreso material y espiritual está así comprometido por la herencia racial: la mezcla de colores es paralela a la confusión de las ideas, y este es, en la visión de Romero, un dato científico. Pero este diagnóstico no lleva a la desesperanza; Romero llama a los brasileños a levantarse «con la ciencia y con el amor al deber»[39]:

Etnográfica y psicológicamente hablando, el brasileño actual ya puede, después de cuatro siglos, distinguirse del portugués, del indio y del negro. Las tres razas ya cumplieron más o menos su papel histórico: el portugués nos dio la sangre, la lengua y cualquiera que sea la cultura que poseemos; el indio nos dio también su sangre, y además sus tierras y en parte sus tradiciones; el negro nos dio a su vez su sangre, su trabajo, su fuerza, su vida... Todos cumplieron más o menos su deber. Cumplamos nosotros también el nuestro.

39. *Ibid.,* p. 16.

Reencontramos aquí ideas próximas a las de Martí y Sierra; los brasileños son «una vasta capa de mestizos de toda especie», cuya fusión no ha terminado todavía, y por eso no tienen aún, en la visión de Romero, un espíritu o carácter verdaderamente original. En el futuro, será el componente blanco (portugués), el que acabe predominando, sobre todo si continúa la creciente inmigración europea, ya que es el elemento más fuerte y dinámico[40].

Las reflexiones de Sílvio Romero llevan al primer plano el tema de la creatividad en el sentido más general[41]. Dada la creencia en la inferioridad racial, ¿será capaz de crear un pueblo mezclado? Su respuesta es ambigua, aunque al final resulte optimista; refleja bien claras las tensiones y angustias experimentadas por los intelectuales liberales y positivistas frente a la persistencia de la esclavitud, abolida recién en 1888, y la clara conciencia del predominio de relaciones sociales de tipo paternalista y clientelista. La novelística de Machado de Assis (1839-1908), probablemente la creación literaria más original lograda en la América Latina del siglo XIX, refleja en la ambigüedad de sus personajes y la volubilidad del narrador, ese mundo de tensiones y contradicciones, permanentemente irresueltas[42].

La primera versión de la utopía del progreso fue formulada en el siglo XVIII, en el ámbito de la Ilustración. El conocimiento racional alumbraba el camino hacia la felicidad y la libertad humana, mientras que la Revolución inglesa (1688), la Revolución estadounidense (1776-83) y la Re-

40. *Ibid.,* pp. 63-64.
41. Véase el prólogo de Antônio Cándido, *ibid.,* p. XXVII.
42. Véase el prólogo de Roberto Schwarz en Joaquim Maria Machado de Assis, *Quincas Borba,* traducido por Juan García Gayo, editado por Roberto Schwarz, Caracas, Biblioteca Ayacucho, 1979 [1891].

volución francesa (1789-99) ofrecían caminos y ejemplos para un nuevo ordenamiento político y social. En diferentes combinaciones y elaboraciones, dichas ideas alimentaron las luchas por la emancipación y los primeros pasos de la organización estatal independiente.

La segunda versión, marcada por el pensamiento de August Comte, John Stuart Mill y Herbert Spencer, se impuso hacia 1850 y culminó a finales del siglo XIX. «Progreso» significaba entonces tanto emancipación mental como progreso material, a través de la incorporación al mercado mundial dominado por la Revolución Industrial europea y su extensión norteamericana. Esta segunda versión estuvo empapada, además de por un liberalismo pragmático y conquistador, por el darwinismo social y el racismo. El progreso era visto en diferentes perspectivas, no siempre complementarias; por un lado se trataba de un proceso de difusión y comunicación, abarcando la tecnología y las ideas producidas en Europa Occidental y los Estados Unidos, que se extendían a los países de la periferia; por otro, también se trataba de un proceso evolutivo, que requería tiempo de maduración y donde era difícil, si no imposible, saltar etapas. El evolucionismo tenía, además, una clara connotación racial, representada por la superioridad de la raza blanca, dueña de la ciencia y la tecnología que hacían posible el progreso. Intelectuales latinoamericanos como Sarmiento, Sílvio Romero y Martí vivieron angustiadamente esta búsqueda utópica y encontraron también los límites y callejones sin salida.

Hacia 1900 parecía que la divisa de «orden y progreso» se imponía en todo el subcontinente; la Europa de la *belle époque* bailaba al ritmo de un vals vienés mientras que los Estados Unidos se convertían en una república imperial. La guerra mundial (1914-1918) puso pronta y brutal cesura a los sueños de la burguesía conquistadora.

La utopía reformista

Durante la segunda mitad del siglo XIX, la organización política liberal se fue imponiendo en todos los países de la América Latina, al tiempo que crecían las exportaciones de bienes primarios al mercado mundial, y se modernizaba la infraestructura económica. Este proceso es conocido como «reforma liberal», y sus propulsores lo consideraron como realización –parcial e incompleta, pero realización al fin– en pro de la utopía del progreso.

En términos políticos, las reformas liberales crearon repúblicas oligárquicas. Por un lado existía un discurso liberal, a menudo «libérrimo», irreprochable; por el otro, la práctica política era autoritaria, la participación electoral era muy restringida y las relaciones sociales básicas eran de tipo clientelista. Al decir de Leopoldo Zea, el despotismo ilustrado, heredado del período colonial, se había transformado en despotismo positivista[43]. En el caso de Brasil, la República, proclamada luego de un golpe militar en noviembre de 1889, se montó sobre el clientelismo heredado del Imperio; el régimen fue desarrollado y ampliado hasta por lo menos 1930 y fue conocido con el nombre de «coronelismo»[44].

43. Zea, *Pensamiento positivista latinoamericano*, tomo 1, p. XXXIII.
44. Richard Graham, *Patronage and Politics in Nineteenth-Century Brazil*, Stanford, Stanford University Press, 1990, capítulos 3 y 8; Maria Isaura Pereira de Queiroz, «O Coronelismo numa interpretação sociológica», en *História Geral Da Civilização Brasileira. Tomo III. O Brasil Republicano*, editado por Boris Fausto, 153-190, São Paulo, DIFEL, 1977.

El presidencialismo, adoptado por la mayoría de los países, derivó en largos gobiernos autoritarios y dictaduras desembozadas. Porfirio Díaz en México gobernó durante 35 años (1876-1911) y fue considerado por sus mismos partidarios como un «tirano honrado»; Antonio Guzmán Blanco en Venezuela, el «Ilustre americano», reinó durante 14 años, entre 1870 y 1887; el régimen de Manuel Estrada Cabrera en Guatemala (1899-1920) fue retratado por Miguel Ángel Asturias en *El señor presidente,* modelo de la novela de dictadores, un género literario con amplio desarrollo en América Latina[45]. Y estos son sólo tres ejemplos particularmente exaltantes.

Para los que creían sinceramente en los principios liberales, esta contradicción permanente entre discursos democráticos y prácticas dictatoriales era algo difícil de aceptar. Particularmente sensibles eran los sectores medios emergentes, sobre todo urbanos, que crecían al calor de la expansión de las economías de exportación. La lucha por el respeto a las libertades electorales, la libertad de expresión y la pluralidad de partidos se convirtió así en el centro de los conflictos políticas, sobre todo cuando fue cada vez más evidente que la locomotora del progreso no arrastraba de manera automática los vagones de la democracia.

En el México de don Porfirio, justo cuando acababan de celebrarse el centenario de la independencia y los 35 años de la «Tiranía honrada», Francisco Madero convocaba a los mexicanos a luchar,

---

45. Véase Angel Rama, *Los dictadores latinoamericanos,* México, Fondo de Cultura Económica, 1976.

siguiendo el grandioso principio de la fraternidad, para obtener, por medio de la libertad, la realización del magnífico ideal democrático de la igualdad ante la ley[46].

Bajo el grito de «los dolores que quedan son las libertades que faltan» y con el convencimiento de que «estamos pisando sobre una revolución, estamos viviendo una hora americana», los estudiantes de Córdoba (Argentina) se rebelaron en 1918 contra una «universidad anacrónica» y propusieron un gobierno democrático de la alta casa de estudios con participación estudiantil, en pro de una universidad comprometida[47]. Los ecos se propagaron muy rápido y resonaron también en otras universidades argentinas y latinoamericanas. En 1920, los estudiantes universitarios de Santa Fe (Argentina) celebraban el 1.º de mayo, día de los trabajadores, abogando por

una legislación del trabajo de acuerdo con los principios económicos y sociales más avanzados; libertad de pensar y escribir; abolición de las leyes de residencia y defensa social; indulto de los penados por estas leyes; divorcio absoluto; separación de la Iglesia y del Estado...[48].

Estaba naciendo una nueva utopía: la utopía reformista. La reforma implicaba diferentes aspectos. Ante todo se im-

46. Francisco I. Madero, *La sucesión presidencial en 1910,* 3.ª ed., Mexico, La Viuda de C. Bouret, 1911, dedicatoria.
47. Véase Dardo Cúneo (comp.), *La Reforma universitaria,* Caracas, Biblioteca Ayacucho, 1976, pp. 3-7. Véase también Juan Carlos Portantiero, *Estudiantes y política en América Latina. El proceso de reforma universitaria (1918-1938),* México, Siglo XXI, 1978.
48. Cúneo, *La Reforma universitaria,* p. 26.

ponía la reforma electoral, ampliando el derecho y las garantías al sufragio; enseguida se trataba del respeto a la constitución y las leyes, o, dicho en otros términos, se proponía, como ya lo había formulado Alberdi, el pasaje de la «república posible» a la «república verdadera»[49].

El segundo aspecto era la reforma social. Las revoluciones europeas de 1848 habían mostrado ya que el liberalismo económico y político heredado de la Revolución no garantizaba los ideales de igualdad y fraternidad proclamados también en 1789. El autoritarismo progresista de las reformas liberales, que algunos llamaron también «cesarismo democrático»[50], había disciplinado las clases subalternas y también los conflictos entre las élites; por esto, el presidente argentino Julio A. Roca podía proclamar como lema de su gobierno (1880-1886) «Paz y Administración»; mientras, la larguísima *Pax Porfiriana* de México (1876-1911) suscitaba amplio respeto y admiración, y los militares republicanos brasileños pudieron inscribir en la nueva bandera del país el *motto «Ordem e Progresso»*. Pero al igual que en Europa, las desigualdades económicas comprometían la paz social; en el mundo de los trabajadores no había una mano invisible que llevara al bienestar general.

La propuesta reformista más original elaborada en América Latina vino de otro aspecto, a menudo combinado con la búsqueda de la democracia y la reforma social; nos referimos a la reforma universitaria, formulada con la idea de tener una educación moderna, laica y avanzada, compro-

49. Alberdi, *Bases y puntos de partida para la organización política de la República Argentina,* pp. 72-76.
50. Laureano Vallenilla Lanz, *Cesarismo democrático y otros textos,* Caracas, Biblioteca Ayacucho, 1991 [1919].

metida además con el diagnóstico y la solución de los problemas básicos que afectaban a las grandes mayorías.

El escritor uruguayo José Enrique Rodó (1871-1917) publicó *Ariel* en 1900; en pocos años el libro tuvo varias ediciones, publicadas en Montevideo, Santo Domingo, La Habana, México y Valencia (España), y se convirtió en una especie de manifiesto literario-filosófico, leído, comentado, alabado y criticado en todos los medios intelectuales del continente[51]. Rodó dedicó la obra a la «juventud de América» y expuso sus ideas por la boca de Próspero, un viejo y venerado maestro que se despedía de sus alumnos, luego de un año de estudios; la sala de clase, colmada de libros, estaba dominada por una escultura de bronce de Ariel, «genio del aire» que representaba la parte noble y alada del espíritu, el «imperio de la razón y el sentimiento sobre los bajos estímulos de la irracionalidad» justo cuando, «libertado por la magia de Próspero, va a lanzarse a los aires para desvanecerse en un lampo»[52]. Las alusiones a *La Tempestad* de Shakespeare son explícitas. Próspero invoca a Ariel como su numen tutelar para dirigir un discurso sagrado a la juventud, y prepararla así a «respirar el aire libre de la acción». El acento está puesto en la fuerza de la juventud, el futuro y la renovación de la humanidad; Próspero evoca la Grecia clásica y elabora la idea de que ni la vida de los individuos ni la vida de las sociedades debe de tener un objetivo único y exclusivo. La contemplación y la cultura estética

51. José Enrique Rodó, *Ariel; Motivos de Proteo,* editado por Carlos Real de Azúa, Caracas, Biblioteca Ayacucho, 1976 [1900]. Véase también Ottmar Ette y Titus Heydenreich (eds.), *José Enrique Rodó y su tiempo. Cien años de Ariel,* Frankfurt de Meno, Vervuert / Iberoamericana, 2000.
52. Ariel Rodó, *Motivos de Proteo,* p. 3.

2. Utopías latinoamericanas

son tan importantes como la moralidad y el trabajo. El centro del discurso de Próspero es la crítica del materialismo tal como cristaliza en los Estados Unidos, donde la voluntad y la utilidad predominan sobre los sentimientos y los ideales. La igualdad democrática nivela por lo bajo, y en el discurso de Próspero, la viejas virtudes de los puritanos fundadores se han disuelto en el materialismo y el utilitarismo ciego. Próspero pone en guardia contra el «nordismo», es decir, la moda de tomar a los Estados Unidos como un ejemplo a seguir; para él, la civilización norteamericana no puede servir de tipo o modelo único ya que es incompleta. La juventud latinoamericana debe de seguir el espíritu de Ariel, que renace, una y mil veces vencido «por la indomable rebelión de Calibán»; su canción melodiosa sonará para

animar a los que trabajan y a los que luchan, hasta que el cumplimiento del plan ignorado a que obedece le permita –cual se liberta, en el drama, del servicio de Próspero– romper sus lazos materiales y volver al centro de su lumbre divina[53].

La misión asignada a los jóvenes estudiantes es puramente espiritual, casi religiosa o metafísica, y cuando los estudiantes ya solos regresan a sus casas, uno de ellos siente un llamado interior: ser las manos de un sembrador que transmite desde lo alto, a la muchedumbre indiferente, la vibración de las estrellas[54].

Rodó retoma el énfasis de Martí en las propias fuerzas espirituales, pero lleva la misión a un plano más general, y delinea un eterno contrapunto entre Ariel y Calibán, el espíri-

53. *Ibid.,* p. 54.
54. *Ibid.,* p. 56.

tu, la razón y la belleza frente a lo material, lo irracional y la barbarie; «nuestra América» versus la América anglosajona. A pesar del lenguaje elitista, casi aristocrático, el texto de Rodó impactó gracias a su construcción dualista y publicación en un momento crucial del avance imperial de los Estados Unidos, luego de la guerra con España, la independencia tutelada de Cuba y la anexión de Puerto Rico. Los escritores españoles de la Generación del 98, marcados por estos mismos eventos, fueron los primeros en entonar loas al texto de Rodó, y contribuyeron decisivamente a su amplia difusión[55].

La inversión de la fórmula de Sarmiento, que deviene ahora en «no queremos ser los Estados Unidos» fue un *leitmotiv* constante entre los intelectuales y la opinión pública latinoamericana en las primeras décadas del siglo XX. Rubén Darío (1867-1916) lo puso con furia poética en versos como estos[56]:

> ¿Seremos entregados a los bárbaros fieros?
> ¿Tantos millones de hombres hablaremos inglés?
> ¿Ya no hay nobles hidalgos ni bravos caballeros?
> ¿Callaremos ahora para llorar después?

El antiimperialismo había así nacido con el nuevo siglo; en sucesivas transformaciones y reciclajes, vive todavía hoy.

Rodó interpelaba a la juventud latinoamericana como maestro, un rol en el cual otras voces pronto se sumaron: en

---

55. Véase el estudio preliminar de Real de Azúa en *ibid.*
56. Rubén Darío, *Poesía,* editado por Ernesto Mejía Sánchez, Caracas, Biblioteca Ayacucho, 1977, p. 263. El poema se titula «Los cisnes».

Argentina, José Ingenieros (1877-1925) y Alfredo L. Palacios (1880-1965), José Vasconcelos (1882-1959) en México, Joaquín García Monge (1881-1958) en Costa Rica, Enrique José Varona (1849-1933) en Cuba, y en Guatemala Juan José Arévalo (1904-1990), entre otras figuras destacadas; todos buscarán contenidos más precisos para el magisterio de los jóvenes aunque sin abandonar el espiritualismo arielista.

El movimiento de la reforma universitaria, iniciado en Córdoba en 1918, y rápidamente extendido a otras ciudades de Argentina e Hispanoamérica, contribuyó enseguida a delinear, a través del activismo estudiantil, un programa de acción, de reivindicaciones y de alianzas con otros sectores sociales. En 1932, Germán Arciniegas (1900-1999), fogoso activista de la reforma universitaria en Colombia, la resumía así[57]:

De México a Magallanes se oye una misma voz. La revolución ya no se anuncia como revolución política: es universitaria. Lo que estaba equivocado no era el país; era el instrumento con el que se le estudiaba, su órgano de interpretación: la universidad. ¿Qué reclamaba el estudiante? El fuero de la vida. Iba a entrar a los laboratorios del mundo con las manos libres, a reconstruir las escuelas sobre escalas más audaces.

Adicionalmente especificaba: «Detrás de la universidad marchaba la República»[58], y agregaba la ambición suprema de los estudiantes[59]:

57. Germán Arciniegas, *El estudiante de la mesa redonda,* Bogotá, Plaza & Janés, 1982 [1932], p. 189.
58. *Ibid.,* p. 183.
59. *Ibid.,* p. 207.

Hoy vamos a vaciar una república en el molde de la universidad y a modelar en la universidad –barro de América– el espíritu de nuestra nación.

La reforma universitaria logró un estatus especial para la universidad pública basado en la autonomía, la libertad de cátedra, el cogobierno estudiantil y el ingreso abierto[60]. El activismo estudiantil se canalizó en diferentes grupos y asociaciones; estos nuevos espacios de acción fueron aprovechados, como se indicó antes, por los sectores medios emergentes. Dentro de un espectro de ideas muy amplias, hubo, sin embargo, dos aspectos comunes: el antiimperialismo y la lucha antioligárquica. En algunas situaciones, la universidades se convirtieron en islas de protesta y semilleros de revoluciones. Citemos de nuevo la visión de Arciniegas en 1932[61]:

Así, a través de un siglo y en toda América, la actitud es la misma. Frente a una universidad libre no pueden perpetuarse las dictaduras militares. Los viejos letrados suelen claudicar. El estudiante vive en perenne trance de sacrificio. Esto es patente hasta en las excepciones. Para instaurar el régimen de la Regeneración, Rafael Núñez principió castrando la universidad. Juan Vicente Gómez, el último caudillo bárbaro de América, cerró las escuelas, metió a los estudiantes en las prisiones de la Rotonda. Machado, en Cuba, hizo desaparecer a los líderes de la vanguardia estudiantil. Toda dictadura en América necesita, en primer término, arrancar la lengua al estudiante.

60. La autonomía universitaria significa que la universidad elige sus autoridades, maneja su propio presupuesto y administración, al igual que su organización académica y científica; mantiene, en consecuencia, una fuerte independencia con respecto a los poderes del Estado.
61. Arciniegas, *El estudiante de la mesa redonda,* pp. 180-181.

El político y pensador peruano Víctor Raúl Haya de la Torre (1895-1979) ilustra, quizás mejor que nadie, las proyecciones políticas, sociales y culturales del reformismo universitario. Estudiante universitario en Trujillo y luego en Lima, se vincula con grupos literarios, entre los que destaca César Vallejo, y luego conoce al anciano pensador anarquista Manuel González Prada; en 1917 viaja al Cuzco, donde trabaja varios meses como empleado del prefecto tomando contacto con el Perú profundo de la Sierra. En 1918 regresa a Lima, donde había bastante efervescencia social y sindical y se incorpora a las luchas universitarias. Por la misma época llega a Lima Alfredo L. Palacios, vocero autorizado de las ideas de la reforma universitaria, las cuales caen en terreno fértil. Haya se incorpora a la Federación de Estudiantes del Perú, apoyando una gran huelga sindical por la jornada de 8 horas, fomentando la solidaridad obrero-estudiantil. En octubre de 1919 consigue la presidencia de la Federación, y al año siguiente organiza en Cuzco un congreso nacional de estudiantes, en el cual se aprueba la creación de escuelas nocturnas para obreros, conocidas después como «universidades populares». En estas escuelas los estudiantes universitarios daban clases a los obreros, mejorando su formación y sobre todo reforzando la conciencia social y de clase. Haya se dedicó mucho a este proyecto una vez concluido su período como presidente de la Federación en octubre de 1920. En mayo de 1923 encabezó una gran manifestación contra el presidente Leguía, cuyo régimen era cada vez más autoritario; preso y exiliado, tuvo que viajar a Panamá, Cuba y México[62]. A la vez continuó con una

---

62. Seguimos de cerca la descripción y análisis de Peter F. Klarén, *Formación de las haciendas azucareras y orígenes del APRA,* Lima, Instituto de Estudios Peruanos, 1976, capítulos 6, 7 y 8.

carrera internacional que ya había empezado con una visita de varios meses a Buenos Aires y Montevideo en 1922.

En mayo de 1924 Haya anuncia en México la creación de la Alianza Popular Revolucionaria Americana (APRA), cuya bandera[63] entregó simbólicamente a la Federación de Estudiantes Mexicanos. La alianza era concebida como un «frente único», que incluiría a obreros, estudiantes e intelectuales, así como a los sectores medios y campesinos, adhiriendo a cinco puntos básicos: a) acción contra el imperialismo yanqui; b) unidad política de Indoamérica (es decir, América Latina); c) nacionalización de las tierras y las industrias; d) internacionalización del Canal de Panamá; y e) solidaridad con todos los pueblos y clases oprimidas del mundo. Cada grupo nacional podía añadir a estos puntos otros que fueran importantes de acuerdo con las condiciones locales. Haya de la Torre combinó ideas de diferentes autores, como Vasconcelos (su principal protector en México) y Manuel Ugarte[64], entre muchos otros, pero tuvo el arte de ponerlas en un discurso político atractivo, transmitido además por su personalidad carismática y su activismo incansable. En 1926 viajó a la Unión Soviética; al regresar se estableció en Londres, donde siguió cursos en la London School of Economics, trasladándose luego a Oxford; en 1927 viajó a los Estados Unidos y volvió a México.

63. Sobre un fondo rojo, la silueta del hemisferio occidental focalizado en el subcontinente latinoamericano, aparece en amarillo oro.
64. José Vasconcelos, *La raza cósmica. Misión de la raza iberoamericana. Notas de viajes a la América del Sur,* Madrid, Agencia Mundial de Librería, 1925; Manuel Ugarte, *La nación latinoamericana,* Caracas, Venezuela, Biblioteca Ayacucho, 1978.

El APRA contaba con células minúsculas en Buenos Aires, México y París, integradas básicamente por estudiantes, pero la pluma y el activismo de Haya de la Torre le dieron una resonancia que molestó a los líderes de los partidos comunistas que empezaron a formarse en la América Latina de los años veinte. En 1928 el cubano Julio Antonio Mella publicó en México una fuerte crítica del APRA. Haya de la Torre respondió con varios artículos publicados más tarde como libro[65]. En su visión, el marxismo debía ser adaptado a las realidades latinoamericanas (sociedades básicamente agrarias y preindustriales), ya que «un partido de clase proletaria únicamente es un partido sin posibilidades de éxito político en estos pueblos»[66]; de ahí derivaba también la idea de «frente único» liderado por las clases medias. El principal enemigo era el imperialismo, el cual debía de ser controlado a través de una amplia nacionalización y progresiva cooperativización de las empresas extranjeras; había pues que construir un «Estado antiimperialista», capaz de regular la iniciativa privada; sólo una vez derrotado el imperialismo sería posible pensar en una nueva etapa, definida vagamente como socialista.

En el Perú, las ideas de Haya de la Torre tuvieron creciente difusión, sobre todo en Trujillo, gracias a la acción de un grupo reformista vinculado al movimiento laboral, y también en Lima, donde la revista *Amauta,* dirigida por José Carlos Mariátegui publicó varios de sus artículos. En 1928, Haya de la Torre planteó su candidatura presidencial para las elecciones de 1929 y preparó un levantamiento armado

---

65. Víctor Raúl Haya de la Torre, *El antiimperialismo y el APRA,* Santiago de Chile, Editorial Ercilla, 1936.
66. *Ibid.,* p. 54; Klarén, *Formación de las haciendas azucareras y orígenes del APRA,* p. 207.

de los trabajadores petroleros de Talara; pero el alzamiento abortó y al intentar retornar a Perú, fue detenido en Panamá y enviado en un barco carguero hacia Alemania, adonde llegó en diciembre de 1928; en los años siguientes vivió en Berlín, madurando sus ideas y continuando con sus escritos, publicaciones y contactos.

En 1930 un golpe militar encabezado por Sánchez Cerro acabó con el «oncenio» de Leguía; comenzó así un proceso político inédito, caracterizado por la participación de las masas en la política peruana[67]. Varios apristas retornaron del exilio y comenzaron a organizarse como partido político en un contexto turbulento y represivo; un nuevo alzamiento militar destituyó a Sánchez Cerro en enero de 1931 y se abrió un genuino espacio de participación, con vistas a las elecciones presidenciales convocadas para noviembre de ese mismo año; se instituyó el voto secreto para los varones mayores de 21 años que supieran leer y escribir. Los apristas inscribieron el Partido Aprista Peruano y proclamaron la candidatura presidencial de Haya de la Torre; su contrincante fue el teniente coronel Sánchez Cerro, propuesto por el partido Unión Revolucionaria, una agrupación organizada y financiada por los sectores conservadores y oligárquicos. Ambos candidatos emprendieron, entre julio y octubre de 1931, una activa campaña electoral por casi todo el país.

El 23 de agosto de 1931, Haya de la Torre pronunció, ante una entusiasta multitud reunida en la plaza de toros de Lima, un famoso discurso que condensa el ideario aprista[68]. El

67. Klarén, *Formación de las haciendas azucareras y orígenes del APRA,* p. 221.
68. Víctor Raúl Haya de la Torre, *Pensamiento político de Haya de la Torre. El plan de Acción,* vol. IV, Lima, Ediciones Pueblo, 1961, pp. 17-67.

programa «máximo», relegado al futuro, busca la «cristalización modernizada del viejo ideal bolivariano» para todo el subcontinente; el programa «mínimo» es la propuesta para el Perú de ese momento. La clase proletaria industrial joven, el campesinado mayoritario pero atrasado y la clase media pueden, unidas, limitar el poder de la oligarquía y derrotar al imperialismo, enemigo principal del Perú; el capital extranjero debe aceptarse porque representa el progreso tecnológico, pero debe ser controlado por el Estado aprista. La misión del nuevo gobierno será impulsar la educación pública, sobre todo de las masas indígenas, dar garantía y protección a los trabajadores e impulsar un fuerte cambio económico promoviendo la pequeña industria y las cooperativas agrarias, fomentando la asistencia técnica. El ejército debe ser profesional y estar al servicio del poder y las obras civiles. En suma, el discurso es un «llamado a la modernización»[69]. Haya de la Torre pide a sus seguidores practicar la «honestidad, la sinceridad y el sacrificio», y finaliza el emotivo discurso con una invocación casi religiosa: «Solo el aprismo podrá salvarnos».

La campaña política fue muy polarizada, y la Iglesia, grupos militares y la oligarquía costeña «homologaron al APRA con el asalto de hordas populares, resueltas a destruir la trama de la vida nacional»[70]. Finalmente, las elecciones ocurrieron sin grandes incidentes y Haya de la Torre fue derrotado, aunque logró una votación considerable y un importante grupo de apristas llegó a la Asamblea Cons-

---

69. François Bourricaud, *Poder y sociedad en el Perú,* Lima, Instituto de Estudios Peruanos / Instituto Francés de Estudios Andinos, 1989, p. 165.
70. *Ibid.,* p. 166.

tituyente. Aunque los apristas alegaron fraude, parece que las elecciones fueron relativamente honestas[71].

El debate político es durísimo; el gobierno detiene a Haya de la Torre y expulsa a los apristas de la Asamblea Constituyente; en julio de 1932 estalla la insurrección en Trujillo. Ésta fracasa, pero varios oficiales del ejército, prisioneros de los apristas, son asesinados, y sigue una represión terrible, marcada por el fusilamiento de centenares de apristas en las ruinas de Chan-Chan, en las afueras de Trujillo.

Lo que sigue después de esta rebelión frustrada y sangrienta es una larguísima historia de luchas en la clandestinidad, persecuciones, exilios y cortos períodos (1934, 1945-1948, 1956-1968) de legalidad. Aunque el APRA era el movimiento político dominante del Perú, para la oligarquía y los militares era algo así como una Némesis inadmisible.

Las cosas solo fueron cambiando en la década de 1960, cuando Haya de la Torre era ya un profeta envejecido; de hecho, aunque sin admitirlo abiertamente, los militares que se hicieron con el poder en 1968 bajo el liderazgo de Velasco Alvarado, tomaron mucho del viejo programa económico del APRA al nacionalizar los bancos, expropiar muchas empresas extranjeras y promover la reforma agraria. Sólo al final del régimen militar, en 1978, Haya de la Torre fue electo diputado y presidió la Asamblea Constituyente que elaboró la Constitución peruana de 1979; ese mismo año, el 2 de agosto, falleció en Lima. Tuvo, como cabía esperarlo, un entierro multitudinario. En 1985, el aprista

71. Haya de la Torre obtuvo 106.000 votos (un 35% del total) frente a 150.000 de Sánchez Cerro; el grueso del apoyo del APRA provino de Lima, Trujillo y los departamentos de la costa norte. Véase Klarén, *Formación de las haciendas azucareras y orígenes del APRA,* p. 244.

Alan García conquistó la presidencia del Perú, ya cuando el espíritu y las ideas del APRA navegaban en un pasado que parecía cada vez más lejano.

Durante los largos años de clandestinidad y persecución, el pensamiento de Haya de la Torre fue cobrando visos cada vez más espiritualistas y religiosos; los apristas luchaban desde las catacumbas por una causa sagrada, por un renacer esperanzado que liberará al Perú y a Indoamérica. Haya de la Torre considera que es propio hablar de Hispanoamérica durante el período colonial, de Latinoamérica durante la era republicana y de Indoamérica a partir de 1930, recuperando el componente indígena del subcontinente; al mismo tiempo denuncia al «panamericanismo» como una manipulación imperialista. Al pensar el futuro de Indoamérica, desarrolla una filosofía de la historia con matices hegelianos, pero centrada en el relativismo, a la cual no se le puede negar cierta originalidad.

El ritmo diferencial del cambio social, muy rápido en los países industrializados (Europa, Estados Unidos, Japón), y muy lento en países agrarios como el Perú, que todavía respira con la lentitud de las antiguas civilizaciones indígenas, es el punto de partida de las reflexiones de Haya de la Torre. Este relativismo del tiempo se traduce también en un relativismo espacial: las distancias entre regiones, países y pueblos tampoco son homogéneas o uniformes[72]. El Esta-

---

72. Haya de la Torre tomó el relativismo de las ideas de Einstein, y creyó haberlo traducido de la física a las ciencias sociales. Pero esto es dudoso, y más parece producto de una confusión, bastante común en las primeras décadas del siglo XX. Sobre esta confusión véase Paul Johnson, *Tiempos modernos,* traducido por Aníbal Leal, Buenos Aires, Javier Vergara Editor, 1988, pp. 13-59. Sobre las ideas de Haya de la Torre en general véase Frederick B. Pike, *The Politics of the Miracu-*

do, a través de una intervención organizada, puede sincronizar estos ritmos diferenciales, que aunque son relativos, tienen también un referente absoluto: los sistemas económicos y sociales más avanzados. En la visión de Haya de la Torre, Indoamérica está entrando en la escena mundial y puede avanzar hacia un destino grandioso, lo mismo que la India y otros «pueblos-continentes» relegados. Es interesante notar que aunque Haya de la Torre cree en el referente absoluto recién mencionado, de hecho abandona la idea del progreso unilineal y eurocéntrico, típico tanto del liberalismo como del marxismo. Para él, el futuro grandioso de Indoamérica es de tipo espiritual, y expresará también un renacer amerindio profundo[73]. La Revolución mexicana y la reforma universitaria de Córdoba no serían, en su visión, más que adelantos auténticos de ese futuro promisorio.

El pensamiento de Haya de la Torre fue muy influyente en la América Latina de las décadas de 1920, 1930 y 1940. Ello tiene que ver con las redes de intelectuales y políticos que se establecieron en torno al arielismo, la reforma universitaria y el antiimperialismo. De alguna manera, Haya de la Torre fue el vocero más tenaz, elocuente y carismático de esa corriente.

En Guatemala, el 31 octubre de 1944, en plena revolución contra los epígonos del recién depuesto dictador Jorge Ubico, Juan José Arévalo escribía en una hoja volante, ampliamente difundida[74]:

lous in Peru. Haya de la Torre and the Spiritualist Tradition, Lincoln y Londres, University of Nebraska Press, 1986.
73. La idea del renacer espiritual refleja una fuerte influencia de escritores como Romain Rolland (1866-1944) y el conde Hermann de Keyserling (1880-1946).
74. Juan José Arévalo, Escritos políticos, Guatemala, Tipografía Nacional, 1945, pp. 146-147.

Nosotros, es decir, la juventud de Guatemala [...] Somos socialistas porque vivimos en pleno siglo XX. Pero no somos socialistas materialistas. No creemos que el hombre sea primordial-
mente estómago. Creemos que el hombre es ante todas las cosas
una voluntad de dignidad. Ser dignamente un hombre o no ser
nada [...] Este socialismo espiritual es doctrina de liberación
psicológica y moral.

Al asumir la presidencia de Guatemala el 15 de marzo de
1945, Arévalo presentó un programa de modernización del
ejército y de la universidad, propuso el voto femenino, anunció un programa de alfabetización y construcción de escuelas, y afirmó que «está en vías de iniciación la gran experiencia social de protección al trabajador, al campesino, al
enfermo, al anciano y al niño»[75]. Su promesa era simple y estrechamente cercana a los ideales reformistas del aprismo:
democracia, libertad y felicidad para el pueblo guatemalteco.

El programa de Arévalo fue continuado durante la presidencia de Jacobo Arbenz, a partir de 1951, pero resultó
brutalmente interrumpido por su derrocamiento, en junio
de 1954, gracias a una invasión y golpe de Estado orquestado por la CIA y acordado por los sectores oligárquicos y la
United Fruit Company.

Intentos reformistas similares ocurrieron en Cuba bajo
las presidencias de Ramón Grau San Martín (1933-1934;
1944-1948) y Carlos Prío Socarrás (1948-1952), y alcanzaron un éxito relativamente sostenido en Costa Rica a partir
de 1940, y en Venezuela bajo el liderazgo de Rómulo Betancourt (presidente, 1945-1948; 1959-1964) y Rafael Caldera
(presidente, 1969-1974; 1994-1999). En la práctica política,

75. *Ibid.,* p. 199.

está claro que los ideales de Rodó y la reforma universitaria, abstractos cuando no etéreos, se combinaron en dosis diversas con el anarquismo, el socialismo utópico, la socialdemocracia y el socialcristianismo, derivados básicamente de ideologías y experiencias europeas.

El indigenismo, vigente sobre todo a partir de 1920, puede verse como un ejemplo especial de reformismo aplicado. En México, Perú, Guatemala, Bolivia y Ecuador, países con importantes poblaciones indígenas, se planteó, desde diferentes perspectivas, la necesidad de integrarlas a las sociedades nacionales[76]. Esto se formuló como un proyecto modernizador, que buscaba «formar un "hombre nuevo", racialmente mestizo, culturalmente mestizo y políticamente ciudadano»[77]. Mientras se rendía culto a las antiguas civilizaciones prehispánicas, se trataba de aculturar e integrar, a través de la educación, a los indígenas contemporáneos.

La antropología dio las bases académicas para este proyecto, y los antropólogos, trabajando para entes estatales creados al efecto, implementaron acciones prácticas; el indigenismo fue así «una formulación no-india del "problema indio"»[78]. Hacia 1970 los resultados del indigenismo comenzaron a ser fuertemente cuestionados; en el campo universitario, la antropología indigenista fue criticada desde planteamientos radicales, inspirados por el marxismo y la sociología de la dependencia, mientras que la moviliza-

---

76. Véase Gonzalo Aguirre Beltrán, *El proceso de aculturación y el cambio socio-cultural en México,* México, Fondo de Cultura Económica, 1992 [1970].
77. Carlos Iván Degregori y Pablo Sandoval (comps.), *Saberes periféricos: ensayos sobre la antropología en América Latina,* Lima, Instituto de Estudios Peruanos, 2008, p. 11.
78. *Ibid.*

ción de los grupos indígenas derivó en una agenda de reivindicaciones renovada, y en todo caso, bastante autónoma con respecto a las políticas estatales. La integración indígena en las sociedades nacionales siguió siendo un problema irresuelto.

El reformismo, rebautizado a veces durante la Guerra Fría como «izquierda democrática»[79], incorporó muchos elementos de la socialdemocracia europea, y en otra vertiente, del pensamiento social de la Iglesia católica. Desde sus mismos orígenes, fue desafiado por otra poderosa utopía: la nacional populista.

La utopía nacional populista

A diferencia de la utopía del progreso y de los vaivenes del reformismo, el populismo latinoamericano no ha sido objeto de planteamientos sistemáticos. Trátese de la Revolución mexicana, o del varguismo brasileño, o del peronismo argentino, la doctrina se fue elaborando sobre la marcha, es decir, como un resultado de la práctica política; sólo tardíamente aparecieron elaboraciones interpretativas, tanto oficiales como no oficiales. Comenzaremos pues con algunos rasgos generales, tomados como hipótesis de trabajo, reservando para más adelante la formulación de un cuadro más completo.

Los componentes básicos del populismo son un fuerte nacionalismo, basado en la exaltación del Estado nación,

79. Charles D. Ameringer, *The Democratic Left in Exile. The Antidictatorial Struggle in the Caribbean, 1945-1959,* Miami, University of Miami Press, 1974.

una reforma social y económica liderada por el Estado, y un gobierno «popular», generalmente de corte autoritario. La reforma democrática –orientada al juego electoral y la lucha de partidos políticos organizados– pasó a segundo plano. La democracia populista es un sistema en el cual los intereses de las élites económicas y las aspiraciones populares se articulan en forma corporativa, a través de organizaciones de la sociedad civil, como los sindicatos, las cámaras patronales y la Iglesia; en ciertos momentos, las Fuerzas Armadas participan también en esta articulación corporativa, en forma relativamente autónoma, es decir, relativamente independiente del poder político estatal. El sistema es particularmente complejo, y a menudo difícil de entender, porque el marco político constitucional sigue siendo –salvo contadas excepciones, como la constitución del *Estado Novo* brasileño en 1937– el viejo marco constitucional liberal decimonónico, parcialmente reformado. Haciendo un balance de lo que cambió a mediados de la década de 1920 en el México revolucionario, Alan Knigth afirma[80]:

> Como en el pasado, una gran brecha separa la teoría constitucional de la práctica; la democracia artificial del Porfiriato dio paso a la socialdemocracia artificial de los sonorenses [Se refiere a la facción triunfante de la revolución]. La entidad política liberal establecida en 1917 se caracterizó por elecciones violentas y fraudulentas, caciquismo y pistolerismo, esporádicas revueltas militares y asesinatos políticos; al final, estos demonios fueron conjurados al precio de la burocratización y el corporativismo.

80. Alan Knight, *The Mexican Revolution,* 2 vols., Cambridge, Cambridge University Press, 1986, II, p. 517.

La Revolución mexicana comenzó en mayo de 1911 con la caída del régimen de Porfirio Díaz y se prolongó al menos hasta 1940. El gobierno constitucional liberal encabezado por Francisco Madero a partir de octubre de 1911 no pudo llenar el vacío de poder abierto por el fin del Porfiriato; una multitud de conflictos e insurrecciones locales y regionales, con agendas y bases sociales muy diversas, rompieron las redes de poder tejidas durante la «Tiranía honrada», y su sustitución por otras nuevas demoró unos diez años caracterizados por luchas y violencias continuas.

En febrero de 1913 el general Victoriano Huerta derrocó a Madero e intentó restaurar el orden oligárquico; el intento fue sin embargo de corto alcance, pues pronto estalló un movimiento constitucionalista, centrado en las provincias del norte (Sonora, Chihuahua y Coahuila), jefeado, entre otros, por Venustiano Carranza, Francisco Villa y Álvaro Obregón. A este movimiento ofensivo se sumó también el liderado por Emiliano Zapata en Morelos; a diferencia de las demás insurrecciones, el movimiento de Zapata, iniciado en 1911, siempre había permanecido en pie de guerra, pero estaba profundamente focalizado en las reivindicaciones agraristas locales, de campesinos comunitarios que habían perdido sus tierras durante el Porfiriato[81].

El no reconocimiento por parte de los Estados Unidos fue otro elemento desfavorable para Huerta; conviene notar que durante toda la Revolución, las relaciones con los Estados Unidos jugaron un papel crucial y complejo; por una parte, era allí donde se conseguían las armas y municiones, y de donde provenía buena parte de su financiamiento;

81. John Womack, *Zapata y la Revolución Mexicana*, traducido por Francisco González Aramburu, México, Siglo XXI, 1969.

por otra, el envío de cualquier contingente de tropas estadunidenses –como las que ocuparon las aduanas de Veracruz en abril de 1914, o la expedición punitiva contra Villa en marzo de 1916– despertaba siempre una incontenible oleada nacionalista reactiva, generadora de alianzas tan amplias como insólitas.

El ejército federal, base del poder de Huerta, se desploma en julio de 1914 y don Victoriano huye del país; en agosto de 1914 las fuerzas rebeldes ocupan la Ciudad de México. Desde ese momento y hasta diciembre de 1915 hubo una lucha sin cuartel entre las diferentes facciones –constitucionalistas, villistas y zapatistas– tratando de imponer sus proyectos. En diciembre de 1915 el triunfo constitucionalista, liderado por Venustiano Carranza y Álvaro Obregón, fue ya claro, mientras que Zapata y Villa, luego de vivir unos meses de grandes éxitos militares, quedaron reducidos a movimientos locales, carentes ya de alcance nacional[82].

La pacificación fue lenta y difícil; en los hechos, llena de sobresaltos. Venustiano Carranza logra finalmente imponerse y convoca una Asamblea Constituyente que elabora una nueva Constitución, promulgada en 1917. Al mismo tiempo sube al poder como presidente constitucional, mientras Obregón se retira a Sonora esperando su turno en

---

82. El villismo fue un movimiento heterogéneo, compuesto por una coalición de clases bajas y medias, aglutinadas por la personalidad carismática de Villa; a diferencia del movimiento de Zapata, su composición fue fluctuante, dependiendo de las circunstancias. Según Katz no puede considerarse como un bandolerismo social premoderno; los rancheros de Villa se oponían a que la modernización se hiciera a sus expensas, quitándoles las tierras, eliminando su autonomía e imponiéndoles un control central. Véase Friedrich Katz, *Pancho Villa,* traducido por Paloma Villegas, 2 vols., México, Ediciones Era, 2000,, vol. 2, pp. 402-403.

las próximas elecciones, es decir, en 1920. La Constitución de 1917 dejaba a los gobernantes una gran libertad de maniobra y reforzó la centralización y el estatismo. Obregón impulsó artículos que garantizaban los derechos de los trabajadores, mientras que se reforzaba la separación de la Iglesia y el Estado, y se retornaba al derecho romano, estableciendo la propiedad estatal del suelo y el subsuelo[83].

La presidencia de Carranza estuvo llena de dificultades, incluyendo conflictos con Estados Unidos en torno a la neutralidad durante la guerra mundial, y el desafío de la reconstrucción económica de un país asolado por años de guerra civil. Con todo, sus principales problemas vinieron de su intransigencia frente al movimiento popular (permanente conflicto con Villa, asesinato de Zapata en 1919) y de su intento por excluir a Obregón de la sucesión presidencial en 1920. La reacción de éste, hábil político y consumado jefe militar, fue el Plan de Agua Prieta (abril de 1920), y el comienzo de otra rebelión; en mayo de 1920, Carranza huía de la Ciudad de México y moría asesinado por uno de sus mismos partidarios. Con Obregón triunfaban los generales de Sonora; de una manera o de otra, él y Plutarco Elías Calles gobernarán el país desde 1920 hasta 1934.

Hacia 1920 se cierra la primera fase de la Revolución mexicana y se prepara un período de estabilización y construcción institucional, aunque no exento de violencias y conflictos, que se prolongará al menos hasta 1940.

Los tres primeros años de la presidencia de Obregón fueron de febril actividad. Desde la secretaría de educación, José Vasconcelos emprendió un enorme esfuerzo de alfabe-

83. Jean Meyer, *La Révolution Mexicaine, 1910-1940,* París, Calmann-Lévy, 1973, pp. 67-68.

tización, desarrollo de la educación técnica y superior, creación de bibliotecas, estimulación de las artes y el deporte, desarrollo de la higiene y la salud pública...; el pan, el jabón y el alfabeto se convirtieron en las nuevas armas de la reconstrucción nacional[84]. En el plano económico, la caída de las exportaciones de plata y el aumento vertiginoso de las de petróleo marcó el signo de los nuevos tiempos; la reforma agraria, emprendida con prudencia, pero elemento clave en el licenciamiento de los combatientes, benefició a unos 140.000 campesinos. Finalmente, y aunque al precio de muchas concesiones, Obregón logró el reconocimiento de los Estados Unidos y un arreglo temporal de los conflictos económicos con los capitalistas (tratado de Bucareli, mayo-agosto de 1923).

De nuevo, el panorama político se ennegreció en torno a la sucesión presidencial. El principio de «no reelección» proclamado por Madero en 1911 se había convertido en algo sagrado; decidido a presentarse de nuevo como candidato en las elecciones de 1928, Obregón impuso como candidato a Plutarco Elías Calles, político avezado pero mucho menos conocido que Adolfo de la Huerta, otro de los generales sonorenses del grupo de Obregón. La guerra civil estalló de nuevo entre diciembre de 1923 y abril de 1924; Obregón se impuso y Calles ganó las elecciones amañadas, pero el costo fue elevado: 70 millones de pesos, 7.000 soldados y 54 generales muertos[85]. La purga se extendió a toda la administración y se consolidó así un régimen de aparien-

---

84. *Ibid.,* pp. 120-127.
85. *Ibid.,* p. 137. Francisco Villa fue asesinado en julio de 1923, antes del inicio de esta rebelión, probablemente por órdenes de Obregón. Sobre Villa véase Katz, *Pancho Villa.*

cia parlamentaria, pero con elecciones arregladas, un fuerte clientelismo, una eficiente maquinaria de jefes locales y regionales, y una corrupción expresivamente formulada en el dicho: «No hay general que resista un cañonazo de 50.000 pesos».

Para coronar el sistema mexicano vigente hasta el año 2000 faltaban solo dos elementos: el partido único y el abandono del caudillismo o el personalismo.

Durante la presidencia de Calles prosiguió la reconstrucción económica a través de fuertes inversiones en obras públicas, un notable reordenamiento monetario y fiscal y el mantenimiento de buenas relaciones con los Estados Unidos y los capitalistas extranjeros. Pero la situación interna volvió a una profunda crisis en julio de 1926 cuando se produjo la ruptura de Calles con la Iglesia católica y el inicio de la sublevación de los Cristeros.

El conflicto religioso derivaba de la aplicación de la Constitución de 1917, la cual obligaba a la Iglesia católica a un sometimiento total al poder estatal, calcado sobre el regalismo vigente durante el México colonial, pero hizo crisis por el anticlericalismo radical de Calles. Los jefes revolucionarios del norte eran por lo general masones, a menudo espiritistas, y admiradores de la secularización anglosajona; chocaban con el México profundo del centro y el sur, indígena, mestizo y devoto. No hay más que recordar que el grito de Emiliano Zapata, «Tierra y libertad», era pronunciado bajo el estandarte de la Virgen de Guadalupe[86]. La confrontación entre el gobierno y los Cristeros era así, en

---

86. François Chevalier, «Un facteur décisif de la révolution agraire au Mexique: le soulèvement de Zapata, 1911-1919», *Annales. Économies, Sociétés, Civilisations,* vol. 16e année, núm. 1 (1961), pp. 66-82.

cierto modo, también el choque entre dos mundos culturales distintos. Cuando la Iglesia decide suspender el culto, en julio de 1926, estalla la rebelión en nombre de Cristo Rey. La violencia fue más intensa y devastadora que nunca, y afectó sobre todo a los estados del centro y el oeste; los Cristeros retuvieron el control de vastas zonas rurales, pero el gobierno se afirmó en el control de las ciudades, las líneas del ferrocarril y las fronteras. El balance final fue tremendo: 90.000 combatientes caídos en los tres años de guerra, mientras que la producción agrícola disminuyó en un 39%[87].

En enero de 1927 la Constitución fue reformada[88] para permitir la reelección presidencial no consecutiva y Obregón ganó fácilmente las elecciones en julio de 1928, pero casi enseguida cayó asesinado por las balas de un católico fanático. Ello abrió a Calles una oportunidad espléndida para consolidar su poder y liderazgo. En junio de 1929, el Vaticano dio luz verde para la firma de un arreglo esbozado ya antes del asesinato de Obregón, bajo los auspicios del embajador de Washington, Morrow, y los jesuitas norteamericanos. Se acordó la suspensión temporal de la aplicación de la ley, la amnistía de los rebeldes y la restitución de los templos, mientras que la Iglesia retomaba el culto interrumpido; empero, se trató de un arreglo entre élites y gobiernos, a espaldas de la rebelión popular[89].

Desaparecido Obregón, Calles pudo reinar a su antojo, poniendo y sacando presidentes; es el período 1928-1934, conocido como «Maximato», en alusión al líder, llamado

87. Meyer, *La Révolution Mexicaine, 1910-1940,* p. 180.
88. La reforma también incluyó la extensión del período presidencial a seis años.
89. Meyer, *La Révolution Mexicaine, 1910-1940,* pp. 179-193.

por todos «Jefe Máximo». Pero además de fabricar elecciones y presidentes[90], Calles organizó en 1929 el Partido Nacional Revolucionario (PNR), poderosa maquinaria institucional destinada a monopolizar el poder hasta el año 2000[91].

La elección de 1934 constituyó un importante *turning point;* Lázaro Cárdenas no solo era uno de los generales más jóvenes entre los veteranos de la Revolución, sino también un político habilísimo, decidido a sacudirse la tutela de Calles. Poseía además un realismo político similar al de Obregón y, a diferencia de Calles, no deseaba el poder por el poder mismo, sino para ponerlo al servicio de ideales mexicanos y universales en los que sinceramente creía[92]. El gobierno puso fuerte énfasis en la educación y la salud, dio un nuevo y vital empuje a la reforma agraria, defendió los derechos de los trabajadores y se reconcilió definitivamente con la Iglesia católica. Desde 1936 los sindicatos fueron agrupados en la Confederación de Trabajadores Mexicanos (CTM), liderada por Lombardo Toledano, y dos años después se conformó la Confederación Nacional Campesina (CNC). En 1938 Cárdenas reestructuró el PNR formando una organización funcional y sectorial que articulaba los sectores obreros (CTM), campesinos (CNC), militar y popular[93] (servidores públicos y otros); al mismo tiempo, promocionó el diálogo permanente con las organizaciones patro-

90. Emilio Portes Gil (1928-1930), Pascual Ortiz Rubio (1930-1932) y Abelardo Rodríguez (1932-1934).
91. El nombre del partido cambió a Partido de la Revolución Mexicana en 1938, y a Partido Revolucionario Institucional en 1946.
92. Véase Adolfo Gilly, *El cardenismo. Una utopía mexicana,* México, Ediciones Era, 2001.
93. En 1943 se constituirá la Confederación Nacional de Organizaciones Populares (CNOP); el sector militar desapareció en la reestructuración de 1946.

nales y empresariales. Jean Meyer resume así los logros cardenistas[94]:

> Cárdenas fijó por cuarenta años las reglas de la vida política mexicana [...] La omnipresencia de un partido con estructuras verticales y un presidencialismo sin frenos permitieron una estabilidad política asombrosa, que se acompaña de una renovación constante del personal político al nivel inferior y medio: un 70% cambia cada seis años. En la cúspide, la «familia revolucionaria» vigila el respeto de las reglas del juego; el partido, correa de transmisión e instrumento de control, es una máquina electoral casi perfecta.

El momento culminante de la gestión de Cárdenas fue, sin duda, la nacionalización del petróleo en marzo de 1938. El conflicto con las grandes compañías no se hizo esperar y la Gran Bretaña rompió relaciones diplomáticas con México. Pero el contexto internacional, próximo a la guerra mundial, jugó a favor de Cárdenas, al igual que su amistad con el presidente Roosevelt; en 1943 se llegó a un arreglo con las compañías, incluyendo una indemnización. Internamente, la expropiación y las presiones externas provocaron una inmensa oleada nacionalista que favoreció definitivamente la consolidación del liderazgo de Cárdenas y la adhesión masiva a la ruta mexicana. El período se cerró con la nominación del general Ávila Camacho a la candidatura presidencial en las elecciones de 1940; Cárdenas prefirió alguien que garantizara la continuidad sin provocar mayores conflictos, y los hechos le dieron la razón.

94. Meyer, *La Révolution Mexicaine, 1910-1940,* pp. 216-217.

2. Utopías latinoamericanas

La siguiente reflexión de Alan Knight se aplica bien a Cárdenas, al igual que fue el caso con Carranza, Obregón y Calles[95]:

> El genio del liderazgo revolucionario reside en su capacidad para canalizar la energía y los reclamos del movimiento popular hacia fines opuestos, como la construcción estatal y el desarrollo capitalista. Esta fue la astucia de que careció el Kuomintang en China, y aseguró la continuación de la «revolución desde arriba» por otros medios.

La Revolución mexicana y el Leviatán que constituye su herencia resultó ser el ejemplo más elaborado y eficaz del populismo latinoamericano en el siglo XX. Antes de compararlo con otros casos, hay que subrayar tres aspectos cruciales. En primer lugar, no fue un movimiento planeado por un grupo específico ni el resultado de acciones inspiradas en una ideología previamente elaborada; en segundo lugar, las configuraciones institucionales y los grupos sociales que se consolidaron fueron el resultado, complejo y a menudo imprevisible, de las luchas sociales, los liderazgos y las coyunturas sociopolíticas y económicas específicas; esto último implica que no hubo resultados ineluctables ni hilos conductores fácilmente perceptibles; sólo una lectura posterior permite descubrir y explicar la emergencia de estructuras a partir de situaciones volátiles y a menudo caóticas. Las ideas que inspiraron a sus múltiples actores provinieron de contextos «modernos» como el socialismo y el anarcosindicalismo, de un nacionalismo beligerante, de un liberalismo anticlerical no ajeno a la inspi-

95. Knight, *The Mexican Revolution*, II, p. 527.

ración norteamericana, del espiritismo y otras doctrinas esotéricas, y de un catolicismo anclado en las tradiciones comunitarias coloniales; y estoy seguro que esta enumeración de repertorios ideológicos no es completa. En suma, la teoría del caos parece ser un recurso más apropiado que la doctrina de las revoluciones para explicar la Revolución mexicana.

El peronismo argentino constituye otro ejemplo emblemático del populismo. Sus líneas ideológicas básicas fueron establecidas y articuladas entre 1943 y 1947 por el general Juan Domingo Perón, líder «absoluto» del movimiento. Aunque la práctica política –sobre todo la que ejerció Eva Perón desde la fundación que llevaba su nombre– enriqueció y complementó el discurso del general, sus alcances nunca transgredieron los límites establecidos en la doctrina primigenia. Lo mismo ocurrió en el peronismo tardío, practicado desde el exilio entre 1955 y 1973, y en el breve retorno al poder que terminó en 1976. La retórica revolucionaria enfocada hacia la izquierda fue cuidadosamente calculada, y cuando las contradicciones explotaron, Perón no dudó en condenar (1° de mayo de 1974) al movimiento guerrillero montonero[96]. Estas circunstancias permiten exponer con cierta claridad y simplicidad los postulados básicos de la doctrina peronista.

La primera idea es la de conciliar el capital y el trabajo a través de la acción del Estado, esto es, organizando desde arriba las masas de trabajadores en un sindicalismo gremial.

96. El primer episodio claro fue el desfile del 3 de octubre de 1973; cuando desfilan la Juventud Peronista y los Montoneros Perón ya no está en la tribuna. Véase Daniel James, *Resistencia e integración. El peronismo y la clase trabajadora argentina, 1946-1976,* traducido por Luis Justo, Buenos Aires, Editorial Sudamericana, 1990, pp. 320-321.

Perón lo indicó con toda claridad en su mensaje a los trabajadores del 1.º de mayo de 1944[97]:

> Buscamos suprimir la lucha de clases, suplantándola por un acuerdo entre obreros y patrones, al amparo de la justicia que emana del Estado.

Y a continuación indicó lo que más tarde quedaría plasmado como «derechos del trabajador»: salarios justos, vacaciones pagadas, jubilación, servicios médicos y hospitalarios, plan de vivienda popular. La implementación práctica de estos derechos emanaba de la articulación entre la Secretaría de Trabajo y Previsión y la organización sindical. Un eje fundamental de esa articulación fue la así llamada «Obra Social», que englobaba los servicios médicos y hospitalarios, así como los fondos de jubilación e incluía también centros de vacaciones y recreación. La Obra Social era financiada con las contribuciones de los trabajadores, los empresarios y el Estado, quedando bajo la administración sindical y la supervisión estatal. La articulación entre la Secretaría de Trabajo y Previsión –más tarde elevada a la categoría de Ministerio– y los sindicatos era rigurosamente vertical; la legislación imponía el sindicato único y la afiliación obligatoria; los sindicatos se agrupaban a su vez en federaciones, y las federaciones se integraban en la Confederación General del Trabajo (CGT).

También desde muy temprano Perón explicitó sus intenciones al resolver de este modo las relaciones entre el capi-

---

97. Carlos Altamirano, *Bajo el signo de las masas (1943-1973),* Biblioteca del Pensamiento Argentino, VI, Buenos Aires, Emecé Editores, 2007, p. 23 de los documentos.

tal y el trabajo: a) asegurar la «suprema dignidad del trabajo»; b) «desterrar de los organismos gremiales a los extremistas» foráneos; y c) buscar la «unión de todos los argentinos». Por otra parte, la Secretaría de Trabajo y Previsión mediaba en los conflictos laborales y disponía de un conjunto de funcionarios que se ocupaban de oír a patronos y sindicatos, facilitando y muchas veces imponiendo arreglos. Entre 1944 y 1945, la acción inmediata de estos funcionarios parece haber sido muy eficaz para controlar los conflictos laborales y organizar los sindicatos cuando no existían.

El segundo eje de la doctrina peronista es la idea de la necesidad de la industrialización, y en particular de la industria pesada, para la defensa y el desarrollo nacional. El tema fue planteado en un famoso discurso pronunciado por Perón en la Universidad Nacional de La Plata el 10 de junio de 1944.

La guerra es un fenómeno social inevitable y las naciones pacifistas como la Argentina deben prepararse para la guerra. Ahora bien[98]: «La defensa nacional exige una poderosa industria propia, y no cualquiera, sino una industria pesada».Y este era un problema crítico en el caso argentino debido a la vocación exportadora y al escaso interés de los inversionistas extranjeros en la industria. La situación exigía la acción del Estado para promover la fabricación de armamento, lo cual tendría también un efecto multiplicador sobre las demás ramas de la industria, al igual que sobre la formación de técnicos y profesionales especializados. La creación de un capital argentino, es decir nacional, era otra de las inquietudes de Perón, en el ámbito de un discurso fuertemente nacionalista. Las preocupaciones sociales tam-

98. *Ibid.*, p. 37.

poco estaban ausentes en el tema de la defensa nacional; el servicio militar requería una población saludable, por lo cual había una «obra social pendiente», que era la de acabar con una niñez desnutrida y falta de abrigo.

El tercer elemento de la doctrina peronista es el fuerte liderazgo carismático del propio Perón, conjugado con el verticalismo de la burocracia y la disciplina militar, un personalismo inflexible y una búsqueda ansiosa del poder. Este tercer elemento fue esencial en la configuración del peronismo como movimiento social y político.

Desde la Secretaría de Trabajo y Previsión, Perón comenzó una intensa y exitosa movilización de las masas obreras. Logró el apoyo de algunos líderes sindicales de la vieja guardia y quebró a los opositores, articulando nuevos sindicatos. La movilización era nueva en el contexto argentino. En 1943 sólo el 20% de los trabajadores estaba sindicalizado, y la mayoría de estos laboraban en el sector terciario; había poca presencia sindical en la industria. Esto cambió rápidamente: en 1948, la tasa de sindicalización subió al 30%, mientras que en 1954 llegó al 42,5%; ahora la mayoría de los trabajadores sindicalizados eran obreros industriales[99]. Desde muy temprano, Perón abrió un diálogo con los empresarios, pero nunca contó con la plena confianza de las élites[100]. El 25 de agosto de 1944, en un discurso pronunciado en la Bolsa de Comercio de Buenos Aires, reiteró que desde la Secretaría de Trabajo y Previsión se procedía «a poner de acuerdo al capital y al trabajo, tutelados ambos

99. James, *Resistencia e integración. El peronismo y la clase trabajadora argentina, 1946-1976,* pp. 21-22.
100. Cristián Buchrucker, *Nacionalismo y peronismo. La Argentina en la crisis ideológica mundial (1927-1955),* Buenos Aires, Editorial Sudamericana, 1987, pp. 317-318.

por la acción directa del Estado»[101]. En su visión, el sindicalismo obrero tutelado era el único medio para garantizar la justicia social, inspirada en la doctrina cristiana, arrebatando las masas a la penetración comunista y al oportunismo político; al mismo tiempo trazó una visión de la futura posguerra centrada en el espectro de la amenaza comunista y la agitación de las masas[102]. En estas circunstancias aconsejaba a los empresarios apoyar la obra reguladora de la Secretaría de Trabajo y Previsión, nombrando representantes patronales que negociarían con los representantes sindicales advirtiendo que[103]: «Es necesario saber dar un 30% a tiempo que perder todo a posteriori».

Llaman también la atención en este temprano discurso la visión corporativa de la sociedad y el ideal despolitizado de los trabajadores y las conquistas sindicales. Esto último se expresará después (1946-1955) en una fórmula incesantemente repetida por el general a los trabajadores peronistas: «De casa al trabajo y del trabajo a casa».

El gobierno militar surgido del golpe del 4 junio de 1943 fue pronto dominado por la figura de Perón; acumuló los cargos de secretario de Trabajo y Previsión, ministro de Guerra y vicepresidente. El 10 de octubre de 1945 un movimiento militar con apoyo civil lo obligó a renunciar a sus cargos, y pareció que su carrera política estaba terminada; en esas circunstancias fue la movilización obrera, con la in-

---

101. Altamirano, *Bajo el signo de las masas (1943-1973)*, pp. 47 de los documentos.
102. «Toda la Europa entrará dentro del anticapitalismo panruso». En América hay una amenaza comunista, «en Bolivia, a los indios de las minas parece les ha prendido el comunismo como viruela». *Ibid.*, pp. 49-50 de los documentos.
103. *Ibid.*, p. 51.

diferencia oportuna de la policía de Buenos Aires, lo que cambió el futuro. El 17 de octubre de 1945, las masas obreras marcharon hacia el centro de la ciudad capital y en una manifestación multitudinaria exigieron el retorno de Perón. Lo consiguieron en pocas horas. A partir de ese momento el ascenso político de Perón fue fulminante, logrando una aplastante victoria en las elecciones presidenciales del 24 de febrero de 1946.

La base de apoyo a Perón provino, en primer lugar, de los sindicatos y de algunos dirigentes que dejaron las filas socialistas y comunistas; a esa importante masa electoral se sumaron algunos intelectuales del grupo FORJA[104], un sector de la Unión Cívica Radical denominado Junta Renovadora, las Fuerzas Armadas, la Iglesia católica, un sector de industriales emergentes y los pequeños pero ruidosos grupos de la derecha nacionalista y el integrismo católico. Aunque heterogénea, la alianza contaba, como factor aglutinante, con el carisma y la tremenda habilidad política del líder. Un episodio fortuito encendió los ánimos nacionalistas en favor de Perón; el exembajador estadounidense, y ahora secretario de Estado adjunto para Asuntos Latinoamericanos, Spruille Braden, publicó un conjunto de documentos acusando de fascistas a Perón y otros jefes militares; al mismo tiempo, Braden aconsejaba votar en contra de Perón en las elecciones del 24 de febrero. La reacción de éste no se hizo esperar; en el cierre de campaña, el 12 de febrero, concluyó su discurso diciendo:

104. Fuerza de Orientación Radical de la Joven Argentina fue un grupo de intelectuales próximo a la Unión Cívica Radical formado en 1935 y disuelto en 1945; fuertemente nacionalista y crítico del régimen imperante hasta 1943, estuvo integrado, entre otros por Arturo Jaureche, Raúl Scalabrini Ortiz y Gabriel del Mazo.

«La disyuntiva, en esta hora trascendental, es ésta: o Braden o Perón».

La oposición a Perón se aglutinó en la Unión Democrática, un frente electoral que coaligó a radicales, socialistas, comunistas, demócrata-progresistas y conservadores. Los intelectuales, en una amplia mayoría, se opusieron a Perón y llamaron a votar en su contra en un manifiesto publicado el 1.º de febrero de 1946. Entre otras cosas decían[105]:

> Desde el movimiento militar del 4 de junio de 1943 la libertad de expresión y de pensamiento ha sido castigada y perseguida como nunca pensamos que pudiera serlo a esta altura del desenvolvimiento del país, en abierta pugna con la tradición argentina y en contra de la Constitución Nacional.

Y señalaban las persecuciones y despidos en las universidades, colegios, escuelas y reparticiones gubernamentales. La política del gobierno militar iniciada en 1943 y continuada bajo el peronismo, a partir de 1946 hizo que los intelectuales pasaran muy rápido del antifascismo al antiperonismo. Esa política tuvo resultados trágicos para el país y para el propio proyecto peronista. Suprimida su autonomía, las universidades fueran entregadas a la derecha católica y nacionalista, y el gobierno careció de un cuerpo apropiado de técnicos y científicos. La improvisación y el ridículo se adueñaron de un espacio público donde de tanto en tanto resonaban expresiones como: «Alpargatas sí, libros no». El discurso del ministro de Educación, Dr. Ivanissevich, en la inauguración del XXXIX Salón Nacional

---

105. Altamirano, *Bajo el signo de las masas (1943-1973)*, p. 95

de Artes Plásticas, en setiembre de 1949, es una muestra más que elocuente, del clima imperante[106]:

> Entre los peronistas
> no caben los fauvistas
> y menos los cubistas
> abstractos, surrealistas.
> Peronista es un ser
> de sexo definido
> que admira la belleza
> en todo su sentido.

Perón no creía en los partidos políticos tradicionales y los consideraba incapaces de enfrentar los problemas básicos del país; el peronismo fue articulado como un movimiento cuya ideología era idéntica al ser nacional[107]:

[...] Defínese como doctrina nacional, adoptada por el pueblo argentino, la Doctrina Peronista o Justicialista, que tiene como finalidad suprema alcanzar la felicidad del pueblo y la grandeza de la Nación, mediante la Justicia Social, la Independencia Económica y la Soberanía Política, armonizando los valores materiales con los valores espirituales y los derechos del individuo con los derechos de la sociedad.

El peronismo se planteó, pues, como un movimiento de refundación completa de la República, expresado en la Cons-

106. Citado en Juan Carlos Torre (ed.), *Nueva Historia Argentina. Tomo 8. Los años peronistas (1943-1955),* Buenos Aires, Editorial Sudamericana, 2002, p. 518.
107. Segundo Plan Quinquenal, citado en Buchrucker, *Nacionalismo y peronismo. La Argentina en la crisis ideológica mundial (1927-1955),* p. 330.

titución Nacional de 1949. No hay ninguna duda de que la idea de conciliar capital y trabajo, introduciendo la regulación sistemática del Estado en las relaciones sociales, constituía una gran innovación, que en otros ámbitos, diferentes del argentino, hubiera sido simplemente calificada como socialdemócrata o socialcristiana.

Sin embargo, si el proyecto peronista incorporó exitosamente a los trabajadores, nunca logró el acuerdo de las élites ni de la mayoría de los sectores medios, mientras que se enajenó, como vimos, el apoyo de la mayoría de los intelectuales. Hubo así un resultado paradójico; proponiéndose un proyecto de conciliación de clases y paz social, Perón y el movimiento peronista provocaron, en realidad, una aguda confrontación de clases, la cual impregnará toda la historia argentina durante la segunda mitad del siglo XX[108].

Un rasgo muy particular del peronismo fue el liderazgo desarrollado por la esposa de Perón, una antigua actriz de la radio y el cine popularmente conocida como «Evita»[109]. Ella participó activamente en la campaña electoral de 1946, prometiendo el voto femenino, que fue aprobado en 1947; en ese mismo año emprendió una gira diplomática por Europa que la llevó a visitar España, Italia y Francia, incluyendo una audiencia en el Vaticano con el papa Pio XII. Hay que destacar que fue la primera vez en la historia latinoa-

108. Torcuato S. Di Tella, *Historia del progresismo en la Argentina. Raíces y futuro,* Buenos Aires, Troquel, 2001, p. 154.
109. Véase Alicia Dujovne Ortiz, *Eva Perón: La biografía,* Madrid, El País / Santillana, 1996; Tomás Eloy Martínez, *Santa Evita,* Buenos Aires, Planeta, 1995; Valeria Grinberg Pla, *Eva Perón. Cuerpo, género, nación. Estudio crítico de sus representaciones en la literatura, el cine y el discurso académico desde 1951 hasta la actualidad,* San José, Editorial Universidad de Costa Rica, 2013.

mericana en que una mujer asumió roles políticos de primera plana. Enseguida Evita combinó dos actividades que conformarían el resto de sus días: el trabajo incansable en una vasta obra de asistencia social y beneficencia, y relaciones privilegiadas con la dirigencia sindical. La obra social fue canalizada a través de la Fundación Eva Perón, creada en 1948, que distribuyó ropa, juguetes, casas, máquinas de coser y bicicletas, entre otros bienes, incluyendo pan dulce y sidra para las fiestas de Navidad; a estos donativos se agregaron la construcción de asilos, hospitales y clínicas, con un foco preferente en la protección de los niños, los ancianos y los enfermos. La atención personalizada de los «descamisados», como los llamaba Evita, no ocultaba la concentración de los beneficios en los militantes y partidarios del régimen encabezado por Perón.

Evita mantuvo relaciones muy fluidas con la dirigencia sindical, reforzadas a través de la obra social pero también cimentadas en un estricto verticalismo, centrado en la figura del general. Para Evita, su esposo, era el líder indiscutido[110]:

Perón, para mí, que lo he analizado profundamente, es perfecto. Por eso, como yo creía que la perfección no se podía alcanzar dentro de lo terrenal, les digo que no hay ni habrá jamás un hombre como Perón [...] Si la Fundación tiene algún mérito, ese mérito no es más que de Perón; si un peronista tiene un mérito, ese mérito no es de él, sino de Perón. Y todas las glorias de nuestro movimiento son de Perón y de nadie más.

110. Eva Perón, *Historia del peronismo,* Buenos Aires, Editorial Freeland, 1971, pp. 136 y 147. Este texto reproduce las clases que Eva Perón dictó en la Escuela Superior Peronista.

En agosto de 1951, al aproximarse las elecciones presidenciales, los líderes sindicales propusieron la candidatura de Eva Perón a la vicepresidencia de la República en un acto multitudinario que tuvo en vilo no sólo a la ciudad de Buenos Aires sino al país entero. Posiblemente ante el veto militar a la candidatura, Evita renunció a la postulación, pero fue proclamada por el Congreso Nacional «Jefa Espiritual de la Nación» en mayo de 1952. Afectada por un cáncer fulminante, Eva Perón falleció el 26 de julio de 1952; sus honras fúnebres convocaron a millones de fieles admiradores. Su figura se transformó entonces en un mito que combinaba a una madre protectora de los pobres con la aguerrida defensora de los humildes, el hada buena que vela por los niños y la mártir que se sacrifica por los demás. Un mensaje profundamente emocional, mágico, sobrenatural, centrado en la dignidad de los desposeídos, se incorporó así en forma duradera a la doctrina peronista.

La figura de Evita complementó así desde ángulos inéditos el personalismo de Perón y se convirtió en pivote de la propaganda del régimen, desde las consignas de apoyo a los planes quinquenales –«Perón cumple, Evita dignifica»– hasta los textos escolares de primaria donde se leían frases como: «Mi hermanita y yo amamos a mamá, papá, Perón y Evita»[111]. El libro de Eva Perón *La razón de mi vida*[112], pu-

---

111. Guido Indij, *Perón mediante. Gráfica peronista del período clásico,* Buenos Aires, La Marca Editora, 2011.
112. Eva Perón, *La razón de mi vida,* Buenos Aires, Editorial Peuser, 1951. Este texto fue escrito por un periodista español y corregido por Mendé y Méndez San Martín, pero Evita lo asumió como propio. Grinberg Pla, *Eva Perón. Cuerpo, género, nación. Estudio crítico de sus representaciones en la literatura, el cine y el discurso académico desde 1951 hasta la actualidad,* pp. 33-34.

blicado en 1951, se convirtió en el catecismo oficial, aprendido y repetido en las aulas y reforzado con ejercicios de los estudiantes que incluían su traducción al inglés y al francés en las clases de esas asignaturas.

La muerte de Evita coincidió con el comienzo de un deterioro del régimen que resultó irreversible. Los años dorados de la posguerra se esfumaron, y ya no hubo cómo financiar las políticas populistas; el gobierno se propuso modificar el modelo económico recurriendo a las inversiones extranjeras, sobre todo en el campo energético, pero un agudo conflicto con la Iglesia católica, en 1954, acabó por romper las bases de sustento del régimen. Un golpe militar en setiembre de 1955 puso fin a la experiencia nacional populista que había comenzado en 1943; no terminó, sin embargo, con la gravitación del peronismo como movimiento político en la vida argentina.

Perón retornará al país en 1972 y morirá siendo presidente de la República en 1974; pero esta segunda fase de su prolongada carrera política tendrá poco en común con la primera, marcada como estuvo por una lucha permanente entre grupos peronistas radicalizados y una burocracia sindical conservadora, ante la mirada expectante de élites empresariales desconfiadas y unas Fuerzas Armadas que sólo a regañadientes habían vuelto a los cuarteles en 1973.

El contraste entre el peronismo y la Revolución mexicana es notable. Como vimos en este caso, de la experiencia práctica de las luchas sociales durante la Revolución emergió un régimen nacional populista muchísimo más coherente y estable que el de la Argentina peronista. El caso del varguismo en Brasil puede considerarse como intermedio: ni tan caótico como la experiencia peronista ni tan completo y coherente como la experiencia mexicana. El nacional populismo estuvo presente en otras experiencias, como en el Perú de Velasco Alvarado, el MNR (Movimiento Nacional Revolucionario) de Bolivia y más recientemente en la Venezuela de Chávez. Volveremos al tema en el último capítulo.

La utopía comunista

La difusión del anarquismo y el socialismo utópico fue gradual y muy variable durante el siglo XIX. Sus portadores eran a veces inmigrantes europeos y otras veces jóvenes latinoamericanos inquietos que habían viajado al Viejo Mundo y convivido en experiencias libertarias y aprendizajes revolucionarios. Conviene notar que a mediados del siglo XIX, y sobre todo antes de la revolución bolchevique (1917), las diferencias ideológicas eran a menudo borrosas y el progreso social era visto en una gama muy variada de opciones, como la liberación de la opresión de una organización estatal expansiva y la utópica añoranza de un pasado idílico; o la liberación de los siervos, de los judíos, de los indios y los esclavos, entendidas como una extensión de la Revolución francesa. A estas ampliaciones de la libertad individual se sumaban utopías mucho más elaboradas, implicando la evolución hacia un estadio social superior, como las propuestas por Saint-Simon, Owen y Fourier. Los anarquistas, representados sobre todo por Proudhon y Bakunin, dieron un paso más con la prédica de una revolución anticapitalista y antiburguesa, centrada en la destrucción del Estado. La figura de Tolstoi, hacia fines del siglo XIX, representa quizás la culminación de estas visiones idealizadas a través de una conmovedora simbiosis entre cristianismo, anarquismo, socialismo espiritual y pacifismo. Como es sabido, el gran escritor ruso, convertido a estos ideales a partir de 1870 y profusamente traducido, ejerció una profunda influencia a nivel internacional, siendo particularmente apreciado por casi todos los intelectuales latinoamericanos.

El marxismo primero y luego el leninismo implicaron una ruptura profunda en las ideas sobre la revolución social. Marx y Engels plantearon el así denominado «socialismo científico» combinando un análisis de la economía capitalista, basado en la teoría del valor-trabajo, con la idea de la lucha de clases como motor de la historia, y un esquema de la evolución social en el cual los factores económicos eran considerados como determinantes, en el largo plazo, de la evolución histórica. En esta concepción, los determinantes estructurales permitían explicar: a) que el capitalismo, predominante en Inglaterra, se extendería a todo el mundo; b) que las contradicciones internas del capitalismo llevarían tanto a su ruina como a su superación; c) que el mundo del futuro vería surgir un nuevo régimen social, denominado socialista o comunista. El proletariado industrial era, en la visión de Marx y Engels, la clase social que encarnaría tanto la destrucción como la superación del capitalismo.

Las ideas de Marx y Engels se difundieron con rapidez a partir de la publicación del *Manifiesto Comunista* en 1848, particularmente en Francia y en Alemania, y lograron una sólida implantación en el movimiento obrero organizado. Los sindicatos y los partidos políticos socialistas que constituyeron su expresión política, se adaptaron pronto al juego democrático liberal; así las cosas, la segunda generación de socialistas marxistas, en la que destacaban personajes como Karl Kautsky, Paul Lafargue y Jean Jaurès, evolucionó hacia una doctrina reformista. Sin abandonar la idea del socialismo como sociedad del futuro, los jóvenes luchaban ahora por la reforma, dentro del capitalismo, y el mejoramiento de las condiciones de los trabajadores.

Es en este contexto que se produjo el segundo quiebre, representado por la figura de Lenin y las luchas revolucionarias en la Rusia zarista. Lenin modificó las perspectivas de Marx y Engels en dos aspectos fundamentales. El primero se refiere al desarrollo de una concepción específica sobre el partido político revolucionario; el segundo, al análisis del contexto internacional a través de la teoría del imperialismo. Lenin concibió el partido como la «vanguardia del proletariado», constituida por militantes profesionales, encargados de definir, interpretar y desarrollar los intereses de la clase explotada. Mientras Marx y Engels se centraron en el estudio del capitalismo inglés, Lenin dedicó atención preferente a las luchas entre las grandes potencias industriales; la Primera Guerra Mundial, entendida como guerra interimperialista, abría así nuevas perspectivas revolucionarias, haciendo posible que la revolución pudiera comenzar en Rusia, un país capitalista atrasado, donde numéricamente predominaban las masas campesinas y no los obreros industriales.

Ambas ideas, llevadas a la práctica, probaron ser terriblemente eficaces; así fue como en febrero de 1917 se desmoronó el régimen zarista, y en octubre del mismo año los bolcheviques tomaron el poder. Hacia 1921, el partido bolchevique se había transformado en el Partido Comunista de la Unión Soviética, el régimen había sobrevivido a la guerra civil y la nueva república se constituía como el primer Estado comunista de la historia. Entretanto la revolución había fracasado en Alemania y Europa Central, por lo cual el régimen soviético resultó triunfante pero quedó aislado; el fracaso de la revolución en los países industrializados impuso, de manera ineluctable, el hecho del socialismo en un solo país, el cual era, además, predominantemente rural y relativamente atrasado.

A partir de ese momento, el movimiento socialista se dividió entre los que consideraron que el régimen soviético –autodefinido como la dictadura del proletariado– representaba la vanguardia del porvenir y los que creyeron, como los socialistas franceses y los socialdemócratas alemanes, que el régimen soviético, autoritario y represivo de toda disidencia, no constituía en verdad un paso genuino hacia el futuro socialista. Conviene notar que esta división se fue configurando en la década de 1920 y sólo adquirió plena definición a partir del ascenso de Stalin al poder, en 1928. Para ese momento, el régimen soviético lideraba, a través de la Tercera Internacional, constituida en 1921, lo que empezaba a considerarse como la revolución comunista mundial. De los viejos partidos socialistas se desgajaron nuevos partidos comunistas, leales a la Unión Soviética, o en los casos en que no había partidos socialistas, como en muchos países latinoamericanos, éstos se crearon desde cero. El modelo soviético, conocido sólo parcialmente debido al aislamiento, ejercía una fascinación ambigua e inesperada en las élites intelectuales latinoamericanas; sólo el fascismo, también ascendente en la Europa de la década de 1920, era un imán de atracción parecido, particularmente apreciado en los círculos nacionalistas y católicos integristas. Podemos localizar en esos años el nacimiento, en América Latina, de la utopía comunista.

El camino de la revolución era sin embargo complicado, por no decir que imposible; pasada la euforia inicial, los partidos comunistas latinoamericanos, pequeños y con una base social de sectores medios radicalizados, se conformaron casi siempre con un programa político mínimo, donde se planteaban como tareas inmediatas la lucha antioligárquica y antiimperialista. En el vocabulario de la Tercera Internacional, este programa se consideraba como parte de la «revolución democrático-burguesa», es decir, un estadio previo a la futura revolución socialista. A partir de 1935 esta fue la línea de acción de los partidos comunistas, definida desde Moscú. El cambio de estrategia era notable, si se tiene en cuenta que antes de esa fecha la consigna comunista era la lucha frontal contra la burguesía, sin buscar alianzas ni caminos intermedios; así fue como hubo aventuras insurreccionales sangrientas y fracasadas, entre las cuales el ejemplo típico es la insurrección china de 1927, en Cantón. En América Latina tenemos al menos dos ejemplos característicos de esta fase: la insurrección de 1932 en El Salvador[113] y la sublevación encabezada por Luís Carlos Prestes en Brasil, en 1935[114]. Pasado este momento insurreccional, el comunismo latinoamericano se alineó en la lucha antifascista hasta el fin de la Segunda Guerra Mundial. Con la Guerra Fría, iniciada en 1947, no hubo cambio en las directrices originadas en Moscú, pero sí una transformación decisiva en el contexto interno y externo: la lucha anticomunista, liderada por los Estados Unidos, dejaba poco espacio y escasos matices en un espectro político marcado por la paranoia. Esto fue particu-

113. Héctor Pérez Brignoli, «Indians, Communists and Peasants: the 1932 Rebellion in El Salvador», en *Coffee, Society and Power in Latin America,* editado por William Roseberry; Lowell Gudmundson y Mario Samper Kutschbach, 232-261, Baltimore, The John Hopkins University Press, 1995.
114. Marly de Almeida Gomes Vianna, *Revolucionários de 35. Sonho e realidade,* São Paulo, Companhia das Letras, 1992.

larmente visible en Centroamérica y el Caribe, es decir en el *backyard* del imperio.

El Istmo y las Antillas eran tierras de dictadores feroces, plantaciones bananeras, azucareras y cafetaleras, y oligarquías angurrientas; en este contexto, la democracia costarricense era ciertamente excepcional. La experiencia reformista guatemalteca, iniciada en 1944, tuvo un final trágico diez años después; el gobierno de Arbenz fue derrocado por una invasión y golpe orquestado por la CIA y apoyado por la United Fruit Company; el pretexto: una ley de reforma agraria y la participación de dirigentes y militares comunistas en los sindicatos, organizaciones estudiantiles y algunos puestos de gobierno[115]. El furor anticomunista de Washington identificaba todo programa reformista con la infiltración comunista, hipotecando de este modo tan severo las posibilidades de la democracia y el desarrollo social en el *backyard* imperial. Juan José Arévalo, presidente de Guatemala en el período 1945-1951, expresó la situación con una imagen suficientemente expresiva: el tiburón y las sardinas[116]. José Figueres, dirigente de la Legión del Caribe[117], y tres veces presidente de Costa

115. Piero Gleijeses, *Shattered Hope. The Guatemalan Revolution and the U.S. 1944-1954,* Princeton, Princeton University Press, 1991; Stephen Schlesinger y Stephen Kinzer, *Bitter Fruit. The Untold Story of the American Coup in Guatemala,* Nueva York, Anchor Press Doubleday, 1983; Richard H. Immerman, *The C.I.A. in Guatemala. The Foreign Policy of Intervention,* Austin, University of Texas Press, 1982.
116. Juan José Arévalo, *Fábula del tiburón y las sardinas. América Latina estrangulada,* Santiago de Chile, Ediciones América Libre, 1956.
117. La Legión del Caribe fue un grupo armado de exiliados dedicados a la lucha contra los dictadores en Centroamérica y el Caribe, particularmente activo hacia 1947-1950. Véase Ameringer, *The Democratic Left in Exile. The Antidictatorial Struggle in the Caribbean, 1945-1959,* pp. 58-110.

Rica, reflexionó amargamente ante el Comité de Relaciones Exteriores del Congreso de los Estados Unidos el 9 de junio de 1958[118]:

Si habláis de dignidad humana a Rusia, ¿por qué os cuesta tanto hablar de la dignidad del hombre a la República Dominicana? ¿Dónde está la intervención o la no-intervención? ¿Es que la simple amenaza, potencial, a las libertades vuestras es más grave, en esencia, que el atropello consumado contra las libertades nuestras? Claro, tenéis algunas inversiones en las dictaduras americanas. Las empresas del aluminio sacan la bauxita casi gratis. Vuestros generales y vuestros almirantes y vuestros funcionarios civiles y vuestros magnates reciben allí trato real. Tal como lo constató ayer mismo vuestro Senado, algunos contratistas sobornan con millones a las dinastías imperantes para cazar en sus predios. El dinero lo deducen del pago de sus impuestos en los Estados Unidos, pero vuelve al país y llega a Hollywood convertido en pieles y automóviles flamantes, que resquebrajan la frágil virtud de los artistas. Mientras tanto, nuestras mujeres son atropelladas por sayones, nuestros hombres son castrados en la tortura, y nuestros profesores ilustres desaparecen tétricamente de las aulas de la Universidad de Columbia en Nueva York. Cuando algún legislador vuestro llama a todo esto «colaboración para combatir al comunismo», 180 millones de latinoamericanos desean escupir.

118. José Figueres, *Escritos y discursos, 1942-1962,* San José, Editorial Costa Rica, 1986, pp. 523-524. Figueres se refiere, entre otras cosas, al secuestro, desaparición y asesinato del profesor Jesús de Galíndez, en 1956, perpetrado por esbirros de Rafael L. Trujillo, dictador de la República Dominicana.

El triunfo de la Revolución Cubana en 1959[119] cambió todo, y delineó con rasgos indelebles, la utopía comunista latinoamericana[120]. El gobierno de Fulgencio Batista era una típica dictadura corrupta; compartía la fidelidad al gobierno de Washington de los sangrientos regímenes de Trujillo en la República Dominicana y de Anastasio Somoza en Nicaragua, pero a diferencia de éstos, era de implantación reciente, pues provenía del golpe militar de 1952. Un grupo de jóvenes estudiantes del Partido del Pueblo Cubano y otros grupos de oposición, encabezado por Fidel Castro, intentó tomar el cuartel Moncada el 26 de julio de 1953; fracasaron, pero el proceso judicial que siguió galvanizó a la oposición y Castro obtuvo un indulto en 1955. Al año siguiente, desde México y con un grupo expedicionario de 82 miembros, emprendió una invasión guerrillera a través del Caribe; el inicio fue muy difícil, pero a comienzos de 1957 unos 20 sobrevivientes de la expedición logran consolidar una base en la Sierra Maestra. Además de Fidel Castro y su hermano Raúl, entre los guerrilleros se encuentran el Che Guevara, Camilo Cienfuegos y Juan Almeida Bosque. Paulatinamente, el movimiento gana popularidad y resiste varias ofensivas de las fuerzas de Batista; un reportaje del veterano periodista Herbert L. Matthews, publicado en el

119. Véase un recuento detallado en Hugh Thomas, *Cuba. The Pursuit of Freedom,* Nueva York, Harper & Row, 1970, pp. 803-1034.
120. Véase Timothy P. Wickham-Crowley, *Guerrillas and Revolution in Latin America. A Comparative Study of Insurgents and Regimes since 1956,* Princeton, Princeton University Press, 1992; Greg Grandin y Gilbert M. Joseph (eds.), *A Century of Revolution. Insurgent and Counterinsurgent Violence During Latin Amerca's Long Cold War,* Durham, Duke University Press, 2010.

New York Times (17.02.1957), le otorga una inesperada y eficaz publicidad[121]:

> Fidel Castro, el líder rebelde de la juventud cubana, está vivo y peleando con éxito en la intrincada Sierra Maestra, en el extremo sur de la isla. El presidente Fulgencio Batista tiene la crema y nata de su ejército en la región, pero hasta ahora está en desventaja en la batalla por vencer al más peligroso enemigo que jamás haya enfrentado en su larga y azarosa carrera como líder y dictador de los cubanos.

Un poco más adelante, Matthews caracteriza el movimiento:

> Fidel Castro y su Movimiento 26 de Julio son el símbolo de la oposición al régimen. La organización, que no tiene nexos con la rebeldía de los estudiantes universitarios, está integrada por jóvenes de todas clases. Es un grupo revolucionario que se autotitula socialista. También es nacionalista, lo que en América Latina generalmente significa antiyanqui.

El gobierno de Batista indica que el reportaje es falso, ya que Fidel Castro ha muerto; como respuesta el *New York Times* publica una foto de Matthews con Fidel Castro. El efecto publicitario es inmenso y la causa guerrillera gana adeptos por doquier. En menos de dos años, el régimen de Batista se desmorona, derrotado militarmente por la guerrilla y acosado en las ciudades por huelgas y manifestaciones. Oficialmente, el 1.º de enero de 1959 la Revolución se declara triunfante.

---

121. Herbert L. Matthews, «Cuban Rebel is Visited in Hideout», *New York Times,* 24 de febrero de 1957.

En los tres años siguientes, el régimen cubano se radicaliza, y lo que había comenzado como una lucha nacionalista, con la promesa de elecciones democráticas, retornando a la Constitución de 1940, transforma a Cuba en un Estado socialista, enfrentado con los Estados Unidos y aliado con la Unión Soviética[122]. Internamente, la «casa se divide» y miles de cubanos parten al exilio.

Los hitos de la radicalización fueron los siguientes: a) centenares de fusilamientos y purgas, sobre todo entre 1959 y 1961, comenzando por los partidarios de Batista pero siguiendo con líderes del movimiento que no aceptaron el viraje comunista, como Hubert Matos, Jesús Carreras Zayas y Humberto Sorí Marín; b) reforma agraria y expropiaciones, en 1959-1960, acabando con los latifundios y las empresas de propiedad estadounidense; c) agresiones desde los Estados Unidos, particularmente en abril de 1961, cuando una fuerza de cubanos exiliados, apoyada y entrenada por la CIA, bombardea e intenta desembarcar en Bahía de Cochinos (Playa Girón), enfrentándose a un rotundo fracaso; d) Fidel Castro proclama el carácter socialista de la Revolución; e) embargo comercial, económico y financiero (o bloqueo) decretado progresivamente por los Estados Unidos, entre 1960 y 1962, unido a la expulsión de Cuba de la OEA, aprobada en enero de 1962; f) crisis de los misiles, en octubre de 1962. Esta crisis, que puso al mundo al borde de una guerra nuclear entre los Estados Unidos y la Unión Soviética, se solucionó con un acuerdo entre John F. Kennedy y Nikita Jruschov, por el cual el desmantelamiento de las instalaciones soviéticas en Cuba fue seguido por el desmantelamiento de las rampas de misiles estadounidenses en Turquía.

122. Thomas, *Cuba. The Pursuit of Freedom,* pp. 1193-1422.

La solución de la crisis de los misiles marcó los límites del compromiso soviético con la Revolución cubana: apoyo económico, político y militar al nuevo Estado socialista, pero garantía frente a los Estados Unidos de que Cuba no sería una base de futuras agresiones. Estos parámetros no variaron hasta la desaparición de la Unión Soviética en el año 1990; para entenderlos en todo su alcance conviene recordar que desde el triunfo de Stalin en 1928, la política exterior soviética estuvo marcada por la prioridad de los intereses geopolíticos en función de la construcción del socialismo «en un solo país», relegando al ámbito retórico el apoyo a la revolución «mundial». Esto quiere decir que procesos como la Revolución china (1935-1948) y la Revolución en Vietnam (1946-1954) se produjeron, si no en contra, al menos con un apoyo muy limitado por parte de la Unión Soviética.

Entretanto, el gobierno de Washington reforzó el bloqueo económico y político de la isla. En octubre de 1965, se constituyó el Comité Central del Partido Comunista Cubano, con Fidel Castro como primer secretario; el cambio institucional hacia un Estado socialista, había concluido.

Sin embargo, el capítulo que continuaba abierto era el de la exportación de la revolución. En la Segunda Declaración de La Habana (04-02-1962), Fidel Castro expresó[123]:

Cuba duele de manera especial a los imperialistas. ¿Qué es lo que se esconde tras el odio yanqui a la Revolución Cubana? ¿Qué explica racionalmente la conjura que reúne en el mismo propósito agresivo a la potencia imperialista más rica y podero-

---

123. Tomado de http://www.cuba.cu/gobierno/discursos/1962/esp/f040262e.html, consultado el 23 de marzo de 2015. La declaración fue la respuesta cubana a la exclusión de Cuba de la OEA, aprobada en Punta del Este el 31 de enero de 1962.

sa del mundo contemporáneo y a las oligarquías de todo un continente, que juntos suponen representar una población de trescientos cincuenta millones de seres humanos, contra un pequeño pueblo de sólo siete millones de habitantes, económicamente subdesarrollado, sin recursos financieros ni militares para amenazar ni la seguridad ni la economía de ningún país?

Los une y los concita el miedo. Lo explica el miedo. No el miedo a la Revolución Cubana; el miedo a la revolución latinoamericana. No el miedo a los obreros, campesinos, estudiantes, intelectuales y sectores progresistas de las capas medias que han tomado revolucionariamente el poder en Cuba; sino el miedo a que los obreros, campesinos, estudiantes, intelectuales y sectores progresistas de las capas medias tomen revolucionariamente el poder en los pueblos oprimidos, hambrientos y explotados por los monopolios yanquis y la oligarquía reaccionaria de América; el miedo a que los pueblos saqueados del continente arrebaten las armas a sus opresores y se declaren, como Cuba, pueblos libres de América.

La nueva utopía quedaba así planteada: la Revolución cubana podía ser el horizonte futuro de América Latina.

El protagonista de la nueva utopía no fue Fidel Castro sino el «Che» Guevara (1928-1967)[124]. Nacido en Argentina, Ernesto Guevara se graduó de médico en 1953 y recorrió extensamente América Latina, desarrollando una vocación de aventura y una profunda y sincera sensibilidad social. En 1954 vivió durante nueve meses en Guatemala y asistió a la caída del régimen de Arbenz; pasó a México, donde conoció a Fidel Castro, uniéndose al movimiento guerrillero que desembarcó en Cuba a fines de 1956. Rápidamente destacó en la

---

124. John Lee Anderson, *Che Guevara. A Revolutionary Life. Revised Edition,* Nueva York, Grove Press, 2010.

lucha y fue ascendido a comandante. A fines de 1958 encabezó, junto con Camilo Cienfuegos, la ofensiva guerrillera final, desde Santa Clara hacia La Habana, mientras que Fidel y Raúl Castro tomaban Santiago de Cuba. Conocido como «Che Guevara», fue desde entonces una de las figuras más carismáticas y populares de la Revolución; recibió la nacionalidad cubana por nacimiento y desempeñó importantes puestos en el gobierno y el ejército hasta 1964. Pero su vocación más íntima lo llevó pronto a otros destinos. El Che estaba convencido de que la revolución en el Tercer Mundo estaba a la vuelta de la esquina; según sus ideas, en un contexto de masas campesinas explotadas, como era el caso de la mayoría de los países latinoamericanos, bastaría con la instalación de un foco guerrillero para encender la llama revolucionaria. En la visión del Che, era posible convertir la cordillera de los Andes en la Sierra Maestra de América Latina, y emular así la exitosa experiencia cubana. Los guerrilleros reemplazaban pues a la vanguardia del proletariado y abrían el horizonte a revoluciones comunistas de base campesina. El parentesco de este enfoque con las experiencias de la Revolución china y la Revolución vietnamita es más que evidente, aunque la idea del foco es propia del Che. El desarrollo, muy sumario, de esta nueva teoría de la insurrección, aparece en varios textos del Che Guevara y de Régis Debray; algo más tarde, el brasileño Carlos Marighella la extendió a la guerrilla urbana[125]. En abril de 1965 el Che pasa a la clandestinidad; en octubre Fidel Castro lee en La Habana una carta de adiós[126]:

---

125. Regis Debray, *¿Revolución en la revolución?,* La Habana, Casa de las Américas, 1967; Carlos Marighella, *Mini-Manual do Guerrilheiro Urbano,* s.l., s.e., 1969.
126. En www.gramma.cu/che/carta.html, consultada el 25-09-2013.

Otras tierras del mundo reclaman el concurso de mis modestos esfuerzos. Yo puedo hacer lo que te está negado por tu responsabilidad al frente de Cuba y llegó la hora de separarnos. Sépase que lo hago con una mezcla de alegría y dolor, aquí dejo lo más puro de mis esperanzas de constructor y lo más querido entre mis seres queridos... y dejo un pueblo que me admitió como un hijo; eso lacera una parte de mi espíritu. En los nuevos campos de batalla llevaré la fe que me inculcaste, el espíritu revolucionario de mi pueblo, la sensación de cumplir con el más sagrado de los deberes; luchar contra el imperialismo dondequiera que esté; esto reconforta y cura con creces cualquier desgarradura.

Lucha en el Congo durante nueve meses, y por un momento tiene fe en el éxito de la empresa, pero las disensiones internas llevan el proyecto a un completo fracaso. Hacia 1966 comienza a preparar la guerrilla en Bolivia, iniciando las anotaciones en su célebre diario el 7 de noviembre de ese año[127]; en abril de 1967 se publica en Cuba un mensaje del Che destinado a la Tricontinental, organización de solidaridad de los pueblos de África, Asia y América Latina; el título es sintomático: «Crear dos, tres... muchos Vietnam». La idea de base es particularmente simple: una insurrección generalizada en todo el Tercer Mundo, siguiendo el ejemplo del pueblo vietnamita, quebrará al imperialismo norteamericano. El Che propone pues una guerra mundial abierta contra los Estados Unidos, en clara contradicción con la «coexistencia pacífica» que sostenían por entonces la Unión Soviética y los partidos comunistas latinoamericanos dentro del marco conceptual de la Guerra Fría.

127. Ernesto Che Guevara, *El Diario del Che en Bolivia,* México, Siglo XXI Editores, 1968.

Cuba apoyó la extensión de la guerrilla ofreciendo armas, entrenamiento y apoyo logístico, pero en un tiempo relativamente corto, todas las experiencias, una tras otra, fracasaron[128]. La caída culminante ocurrió en Bolivia, en octubre de 1967, cuando el propio Che Guevara encontró la muerte. Entre las razones que explican estos rápidos fracasos, hay que apuntar las siguientes: a) los ejércitos latinoamericanos, armados y entrenados por los Estados Unidos, desarrollaron una eficaz estrategia contrainsurgente; b) la teoría del foco era equivocada; los campesinos explotados y pobres no apoyaron, por regla general, la insurgencia; c) las fuerzas políticas de izquierda se dividieron en cuanto al apoyo a la guerrilla; d) el bloqueo limitaba drásticamente el apoyo que podía esperarse de Cuba, sobre todo una vez iniciado el movimiento guerrillero. En resumen, al contrario de los análisis del Che Guevara y la Tricontinental, las condiciones objetivas para la insurrección no estaban presentes, y en consecuencia, los movimientos guerrilleros practicaron un voluntarismo a ultranza que pagaron con la derrota.

Dos excepciones confirman el análisis precedente. Guatemala y Colombia. En ambos casos, la lucha guerrillera comienza hacia 1960 y se extiende durante varias décadas; en Guatemala sólo se firman acuerdos de paz en 1996, mientras que en Colombia recién en 2016 se llega a un acuerdo con el grupo guerrillero más numeroso. En ambos casos, la guerrilla no se originó en el foquismo propiciado por el Che Guevara. En Guatemala[129] fue una respuesta a la represión

128. Perú, 1965; Venezuela, 1960-1967; Nicaragua, 1961-1979; Uruguay, 1964-1966, 1968-1972; Chile, 1965-1988; Brasil, 1968-1970; República Dominicana, 1973.
129. Véase Dirk Kruijt, *Guerrilla: Guerra y Paz en Centroamérica,* traducido por Eric Flakoll y Raquel Bruno, Guatemala, F&G Editores, 2009.

y al ahogo reformista que siguió a la caída de Arbenz en 1954. En Colombia[130] fue un derivado de «La Violencia», con grupos guerrilleros instalados en la selva, en regiones recónditas; la lucha fue intermitente, pero no logra amenazar el poder del Estado en las grandes ciudades y las regiones más importantes. En la década de 1980 empieza a mezclarse con el narcotráfico, y en el curso de varias décadas la agenda revolucionaria se diluye.

Hacia 1970, la oleada guerrillera inspirada por la Revolución cubana y el foquismo estaba básicamente derrotada. Con el triunfo electoral de la Unidad Popular en Chile[131] y la llegada de Salvador Allende a la presidencia se abrió un breve espacio para otra utopía: la idea de que era posible construir el socialismo a partir de un cambio institucional pacífico; es lo que el propio Allende denominó la «vía chilena al socialismo».

Allende subió a la presidencia el 4 de noviembre de 1970, luego de una reñida elección en la que obtuvo el 37% de los votos, por lo que requirió la ratificación del Congreso. La Unidad Popular (UP) era una alianza de partidos de izquierda, integrada por socialistas, comunistas y socialcristianos radicalizados; se le oponían las fuerzas políticas conservadoras y la Democracia Cristiana. El programa de gobierno incluyó la nacionalización de la mi-

130. Marco Palacios y Frank Safford, *Colombia. País fragmentado, sociedad dividida. Su historia,* traducido por Ángela García, Bogotá, Editorial Norma, 2002, pp. 629-675.
131. Véase Arturo Valenzuela, *The Breakdown of Democratic Regimes. Chile,* Baltimore, The John Hopkins University Press, 1978; Arturo Valenzuela y J. Samuel Valenzuela (eds.), *Chile: Politics and Society,* New Brunswick, NJ, Transaction Books, 1976; Paul W. Drake, *Socialism and Populism in Chile, 1932-1952,* Urbana, University of Illinois Press, 1978.

nería del cobre y la estatización de áreas claves de la economía, el control de precios y la elevación de los salarios de los trabajadores. La reforma agraria, que fue emprendida por el gobierno demócratacristiano de Eduardo Frei Montalva (1964-1970), fue considerablemente acelerada, y hubo también importantes mejoras en la educación y la salud públicas. Pero se produjo una creciente polarización política y un deterioro de la situación económica (inflación, escasez, desabastecimiento) que hizo crisis a mediados de 1973. El 11 de setiembre de 1973 se produjo un cruento golpe militar que puso fin a la experiencia; Allende se suicidó en el Palacio de la Moneda y el régimen militar presidido por el general Augusto Pinochet impuso una terrible represión y un drástico cambio en la organización económica y política; a los casi tres años de experimento socialista le sucedieron 17 años de neoliberalismo conservador[132].

Entre las causas del fracaso de Allende se cuentan la radicalización dentro de la UP (socialistas, MIR, MAPU) y de la derecha (grupo terrorista Patria y Libertad)[133], la oposición frontal de los Estados Unidos, incluyendo espionaje y financiamiento de acciones de desestabilización, una crisis

132. Véase Tomás Moulian, *Contradicciones del desarrollo político chileno, 1920-1990,* Santiago de Chile, Editorial Lom / Editorial Arcis, 2009; Tomás Moulian, *Democracia y socialismo en Chile,* Santiago de Chile, FLACSO, 1983; Manuel A. Garretón Merino, *El proceso político chileno,* Santiago de Chile, FLACSO, 1983.
133. Dos momentos culminantes de este proceso fueron el asesinato del dirigente demócratacristiano Edmundo Pérez Zujovic, el 8 de junio de 1971, realizado por un grupo extremista de la UP, y el atentado contra el general René Schneider, comandante en jefe de las Fuerzas Armadas, el 22 de octubre de 1970, ejecutado por el grupo terrorista Patria y Libertad.

institucional ejemplificada por conflictos entre el Ejecutivo y la Corte Suprema de Justicia, y una sociedad chilena profundamente dividida, sin una mayoría clara en favor del proyecto de la UP o de sus opositores. Las elecciones parlamentarias celebradas en marzo de 1973 lo muestran con claridad. La oposición, agrupada en la CODE (Confederación de la Democracia), deseaba obtener dos tercios del Congreso para poder tramitar una acusación constitucional contra Allende y destituirlo de la presidencia, pero la UP logró el 43,5% de los votos y la CODE el 54,6%. Los partidos de la Unidad Popular, al presentarse en una lista única, consiguieron aumentar su representación en tres diputados y un senador.

Hacia 1970 las perspectivas de la revolución a la vuelta de la esquina se habían esfumado, mientras que la caída de Allende en 1973 ponía fin a las expectativas de una transición pacífica hacia el socialismo. De una manera o de otra, todos los grupos insurreccionales remplazaron el foquismo por la estrategia de la «guerra popular prolongada» inspirada sobre todo en los ejemplos de China y Vietnam; el foco insurreccional y las protestas urbanas tipo el «Cordobazo» (1969) o el «Caracazo» (1989) fueron vistas como complementos posibles dentro de una estrategia político-militar más general.

Esta fue la línea seguida por el Ejército Revolucionario del Pueblo (ERP) en Argentina, un grupo de orientación trotskista particularmente activo entre 1970 y 1977, y también por los diversos grupos armados vinculados al peronismo (Fuerzas Armadas Peronistas, FAP; Fuerzas Armadas Revolucionarias, FAR; y Montoneros). Entre 1970 y 1980 las guerrillas peronistas actuaron bajo el supuesto de que eran el brazo armado del movimiento liderado por Perón; sin embargo, luego de muchos tires y aflojes, el general condenó públicamente a los Montoneros[134] el 1.° de mayo de 1974[135]. La represión en gran escala de los movimientos guerrilleros argentinos comenzó en 1975, durante el gobierno de Isabel Martínez de Perón. Luego del golpe militar de marzo de 1976, la dictadura encabezada por el general Jorge Videla continuó la lucha sin cuartel contra la guerrilla, logrando su total derrota hacia 1978. El precio pagado fue terrible: miles de muertos y desaparecidos, y una lista interminable de crímenes de lesa humanidad. Los militares argentinos aplicaron al pie de la letra la doctrina contrainsurgente de «quitar el agua a la pecera», es decir, atacar a todos los posibles soportes de la guerrilla, basándose en sospechas y/o hechos comprobados, y actuando al margen de la ley. No es exagerado afirmar que la guerrilla fue derrotada utilizando en gran escala un verdadero terrorismo de Estado.

En Uruguay actuó el Movimiento de Liberación Nacional-Tupamaros, una guerrilla básicamente urbana que comenzó en 1963 pero tuvo su período de auge entre 1968 y 1972. Secuestros, asaltos a bancos y empresas, ataques a policías y fugas espectaculares fueron parte esencial del *modus operandi* de los Tupamaros; en abril de 1972 el parlamento autorizó la proclamación del Estado de Guerra Interno y se suspendieron las garantías individuales; en pocos meses, las Fuerzas Armadas, encargadas de la represión, diezmaron la organización. En junio del año siguiente, el presidente Bordaberry encabezó un golpe de Estado, disolviendo los par-

134. Hacia 1972 todos los grupos armados peronistas se unieron a los Montoneros.
135. Véase Juan B. Yofre, *El escarmiento. La ofensiva de Perón contra Cámpora y los Montoneros, 1973-1974,* Buenos Aires, Editorial Sudamericana, 2010.

tidos políticos, cerrando el parlamento y estableciendo una dictadura; la represión sobre el movimiento sindical y las fuerzas de izquierdas fue particularmente dura y se mantuvo hasta el retorno a la democracia en 1985. En este nuevo contexto, los dirigentes Tupamaros se acogieron a una amnistía y formaron un partido político que se integró a la coalición de izquierda denominada Frente Amplio.

La estrategia de la guerra popular prolongada, con una base campesina, tuvo sus mejores ejemplos en la experiencia peruana de Sendero Luminoso y en la guerrilla salvadoreña.

En 1964 se escindió del Partido Comunista de Perú el sector prochino, adoptando la denominación Partido Comunista Peruano Bandera Roja; uno de sus dirigentes era Abimael Guzmán Reynoso (1934-), más tarde conocido como «Camarada Gonzalo». Este grupo se inspiraba en la obra de Mao Zedong y se preparó para iniciar una guerra popular campesina, en un país que consideraban semicolonial y semifeudal. En 1970 Guzmán formó su propio grupo, utilizando el lema «por el sendero luminoso de Mariátegui» e instalándose en el departamento serrano de Ayacucho. La base inicial fue la Universidad de Huamanga, en la cual Abimael Guzmán era profesor de filosofía; los reclutas básicos fueron maestros y estudiantes. El Dr. Guzmán logró «combinar la frialdad del burócrata con el fuego de los iluminados» y desarrolló un «celo obsesivo en la construcción de una organización que se convirtiera en máquina de guerra». Los militantes desarrollaron un verdadero «fervor religioso inculcado incansablemente por el líder»[136]. El Ca-

---

136. Carlos Iván Degregori, *Qué difícil es ser Dios. El Partido Comunista del Perú – Sendero Luminoso y el conflicto armado interno del Perú: 1980-1999,* Lima, Instituto de Estudios Peruanos, 2010, pp. 112-113.

marada Gonzalo fue considerado por ellos como la «cuarta espada del marxismo», luego de Marx, Lenin y Mao, y «el más grande marxista-leninista viviente sobre la tierra».

El proyecto del Partido Comunista del Perú Sendero Luminoso consistía en la toma del poder, atacando en forma extremadamente sangrienta a todos los opositores; el Camarada Gonzalo llegó incluso a afirmar que la guerra podría costar un millón de muertos. Sendero Luminoso era un partido elitista (520 miembros al iniciarse la guerra en 1980; 2.782 hacia 1990, en el momento en que el conflicto alcanza su apogeo) de militantes iluminados que combinaban la fe religiosa en el líder con la obediencia ciega y burocrática. Sus acciones armadas comenzaron en 1980 con la quema de urnas electorales en Chuschi, un pueblo de Ayacucho; en Lima, poco después, aparecieron perros muertos atados a los postes del alambrado público y semáforos, con cartelones que decían «Deng Xiaoping hijo de perra»[137]. Hasta 1982 las acciones se centraron en zonas rurales de Ayacucho, y los senderistas llegaron incluso a controlar ciertas zonas alejadas; la represión estuvo a cargo de la policía, aunque fue muy poco efectiva.

Pero en ese año hubo dos cambios fundamentales: ante los ataques a la ciudad de Ayacucho, el gobierno encargó la represión a las Fuerzas Armadas; en las zonas «liberadas» los campesinos de la Sierra empezaron a chocar con los senderistas, ya que éstos irrespetaban las tradiciones y costumbres de la zona. El resultado inmediato fue extremadamente sangriento; las Fuerzas Armadas aplicaron una represión indiscriminada, que recayó básicamente sobre los campesinos,

137. Steve J. Stern (ed.), *Los senderos insólitos del Perú: guerra y sociedad, 1980-1995*, Lima, Instituto de Estudios Peruanos / Universidad Nacional de San Cristóbal de Huamanga, 1999, p. 17.

mientras que entre senderistas y campesinos hubo un sinnúmero de ejecuciones y asesinatos. Un momento particularmente espectacular de la violencia fue la masacre de Uchuraccay, un pequeño pueblo del departamento de Ayacucho; allí, en enero de 1983 unos cuarenta comuneros asesinaron a ocho periodistas peruanos que habían llegado para investigar una masacre cometida por Sendero Luminoso en un municipio vecino; al parecer, los comuneros confundieron a los periodistas con militantes de Sendero Luminoso y por eso los lincharon. La conmoción originada en este incidente hizo que el gobierno formara una comisión investigadora presidida por Mario Vargas Llosa, la cual no hizo otra cosa que confirmar el informe del mando militar de la zona.

La ofensiva de Sendero Luminoso continuó durante varios años con un sinnúmero de atentados terroristas contra líneas de alta tensión, edificios y transporte públicos, asesinatos selectivos y la organización de paros armados, en los cuales los senderistas tomaban el control temporal de una ciudad pequeña y suspendían todas las actividades productivas. La Comisión de la Verdad y la Reconciliación, establecida en 2001, llegó a la conclusión de que la violencia desatada por Sendero Luminoso provocó más de 30.000 muertos y daños en la infraestructura valorados en muchos millones de dólares. Hacia fines de la década de 1980 las Fuerzas Armadas abandonaron la represión indiscriminada y pasaron a organizar a los campesinos en Comités de Autodefensa Civil o rondas campesinas. Más que la acción militar fueron estos comités los que permitieron la debacle de Sendero Luminoso en Ayacucho[138]. La detención del Ca-

138. Carlos Iván Degregori, José Coronel, Ponciano del Pino y Orin Starn, *Las rondas campesinas y la derrota de Sendero Luminoso,* Lima,

marada Gonzalo en Lima, en 1992, precipitó el fin de la sangrienta experiencia.

En muchos aspectos, Sendero Luminoso fue un movimiento inusual, es decir, se apartó notablemente de los patrones guerrilleros inspirados en el Che Guevara o la lucha vietnamita; se acomoda bien, en cambio, a un maoísmo vernáculo, desarrollado por el Camarada Gonzalo. No parece tener nada que ver con un milenarismo indígena de raíces incaicas[139] ni tampoco con un Robin Hood que se bate por los pobres[140].

La guerrilla salvadoreña surgió a comienzos de la década de 1970[141]; en 1980 los diferentes grupos insurgentes se unificaron en el Frente Farabundo Martí para la Liberación Nacional (FMLN) y llegaron a controlar extensas zonas del país, sobre todo en la región fronteriza con Honduras. La guerra duró más de veinte años, y al final fue clara la situación de un virtual empate militar; ni las Fuerzas Armadas, apoyadas por los Estados Unidos, lograban destruir las fuerzas insurgentes, ni los guerrilleros lograban tomar el poder. Los acuerdos de paz de 1992 partieron de ese hecho ineludible y permitieron la transformación del FMLN en un partido político. Ideológicamente, el FMLN se localiza-

Instituto de Estudios Peruanos / Universidad Nacional de San Cristóbal de Huamanga, 1996.
139. Como fue argumentado por Alberto Flores Galindo, *Buscando un inca: indentidad y utopía en los Andes, ensayo,* La Habana, Casa de las Américas, 1986.
140. Degregori, *Qué difícil es ser Dios. El Partido Comunista del Perú – Sendero Luminoso y el conflicto armado interno del Perú: 1980-1999,* pp. 52 y sig.; y capítulo 2
141. Véase Kruijt, *Guerrilla: Guerra y Paz en Centroamérica;* Héctor Pérez Brignoli, *Breve historia de Centroamérica,* 4.ª ed., Madrid, Alianza Editorial, 2000 [1985], capítulo 6.

ba en la izquierda convencional, con participación del Partido Comunista y otros grupos radicales; muy lejos, en todo caso, del maoísmo de Sendero Luminoso.

El sandinismo nicaragüense triunfante en 1979 tuvo sólo algunos puntos de similitud con la guerrilla salvadoreña. Iniciado en 1961, el Frente Sandinista de Liberación Nacional (FSLN) siguió el ejemplo cubano y se enfrentó a la feroz dictadura de la familia Somoza, pero su éxito fue escaso. Logró reconstituirse hacia 1974, y a partir de entonces sus actividades se incrementaron notablemente; un factor muy importante fue el asesinato del líder de la oposición conservadora, Pedro Joaquín Chamorro en 1978, hecho que aglutinó toda la oposición a Somoza y permitió al FSLN gozar también de un importante apoyo internacional; en julio de 1979, los sandinistas tomaron el poder.

La construcción de una Nicaragua sandinista, combinando ideales socialistas y un socialcristianismo radical inspirado en la Teología de la Liberación fue problemática debido a la oposición interna y a la permanente agresión por parte de los Estados Unidos (financiamiento de las operaciones militares de la Contra, etc.). El FSLN perdió las elecciones en 1990 con lo cual se produjo un cambio de gobierno y el fin de la experiencia sandinista[142].

Se cerró así un ciclo de utopías comunistas, abierto por el triunfo cubano en 1959; la segunda revolución exitosa dejó el poder al mismo tiempo que la Unión Soviética se disolvía; la sincronización de los relojes políticos no deja de ser sorprendente.

142. Véase Kruijt, *Guerrilla: Guerra y Paz en Centroamérica,* especialmente el capítulo IV.

La utopía autoritaria-conservadora

El golpe de Estado de marzo de 1964 en Brasil instauró un gobierno militar que duró 21 años; en Argentina, hubo dos períodos de regímenes militares (1966-1973 y 1976-1983), es decir, 14 años; en Chile, la dictadura de Pinochet se extendió desde 1973 hasta 1990, o sea, durante 17 años.

Estos regímenes militares, resultados de golpes de Estado cuidadosamente planeados, no eran una novedad en sí, en el contexto latinoamericano, pero tenían ciertas características inéditas. En primer lugar, fueron justificados en términos de la amenaza comunista subversiva, la corrupción y la incapacidad de los partidos políticos y sus dirigentes; en segundo lugar, se plantearon como regímenes destinados a depurar y refundar la vida política y social, limitando (o eliminando) la participación democrática, a través de una clara hegemonía de las Fuerzas Armadas; en tercer lugar, se propusieron modernizar la economía a través de una sostenida apertura al capital extranjero, reduciendo significativamente los beneficios de los trabajadores y sectores medios derivados de políticas populistas o reformistas anteriores. La represión de los movimientos guerrilleros, los grupos y partidos de izquierda, y los sindicatos fue la primera razón de ser de estos regímenes; la segunda, fue sin duda, la ambición de sustituir el juego político democrático por una articulación corporativa burocrática, en la cual las Fuerzas Armadas administraban y controlaban el poder, a la par de ciertos grupos empresariales y sectores selectos de la sociedad civil. El modelo final era una sociedad jerarquizada, profundamente desigual, organizada en torno a ideales nacionales conservadores, católicos y anticomunistas. Las fuentes ideológicas de este modelo eran variadas, e incluían desde un nacionalismo católico integrista próximo al franquismo y al fascismo italiano, hasta las doctrinas de la «seguridad nacional» pregonadas por los militares estadounidenses durante la Guerra Fría[143].

Brasil constituyó el caso más exitoso; los militares lograron articular una fachada política a través del partido Aliança Renovadora Nacional (ARENA) y obligaron a la oposición a agruparse en el Movimiento Democrático Brasileiro (MDB). A la vez, lograron renovar la presidencia con sucesivos generales y mantener una parodia de Congreso; en términos económicos el régimen fue tremendamente exitoso, sobre todo en la década de 1970, y logró un apreciable desarrollo industrial y de la agricultura de exportación. Nuevos sectores medios, surgidos a consecuencia de estos cambios y de la notable expansión de la educación, constituyeron un firme soporte del régimen. La inmensa mayoría de la población brasileña siguió siendo, sin embargo, pobre, y derivó pocos beneficios de estos desarrollos. En la década de 1980, cuando el modelo autoritario experimentó un notable deterioro interno y se volvió profundamente impopular en términos internacionales, los militares lograron conducir una pausada transición política hacia la democracia que culminó en 1985.

Muy distinta fue la experiencia chilena[144]. El general Pinochet instauró una terrible dictadura personal, muy eficaz

---

143. Véase David Rock, *Argentina, 1516-1987. Desde la colonización española hasta Alfonsín,* traducido por Nestor Míguez, Madrid, Alianza Editorial, 1988, pp. 462-463. La mejor caracterización sociológica de este tipo de régimen se debe a Guillermo A. O'Donnell, *Modernización y autoritarismo,* Buenos Aires, Editorial Paidós, 1972; véase también Guillermo A. O'Donnell, *El Estado burocrático autoritario. Triunfos, derrotas y crisis,* Buenos Aires, Editorial de Belgrano, 1996 [1982].

144. Carlos Huneeus, *El régimen de Pinochet,* Santiago de Chile, Sudamericana, 2000; Pablo Policzer, *Los modelos del horror. Repre-*

en la represión y la violación de los derechos humanos, y exitosa en la promoción de un desarrollo económico neoliberal que tuvo un enorme costo social, pero carente de toda salida política en el largo plazo. En 1988, convocados a un plebiscito, la inmensa mayoría de los chilenos votaron «No» al continuismo de Pinochet, y las Fuerzas Armadas tomaron distancia, facilitando la elección de un presidente civil opositor en 1990.

La dictadura militar argentina tuvo éxitos muy limitados y acabó siendo desplazada del poder. La primera experiencia, entre 1966 y 1973, concluyó con la entrega del gobierno a los peronistas en un panorama de agudas confrontaciones políticas y sociales. El régimen instaurado en 1976, conocido como «Proceso de Reorganización Nacional» terminó con la amenaza guerrillera a costa de una represión salvaje y promovió una apertura económica neoliberal, pero a diferencia de los casos de Brasil y Chile, su éxito fue muy limitado y acabó diezmando la base industrial; hacia 1981, la hiperinflación y la crisis financiera erosionaron las magras ganancias. El fracaso final se derivó, como es bien conocido, de la guerra de las Islas Malvinas (Falkland) en 1982. La inesperada reacción bélica inglesa provocó una humillante derrota y un desprestigio político y social del cual los militares argentinos no lograron reponerse. La elección de Raúl Alfonsín como presidente, en diciembre de 1983, dio paso a la apertura democrática.

Hacia 1990 la utopía autoritaria-conservadora parecía algo archivado; la democracia reemplazaba al dominio mi-

sión e información en Chile bajo la Dictadura Militar, traducido por Hernán Soto Enríquez y Gloria Casanueva, Santiago de Chile, Lom Ediciones, 2014.

litar, y tanto la izquierda como la derecha se plegaban al juego democrático. Pero había un legado de este proyecto que adquiría nueva vigencia e iba a impregnar el fin del siglo XX y los comienzos del siglo XXI: me refiero a la política económica y social neoliberal.

La utopía neoliberal

El esquema es muy simple: dejemos que nos guíen las fuerzas del mercado, eliminemos controles, aranceles, subsidios, reduzcamos el Estado y sus instituciones a un mínimo, dejemos todo a la iniciativa privada, y en poco tiempo el bienestar general estará con nosotros[145]. Pero la economía no es un cuento de hadas buenas; he ahí el problema. Un ejemplo contundente de la aplicación de las recetas neoliberales en México lo constituye el caso de los negocios de Carlos Slim y la privatización de las telecomunicaciones. Acemoglu y Robinson lo resumen así[146]:

El gobierno anunció su intención de vender el 51% de las acciones con derecho a voto (20,4% del total) de la compañía en setiembre de 1989 y recibió ofertas en noviembre de 1990. Aunque Slim no propuso la oferta más alta, un consorcio controlado por su grupo Carso obtuvo las acciones. En vez de pagar por ellas inmediatamente, Slim obtuvo un plazo que le permitió uti-

---

145. Véase un manifiesto básico en Plinio Apuleyo Mendoza, Carlos Alberto Montaner y Álvaro Vargas Llosa, *Manual del perfecto idiota latinoamericano,* Barcelona, Plaza & Janés, 1996.
146. Daron Acemoglu y James Robinson, *A. Why Nations Fail. The Origins of Power, Prosperity and Poverty,* Londres, Profile Books, 2013, p. 39.

lizar los dividendos de Telmex para pagar por las acciones. Lo que había sido un monopolio público se convirtió en un monopolio de Carlos Slim, y resultó inmensamente rentable.

Las ideas neoliberales, representadas por autores como Friedrich von Hayek y Milton Friedman, siempre estuvieron presentes en el pensamiento económico europeo y estadounidense; lo que ocurre es que entre 1930 y 1980 tuvieron escasa popularidad, dada la virtual hegemonía del pensamiento keynesiano.

El giro neoliberal se produjo hacia 1980, bajo la presidencia de Ronald Reagan en los Estados Unidos (1981-1989) y el gobierno de Margaret Thatcher en el Reino Unido (1979-1990). Los principios básicos fueron la reducción del Estado, limitando sobre todo los programas sociales y culturales, y la baja de los impuestos, en beneficio de las clases pudientes; en el caso inglés, a esto se agregó el ataque a los sindicatos y la privatización de empresas públicas. El abandono del proteccionismo y la liberalización de los mercados fue puntual, y en el conjunto, relativamente reducido. En breve, el neoliberalismo de Reagan y Thatcher fue básicamente pragmático y logró una recuperación económica considerable, ya apreciable a finales de la década de 1980: crecimiento moderado, baja inflación y bajo desempleo. Estos éxitos ayudaron a consolidar el programa neoliberal y garantizaron su prestigio en la década de 1990. En América Latina hubo una ola de adhesiones a la nueva ortodoxia, representada, entre otros, por los presidentes Carlos Menem (1989-1999) en Argentina, Fernando Henrique Cardoso (1995-2002) en Brasil, Patricio Aylwin (1990-1994) y Eduardo Frei Ruiz Tagle (1994-2000) en Chile, Carlos Salinas de Gortari (1988-1994) y Ernesto Zedillo (1994-2000), en México.

Uno de los ideólogos más originales del neoliberalismo latinoamericano es el economista peruano Hernando de Soto, fundador del Instituto Libertad y Democracia en 1981 y autor de una obra emblemática titulada *El otro sendero*[147]. Con sede en Lima, el Instituto es un *think tank* con amplias proyecciones internacionales, apadrinado por economistas como Milton Friedman y escritores como Mario Vargas Llosa, que asesora a gobiernos, empresas y organizaciones no gubernamentales.

La tesis principal de Hernando de Soto es que la pobreza y el atraso se explican porque el importante sector informal de la economía carece de derechos de propiedad, no tiene incentivos suficientes, no paga impuestos y está fuera de los circuitos bancarios; ello produce una pérdida neta de recursos que se multiplica con la expansión del sector informal. La pobreza tiene así dimensiones económicas, políticas, sociales y jurídicas; los pobres no son proletarios desposeídos sino, en su mayoría, microempresarios sin derechos, excluidos por el sistema legal. En la visión de Hernando de Soto, el sistema que oprime a los pobres del Perú –y por extensión, de todo el Tercer Mundo– es un mercantilismo enteramente similar al viejo mercantilismo europeo y colonial de los siglos XVI-XVIII y no el capitalismo democrático, innovador y competitivo. La originalidad del pensamiento de Soto –que podríamos considerar como un análisis neoliberal de la marginalidad y la pobreza– contrasta con los planteamientos más generales, que postulan un credo de privatizaciones, libre mercado y compensaciones automáticas de la desigualdad.

En las economías latinoamericanas, el cambio de rumbo se fue estructurando a partir de la crisis de la deuda en 1982, los

147. Hernando de Soto, *El otro sendero: la revolución informal,* Buenos Aires, Editorial Sudamericana, 1987.

planes de ajuste heterodoxos a mediados de los ochenta, los programas de estabilización y ajuste estructural a finales de la década, y «la apertura al comercio internacional, el proceso de privatización y liberalización y las reformas de la seguridad social»[148]. En el conjunto, se trataba de encontrar un nuevo modelo de desarrollo, abandonando –o más bien, modificando– lo que habían sido los patrones básicos imperantes entre 1945 y 1980. La apertura al comercio internacional implicó, en diversos grados, un proceso de desindustrialización, el desarrollo de nuevos sectores de exportación y una importante disminución del papel del Estado. La privatización de empresas públicas –en un ambiente de corrupción, ineficiencia y creación de nuevos monopolios– fue uno de los aspectos más notables de los cambios ocurridos en la década de 1990. En la década del 2000, el entusiasmo por la utopía neoliberal disminuyó considerablemente, y fue cada vez más claro que en la economía no existen recetas mágicas ni promesas de un futuro dorado.

El efecto más significativo del libre mercado ha ocurrido en términos de la circulación de la información y la globalización de las redes de comunicación. Millones de latinoamericanos están ahora conectados, a un clic de distancia, en el ciberespacio.

La utopía indígena

En 1992, al conmemorarse el quinto centenario del viaje de Colón y el descubrimiento europeo del Nuevo Mundo, se produjo un hecho inesperado, muy lejos de la retórica de

148. Sebastián Edwards, *Crisis y reforma en América Latina,* Buenos Aires, Emecé Editores, 1997, p. 7.

las celebraciones oficiales. Por todo el continente, desde Canadá hasta Tierra del Fuego, hubo declaraciones de repudio por parte de los pueblos indígenas reclamando que no se trataba de 500 años de un «encuentro de culturas» sino de 500 años de resistencia de los pueblos indígenas. El fenómeno, enmarcado en el fin de la Guerra Fría y aprovechando la revolución mediática de la globalización, tuvo un efecto explosivo y puso en primera plana algo subyacente pero voluntariamente ignorado por las poblaciones criollas y mestizas, ampliamente mayoritarias en el conjunto del continente: los indígenas existen y reclaman sus derechos[149].

En la década de 1990 comienza pues una movilización indígena de nuevo tipo, en la cual son nuevas tanto las metas como las formas de acción y organización del movimiento colectivo. Esto es particularmente significativo en cuanto se trata de acciones por lo general exitosas y que contrastan con los patrones típicos de las rebeliones indígenas del pasado, marcadas durante siglos por la violencia, la represión y el fracaso. Aunque la diversidad es una característica básica de estos movimientos –y no podría ser de otro modo dada la gran variedad de grupos étnicos involucrados–, hay ciertos elementos comunes que configuran lo que podríamos considerar un horizonte utópico compartido. Trataremos primero de identificar estos elementos comunes[150] para luego estudiar, en sus particularidades, los principales movimientos dentro de lo que Le Bot se atreve a considerar como «la gran revuelta indígena».

149. José Bengoa, *La emergencia indígena en América Latina,* Santiago de Chile, Fondo de Cultura Económica, 2000; Yvon Le Bot, *La gran revuelta indígena,* traducido por Danielle Zaslavsky y Nayelli Castro, México, Editorial Océano, 2013.
150. Bengoa, *La emergencia indígena en América Latina,* capítulo 4.

El primer aspecto es la demanda del «reconocimiento» de los indígenas en su diferencia étnica, como integrantes de un Estado multicultural y multilingüístico. Esta demanda exige una redefinición de la ciudadanía y del Estado nación, e implica, por lo general, reformas constitucionales. En 1989 la Organización Internacional del Trabajo (OIT) aprobó el Convenio 169, el cual reconoce derechos colectivos a los pueblos indígenas y tribales de los países independientes, mientras que la Asamblea General de las Naciones Unidas aprobó una Declaración sobre los derechos de los pueblos indígenas en setiembre de 2007[151]. La ratificación de ambos documentos, algo indispensable para su aplicabilidad, ha sido variable, pero en el caso del Convenio de la OIT, la mayoría de los países latinoamericanos lo habían hecho hacia 2012[152]. En su artículo 7, el Convenio 169 establece que los pueblos indígenas y tribales tienen el derecho de

decidir sus propias prioridades en lo que atañe al proceso de desarrollo, en la medida en que éste afecte a sus vidas, creencias, instituciones y bienestar espiritual, y a las tierras que ocupan o utilizan de alguna manera, y de controlar su propio desarrollo económico, social y cultural.

Y en otros artículos asigna a los gobiernos la responsabilidad de proteger y promover estos derechos, a través del

---

151. Organización Internacional del Trabajo, *Convenio 169. Convenio sobre pueblos indígenas y tribales,* Ginebra, OIT, 1989; Naciones Unidas, *Declaración de las Naciones Unidas sobre los derechos de los pueblos indígenas, 2007,* Nueva York, ONU, 2008.
152. En ese momento había sido ratificado por Argentina, Bolivia, Brasil, Colombia, Chile, Costa Rica, República Dominicana, Ecuador, Guatemala, Honduras, Nicaragua, México, Paraguay, Perú y Venezuela. Véase Le Bot, *La gran revuelta indígena,* pp. 154, nota 7.

diálogo, la consulta y la participación. La lucha contra la discriminación es, por supuesto, un eje fundamental, tanto en el Convenio de la OIT como en la Declaración de las Naciones Unidas. La definición de «pueblos indígenas» se refiere a grupos que descienden de las poblaciones que habitaban en el país o en una región geográfica a la que pertenecía el país en la época de la conquista o la colonización, o del establecimiento de las actuales fronteras estatales, y que cualquiera que sea su situación jurídica, conserva sus propias instituciones sociales, económicas, culturales y políticas, o parte de ellas. Un criterio adicional, particularmente importante, es la conciencia de la identidad indígena o tribal, manifestada en la diferencia cultural y la autoidentificación con ella.

Un segundo elemento común en la movilización indígena es la «etnogénesis», esto es, la renovación de los grupos étnicos a través de la transformación de su identidad cultural[153]. Como lo ha subrayado José Bengoa, este proceso de reinvención cultural ocurre desde experiencias y lecturas urbanas, insertadas en la modernización y la globalización[154], y es empujado por la misma movilización; en la búsqueda del reconocimiento los dirigentes indígenas tienen que explicar quiénes son y de dónde vienen a otros grupos étnicos, tanto en el contexto de la sociedad nacional como también en el ámbito internacional. Esto los lleva a redefiniciones y reinvenciones, lo cual muchas veces también condu-

---

153. Sobre el concepto de etnogénesis y su aplicación al período colonial, véase Frank Salomon y Stuart B. Schwartz, *The Cambridge history of the native peoples of the Americas. v. 3 South America,* Cambridge / England / Nueva York, Cambridge University Press, 1999, pp. 443-501.
154. Bengoa, *La emergencia indígena en América Latina,* pp. 128-134.

ce a construir un pasado idealizado y ficticio. Lo que hay que agregar enseguida es que este es un rasgo característico de todas las culturas, las cuales se reinventan permanentemente, integrando elementos de otros contextos. Y los elementos de ficción no deberían de asustar a nadie en una América Latina donde la fabricación de héroes, a partir de la Independencia, ha sido un rasgo permanente en la invención de las nacionalidades.

El tercer elemento común en la utopía indígena es la idea de una «armonía espiritual y material con la naturaleza», lo cual conduce enseguida a una confluencia con el discurso internacional sobre el desarrollo sostenible.

El cuarto elemento de la utopía es un «panindigenismo» cultural[155] absolutamente novedoso, ya que trasciende ampliamente lo que por siglos fueron identidades definidas en un ámbito rural, básicamente local, y a lo sumo regional. En buena medida, es la búsqueda del reconocimiento y el diálogo obligado a diversos niveles sociales y políticos lo que ha empujado tanto a la etnogénesis como a la búsqueda de una identidad cultural común, englobante, trascendiendo fronteras y límites. No es ya la mirada del conquistador o del observador extranjero la que subsume en una categoría como «indios» a una vasta diversidad de pueblos indígenas, sino que se trata de una búsqueda autónoma, originada en intereses políticos y etnoculturales. Este es un proceso difícil y no exento de peligros y contradicciones; baste recordar al efecto, lo ocurrido con el concepto de «negritud», desarrollado por las élites intelectuales africanas francófonas a partir de la década de 1930, para englobar las identidades africanas poscoloniales: lo

155. *Ibid.,* pp. 138-143.

que fue un proyecto liberador implicó, en realidad, enfoques racistas y etnocéntricos[156].

Por otra parte, hay que notar que en el mundo globalizado de los inicios del siglo XXI, esta lucha por el reconocimiento de la diferencia es paralela a otros combates. El subcomandante Marcos, líder y voz de los indígenas de Chiapas lo expresó diciendo: «Marcos es gay en San Francisco, negro en Sudáfrica, asiático en Europa, chicano en San Ysidro, etcétera»[157].

La pregunta siguiente es cómo es que pudo producirse esta emergencia indígena a partir de la década de 1990. En buena medida, dicha emergencia parece haber sido un resultado no buscado del indigenismo[158], proyecto político emprendido por la mayoría de los Estados latinoamericanos a partir de los años 1940. El indigenismo se proponía la asimilación –o al menos el avance en la aculturación– de los grupos indígenas; en el conjunto, estas políticas fracasaron, pero sí contribuyeron a formar una nueva élite indígena compuesta por maestros, promotores sociales, sindicalistas, pequeños empresarios, líderes religiosos, etc. La fuerte emigración del campo a la ciudad –incluyendo destinos en países limítrofes e incluso mucho más lejanos, como los Estados Unidos– también influyó significativamente en la formación de estos nuevos cuadros dirigentes. Fueron ellos quienes encabezaron las movilizaciones centradas, simbólicamente, en el fatídico aniversario celebrado en 1992.

---

156. Véase el artículo de Mariella Villasante Cervello en Marc Ferro y otros, *Le livre noir du colonialisme. XVI-XXI siècle: de l'extermination à la repentance,* París, Hachette-Littératures, 2003, pp. 971-1019.
157. Citado en Le Bot, *La gran revuelta indígena,* p. 100.
158. *Ibid.,* pp. 57-60; Wolfgang Gabbert, «Race, Ethnicity and Class in Middle America, Conceptual Issues», 54th International Congress of Americanists, Viena, 2012.

En resumen, los indígenas toman la palabra y ponen el acento en el reconocimiento social y cultural de la diferencia, sin renunciar a las antiguas luchas por la tierra y otras reivindicaciones socioeconómicas. Pero los movimientos se distinguen claramente de las movilizaciones del pasado: no se trata de motines anticoloniales ni de guerrillas revolucionarias. Como lo indica Yvon Le Bot[159]:

> Los movimientos étnicos, tanto indígenas como negros, sustituyen la ilusión de una comunidad plena, consensual y autosuficiente, con la afirmación y la negociación de derechos específicos en el marco de un nuevo pacto nacional. Se apartan también del estatismo revolucionario y le oponen la idea de una sociedad civil en la que se desenvuelven actores sociales, se construyen identidades y se inventa otra cultura política.

Los nuevos movimientos indígenas abandonaron también lo que Vargas Llosa llamó la «utopía arcaica»[160]. Este concepto, desarrollado a partir de la obra literaria de José María Arguedas y referido a los indígenas andinos del Perú, tuvo ecos también en otros contextos. La utopía arcaica se refiere a la voluntad de liberar a los indígenas de la opresión, pero conservando su cultura ancestral, la cual contiene tanto elementos tradicionales como otros metabolizados de la cultura de Occidente[161].

No hay dudas de que en las culturas indígenas así entendidas hay vastas expresiones de creatividad, incluyendo una magia fascinante para espíritus románticos y sensibles; pero

---

159. Le Bot, *La gran revuelta indígena*, p. 60.
160. Vargas Mario Llosa, *La utopía arcaica. José María Arguedas y las ficciones del indigenismo,* México, Fondo de Cultura Económica, 1996.
161. *Ibid.,* p. 30.

es no menos cierto que también comprenden elementos de opresión, particularmente en lo que atañe a las mujeres y los niños. Esta nostalgia por un pasado congelado –la cual impregna desde diferentes ángulos toda la obra literaria de Arguedas– es precisamente lo que Vargas Llosa considera una utopía arcaica, incompatible con la modernización. Los nuevos movimientos indígenas tienden más a asumir, como se dijo antes, su propio proyecto de modernización, basado ante todo en el reconocimiento de la diferencia cultural.

La movilización religiosa a partir de la Teología de la Liberación ha jugado, en ciertos casos, un papel importante. El ejemplo de Chiapas es particularmente expresivo[162]. A partir de 1960, el obispo Samuel Ruiz (1924-2011) desarrolla una obra de catequesis absolutamente innovadora; el mensaje del Evangelio, plasmado en un nuevo catecismo (*Estamos buscando la libertad. Los tzeltales de la selva anuncian la buena nueva,* 1974), homologaba las comunidades indígenas al pueblo elegido por Dios, el cual estaba viviendo su propio Éxodo. Durante tres décadas, y a través de muchas vicisitudes, catequistas y misioneros (dominicos, jesuitas y maristas) lograron la movilización de miles de indígenas en una lucha por la dignidad y el mejoramiento económico, social y cultural. A estos agentes movilizadores se sumaron después grupos de estudiantes universitarios de izquierda, los cuales formaron hacia fines de la década de 1980 el Ejército Zapatista de Liberación Nacional (EZLN); aunque hubo tensiones y choques entre los militantes cristianos y los izquierdistas, lo cierto es que se influyeron mu-

---

162. John Womack Jr., *Rebellion in Chiapas. An Historical Reader,* Nueva York, The New Press, 1999; Enrique Krauze, *Redentores. Ideas y poder en América Latina,* Barcelona, Debate, 2011, pp. 437-475.

tuamente, y al final formaron un frente común, visible a la luz del día el 1.º de enero de 1994. A partir de esa fecha, la insurrección zapatista asombró a México y al mundo entero, corriendo por los medios de comunicación masivos y subiéndose a internet. Fue algo nuevo. Gabriel Zaid la caracterizó como una «guerrilla posmoderna»[163]. El gobierno de México eligió el camino de la negociación, y en un tire y afloje no exento de violencia, los indígenas fueron obteniendo mejoras económicas, sociales y culturales; parece que al final triunfó la cooptación. Los zapatistas renunciaron a convertirse en un movimiento político y fueron perdiendo espacio público a partir de 2000, cuando el PRI fue desplazado de la presidencia de México; hacia 2007 el subcomandante Marcos, líder indiscutido del EZLN, eligió el camino romántico de la penumbra y la desaparición para convertirse en una pura leyenda[164].

La construcción de un Estado nación pluriétnico o plurinacional es probablemente el objetivo fundamental de los nuevos movimientos indígenas. Y es innegable que desde la década de 1990 han habido importantes avances en ese sentido. El más espectacular ha ocurrido en Bolivia. El 21 de enero de 2006, en las ruinas de Tiwanaku, el nuevo presidente de Bolivia Evo Morales fue coronado como «jefe supremo de los indígenas de los Andes» por «cuatro sacerdotes del Sol», y subió descalzo, vestido con un traje ceremonial tradicional, los escalones de la pirámide preincaica; asistían a la ceremonia miles de campesinos indígenas bolivianos, en su gran mayoría hablantes en quechua y aymara. Cere-

---

163. Gabriel Zaid, «Chiapas. La guerrilla posmoderna», *Claves de Razón Práctica,* vol. 44 (1994), pp. 22-34.
164. Krauze, *Redentores. Ideas y poder en América Latina,* p. 474.

monia por cierto inédita, y más inédito todavía el hecho de que Bolivia hubiera elegido, por una aplastante mayoría, un presidente indígena.

Evo Morales nació en 1959 en un familia campesina aymara del altiplano, en una localidad remota del departamento de Oruro. Su padre fue ciudadano gracias a la reforma agraria y los cambios sociales impulsados por la revolución de 1952. Evo realizó trabajos agrícolas, combinados con breves períodos de estudios, desempeñó pequeños oficios y practicó asiduamente la música andina y el fútbol. Ambicionaba ser periodista. A los 20 años migró a la región del Chapare y se incorporó a las olas de inmigrantes que llegaban aprovechando el boom de los cultivos de coca. Enseguida lideró las asociaciones de defensores de los productores de coca; en 1997 fue elegido diputado.

Evo Morales representaba un sindicalismo de nuevo tipo, muy distante del promovido por el Movimiento Nacional Revolucionario (MNR) a partir de 1952; este nuevo sindicalismo se construyó en reacción a la guerra contra la coca declarada por los Estados Unidos. Evo Morales no lucha contra los latifundios o las viejas oligarquías mineras, sino contra los poderes del mercado global; al decir de Le Bot[165], Evo Morales practica una «indianidad abierta».

La nueva Constitución boliviana, vigente desde 2009, declara en su artículo 1.º[166]:

Bolivia se constituye en un Estado Unitario Social de Derecho Plurinacional Comunitario, libre, independiente, soberano, de-

165. Le Bot, *La gran revuelta indígena,* pp. 142-143.
166. http://www.ncpe.org.bo/index.php/78-primera-parte, consultado el 15 de mayo de 2015.

mocrático, intercultural, descentralizado y con autonomías. Bolivia se funda en la pluralidad y el pluralismo político, económico, jurídico, cultural y lingüístico, dentro del proceso integrador del país.

El tema pendiente es, naturalmente, en qué medida las declaraciones constitucionales, tanto en el caso de Bolivia como en otros, se vuelven efectivas. El camino a recorrer parece ser, en este sentido, todavía largo y espinoso.

Ideología y utopía

Al final de este recorrido conviene incluir algunas reflexiones de orden conceptual. Las que hemos considerado como utopías también pueden considerarse como ideologías. ¿Cuáles son las relaciones entre ambos términos?

El texto clásico de Karl Mannheim, seguido por las más recientes conferencias de Paul Ricoeur, son las guías más seguras para estas preocupaciones teóricas[167]. Para Mannheim, la ideología legitima el orden social existente, mientras que la utopía lo desnuda a través de las incongruencias y contradicciones, pero también reconoce que en los casos individuales a veces es muy difícil distinguir entre ideología y utopía[168].

167. Karl Mannheim, *Ideología y utopía. Introducción a la sociología del conocimiento,* traducido por Eloy Terron, Madrid, Aguilar, 1958 [1954]; Paul Ricoeur, *Ideología y Utopía,* traducido por Alberto L. Bixio, editado por George H. Taylor, Barcelona, Editorial Gedisa, 2006.
168. Mannheim, *Ideología y utopía. Introducción a la sociología del conocimiento,* pp. 270-278.

Ricoeur desarrolla mucho más la perspectiva de Mannheim y llega a la conclusión de que ideología y utopía constituyen un círculo práctico en la estructura simbólica de la acción social. La utopía es siempre una exploración de lo posible, mientras que la ideología legitima (Weber) también cumple una función indispensable de integración social (Geertz).

En nuestros ejemplos latinoamericanos, el círculo formulado por Ricoeur se observa permanentemente: el liberalismo del progreso, el reformismo, el populismo nacionalista, el comunismo o el neoliberalismo han funcionado como ideologías y también como utopías; han sido ideas para orientar la acción política y transformar la realidad, y también sueños del futuro. Subrayemos, por último, que en la visión de Ricoeur, las funciones complementarias y a la vez opuestas de la ideología y la utopía forman parte de la imaginación social y cultural[169].

169. Ricoeur, *Ideología y Utopía,* p. 45.

3. El cortocircuito de la modernidad

> *Desde la puerta de* La Crónica *Santiago mira la avenida Tacna, sin amor: automóviles, esqueletos de avisos luminosos flotando en la neblina, el mediodía gris. ¿En qué momento se había jodido el Perú?*
>
> Mario Vargas Llosa, *Conversación en la catedral,* 1969.

La crisis de 1930 no sólo significó el derrumbe de los mercados externos y la consiguiente presión para modificar con urgencia la política económica. El horizonte incierto alimentó pronto un hondo sentimiento de fracaso, insistentemente reiterado durante la Segunda Guerra Mundial y prolongado luego hasta finales del siglo XX. La visión de que América Latina era parte de un nuevo continente promisorio, frente al Viejo Mundo euroasiático, se acabó en 1930; hacia 1950 la visión predominante era la del atraso y el subdesarrollo en un subcontinente que se veía a sí mismo como parte del Tercer Mundo. De una manera o de otra, parecía que América Latina había perdido el tren del desarrollo.

La pluma ingeniosa de Carlos Fuentes trazó un retrato convincente: América Latina se parecía a un viejo castillo feudal con una grotesca fachada capitalista de cartón[1]. Y un

---

1. Carlos Fuentes, «The Argument of Latin America. Words for the North Americans», *Monthly Review,* vol. 14, núm. 9 (1963), pp. 487-504.

periodista brillante y combativo como el uruguayo Eduardo Galeano puso la historia latinoamericana en la trama de la infinita explotación, administrada por sucesivos imperialismos y oligarquías locales colaboradoras[2]. La frustración tendía a convertirse en complejo de inferioridad, y la búsqueda causal se confundía a menudo con la culpabilidad. El desencanto y la desesperanza eran visibles, de todos los modos, en la literatura y el arte, en la prensa y la opinión pública, en la política y en el análisis económico y social.

Un distinguido economista chileno escribía en 1959[3]:

... el desenvolvimiento chileno se llevó a efecto durante cerca de un siglo [1830-1930] en las condiciones más favorables para que se hubieran cumplido las expectativas del credo clásico y liberal. El comercio exterior fue un resorte inestable, pero dinámico; no hubo interferencias oficiales de importancia en el mecanismo de las «fuerzas naturales» del mercado; la «paz y el orden» primaron casi invariablemente; el ingreso se distribuyó con la suficiente desigualdad como para crear amplias posibilidades de ahorro en los grupos pudientes; hubo una corriente importante y sostenida de capitales y créditos extranjeros. Y, sin embargo, el desarrollo no pudo «tomar cuerpo», por lo menos en el sentido básico de un aumento general de la productividad del sistema y de una diversificación apropiada de sus fuentes productivas.

Y no dudaba en titular su libro: *Chile, un caso de desarrollo frustrado*. Pocos años después, en un estudio sobre el

2. Eduardo H. Galeano, *Las venas abiertas de América Latina,* Buenos Aires, Siglo XXI editores, 1973.
3. Aníbal Pinto Santa Cruz, *Chile, un caso de desarrollo frustrado,* Santiago de Chile, Editorial Universitaria, 1959, pp. 10-11.

período 1950-1962, el mismo autor caracterizaba la economía chilena como «una economía difícil»[4]. En el primer caso, la observación de la economía chilena a partir de 1830 llevaba al diagnóstico de un «desarrollo frustrado» a pesar de haberse dado circunstancias y oportunidades favorables; en el segundo, focalizado en un período más corto y reciente, las dificultades se resumían en la necesidad de encontrar un nuevo modelo de desarrollo, más autónomo, con un nuevo tipo de apertura al exterior y una distribución de recursos e ingresos

que incorpore y satisfaga las aspiraciones de esa parte apreciable de la población que ha quedado hasta ahora al margen del proceso de crecimiento de las últimas décadas[5].

En ambos libros, Aníbal Pinto subrayaba también lo que veía como una disociación o contradicción en la realidad chilena: una estructura económica subdesarrollada y una organización sociopolítica «avanzada»; en la esfera económica esa contradicción fue resumida por otro autor afirmando: «Somos civilizados para consumir y primitivos para producir»[6].

Mutatis mutandi, los argumentos de Pinto aparecen en muchos otros autores, aplicados a diferentes países latinoamericanos: tuvimos desde 1870 un desarrollo exportador exitoso, pero luego de 1930 limitado y frustrado, mientras que en la década de 1960 la industrialización floreciente llegaba a un

4. Aníbal Pinto, *Chile: una economía difícil,* México, Fondo de Cultura Económica, 1964.
5. *Ibid.,* p. 10.
6. *Ibid.,* p. 165.

irremediable cuello de botella; las enormes tensiones en la sociedad y la política se expresaban en soluciones autoritarias, erupciones revolucionarias y mucha inestabilidad.

Hacia finales del siglo XX, en un nuevo contexto de globalización, consolidación de gobiernos elegidos democráticamente y profundas redefiniciones del modelo de desarrollo, la sensación de insatisfacción estaba igualmente presente. Los corifeos del neoliberalismo se quejaban de la insuficiencia de las reformas y señalaban que otra vez América Latina perdería el tren del desarrollo[7]. Al final de profundas y documentadas reflexiones sobre las economías latinoamericanas en el siglo XX, un distinguido economista colombiano, antiguo secretario de la CEPAL, concluía[8]:

> Además de eso, y a pesar del mayor vigor de las fuerzas democráticas que caracteriza el presente orden [se refiere a la situación en el período 1980-2004], el nuevo paradigma [neoliberal] ha terminado, si acaso, por reforzar la peor característica estructural de la América Latina, una característica que también habían agravado las dos modalidades precedentes de la integración en la economía mundial [exportaciones e industrialización dirigida por el Estado]: la muy desigual distribución del ingreso y de la riqueza.

En 1980 un 40,5% de la población latinoamericana estaba por debajo de la línea de pobreza; en 1990, dicho por-

---

7. Plinio Apuleyo Mendoza, Carlos Alberto Montaner y Álvaro Vargas Llosa, *Manual del perfecto idiota latinoamericano,* Barcelona, Plaza & Janés, 1996.
8. José Antonio Ocampo, «La América Latina en la economía mundial en el largo siglo XX», *El Trimestre Económico,* vol. 71, núm. 284 (2004), pp. 725-786, p. 782.

centaje era de 48,3%, y en 2002 de 43,9%; sólo en 2010 la situación mejoró en términos relativos a un 31%, pero en números absolutos la situación seguía siendo más que preocupante: en 1980 había 138 millones de pobres, y en 2010 el total era de 176 millones[9]. Un crecimiento económico que no disminuya en serio las desigualdades será siempre precario, pues la explosión social está ahí nomás, a la vuelta de la esquina. Ocurrió en Venezuela durante el «Caracazo», el 27 de febrero de 1989, y en Buenos Aires a finales de 2001, cuando el gobierno impuso el así llamado «corralito» e incautó dos tercios de los depósitos que los ciudadanos tenían en los bancos. Los ejemplos sobran.

Saludando la elección triunfante del coronel Hugo Chávez a la presidencia de Venezuela, en diciembre de 1998 el consagrado escritor y columnista Arturo Uslar Pietri, especie de conciencia moral del país, escribía estas frases lapidarias[10]:

> El Estado es rico y la población pobre. Así se resume, en pocas palabras, la más importante de las paradojas venezolanas: el desfase abismal entre la opulencia del Estado y la miseria de los ciudadanos [...] Los gobiernos salidos de los partidos de tendencia popular [Copei y Acción Democrática] se han servido de la inmensa riqueza petrolera para corromper el país por me-

9. ECLAC (Economic Commission for Latin America and the Caribbean), *Social Panorama of Latin America,* Santiago de Chile: United Nations, 2012, p. 18. La línea de pobreza se establece para cada país con datos de las encuestas de hogares desde la década de 1980 mediante la estimación del ingreso per cápita requerido para la satisfacción de las necesidades básicas de subsistencia; la CEPAL actualiza estos datos anualmente.
10. Arturo Uslar Pietri, «Le Venezuela au seuil d'un grand changement», *Le Monde Diplomatique,* vol. 44, núm. 12, diciembre (1998), p. 9.

dio de un sistema de subsidios, dones, prebendas, exenciones fiscales y privilegios. Se han dilapidado sumas gigantescas en proyectos megalómanos e inútiles. Por si esto no fuera suficiente, se contrajeron enormes deudas con bancos extranjeros. [...] Raramente se habrá visto cómo algunos cientos de familias hacen pedazos un país tan opulento y, desde hace decenios, se reparten, cualquiera que sea su opción política, sus fabulosas riquezas. [...] Se ha acabado un ciclo político. De corrupción, de incuria y de desbarajustes. Ha durado cuarenta años.

¿Hubo acaso un cortocircuito en la modernidad de América Latina? La cadena observable de fracasos y frustraciones parece así indicarlo. Dedicaremos este capítulo a explorar esta hipótesis[11]. La imagen del cortocircuito es suficientemente clara: un cable que se corta, una conexión que falla, y el sistema empieza a funcionar mal. Conviene comenzar la historia por el principio, es decir, por la consolidación del orden colonial hacia 1570.

El sistema colonial, primer cortocircuito de la modernidad

La colonización ibérica en América se basó en tres principios básicos: la conquista exclusiva de extensos territorios, la explotación de amerindios y esclavos africanos como base de un sistema económico extractivo, y la evangelización como justificación político-ideológica. El imperio his-

11. Para el caso español, véase Claudio Sánchez Albornoz, *España, un enigma histórico,* 2 vols., 8.ª ed., Barcelona, EDHASA, 1983 [1956], II, capítulo XVII.

pánico se estructuró en torno a las fabulosas riquezas de la plata peruana y mexicana. Los centros mineros presidían una compleja red de ciudades, pueblos y regiones que los abastecían de los productos requeridos para el funcionamiento pleno de las minas: mano de obra indígena, mulas, alimentos, cueros, mercurio, artesanías, textiles, etc. Todo el comercio se organizaba en un sistema de flotas anuales que llevaba la plata hacia Europa y volvía con las mercancías europeas requeridas en las colonias. A pesar de los tempranos ataques de piratas y corsarios armados por los enemigos europeos de España (ingleses, franceses y holandeses), el sistema de flotas anuales sobrevivió, con algunas interrupciones, hasta 1740. El así llamado «exclusivo colonial» –o más eufemísticamente, «pacto colonial»– regulaba las relaciones económicas y políticas entre la metrópoli y las colonias. Diversos tipos de monopolios y una estricta reglamentación caracterizaban al sistema, en el cual confluían los intereses del Estado, es decir, la Monarquía Católica, y una élite de colonizadores, comerciantes y especuladores, ávidos de beneficios y favores.

Ahora bien, las sociedades coloniales hispanoamericanas resultaron de la fusión de componentes europeos, indígenas y africanos, y adquirieron hacia 1570 una fisonomía propia, con rasgos comunes y especificidades locales y regionales; de estas raíces partieron las sociedades latinoamericanas actuales. En la minería, en ciertos sectores de la agricultura, los textiles, el transporte y la navegación, las tecnologías europeas introducidas en el siglo XVI eran las más avanzadas de su tiempo[12] y permitieron el despegue de una economía ex-

12. Carlos Sempat Assadourian, «The Colonial Economy: The Transfer of the European System of Production to New Spain and

pansiva. Como lo indicaba en 1629 Juan de Solórzano y Pereira, desde su descubrimiento las Indias habían enviado a Europa más de 1.600 millones de pesos en oro y plata[13].

Pero la clave del éxito colonial hispano residía no tanto en la tecnología cuanto en la explotación de la mano de obra indígena[14]. Luego de mucho tanteos y a pesar de una población indígena en trágica declinación, la Corona logró implantar una densa red de pueblos de indios obligados al tributo y a la prestación de servicios de trabajo (repartimiento y mita); la esclavitud indígena, presente aunque nunca dominante, complementaba eficazmente dicho sistema. El ya mencionado Juan de Solórzano, profundo conocedor de las Indias, podía anotar en 1647 que «la principal mina que en Perú se debe buscar es la de los indios»[15].

Las Indias funcionaban en beneficio de la Monarquía española, y por extensión, de la élite conquistadora, de sus hijos criollos nacidos en América y de la creciente y compleja jerarquía de funcionarios reales, desde virreyes y capitanes generales hasta corregidores y alcaldes mayores. El objetivo primordial del Estado colonial era obtener los mayores ingresos para la Corona, gastando lo menos posible en América. Los intereses primordiales de la Monarquía Católica estuvieron siempre en la política europea: la defensa de los

Perú», *Journal of Latin American Studies,* vol. 24, núm. Quincentenary Supplement, The Colonial and Post Colonial Experience. Five Centuries of Spanish and Portuguese America (1992), pp. 55-68.
13. Citado en David A. Brading, *Orbe Indiano. De la monarquía católica a la República criolla, 1492-1867,* traducido por Juan José Utrilla, México, Fondo de Cultura Económica, 1991, p. 239.
14. Ruggiero Romano, *Mecanismo y elementos del sistema económico colonial americano. Siglos XVI-XVIII,* traducido por Jaime Riera Rehren, México, Fondo de Cultura Económica, 2004, pp. 159-181.
15. *Ibid.,* p. 160.

intereses dinásticos frente a las otras monarquías europeas, y luego de la Reforma protestante, la defensa a ultranza del catolicismo romano. Como es bien sabido, los Habsburgo de España se convirtieron en campeones de la Contrarreforma. Las fabulosas riquezas de América se gastaron en consumo ostentoso, obras piadosas y guerras europeas interminables: contra la Monarquía francesa, el Imperio turco, los príncipes alemanes protestantes, la rebelión de Flandes y la Monarquía inglesa. Hacia mediados del siglo XVII, la Monarquía española estaba en franca decadencia, muy lejos del inmenso poder de los tiempos de Carlos V y Felipe II, cuando se podía circunnavegar el mundo sin salirse de los dominios del rey de España.

Conviene reflexionar ahora sobre la naturaleza de la economía colonial, una economía básicamente precapitalista, o si se prefiere de «Antiguo Régimen». El imperio colonial articula vastos espacios de producción e intercambios; en la cúspide circulan el oro, la plata y las mercancías europeas y asiáticas, moviéndose hacia y desde Europa y Asia; los insumos (directos e indirectos) requeridos en los centros mineros mueven a su vez espacios de producción e intercambios regionales y subregionales, mientras que en las bases locales hay vastos espacios autosuficientes, sobre los que descansan, en realidad, las redes de circulación superiores[16]. La articulación de estos diferentes niveles de producción e intercambios, y en particular la provisión de la mano de obra indígena, es producto de la intervención estatal, a través de la acción de la burocracia imperial, enmarcada en

---

16. Carlos Sempat Assadourian, *El sistema de la economía colonial. El mercado interior. Regiones y espacio económico,* México, Editorial Nueva Imagen, 1983, pp. 127-306.

una compleja reglamentación legal y consuetudinaria. Conviene recordar también que en este sistema no hay actores individuales sino corporaciones y estamentos[17]; es lo propio del Antiguo Régimen.

Ruggiero Romano ha tratado de esclarecer las peculiaridades de la circulación monetaria en el sistema colonial hispanoamericano[18]. Siguiendo a Dopsch, Romano postula la existencia de tres formas de circulación: la economía natural, en la cual no circulan monedas y predomina ampliamente la autosuficiencia; la economía natural de intercambio, en la cual no hay moneda circulante pero sí monedas de cuenta y diversas formas de intercambio; y la economía monetaria. Su argumento básico es que la economía colonial se caracteriza precisamente por la coexistencia de una economía monetaria en la cúspide con diversas formas de una economía natural de intercambio en los espacios regionales, subregionales y locales. Una observación detallada del caso mexicano en el siglo XVIII le permite argumentar que la escasez de circulante metálico –inherente a un sistema que está orientado hacia la exportación de metales preciosos– y la consiguiente ausencia de moneda fraccionaria, obligan precisamente a la existencia de dicha economía natural de intercambio, y constituyen parte integrante de los mecanismos de explotación colonial[19].

Para terminar de completar el cuadro se requiere especificar mejor la naturaleza del Estado colonial. Bajo los Habs-

17. Gremios de mercaderes y artesanos, la Iglesia, las comunidades indígenas, etc.
18. Ruggiero Romano, «Fundamentos del funcionamiento del sistema económico colonial», en *El sistema colonial en la América española,* editado por Heraclio Bonilla, 239-280, Barcelona, Editorial Crítica, 1991.
19. *Ibid.,* pp. 268-274.

burgo (1516-1700), la Monarquía Católica desarrolló un absolutismo temprano que se amoldaba continuamente a los diversos intereses regionales en la Península Ibérica, las posesiones europeas y las Indias. La simbiosis con los intereses e instituciones de la Iglesia católica quedó consagrada en varias bulas pontificias emitidas entre 1493 y 1523. El Estado colonial resultó de un compromiso entre la soberanía real (absoluta) y el poder de las élites locales, «negociado» permanentemente por la burocracia imperial. La venta de cargos, particularmente entre 1630 y 1750, benefició notablemente a los criollos, mientras que los corregidores conectaban la recaudación fiscal y la regulación de la mano de obra indígena con los intereses de los mercaderes. Hasta 1750 el Estado colonial operaba generando un consenso relativamente estable entre los distintos actores corporativos[20]. El contrabando era un componente funcional de este sistema, aunque violara, a la vista de todos, el principio del exclusivo colonial. El tema requiere alguna explicación adicional.

Las intrusiones holandesas, inglesas y francesas en el imperio español y portugués comenzaron a fines del siglo XVI y se consolidaron en algunas islas del Caribe a lo largo del siglo XVII. La piratería se transformó en comercio ilícito, y como lo ha mostrado Zacarías Moutoukias, no fue un fenómeno ocasional sino algo

---

20. John Lynch, «The Institutional Framework of Colonial Spanish America», *Journal of Latin American Studies,* vol. 24, núm. Quincentenary Suplement, The Colonial and Post Colonial Experience. Five Centuries of Spanish and Portuguese America (1992), pp. 69-81, pp. 73-77.

que se instalaba en el espacio de las redes de relaciones personales que organizaban el poder y las empresas, y se integraba al contradictorio funcionamiento de los componentes del Estado imperial[21].

Las llegadas del oro y plata americanos a Europa, observados desde Ámsterdam –y su comparación con los embarques registrados en Sevilla– por los funcionarios de la Corona ilustran por sí solos la magnitud del fenómeno (Gráfico 3.1)[22]. La visión desde Ámsterdam permite también tomar nota de un fenómeno crucial: durante el siglo XVII no hubo decadencia de las Indias españolas en su conjunto, y como lo había adelantado John Lynch hace ya tiempo, en el siglo que va de 1650 a 1750 hubo un florecimiento relativamente autónomo de las colonias americanas, que se consolidaron y desarrollaron regionalmente[23].

21. Zacarías Moutoukias, «Contrabando y sector externo en Hispanoamérica colonial», en *Para una historia de América II. Los nudos (1)*, editado por Marcello Carmagnani, Alicia Hernández Chaves y Ruggiero Romano, 172-197, México, El Colegio de México-Fondo de Cultura Económica, 1999, p. 194.
22. Los datos de las llegadas de oro y plata a Sevilla provienen de Earl J. Hamilton, *El tesoro americano y la revolución de los precios en España, 1501-1650*, traducido por Ángel Abad, Barcelona, Editorial Ariel, 1975 [1934], p. 47; el estudio de Hamilton termina en 1650. Las observaciones desde Ámsterdam, que incluyen la América española y también Brasil se deben a Michel Morineau, *Incroyables gazettes et fabuleux métaux. Les retours des trésors américains d'après les gazettes hollandaises (XVI-XVIII siècles)*, París, Cambridge University Press / Maisons des Sciences de l'Homme, 1985, p. 250 y p. 483.
23. Ruggiero Romano, *Coyunturas opuestas: la crisis del siglo XVII en Europa e Hispanoamérica*, México, El Colegio de México / Fondo de Cultura Económica, 1993; John Lynch, *España bajo los Austrias. II. España y América (1598-1700)*, traducido por Albert Broggi y Juan Ramón Capella, 4.ª ed. ampliada y revisada, Barcelona, Ediciones península, 1984, pp. 279-329.

Gráfico 3.1
Llegadas de metales preciosos a Europa, totales por quinquenio.
Totales registrados y estimaciones a partir de las *Gacetas*
holandesas según Morineau

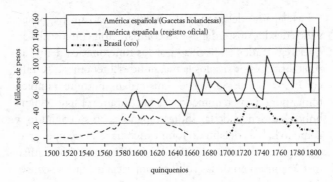

quinquenios

Otro rasgo ilustrado por el Gráfico 3.1 es un fenómeno
bien conocido: las riquezas del imperio pasan por España,
pero se acumulan en el noroeste de Europa; la enorme disponibilidad de recursos favorece el gasto fácil, y en la península
no hay oferta suficiente para satisfacer la demanda creciente[24];
es lo que en la jerga de los economistas contemporáneos se conoce como el «síndrome holandés» *(Dutch desease)*[25]. Bien lo
describía Martín González de Cellorigo en 1600[26]:

24. David S. Landes, *The Wealth and Poverty of Nations. Why some
are so Rich and some so Poor,* Nueva York, W.W. Norton & Company,
1999, pp. 168-174.
25. Esta denominación algo extraña surgió de la respuesta de la economía holandesa al descubrimiento y explotación de yacimientos de
gas natural en el Mar del Norte, en la década de 1970. Más apropiado
hubiera sido pensar en los petrodólares generados en los enclaves petroleros del Oriente Medio.
26. Ortografía modernizada, citado en Pierre Vilar, *Crecimiento y desarrollo. Economía e historia. Reflexiones sobre el caso español,* Barcelona, Ediciones Ariel, 1964, pp. 441-442.

el no haber dinero, oro ni plata, en España, es por haberlo, y el no ser rica es por serlo [...] la riqueza ha andado y anda en el aire, en papeles y contratos, censos y letras de cambio, en la moneda, en la plata y en el oro: y no en bienes que fructifican y atraen a sí como más dignos las riquezas de afuera, sustentando las de adentro [...] No parece sino que se han querido reducir estos reinos a una república de hombres encantados que viven fuera del orden natural.

El orden político colonial se sustentó en la evangelización, siendo el elemento ideológico clave en la dominación de los pueblos indígenas. La Iglesia y la Corona, la cruz y la espada, fueron las dos caras del poder imperial, y cimentaron la burocracia y los privilegios corporativos. El control del imperio fue de esta manera posible con un mínimo de gastos militares y represivos; de hecho, hasta la segunda mitad del siglo XVIII, los cuerpos militares profesionales sólo estuvieron localizados en los principales puertos y ciudades, y en la ruta de los galeones.

El imperio colonial significó también el apogeo del feudalismo castellano. Como bien lo indica Pierre Vilar[27]:

En España, o mejor, en Castilla, las clases dirigentes han realizado la conquista del Nuevo Mundo como hicieron la Reconquista hispana: a la manera feudal. Ocupar las tierras, reducir los hombres a servidumbre, arramblar los tesoros, todo eso no prepara a «invertir» en el sentido capitalista de la palabra. Una naciente burguesía pudo haberlo hecho, y de 1480 hasta 1550, aproximadamente, la burguesía no falta a la cita. Sólo que, por su posición en el circuito del dinero, ha experimentado prime-

27. *Ibid.,* pp. 440-441.

ramente el capitalismo inestable de los puertos y de las ferias. Por otro lado, las «fuerzas productivas» de que disponía –tierras, hombres, innovaciones técnicas– tropezaron muy pronto en las mesetas de Castilla con la ley de los rendimientos decrecientes. De ahí el efecto esterilizante de las inyecciones monetarias después de 1550. Se gasta, se importa, se presta dinero a interés, pero se produce poco. Precios y salarios dan grandes saltos. Se desarrolla el parasitismo y la empresa muere. Es la miseria para el día de mañana. [...] Así el imperialismo español ha sido en realidad «la etapa suprema» de la sociedad que él mismo ha contribuido a destruir. Pero en su propio solar, en Castilla y hacia 1600, el feudalismo entra en agonía sin que exista nada a punto para reemplazarle. Y este drama durará.

Para completar este cuadro del dominio colonial español falta comentar el principio que regía ese gobierno imperial basado en el consenso, evocado hace un momento. Este principio se puede resumir en la fórmula vasca y castellana frecuentemente invocada por los súbditos americanos del rey: «Obedezco pero no cumplo». La funcionalidad del principio queda fuera de dudas, pues garantizó la lealtad de las élites en un contexto de absentismo real y ausencia de instituciones representativas[28]. Pero la existencia de una profusa legislación elaborada por el Consejo de Indias y la práctica venal y corrupta que era habitual en los funcionarios reales[29], unida al mencionado principio, terminó procreando una mentalidad perversa, que dura todavía en las

28. John H. Elliot, *España, Europa y el mundo de ultramar, 1500-1800,* traducido por Marta Balcells y Juan Carlos Bayo, Madrid, Taurus, 2010, pp. 238-241.
29. Charles Gibson, *España en América,* traducido por Enrique de Obregón, Barcelona, Ediciones Grijalbo, 1976, pp. 178-183.

sociedades latinoamericanas; «hecha la ley, hecha la trampa» es algo que corre parejo a la doble moral típica de muchas prácticas de la religiosidad católica.

La colonización portuguesa en Brasil tuvo elementos comunes con la española, como el principio del exclusivo colonial, pero también importantes diferencias. La burocracia colonial era menos poderosa que la hispana, y por consiguiente, el peso de los intereses de la élite de comerciantes y plantadores resultaba abrumador. Luego de un primer ciclo extractivo alrededor del palo de Brasil, hasta 1570, la economía colonial se consolidó en torno a las plantaciones azucareras ubicadas en la costa del nordeste brasileño. Esclavos indígenas y sobre todo africanos proveían la mano de obra indispensable. La ocupación del nordeste por los holandeses (1624-1654) no cambió los parámetros de la situación. La ocupación del territorio fue muy lenta durante los siglos XVI y XVII, y el poblamiento portugués se asemejaba a un archipiélago: el nordeste, el eje del Amazonas, la zona costera en torno a Rio de Janeiro y São Paulo operaron como bases de penetración hacia los inmensos territorios interiores[30]. Estas «islas» de los asentamientos portugueses se articulaban al polo exportador expansivo: las plantaciones de azúcar entre 1570 y 1700, y las minas de oro y diamantes en el siglo XVIII. A diferencia también del caso español, la Corona portuguesa mantuvo estrechas relaciones con los ingleses, plasmadas en los tratados de comercio firmados en 1642, 1653 y 1703[31].

30. Martine Droulers, *Brésil: une géohistoire,* París, Presses Universitaires de France, 2001.
31. Frédéric Mauro y Maria de Souza, *Le Brésil. Du XVe à la fin du XVIIIe siècle,* París, SEDES, 1997, p. 85.

Hubo por tanto, en la América Latina colonial de los siglos XVI y XVII, un doble cortocircuito económico de la modernidad. España y Portugal, pasaron a ser satélites subordinados en la economía-mundo del siglo XVII; los sectores de punta en la economía colonial –las minas en Hispanoamérica, las plantaciones azucareras en Brasil– no eran más que economías extractivas, basadas en la explotación desenfrenada de la mano de obra indígena servil y los esclavos africanos. El cortocircuito de la modernidad política tampoco se hizo esperar; el absolutismo fracasa en la España de los Habsburgo y los privilegios estamentales se consolidan en un ambiente pasmoso de irrealidad[32]. La Contrarreforma, el poder de la Inquisición y la intolerancia que se imponen por doquier revelan además otro cortocircuito adicional: el de la modernidad ideológica.

Reformas borbónicas y pombalinas; la Independencia: el segundo cortocircuito de la modernidad

El siglo XVIII trajo grandes transformaciones en el sistema colonial, en un contexto europeo caracterizado por el llamado «Siglo de las luces» y el desarrollo del capitalismo y la Revolución Industrial en Inglaterra.

En España, el cambio dinástico ocurrido en 1700, a la muerte de Carlos II, entronizó una rama de los Borbones

---

32. Jaime Vicens Vives, *Coyuntura económica y reformismo burgués*, Barcelona, Ediciones Ariel, 1968, pp. 99-141; Vilar, *Crecimiento y desarrollo. Economía e historia. Reflexiones sobre el caso español*, pp. 431-448.

franceses. El imperio colonial reconoció unánimemente la legitimidad de Felipe V en el trono de Madrid, por lo cual la guerra de Sucesión española fue un asunto básicamente europeo. Los tratados de Utrecht (1713) que sellaron la paz incluyeron la concesión por treinta años del comercio de esclavos en Hispanoamérica a la South Sea Company, lo cual dio también carta blanca a los ingleses para practicar el contrabando a la vista de todos. De hecho, esta ruptura del exclusivo colonial se agregaba a una participación francesa también destacada[33].

La guerras del siglo XVIII fueron en gran parte guerras de carácter colonial y remplazaron los conflictos religiosos de los siglos XVI y XVII. En el Atlántico se trató básicamente del duelo continuo entre los Borbones españoles y franceses –unidos por el llamado «Pacto de Familia» (1734, 1743, 1761)– y la Monarquía británica: guerra de la Oreja de Jenkins (1739-1748), guerra de los Siete Años (1756-63), guerra de la Independencia de los Estados Unidos (1776-1783). En la redistribución imperial de territorios, los franceses perdieron Quebec y tuvieron que abandonar América del Norte; pero el triunfo británico fue pronto desafiado por la independencia de las Trece Colonias de la Nueva Inglaterra, enseguida apoyadas por Francia y España.

En términos económicos, sin embargo, la presencia inglesa en las colonias españolas y en el Brasil portugués no podía ser desafiada. Los Borbones españoles emprendieron un vasto proyecto de reformas para «recuperar» el imperio colonial. El balance final de este intento, conocido en la historiografía como «Reformas borbónicas» fue magro, por

33. Carlos Daniel Malamud Rikles, *Cádiz y Saint Malo en el comercio colonial peruano (1698-1725),* Cádiz, Diputación de Cádiz, 1986.

no decir que negativo. Desde el punto de vista metropolitano, el éxito fue notable durante unos quince años, entre 1782 y 1797; en ese período el imperio fue extraordinariamente rentable y la explotación colonial llegó a su apogeo[34]. En los años siguientes, sin embargo, la guerra con Gran Bretaña, la recesión comercial y la crisis desatada por la invasión francesa y la caída de los Borbones en 1808 precipitaron la Independencia y el fin del imperio.

Las Reformas borbónicas desplegaron un modelo de gobierno absolutista que pretendió reemplazar los consensos corporativos de antaño. La reforma administrativa hispanizó la cúspide de los puestos públicos, desplazando a los criollos; la fiscalidad reformada elevó masivamente las contribuciones, provocando fricciones y más de una revuelta, como la de Túpac Amaru en 1780 y la de los Comuneros de Socorro y San Gil en 1781. El «comercio libre» flexibilizó el monopolio gaditano y permitió la expansión de varias regiones hasta entonces periféricas, pero no modificó sus bases: relaciones económicas desiguales que sólo buscaban lograr los mejores beneficios posibles para los peninsulares y la Corona en el plazo más corto posible. Las expediciones científicas y la incorporación de las colonias al movimiento de la Ilustración tampoco modificaron la censura y el control de la Inquisición.

La viabilidad económica del nuevo modelo imperial dependía en realidad de dos componentes relativamente ausentes desde la época de la decadencia metropolitana durante el siglo XVII: una flota eficaz y una industria nacional capaz de exportar a las colonias[35]. Los esfuerzos de los Bor-

---

34. John Lynch, *Bourbon Spain. 1700-1808,* Oxford, Blackwell, 1989, p. 371.
35. *Ibid.,* p. 373.

bones no lograron vencer, de manera duradera, estos obstáculos. Se reprodujo al fin, en forma ampliada, lo que venía siendo el corazón mismo del imperio colonial desde el siglo XVI: un conjunto de instituciones extractivas basadas en la explotación de la mano de obra indígena; con las Reformas borbónicas, criollos y mestizos engrosaron, en forma masiva, ese círculo de explotación. La fórmula de John Lynch para caracterizar el imperio colonial de los Borbones lo resume en forma certera: «... [este fue un imperio] administrado por los españoles peninsulares, defendido y financiado por los americanos»[36].

El Brasil colonial tuvo también, en el siglo XVIII, su período de ajustes imperiales. El regalismo se impuso, sobre todo, en detrimento del poder de la Iglesia católica, y la Monarquía intentó controlar la colonia con eficacia. El auge de la extracción de oro en Minas Gérais abrió una época de fuerte expansión económica, y los «archipiélagos» coloniales que se extendían a lo largo del litoral atlántico y la cuenca del Amazonas quedaron articulados en un nuevo y floreciente espacio económico[37]; con una intensa inmigración portuguesa y una creciente importación de esclavos africanos –mano de obra indispensable en las explotaciones mineras y las plantaciones de azúcar, tabaco y algodón–, el Brasil colonial adquirió una fisonomía reconocible hasta hoy. El «pacto colonial», basado en el exclusivo comercial, era enteramente parecido al del caso español, y lo mismo ocurría con el fraude y el contrabando; había sin embargo,

36. *Ibid.,* p. 344.
37. Celso Furtado, *La economía latinoamericana. Desde la conquista ibérica hasta la Revolución cubana,* traducido por Angélica Gimpel Smith, México, Siglo XXI Editores, 1969, p. 32.

una diferencia crucial: la Monarquía portuguesa era aliada estrecha de la británica, y en los hechos, Portugal y Brasil eran satélites de la economía inglesa. En el período de ajustes más fuertes, el marqués de Pombal, omnipotente ministro de José I (1750-1777), trató de limitar la injerencia británica pero sin tocar las bases de una alianza ya centenaria[38].

Las Reformas pombalinas en Brasil y las Reformas borbónicas en Hispanoamérica introdujeron el pensamiento de la Ilustración en el mundo colonial, pero al mismo tiempo intentaron aplicar un mercantilismo estricto, ya obsoleto en la Europa del siglo XVIII. Como lo indicara Francisco Falcon para el caso brasileño[39]:

Encuentro teóricamente inexplicable que dos fenómenos que en principio deberían de repelerse mutuamente, el Mercantilismo y la Ilustración, estuvieran allí juntos, articulados, durante todo el período pombalino.

He aquí pues, otro cortocircuito de la modernidad: un nuevo mercantilismo expresado, o más bien disfrazado, en el lenguaje de las luces.

La quiebra del sistema colonial comenzó con la independencia de los Estados Unidos (1775-1783) y fue precipitada por la Revolución francesa (1789-1799) y las guerras napoleónicas (1799-1815). Todo esto se estudió ya, con cierto

---

38. James Lockhart y Stuart B. Schwartz, *Early Latin America. A History of Colonial Spanish America and Brazil,* Cambridge, Cambridge University Press, 1983; Fernando A. Novais, *Portugal e Brasil na crise do Antigo Sistema Colonial (1777-1808),* 2.ª ed., São Paulo, Editora Hucitec, 1981.
39. Francisco José Calasanz Falcon, *A época pombalina,* São Paulo, Ática, 1982, p. 483.

detalle, en el capítulo 1. En Hispanoamérica, después de las guerras de la Independencia (1810-1825), la consolidación de un nuevo orden republicano y democrático fue extremadamente difícil. En el plano político-ideológico, la crisis de legitimidad abierta por la caída de la Monarquía Católica no tuvo solución en el corto plazo. Los principios liberales y republicanos, inspirados en los ejemplos de los Estados Unidos y la Francia revolucionaria, y tomados de la filosofía de la Ilustración, chocaban con las prácticas del Estado colonial y la ausencia del principio de representación política.

A esta crisis de legitimidad se sumaron las dificultades para redefinir la posición de los nuevos Estados emergentes en las relaciones económicas internacionales, o dicho de otro modo, para redefinir su inserción en el mercado mundial. El comercio libre, con los puertos abiertos a los barcos de todas la banderas, fue el principio práctico rector de estas nuevas relaciones; así había sido ensayado desde 1808, cuando la crisis metropolitana obligó a la apertura legal de los puertos, tanto en el imperio español como en el Brasil portugués. El problema principal provino de las consecuencias en el corto plazo de esta apertura. Para su éxito, se requerían productos de exportación rentables en el mercado mundial y una demanda interna sostenida de bienes importados. Se trataba del esquema teorizado con claridad por Adam Smith y David Ricardo, y repetido después hasta el cansancio por casi todos los economistas del siglo XIX: había que aprovechar las ventajas comparativas y lograr el crecimiento económico a través del comercio internacional. Para decirlo con la voz de Mariano Moreno, en el Río de la Plata, en 1809[40]:

40. José Luis Romero y Luis Alberto Romero, *Pensamiento político de la emancipación,* 2 vols., Caracas, Biblioteca Ayacucho, 1977, vol. 1, p. 75.

[...] Consultados los hombres que han reglado por la superioridad de sus luces el fruto de largas experiencias, responderán
contestes que nada es más conveniente a la felicidad de un país
que facilitar la introducción de los efectos que no tiene, y la exportación de los artefactos y frutos que produce.

Allá lejos, en el centro de América, el sabio y erudito José
Cecilio del Valle afirmaba en 1832[41]:

No embaracéis la concurrencia de los vendedores, no impidáis
la de los compradores. Dejad libre los dos pesos de la balanza;
ellos buscarán el equilibrio que exige la justicia y hace la prosperidad de los estados. Tú sola, libertad justa, emanación subli-
me de la misma fuente de donde nacen todos los derechos del
hombre. Tú sola proporcionas la riqueza de todos sin sacrificar a
nadie. El pobre, el rico, el hijo de El Salvador, el de Honduras, el
de Nicaragua; todos son admitidos. No hay hambres ni escaseces
en los mercados que diriges. No hay monopolios, trabas ni restricciones en las plazas que presides. Los pueblos suspiran por ti.

Ahora bien, la apertura al comercio libre tuvo dos efectos
inmediatos: la entrada masiva de manufacturas británicas y
la pérdida, en pocos años, de la masa de metal precioso circulante. La penuria de capitales y las elevadas tasas de interés fueron un rasgo habitual que indicaba, en cada caso, la
debilidad de las exportaciones al mercado mundial y la reticencia profunda de los inversionistas ingleses, escarmen-
tados sin duda por la crisis de 1825[42]. En estas condiciones

41. José del Valle, *Antología,* editado por R. Oquelí, Tegucigalpa,
Editorial Universitaria, 1981, p. 177.
42. Tulio Halperín Donghi, *Historia contemporánea de América Latina,* 13.ª ed., Madrid, Alianza Editorial, 1990 [1969], pp. 152-160.

3. El cortocircuito de la modernidad

sólo fueron viables unos pocos productos de exportación: aquellos que, como los derivados de la ganadería, exigían mínimas inversiones iniciales, o los tintes (grana y añil) y minerales preciosos que aseguraban un producto de poco volumen y alto valor. Al no existir condiciones para modificar los sistemas de transporte interno, sólo fue posible reactivar actividades de raíz colonial, como el caso del trigo y la minería chilenas, del café de Venezuela y del valle del Paraíba en Brasil, y del añil y la grana en Centroamérica.

El éxito en las exportaciones fue un requisito básico para asegurar la construcción de un orden político duradero; así quedó demostrado por los casos de Chile y Brasil en las primeras décadas del siglo XIX. Pero a la prosperidad de las exportaciones hay que agregar la coincidencia de intereses de las élites y un cierto acuerdo que garantizara la estabilidad política; esto es lo que ocurrió en Chile a partir de 1830[43].

Derrotada la facción liberal («pipiolos») en la batalla de Lircay, los conservadores («pelucones») que tomaron el poder construyeron (Constitución de 1833) un Estado centralista, fuertemente presidencialista y autoritario, basado en una participación electoral reducida y normalmente manipulada; la Iglesia retomó el poder de los tiempos coloniales. En el plano económico, la solución conservadora fue pragmática, combinando la apertura económica con el orden fiscal y la promoción de mejoras en la infraestructura, la organización militar y, algo más tarde, la educación. La pros-

---

43. Lo que sigue se basa sobretodo en Simon Collier y William F. Sater, *A History of Chile, 1808-1994,* Cambridge, Cambridge University Press, 1996, pp. 51-103; Carmen Cariola Sutter y Osvaldo Sunkel, *La historia económica de Chile, 1830 y 1930. Dos ensayos y una bibliografía,* Madrid, Ediciones Cultura Hispánica del Instituto de Cooperación Iberoamericana, 1982, pp. 21-39.

peridad económica se basó en tres elementos básicos: a) el puerto de Valparaíso se convirtió en el emporio comercial del Pacífico, indispensable nudo en las rutas marítimas que conducían a Europa a través del Cabo de Hornos; b) la explotación minera de la plata (Chañarcillo, 1832) y el cobre, en el llamado Norte Chico, utilizando tecnologías mucho más avanzadas que en la época colonial[44]; c) la reactivación de las exportaciones de trigo al Perú, y un poco más tarde hacia la California y la Australia del *Gold Rush*. La república conservadora –asociada en el imaginario con el nombre del ministro Diego Portales y liderada por los grandes terratenientes, comerciantes y mineros– imperó hasta fines de la década de 1870 y logró imponer un modelo de cambio social e institucional gradual, que contrastaba con las tempestades políticas de la mayoría de las repúblicas hispanoamericanas contemporáneas. Por eso no es extraño que la situación chilena fuera admirada y envidiada en toda Hispanoamérica[45]:

> Mientras las provincias argentinas han gemido durante veinte años en las cadenas, en la degradación, en la miseria [...] Chile [...] había mantenido un gobierno en vez de un tirano, la paz en lugar de la guerra civil, el orden en vez de la esclavitud, y la ley en vez del puñal. No sólo la propiedad, el honor y la vida estaban allí garantidos, sino que se disfrutaba de la libertad política compatible con el grado de civilización de un Estado naciente.

44. En el cobre, la fundición con hornos de reverbero, según el «sistema inglés»; en la plata, nuevas técnicas de amalgama.
45. Félix Frías escribe desde París en 1852, en Tulio Halperín Donghi, *Proyecto y construcción de una nación (1846-1880)*, Biblioteca del Pensamiento Argentino II, Buenos Aires, Ariel, 1995, pp. 37-38.

La prosperidad brasileña[46] estuvo ligada a la reactivación de las exportaciones de azúcar, aprovechando la crisis provocada por la independencia de Haití, y la rápida expansión de las exportaciones de café. En ambos casos, la producción dependía de las plantaciones esclavistas. La independencia no provocó ningún problema de legitimidad, y don Pedro pasó de príncipe regente a emperador en setiembre de 1822. La Constitución de 1824, dictada por el monarca, garantizaba una participación política limitada, y dejaba amplio margen al «poder moderador» del emperador, es decir, a un papel de árbitro que interpretaría siempre la «voluntad y el interés nacional». De hecho, la figura sirvió para regular los conflictos entre conservadores y liberales, además de articular una vasta diversidad de intereses regionales.

La minoridad de Pedro II (1831-1840) fue una época de ajustes y arreglos que permitieron la consolidación de la Monarquía constitucional; los desafíos de la desintegración (guerra de los Farrapos, 1835-1845; rebeliones en Pará, 1835; Bahia, 1835 y 1837; Maranhao, 1838; y Pernambuco, 1848) fueron superados; y hubo reformas en la organización estatal (milicias y ejército, sistema judicial, descentralización administrativa y fiscal). El poder se fue consolidando en un triángulo regional con vértices en Minas Gerais, Rio de Janeiro y São Paulo. En 1840, Pedro II fue coronado como emperador de Brasil; fueron casi cincuenta años de un reinado marcado por los avances del liberalismo, el pro-

46. El párrafo se basa sobre todo en José Murilo de Carvalho, *A construção da ordem. A élite política imperial. Teatro de sombras. A política imperial,* 6.ª ed., Río de Janeiro, Civilização Brasileira, 2011; Boris Fausto, *História do Brasil,* 14.ª ed., São Paulo, Editora da Universidade de São Paulo, 2012.

greso material y el problema de la esclavitud. Mientras el centro económico estuvo en el café del valle de Paraíba[47] y las plantaciones azucareras del nordeste, la conjunción con los intereses esclavistas fue muy estable; pero en la segunda mitad del siglo XIX la expansión cafetalera se trasladó a la región de São Paulo y la inmigración europea creció con prontitud. La tardía abolición de la esclavitud en 1888 comprometió las bases sociales, ya endebles, de la Monarquía; la proclamación de la República en 1889 resultó entonces inevitable.

El Río de la Plata, y en particular la campaña de Buenos Aires, ofrece entre 1820 y 1850 otro modelo particularmente exitoso de exportaciones tempranas[48]. En este caso se trata de una ganadería vacuna extensiva que produce cueros, charqui y tasajo; hacia 1840 se agregan las exportaciones de lana de oveja, las cuales remplazarán paulatinamente a las primeras. Los pastos naturales de la muy fértil llanura pampeana –ubicada en una zona templada y además favorecida por lluvias moderadas y un extenso litoral atlántico– explican, en buena parte, este éxito.

Llama la atención, sin embargo, el contraste entre la bonanza exportadora y el panorama político relativamente inestable. El Estado nacional fracasa en 1820 y vuelve a hacerlo en 1827, luego de una experiencia presidencial muy breve. Sin embargo, bajo los conflictos civiles frecuentes y una pacificación endeble, se perciben dos rasgos funda-

47. Stanley J. Stein, *Vassouras, a Brazilian coffee county, 1850-1900: the roles of planter and slave in a plantation society,* Princeton, Princeton University Press, 1985.
48. Tulio Halperín Donghi, *Argentina. De la Revolución de Independencia a la Confederación rosista,* Buenos Aires, Editorial Paidós, 1972, pp. 286-297.

mentales: a) bajo el gobierno conservador y autoritario de Juan Manuel de Rosas (1829-1852) se impone la hegemonía política de la provincia de Buenos Aires, centro a la vez de la expansión ganadera[49]; b) la Confederación Argentina liderada por Rosas impone así un marco de Estado nacional[50] flojo pero funcional a la expansión exportadora, concentrada de todos modos en el puerto de Buenos Aires. Es precisamente este monopolio bonaerense lo que finalmente provocará la crisis del sistema rosista; la libre navegación por los ríos Paraná y Uruguay es demandada por las provincias argentinas del litoral, Santa Fe, Entre Ríos y Corrientes[51], mientras que en el Paraguay de los López hay también una creciente expectativa de apertura. A estas tensiones se agregan enseguida los intereses brasileños en Uruguay, particularmente activos una vez que el Imperio pudo evitar la secesión de Rio Grande do Sul al concluir la *guerra Farroupilha* en 1845. La caída de Rosas en 1852 fue así tanto el resultado de una crisis de influencias en el Río de la Plata[52] cuanto del agotamiento interno de un régimen dictatorial sin salida, bloqueado en las posibilidades de transformación política[53].

Centroamérica y Colombia, durante esta misma época, ofrecen sendos ejemplos de cómo la fragmentación regional, las guerras civiles y el conflicto entre las élites conju-

---

49. Tulio Halperín Donghi, *La formación de la clase terrateniente bonaerense,* Buenos Aires, Prometeo Libros, 2007.
50. La provincia de Buenos Aires se encargaba de las relaciones exteriores.
51. Miron Burgin, *Aspectos económicos del federalismo argentino,* traducido por Mario Calés, Buenos Aires, Solar/Hacette, 1960 [1946], pp. 353-359.
52. Fausto, *História do Brasil,* p. 147.
53. Halperín Donghi, *Argentina. De la Revolución de Independencia a la Confederación rosista,* pp. 380-409.

ran cualquier progreso sostenido de las exportaciones. En Centroamérica, el añil y la grana se recuperan brevemente a mediados del siglo; pero sólo el comienzo de las exportaciones de café en Costa Rica, hacia 1840, anuncia una época futura de prosperidad[54]. En Colombia, el aumento en las exportaciones de tabaco no compensa la caída en las exportaciones de oro, y sólo hacia 1870 se recuperan los niveles per cápita de las exportaciones que hubo hacia 1800[55].

México es otro caso de profundos contrastes. La gran prosperidad novohispana durante la segunda mitad del siglo XVIII enfrenta varias coyunturas adversas a fin de siglo; a eso se suman la presión fiscal metropolitana, que obliga a financiar la defensa del imperio en Centroamérica y el Caribe[56], y la devastadora guerra civil del período 1810-1821. A los conflictos que marcan los inicios del nuevo Estado independiente –conservadores versus liberales, centralistas versus federales, diversos separatismos, etc.– se agregan las intervenciones extranjeras, un factor relativamente ausente en Sudamérica. Como es sabido, en el caso mexicano estas intervenciones condujeron a pérdidas territoriales cuantiosas en 1836 (secesión de Texas) y 1846-1848 (anexión de California, Arizona y Nuevo México por parte de los Estados Unidos). Las estimaciones del producto interno bruto

---

54. Héctor Pérez Brignoli (ed.), *Historia general de Centroamérica. Tomo III. De la Ilustración al liberalismo (1750-1870),* Madrid, Sociedad Estatal Quinto Centenario / FLACSO, 1993, pp. 141-202.
55. José Antonio Ocampo, *Colombia y la economía mundial, 1830-1910,* Bogotá, Siglo XXI Editores, 1984, pp. 86-89.
56. Carlos Marichal, *La bancarrota del Virreinato. Nueva España y las finanzas del Imperio español (1780-1810),* México, Fondo de Cultura Económica-El Colegio de México, 1999.

per cápita de México muestran un virtual estancamiento entre 1810 y 1877[57].

La ruptura del «pacto colonial» abrió pues un doble vacío; la ruptura política originó un largo período de inestabilidad y guerras civiles, mientras que tampoco se lograba la configuración de un nuevo orden económico. Con una fórmula acertada y concisa, Tulio Halperín Donghi bautizó el cuarto de siglo que se extiende desde 1825 hasta 1850 como el período de la «larga espera»[58]. Hubo por tanto un cortocircuito entre la modernidad, representada por la Revolución francesa y la Revolución Industrial, y la viabilidad política y económica de los nuevos Estados latinoamericanos.

El liberalismo, tercer cortocircuito de la modernidad

Entre 1870-1874 y 1925-1929, el crecimiento de las exportaciones latinoamericanas al mercado mundial fue espectacular, con un ritmo de aumento anual del 4,2% a precios constantes; en esos sesenta años el valor total de las exportaciones se multiplicó por diez[59]. Esta explosión del comercio internacional se explica, como es bien conocido, por la rápida caída en los costos de los transportes, el enorme au-

---

57. Sandra Kuntz Ficker (coord.), *Historia mínima de la economía mexicana, 1519-2010,* México, El Colegio de México, 2012, p. 135.
58. Halperín Donghi, *Historia contemporánea de América Latina,* capítulo 3.
59. Luis Bértola y José Antonio Ocampo, *El desarrollo económico de América Latina desde la Independencia,* México, Fondo de Cultura Económica, 2013, pp. 108-110.

mento de la producción industrial en Europa Occidental y los Estados Unidos, y la consiguiente expansión de la demanda de bienes primarios. En promedio, los precios reales de las exportaciones latinoamericanas fueron muy favorables, pese a fuertes caídas cíclicas durante la Primera Guerra Mundial y la depresión de la década de 1930 (Gráfico 3.2)[60].

La política liberal fue el marco general de este portentoso progreso de la industria, el comercio y la acumulación de capital; en las relaciones económicas internacionales el liberalismo se tradujo en la apertura comercial, el fin de las res-

Gráfico 3.2
Precio de las exportaciones latinoamericanas

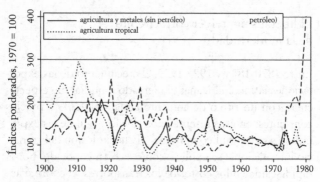

Fuente: MOXLAD, Universidad de la República del Uruguay y Oxford University.

60. Los datos del Gráfico 3.2 provienen de Luis Bértola y otros, *MOXLAD. Montevideo Oxford Latin American Economic History Database,* consultada el 26 de junio de 2015. Los índices tienen base 100 en 1970 y fueron ponderados por la proporción del valor de los productos de exportación según categoría en el comercio mundial en 1977-1979.

tricciones mercantilistas y la adopción del librecambio como principio de política general. Aunque todos los países industriales aplicaron el proteccionismo en forma selectiva, el ambiente general era muy favorable al comercio exterior, impulsado, como se dijo antes, por la rápida y constante caída de los fletes. El liberalismo impulsado por la Revolución Industrial condujo así a una importante reconfiguración de las relaciones económicas internacionales; se trató, en los hechos, de una nueva división internacional del trabajo, con países industrializados por un lado y países productores de bienes primarios, agrícolas y minerales, por otro.

Ahora bien, este esquema de especialización fue sólo un aspecto de la globalización económica que se produce entre 1815 y 1914. El comercio internacional de mercancías fue paralelo al movimiento transoceánico de personas y a la circulación de capitales. Vamos a examinar con más detalle estos tres aspectos.

La demanda externa se componía de bienes de consumo (cereales, carne, café, azúcar, cacao, té y bananos) y de materias primas para la industria, como lana, cobre, petróleo, estaño y caucho. Su composición fue cambiando a lo largo del tiempo; hubo productos que perdieron impulso e incluso desaparecieron, mientras que otros conquistaban nuevos consumidores. Esta dinámica dependía de un conjunto muy complejo de factores que iban desde los gustos y preferencias del consumidor hasta las redes de comercialización y los requerimientos tecnológicos del sector industrial. Por el lado de la oferta, los países productores buscaron aprovechar las posibilidades que abría el mercado externo recurriendo a su dotación de recursos humanos y naturales, y explotando cualquier ventaja comparativa. Algunos economistas han visto este proceso como el juego a una especie de lotería de los bienes exportables, donde se cruzaba el azar en la dotación interna de recursos y las fuerzas exógenas, casi siempre incontrolables, de la demanda externa[61].

La migración internacional constituyó un segundo aspecto de la movilidad internacional de factores. En una perspectiva global, conviene notar que entre 1840 y 1940 migraron unos 150 millones de personas. Hubo, siempre en términos globales, cinco sistemas diferentes de migración:

a) el sistema del Atlántico «blanco» compuesto por europeos que migraron masivamente (unos 55 millones) a los Estados Unidos, Argentina, Uruguay, el sur de Brasil, Cuba, Canadá, Australia, Nueva Zelanda y Sudáfrica;

b) el sistema esclavista africano, que terminó en 1870, pero desplazó unos 12 millones de esclavos hacia las Américas desde el siglo XVI;

c) el sistema asiático, enmarcado por los imperialismos, con una masiva movilización (unos 50 millones de personas), forzada y libre, de naturales de la India, chinos e indonesios hacia el Sudeste de Asia, las cuencas del Pacífico y del Índico, el sur de África y, en menor medida, las Antillas;

d) el sistema ruso-siberiano, constituido por migrantes eslavos que se asentaron paulatinamente hacia el este de los montes Urales;

y e) el sistema del norte de China y Manchuria, caracterizado por desplazamientos de poblaciones hacia esas zo-

---

61. Bértola y Ocampo, *El desarrollo económico de América Latina desde la Independencia,* p. 111. Véase también Victor Bulmer-Thomas, *The Economic History of Latin America since Independence,* Cambridge, Cambridge University Press, 1994, p. 15.

nas, particularmente desde fines del siglo XIX hasta las décadas de 1920 y 1930[62].

Los migrantes eran, en su inmensa mayoría, trabajadores buscando mejores oportunidades y condiciones de vida; muchos menos, aunque muy significativos, fueron los pequeños empresarios, artesanos y comerciantes que migraban con algún capital y un acervo importante de conocimientos; y hay que agregar todavía, en el caso de los imperios coloniales formales, la burocracia de funcionarios y militares. Hacia comienzos del siglo XX la migración forzada, representada otrora por los esclavos africanos y los trabajadores asiáticos enganchados (culíes), había desaparecido; pero persistirán, como es bien conocido los desplazamientos forzosos de poblaciones, como judíos y armenios, entre otros grupos étnicos[63].

La migración europea a las Américas, Australia y Nueva Zelanda llegó a casi 57 millones de personas desde 1820 hasta 1932; de esa cifra, un 69% se dirigió a los Estados Unidos y Canadá, mientras que Argentina recibía un 11% y Brasil casi un 8%; Australia y Nueva Zelanda acogieron un 6% de dichos inmigrantes; por su parte, Cuba y Uruguay recibieron un 3%[64]. La distribución de los migrantes fue pues, muy desigual, y obedecía básicamente a las oportunidades económicas que ofrecían en ultramar, las cuales eran, también, muy desiguales.

---

62. Dirk Hoerder, «Migrations and Belongings», en *A World Connectiong, 1870-1945,* editado por Emily Rosenberg, pp. 433-589, Cambridge, Mass., Harvard University Press, 2012, pp. 435-439.

63. Klaus J. Bade, *Europa en movimiento. Las migraciones desde finales del siglo XVIII hasta nuestros días,* traducido por Mercedes García Garmilla, Barcelona, Crítica, 2003, capítulo III.

64. Cifras de A. M. Carr-Saunders, *World Population, Past Growth and Present Trends,* Oxford, Clarendon Press, 1936, p. 49.

La migración asiática hacia las Américas fue mucho más reducida que la europea; entre 1820 y 1932 llegaron a los Estados Unidos aproximadamente un millón de asiáticos; la inmigración asiática hacia América Latina se redujo a unos pocos miles, aunque tuvo significación laboral importante en la extracción de guano en la costa peruana, en la minería a lo largo del litoral pacífico, en las plantaciones azucareras cubanas y en el sur de Brasil[65].

El tercer aspecto que debemos considerar es la circulación de capitales, expresada en una afluencia masiva de inversiones desde la Europa industrial al resto del mundo. Otra vez aquí se observa una asimetría profunda. Hacia 1914 se estima que las inversiones extranjeras totalizaban 9,5 millones de libras esterlinas; de esos fondos, un 43 % pertenecía a inversionistas británicos, un 20 % a franceses y un 13 % a alemanes. Examinando los países de destino de esas inversiones, se ve que un 24 % se localizan en los Estados Unidos y Canadá, un 27 % en países europeos, un 19 % en América Latina y un 16 % en países asiáticos[66]. Esto quiere decir que la mitad de las inversiones extranjeras se ubicaban en la regiones más desarrolladas, es decir Europa y Norteamérica. Los Estados Unidos, por su parte, habían comenzado ya a invertir en el exterior, con un 7 % de los 9,5 millones de libras estimado para 1914.

---

65. Juan Pérez de la Riva, *Los culíes chinos en Cuba, 1847-1880 contribución al estudio de la inmigración contratada en el Caribe,* La Habana, Editorial de Ciencias Sociales, 2000; Watt Stewart, *Chinese bondage in Peru,* Durham, Duke University Press, 1951; Marcia Yumi Takeuchi, *Japoneses: a saga do povo do sol nascente,* São Paulo, Companhia Editora Nacional / Lazuli Editora, 2007.
66. A. G. Kenwood y A. L. Lougheed, *Historia del desarrollo económico internacional. Desde 1820 hasta la Primera Guerra Mundial,* traducido por Emilio de la Fuente, Madrid, Ediciones Istmo, 1973, pp. 53-56.

La expansión del comercio exterior, el auge de la migración intercontinental y la exportación de capitales constituyen aspectos cruciales de lo que fue quizás la consecuencia internacional más fuerte de la industrialización: una reconfiguración de las relaciones de poder expresada en un centro, predominantemente urbano, industrial y capitalista, y una periferia más bien rural, agrícola y minera, e incipientemente capitalista. Buscando la integración al mercado mundial a través de las exportaciones, los países latinoamericanos se ubicaron en la periferia sin más, y de hecho, y sin saberlo, se inscribieron en lo que ha sido llamado con propiedad, un nuevo «pacto colonial»[67]. En el curso del siglo XX los países de la periferia cobraron cierta conciencia de los problemas económicos, sociales, políticos e ideológicos comunes y pasaron a conformar el así llamado «Tercer Mundo», un bloque de países «no alineados» en el contexto de la Guerra Fría, que tuvo sus mejores horas entre la Conferencia de Bandung (1955) –que constituyó el grupo de Países No Alineados– y la caída del Muro de Berlín (1989), emblemático fin de la Unión Soviética[68].

Conviene ahora distinguir dos problemas diferentes, aunque conectados. El primero se refiere a cómo se produjo la «gran divergencia» entre el centro y la periferia, lo cual equivale a interrogarse, en verdad, sobre la naturaleza del desarrollo del capitalismo y la industrialización en el Occidente europeo y los Estados Unidos. El segundo, a qué factores fueron los que bloquearon, en términos relativos, el

---

67. Halperín Donghi, *Historia contemporánea de América Latina,* pp. 222-223.
68. Vijay Prashad, *The Darker Nations. A People's History of the Third World,* Nueva York, The New Press, 2007. La denominación «Tercer Mundo» fue acuñada por Alfred Sauvy en 1953.

desarrollo de los países de la periferia, hecho que justifica con creces hablar de un nuevo «pacto colonial».

En el siglo XVIII los niveles de vida promedio de los países europeos, India, China y la América colonial eran parecidos, aunque había grandes desigualdades internas entre ricos terratenientes y comerciantes y una enorme masa de campesinos y artesanos pobres[69]. Algunas estimaciones del producto interno bruto (PIB) per cápita debidas a Angus Maddison[70] se presentan en el Cuadro 3.1, y ofrecen una imagen cuantitativa de este fenómeno.

Hacia 1600 el avance de Europa Occidental es visible pero no aplastante; la brecha comienza a ensancharse durante el siglo XVIII y ya es notable hacia 1820, cuando la industrialización se consolida en la Gran Bretaña y se está extendiendo a los Estados Unidos y el continente europeo. A partir de este punto de quiebre, la brecha se expande más y más. Si utilizamos la Gran Bretaña como marco de referencia (Cuadro 3.1), resulta que en 1820 el conjunto de los países latinoamericanos tenían un PIB per cápita el 41% menor que el británico; en 2000, dicha proporción era del 28%. Si consideramos China, o el conjunto de Asia, la brecha es mucho más dramática: hacia 1600, China tenía un PIB per cápita que era un 46% del británico; en 2000 dicha proporción era del 16%. En contraste, los Estados Unidos,

---

69. Pierre-Noël Giraud, *La desigualdad del mundo. Economías del mundo contemporáneo,* traducido por Eliane Cazenave Tapie Isoard, México, Fondo de Cultura Económica, 2000, p. 9.

70. Angus Maddison, «Statistics on World Population, GDP and Per Capita GDP, 1-2008 AD (Vertical File)», University of Groningen, www.ggdc.net/maddison/content.shtml, última modificación en 2012, acceso en julio de 2012. La cifra de Argentina en 1820 proviene de Bértola y Ocampo, *El desarrollo económico de América Latina desde la Independencia.,* p. 30.

Cuadro 3.1
Producto interno bruto per cápita (dólares de 1990), 1600-2000.
Según Angus Maddison

	1600	1700	1820	1900	1950	2000
Europa Occidental*	889	997	1.202	2.892	4.568	19.176
Gran Bretaña	974	1.250	1.706	4.492	6.939	21.353
Estados Unidos	400	527	1.257	4.091	9.561	28.467
América Latina	438	n.d.	691	1.113	2,510	5.889
Argentina	n.d.	n.d.	998	2.756	4.987	8.581
Brasil	428	459	646	678	1.672	5.532
Mexico	454	568	759	1.366	2.365	7.275
Asia	574	572	581	638	714	3.789
China	450	600	600	545	448	3.421
Japón	400	570	669	1.180	1.921	20.738
Unión Soviética**	552	610	688	1.237	2.841	4.460

* 30 países
** Conjunto de territorios que formaron la Unión Soviética entre 1921 y 1990.

que tenían un 74% del PIB per cápita británico en 1820, superaban en un 33% dicho índice en 2000. El aumento en la riqueza per cápita obedece obviamente al proceso de industrialización, aunque esta sea una generalización simplista; la comparación con la Gran Bretaña se justifica dado el carácter pionero de este país en la Revolución Industrial y en su desarrollo capitalista, y por eso mismo resulta particularmente ilustrativa.

Desde Adam Smith –y pasando por Marx, Weber y Schumpeter, entre muchos nombres ilustres, para concluir en los aportes contemporáneos de Braudel, Wallerstein, Hobsbawm, Bairoch, Arrighi y Landes, también entre otros– la preocupación por explicar el desarrollo capitalista ha sido un tema constante, y siempre actual, en las ciencias sociales. Carecemos todavía de una explicación elegante y estilizada, pero es posible señalar algunos factores fundamentales, elegidos con el propósito de esbozar después una explicación del bloqueo en el desarrollo del Tercer Mundo.

Adam Smith subrayó el papel fundamental de la división del trabajo, la especialización y el intercambio en el progreso económico, pero necesitamos llegar a la obra de Fernand Braudel[71] para captar adecuadamente, en el caso europeo, cómo fue que se rompieron las reglas del comercio local y regional, y se abrió el camino para el triunfo del capital, primero ligado al gran comercio a distancia y luego a los sectores bancario y financiero. La acumulación desenfrenada, sin cuellos de botella, sólo fue posible cuando el «capitalismo se identifica con el Estado» y la transmisión intergeneracional de los activos (propiedad privada) no encuentra obstáculos; si esto falta, la expansión se estanca. El capitalismo no inventa

las jerarquías [sociales] sino que las utiliza, al igual que tampoco ha inventado el mercado o el consumo. Él es, dentro de la amplia perspectiva de la historia, el visitante nocturno. Llega cuando ya todo está en su sitio[72].

¿Qué otras cosas debían de estar en su sitio? Marx consideró esencial la formación de una clase trabajadora asalariada, sin acceso a los medios de producción, es decir, obligada a vender en el mercado laboral su fuerza de trabajo[73].

71. Fernand Braudel, *Civilisation matérielle, économie et capitalisme: XVe-XVIIIe siècle,* 3 vols., París, A. Colin, 1979.
72. Fernand Braudel, *La dinámica del capitalismo,* traducido por Rafael Tusón Calatayud, Madrid, Alianza Editorial, 1985, p. 87.
73. Carlos Marx, *El Capital. Crítica de la Economía Política,* traducido por Wenceslao Roces, vol. 1, México, Fondo de Cultura Económica, 1966 [1867], capítulos IV y XXIV.

Max Weber, por su parte, insistió en la necesidad de reglas de conducta que permitieran la búsqueda racional de la ganancia (ética protestante, cálculo contable, etc.)[74]. Se trata, dicho de otro modo, de trabajadores asalariados, por un lado, y de una burguesía calculadora e innovadora, orientada a la acumulación, por otro. Estos, y otros rasgos propios del capitalismo, fueron apareciendo en la Europa Occidental de los tiempos modernos. Lo que todavía faltaba, y es aquí donde la Gran Bretaña tomó una delantera notable entre 1780 y 1820, fue la así llamada «Revolución Industrial». David Landes la caracteriza de esta manera[75]:

> El corazón de la Revolución Industrial fue una sucesión interrelacionada de cambios tecnológicos. El avance material tuvo lugar en tres áreas: (1) las habilidades humanas fueron sustituidas por aparatos mecánicos; (2) la energía humana y animal fue reemplazada por energía no animada, en particular, el vapor; (3) hubo una notable mejora en la obtención y elaboración de materias primas, especialmente en lo que hoy es conocido como industria química e industria metalúrgica.

Lo revolucionario del proceso, valga la redundancia, fue que se «inició un avance tecnológico acumulativo y autosostenido, cuyas repercusiones afectarán todos los aspectos de la vida económica»[76]. Dicho de otro modo, fue el cambio

---

74. Max Weber, *La ética protestante y el espíritu del capitalismo,* traducido por Luis Legaz Lacambra, Barcelona, Península, 2001 [1904-1905].
75. David S. Landes, *The Unbound Prometheus. Technological Change and Industrial Development in Western Europe from 1750 to the Present,* Cambridge, Cambridge University Press, 1969, p. 1.
76. *Ibid.,* p. 3.

tecnológico, acumulativo y autosostenido, lo que permitió los aumentos continuos en la productividad que están detrás del incremento en la riqueza per cápita durante los siglos XIX y XX, y que ya fueron ilustrados en el Cuadro 3.1.

Ahora conviene introducir la distinción propuesta por Jan de Vries, y ampliada luego por C. A. Bayly, entre «revoluciones industriosas» y «Revolución Industrial»[77]. El mundo moderno, entre los siglos XVI y XVIII, conoció varias «revoluciones industriosas», es decir, reorganizaciones de la producción, el intercambio y el consumo, que elevaban la productividad y la eficiencia en forma gradual y sin cambios tecnológicos radicales. En la visión de C. A. Bayly, estas «revoluciones industriosas» ocurrieron no sólo en el noroeste europeo y la América británica, sino también en otras regiones de Europa, Asia, América Latina y África; incluso las plantaciones azucareras esclavistas del Caribe formaron parte de este proceso. Pero aunque las «revoluciones industriosas» fueron un escalón importante en el avance hacia la modernidad, sólo la «Revolución Industrial» –el «Prometeo desencadenado» de David Landes– trajo consigo el crecimiento autosostenido de la productividad. Sin esto, los éxitos de las «revoluciones industriosas» podían ser precarios y volátiles; más adelante veremos que esta fue, en buena parte, la situación del Tercer Mundo.

En 1950 Raúl Prebisch publicó en inglés un diagnóstico sobre la situación económica de América Latina. El texto circulará extensamente en una edición mimeografiada en

---

77. Jan de Vries, «The Industrial Revolution and the industrious revolution», *Journal of Economic History,* vol. 54, núm. 2 (1994), pp. 240-270; C. A. Bayly, *The Birth of the Modern World, 1780-1914: Global Connections and ComParísons,* Malden, MA, Blackwell Publishing, 2004, capítulo 2.

español y fue publicado formalmente en 1962[78]. Albert Hirschman lo considera un verdadero «manifiesto de la CEPAL» y pieza fundamental en cuanto a las ideologías del desarrollo que se despliegan en América Latina en la segunda mitad del siglo XX[79]. El «manifiesto» de Prebisch comenzaba así[80]:

La realidad está destruyendo en la América Latina aquel pretérito esquema de la división internacional del trabajo. En ese esquema, a la América Latina venía a corresponderle, como parte de la periferia del sistema económico mundial, el papel específico de producir alimentos y materias primas para los grandes centros industriales. No tenía allí cabida la industrialización de los países nuevos. Los hechos se están imponiendo, sin embargo. Dos guerras en el curso de una generación y una profunda crisis económica entre ellas han demostrado sus posibilidades a los países de la América Latina, enseñándoles positivamente el camino de la actividad industrial.

El desarrollo basado en la exportación de bienes primarios había encontrado sus límites, y se observaba un deterioro secular en los términos del intercambio en perjuicio de los países de la periferia; así las cosas, sólo la industrialización podía asumir el rol de «motor del crecimiento» que

78. CEPAL, *Boletín económico de América Latina,* vol. VII, núm. 1, 1962; reimpreso en Raúl Prebisch, «El desarrollo económico de América Latina y algunos de sus principales problemas», *Desarrollo Económico,* vol. 26, núm. 103 (1986 [1950]), pp. 479-502.
79. Albert O. Hirschman, *Desarrollo y América Latina. Obstinación por la esperanza,* traducido por María Teresa Márquez y Manuel Sánchez Sarto, México, Fondo de Cultura Económica, 1973, p. 269.
80. Prebisch, «El desarrollo económico de América Latina y algunos de sus principales problemas», 479-502, p. 479.

antes habían tenido las exportaciones de bienes primarios. En la visión de Prebisch se trataba de «sustituir» las importaciones de bienes de consumo por materias primas y bienes de capital industriales para empujar así la diversificación económica. La división internacional del trabajo configurada en el siglo XIX no permitía ahora el crecimiento, y los frutos del progreso técnico, concentrados en el centro, no llegaban bien a los países de la periferia. Esta visión de las cosas predominó ampliamente, gracias sobre todo al trabajo de la CEPAL, entre 1950 y 1980.

Dejemos de lado, por el momento, el asunto de la industrialización y la estrategia de «sustitución de importaciones», y concentrémonos en el tema de las asimetrías y desigualdades originadas en la división internacional del trabajo. Una expresión de ello es el deterioro secular en los términos del intercambio, señalado por Prebisch a partir de un estudio de las Naciones Unidas sobre el comercio de la Gran Bretaña entre 1870 y 1946. Aunque estudios posteriores sobre la evolución de los términos del intercambio no confirman del todo las conclusiones de Prebisch, y más bien subrayan la imposibilidad de generalizar en ese ámbito[81], hay que convenir en que él señaló una vulnerabilidad crucial en las economías exportadoras de bienes primarios: mientras la producción industrial cambiaba rápidamente y aparecían nuevos productos e innovaciones tecnológicas, la producción de bienes primarios se modificaba poco.

La demanda externa, por su parte, escapaba enteramente al control de los países exportadores. Por otro lado, el despla-

81. Véase por ejemplo José Antonio Ocampo y María Ángela Parra, «Los términos del intercambio de los productos básicos en el siglo XX», *Revista de la CEPAL,* vol. 79 (2003), pp. 7-35.

zamiento del centro industrial de Gran Bretaña a los Estados Unidos afectaba seriamente a países como Argentina, exportador tradicional de trigo y carne, y competidor en ese ámbito con el nuevo centro industrial. Dicho en otros términos, el comercio exterior que antes había operado como transmisor de los frutos del progreso técnico, desde el centro a la periferia, ya no lo era tanto; al menos esa parecía haber sido la experiencia latinoamericana entre 1914 y 1950[82]. En el siglo XX el comercio exterior ya no se comportaba de acuerdo con los postulados de Adam Smith; la razón de fondo parece haber sido que los países de la periferia experimentaron «revoluciones industriosas» que les permitieron ingresar en forma competitiva al mercado mundial, pero no lograron transformarlas en verdaderas «revoluciones industriales».

Para profundizar en este aspecto, conviene examinar ahora los cambios internos requeridos por estas «revoluciones industriosas»; aquí reencontraremos nuevos cortocircuitos de la modernidad.

La exportación exitosa de bienes primarios implicó la movilización eficiente de los factores de producción: tierra[83], trabajo, tecnología y organización empresarial, y sistemas de transporte y comunicación adecuados. Lograrlo fue una tarea compleja en contextos como los latinoamericanos a mediados del siglo XIX, dominados todavía por una estructura económica y social heredada de la colonia. Un resumen estilizado y simplificado de este proceso que se escalona durante varias décadas es el siguiente:

82. Raúl Prebisch, *Interpretación del proceso de desarrollo latinoamericano en 1949* (2.ª ed. del *Estudio Económico de América Latina*, 1949), Santiago de Chile, CEPAL, 1973.
83. Yacimientos en el caso de la minería.

1) La liberalización del mercado de tierras supuso restringir, o eliminar del todo, la propiedad colectiva en beneficio de la propiedad privada del suelo. La propiedad colectiva estaba representada por los bienes territoriales de la Iglesia y las órdenes religiosas, así como por las tierras de las comunidades indígenas; mientras que los primeros fueron eliminados al triunfar las llamadas «reformas liberales», las comunidades indígenas lograron subsistir masivamente articuladas a la expansión del sector exportador en Ecuador, Perú, Bolivia y Guatemala[84]. En todos los países, la venta de tierras públicas fue otro elemento importante en la formación del mercado de tierras; a pesar de que hubo algunas leyes y programas de colonización formulados para atraer la inmigración europea e impulsar la formación de una clase media rural, predominó la especulación y el acaparamiento de tierras en beneficio de una reducida élite de terratenientes y comerciantes. Aunque en el imaginario popular predominaron imágenes exageradas, como la de «catorce familias» manejando la economía cafetalera de El Salvador, es obvio que estas imágenes no surgieron de la nada y expresan una realidad agraria bien ilustrada por una novela emblemática de Ciro Alegría: cuando los comuneros de Rumi son expulsados de sus tierras por el terrateniente ambicioso y desalmado, saben bien que para ellos «el mundo es ancho y ajeno»[85].

2) La formación de un mercado de trabajo libre supuso eliminar la esclavitud y toda forma de trabajo forzado. El

---

84. Véase un resumen de estos procesos en Ciro F. S. Cardoso y Héctor Pérez Brignoli, *Historia económica de América Latina. Tomo II. Economías de exportación y desarrollo capitalista,* Barcelona, Editorial Crítica, 1979, pp. 32-63.
85. Ciro Alegría, *El mundo es ancho y ajeno,* editado por Antonio Cornejo Polar, Caracas, Biblioteca Ayacucho, 1978 [1941].

proceso fue, sin embargo, lento y complejo, y en algunos casos se tardó más de un siglo, luego de la Independencia, para llegar al predominio completo del trabajo asalariado.

La esclavitud fue abolida, según los casos, entre 1804 y 1888; de hecho, durante el siglo XIX tuvo notable importancia en Brasil (abolición en 1888) y Cuba (abolición en 1886), siendo relativamente marginal en los otros países latinoamericanos[86]. La persistencia de un numeroso campesinado mestizo, indígena y mulato, y de comunidades indígenas en ciertas zonas dificultó el rápido pasaje al predominio del trabajo asalariado; la élite terrateniente recurrió entonces, para garantizar la mano de obra requerida por las haciendas y plantaciones dedicadas a la producción para la exportación, a diferentes formas de coacción: peonaje por deudas, distintas formas de enganche y reaparición de formas coloniales de sujeción de la mano de obra, como el «mandamiento» típico del altiplano guatemalteco, implementado en el Reglamento de Jornaleros de 1877[87].

Los sistemas de coacción declinaron en la década de 1920 y fueron suprimidos legalmente tiempo después; el fin estuvo asociado con el crecimiento demográfico de la población campesina y el consiguiente aumento de la oferta de mano de obra. Campesinos y trabajadores migrantes, moviéndose entre distintas zonas rurales y también buscando vida en las ciudades, configuraron entonces un mercado laboral plenamente dominado por el trabajo asalariado.

---

86. Hebe Clementi, *La abolición de la esclavitud en América Latina*, Buenos Aires, Editorial La Pléyade, 1974; George Reid Andrews, *Afro-Latin America, 1800-2000*, Nueva York, Oxford University Press, 2004.
87. David J. McCreery, *Rural Guatemala. 1760-1940*, Stanford, Stanford University Press, 1994, pp. 265-294.

3) La organización empresarial incluyó haciendas, plantaciones y explotaciones tipo *farmer* en el caso agrario, y empresas mineras en el caso de las actividades extractivas.

La distinción entre haciendas y plantaciones es a veces problemática, y encontramos zonas de intersección entre ambos tipos de organización empresarial. Las haciendas se desarrollaron tradicionalmente en zonas de indígenas y mestizos, mientras que las plantaciones estuvieron asociadas con el cultivo de productos tropicales, como la caña de azúcar, y la utilización de esclavos africanos. Las haciendas abastecían mercados locales, regionales y externos con productos ganaderos y agrícolas, y se adaptaban con cierta facilidad a las contracciones y expansiones de la demanda. La mano de obra permanente era garantizada por peones «acasillados», como se los llamaba en el centro de México, que recibían a cambio una parcela de tierra para proveer sus necesidades de subsistencia; estos arreglos incluían a veces sistemas de aparcería y arrendamiento. La mano de obra requerida durante la cosecha era garantizada con peones endeudados u otras formas de enganche, es decir, mediante un sistema coactivo de reclutamiento. Ya se ha dicho antes que, sólo avanzado el siglo XX, y gracias al crecimiento demográfico, se pasó a un sistema predominante de trabajadores asalariados.

Como ha sido subrayado muchas veces, la hacienda no sólo constituía una empresa agrícola y ganadera; era también un modelo de dominación social, basado en relaciones paternalistas y clientelistas. Los hacendados eran tanto empresarios como caciques o caudillos políticos, y los mayordomos o gamonales cumplían un importante papel de intermediarios con las masas indígenas y campesinas sometidas, que constituían la fuerza básica de trabajo.

Durante los siglos coloniales, las plantaciones se abocaron sobre todo al cultivo de la caña y la producción de azúcar; mucho más tarde se agregaron otros productos, como el café, el cacao, el banano[88] y la palma africana. Se trata pues de cultivos tropicales que por lo general implican también un procesamiento del producto, como es el caso de la caña de azúcar y el café, lo cual requiere de instalaciones agroindustriales, como «ingenios» y «beneficios». Una vez abolida la esclavitud, la mano de obra de las plantaciones fue de tipo asalariado, aunque también existieron combinaciones con peones campesinos residentes para asegurar el trabajo permanente. En estos casos era difícil diferenciar las plantaciones de las haciendas.

El tercer tipo de organización empresarial eran las explotaciones tipo *farmer,* es decir, explotaciones medianas con tecnología moderna y utilización de mano de obra asalariada sobre todo en los tiempos de la cosecha.

Haciendas, plantaciones y empresas tipo *farmer* existieron en contextos y actividades agrícolas muy diversas, al punto que es difícil generalizar. Si tomamos el caso del café, nos encontramos con plantaciones relativamente grandes en Brasil, haciendas bastante típicas en Guatemala, El Salvador y la primera expansión cafetalera de Colombia (1870-1910), y explotaciones de tipo familiar en Costa Rica y la segunda fase de la caficultura colombiana (1910-1950).

Las empresas mineras, incluyendo la extracción de petróleo, estaban por lo general en manos de empresas grandes,

---

88. Fruta del género *Musa,* denominada en algunos países «banana» y en otros como «plátano». Existe también una variedad que por su alto contenido en fécula sólo se consume cocida; ésta, por lo general, no es objeto de exportación en gran escala.

casi siempre de capital extranjero, las cuales utilizaban tecnología moderna. Sólo en casos marginales, y sobre todo en la extracción de plata, oro y piedras preciosas, persistió una minería de pequeños empresarios y aventureros.

La agricultura y la minería de exportación movilizaron vastos recursos en cuanto a tierra, mano de obra y tecnología; el conocimiento y la experimentación agronómica fueron utilizados moderadamente desde finales del siglo XIX y se aceleró hacia la década de 1940. Pero en el conjunto, el sector exportador creció básicamente a costa de la incorporación de recursos: tierras, mano de obra barata e infraestructura de transportes y comunicación. Los aumentos en la productividad del trabajo y los rendimientos por unidad de superficie fueron moderados, y luego de varias décadas de expansión, se estancaron. Fue lo típico de las «revoluciones agrícolas industriosas».

La economía exportadora de bienes primarios requirió también de importantes obras de infraestructura en transportes, puertos y comunicaciones. El ferrocarril fue la gran innovación de la segunda mitad del siglo XIX y constituyó uno de los campos básicos de las inversiones extranjeras. Hubo, sin embargo, tres limitaciones en su impacto global; primero, los obstáculos de una topografía montañosa y selvática en extensas zonas del territorio latinoamericano; segundo, redes por lo general poco densas que privilegiaban la conexión con los puertos de salida de las exportaciones, en detrimento de otras actividades económicas; tercero, la relativa ausencia de eslabonamientos «hacia atrás» implicando que rieles, material rodante y combustible eran básicamente importados de los países industriales.

El Cuadro 3.2 muestra, en forma comparativa, algunos indicadores del desarrollo ferroviario hacia 1930, es decir,

Cuadro 3.2
Indicadores del desarrollo ferroviario hacia 1930 (km)

Países	Vías de ferrocarril (km)	Vías per cápita	Vías por km^2
México	20.500	1,24	10,4
Cuba	5.000	1,35	45,0
Haití	217	0,09	7,8
Puerto Rico	546	0,35	60,7
R. Dominicana	240	0,20	4,9
Guatemala	830	0,38	7,6
Honduras	95	0,11	0,8
El Salvador	604	0,41	28,8
Nicaragua	267	0,36	2,1
Costa Rica	555	1,08	10,1
Panamá	132	0,28	1,7
Venezuela	1.070	0,33	1,2
Colombia	2.950	0,36	2,1
Ecuador	1.030	0,52	3,8
Perú	3.649	0,59	3,0
Bolivia	2.235	0,75	2,0
Brasil	32.478	0,79	3,8
Paraguay	468	0,53	1,2
Uruguay	2.763	1,45	15,7
Argentina	38.364	3,35	14,2
Chile	8.937	2,08	11,8
Estados Unidos	402.080	3,25	42,9
Canadá	67.713	6,58	6,8
Australia	23.084	0,36	3,0
Gran Bretaña	32.385	0,70	132,7
Francia	43.457	1,04	78,9
Italia	22.151	0,54	71,5
España	15.895	0,67	31,6
Suecia	16.585	2,70	37,0
Alemania	58.370	0,91	124,5
Japón	20.200	0,31	52,9
China	13.441	0,03	1,4

Fuente: Statistical Yearbook, 1931-1932, League of Nations.

al final de la gran expansión de la economía exportadora. La extensión de la red ferroviaria es un dato que debe relacionarse con la población total y/o la extensión del territorio. Examinando los kilómetros de vías férreas por km² del territorio nacional, se observa que Cuba y Puerto Rico alcanzaban una densidad parecida a la de los Estados Unidos, mientras que Argentina, Uruguay, Chile, Costa Rica y México se situaban con valores entre 10,1 y 15,7 km de vías férreas por km². Estos valores distaban mucho de las altas densidades ferroviarias de la Gran Bretaña y Alemania, y se situaban también debajo de Francia, Italia, España, Suecia y Japón. La mayoría de los países latinoamericanos tenían redes ferroviarias muy poco densas, aunque levemente mayores que la de China. Esto ilustra sobre el impacto muy moderado del ferrocarril en las economías nacionales, con la consiguiente perdurabilidad de los transportes tradicionales, es decir, carretas y mulas por malos caminos. Hacia 1930, el automotor había hecho también su aparición y se preparaba para competir con las vías férreas; en los hechos, pronto surgieron carreteras paralelas a las líneas ferroviarias. Hacia 1960 la era del ferrocarril había pasado.

Telégrafo, cable submarino y luego radiocomunicaciones afianzaron los avances en las comunicaciones. El sistema bancario y financiero se modernizó también paulatinamente. Los puertos y las líneas navieras completaron –incluyendo también el Canal de Panamá, inaugurado en 1914– las conexiones globales. Al inicio de la Primera Guerra Mundial, América Latina era sin duda una región bien insertada en las redes del comercio mundial y el capitalismo.

Quedan por subrayar otros aspectos. La integración al mercado mundial impuso el aislamiento y la fragmentación regional en Estados nación separados. El comercio privilegió ahora las comunicaciones directas con los mercados consumidores: cada país con sus puertos, y en cada puerto la convergencia de la red interna moderna de transportes. Los espacios económicos coloniales murieron poco a poco, y la fragmentación se impuso. Notemos, además, que, en muchos casos, la articulación de los mismos espacios económicos nacionales era problemática, más allá del sector exportador. Un ejemplo extremo proviene del caso de Honduras, con un sector exportador bananero en la costa caribe –fuertemente conectado con los mercados de Nueva Orleans y Nueva York, pero escasamente articulado con las tierras montañosas centrales– y la zona sur, pasaje terrestre obligado entre El Salvador y Nicaragua[89].

El desarrollo urbano fue otro importante efecto derivado de la expansión del sector exportador. Hacia 1930, un 17% de la población total vivía en ciudades de más de 20.000 habitantes; hacia 1980 esa proporción era del 47%. En este sentido, los países latinoamericanos tenían ese año una fisonomía más próxima a la de Europa (73%) y Estados Unidos (74%) que a la de África (34%) y el sur de Asia (India, Pakistán, Bangladesh y Nepal) (24%)[90]. La primacía urbana originada, como es sabido, en la conquista y la colonización, cambió de fisonomía durante la expansión exportadora para dar paso al modelo que José Luis Romero denominó con acierto como el de las «ciudades burguesas»[91].

89. Carolyn Hall y Héctor Pérez Brignoli, *Historical Atlas of Central America,* Norman, University of Oklahoma Press, 2003, pp. 200-205 y 246-247.
90. Thomas William Merrick, «Population Pressures in Latin America», *Population Bulletin (PRB),* vol. 41, núm. 3 (1986), pp. 1-50, pp. 22-23.
91. José Luis Romero, *Latinoamérica: las ciudades y las ideas,* México, Siglo XXI editores, 1976, pp. 247-318.

Copia y recreación de los esquemas urbanísticos europeos, las capitales no sólo concentraron el poder político, económico y cultural; se constituyeron también en transmisoras de la modernidad. Las ciudades intermedias florecieron a su vez, sobre todo a lo largo de la infraestructura vial y ferroviaria. El mundo urbano combinó la riqueza de las élites con las ambiciones de las clases medias y el inevitable crecimiento de la miseria y la pobreza de las clases laboriosas; el tema de la propiedad de la vivienda y el costo de los alquileres configuró pronto una agenda social tan novedosa como las preocupaciones por la salubridad y los servicios urbanos (luz, agua, alcantarillado y transporte)[92]. Y las clases peligrosas no dejaron tampoco de agregar un toque inquietante en las orillas de lo marginal y lo prohibido. Las «ciudades burguesas» anticipaban así algunos de los rasgos más significativos de las ciudades masificadas del porvenir.

Es tiempo de sintetizar. La integración latinoamericana al mercado mundial y la globalización garantizó un progreso en la modernidad precario y vulnerable. Según Jeffrey G. Williamson, ello se debió a tres «canales de impacto»: la desindustrialización y el «síndrome holandés», el aumento en las desigualdades internas y la volatilidad de los precios y los ingresos[93]. La desindustrialización fue sinónimo de la excesiva especialización en las exportaciones de unos pocos productos, y debido a los términos del intercambio favorables, la ausencia de incentivos para producir internamente bienes in-

92. Véase por ejemplo, Miguel Samper, *La miseria en Bogotá y otros escritos,* Bogotá, Universidad Nacional de Colombia, Biblioteca Universitaria de Cultura Colombiana, 1969 [1898].
93. Jeffrey G. Williamson, *Crecimiento y pobreza. Cuándo y cómo comenzó el atraso del Tercer Mundo,* traducido por Tomás Fernández Aúz y Beatriz Eguibar, Barcelona, Crítica, 2012, capítulos 4, 5, 9, 10 y 14.

dustriales («síndrome holandés»). La concentración del ingreso en manos de una oligarquía de terratenientes, mineros y comerciantes, convirtió a estas élites en insaciables buscadoras de rentas, aprovechando la abundancia de recursos naturales y la disponibilidad de mano de obra barata. Se configuró así un típico círculo vicioso de la pobreza, estudiado hace mucho tiempo por G. Myrdal[94]. La volatilidad de los precios y los ingresos, mayor en el caso de los bienes primarios que en el de los bienes industriales, impuso una situación de vulnerabilidad, particularmente fuerte cuando a las caídas cíclicas de precios se sumaban eventos «excepcionales», como fue el caso de las guerras mundiales.

En el plano político, la integración latinoamericana al mercado mundial constituyó un aspecto del desarrollo del Estado nación. En los hechos, ambos procesos estuvieron profundamente mezclados. La separación sólo tiene una razón analítica expositiva. La ideología liberal –con sus fuentes de inspiración en la Ilustración, la evolución institucional británica a partir de la Revolución Gloriosa (1688), la independencia de los Estados Unidos, la Revolución francesa y el positivismo del siglo XIX– presidió el desarrollo del Estado nación. Pero la construcción institucional fue resultado de una compleja articulación de intereses entre las élites, sectores populares y el pensamiento católico y conservador. El liberalismo resultó ser así una adaptación particularmente imaginativa, expresada con toda su fuerza en la época de esplendor de la república oligárquica, entre mediados del siglo XIX y las primeras décadas del siglo XX.

94. Gunnar Myrdal, *An American Dilemma. The Negro Problem and Modern Democracy,* Nueva York, Harper & Bros., 1944, capítulo 3, sección 7 y apéndice 3.

Las líneas básicas de la república oligárquica ya fueron explicadas en el capítulo 2. Interesa ahora señalar la conexión profunda entre el desarrollo basado en la exportación de bienes primarios y la reforma liberal.

En términos sociales, los cambios en el régimen de la tierra y el mercado laboral significaron también la formación de una poderosa clase terrateniente; sus miembros venían a veces de raigambres coloniales, pero abundaban nuevos nombres, productos de la rueda de la fortuna en la política y la carrera militar. ¿Cuál era la república posible en un contexto como este, en el cual la otra cara de la élite terrateniente eran masas de campesinos expoliados? La república se asentaba así sobre una ciudadanía inexistente.

En el caso de Brasil, se puede afirmar que antes de 1930 no había «pueblo» políticamente organizado ni tampoco un sentimiento nacional consolidado; y eso fue así tanto en el Imperio como en la República, proclamada en 1889[95]. Es famosa la descripción de Arístides Lobo de esta proclamación: el pueblo de Rio de Janeiro asiste «bestializado», atónito, creyendo que se trata de un simple desfile militar. En 1881 el biólogo francés Louis Couty, que enseñaba en Rio, publicó un libro sobre Brasil y la esclavitud afirmando que en este país no había «pueblo»: 2,5 millones de personas eran esclavos e indios excluidos; 200.000 eran propietarios y profesionales, es decir la élite dirigente, y quedaban todavía 6 millones de trabajadores y campesinos que «nacen, mueren y vegetan» sin participar en la vida política[96].

95. José Murilo de Carvalho, *Cidadania no Brasil. O longo caminho,* Rio de Janeiro, Civilização Brasileira, 2001.
96. *Ibid.,* pp. 64-65; José Murilo de Carvalho, *Os bestializados: O Rio de Janeiro e a República que não foi,* São Paulo, Companhia das Letras, 1987.

Mutatis mutandi, la situación era la misma en toda América Latina.

Un aspecto crucial para entender la participación política es la educación popular y el peso del analfabetismo. Un indicador básico se presenta en el Cuadro 3.3 para el período 1900-1990; consideremos en particular el período 1900-1930. Entre esos años el porcentaje de analfabetos en la po-

Cuadro 3.3
Analfabetismo de la población a partir de 15 años (en %)

Países	1900	1930	1960	1990
Argentina	48,7	25,1	8,6	4,2
Costa Rica	64,4	33,0	17,1	6,2
Cuba	54,0	28,9	20,8	4,7
Uruguay	40,6	23,9	10,5	3,7
Chile	56,5	25,3	16,4	6,3
Bolivia	81,5	75,1	55,9	22,0
Guatemala	88,1	80,7	64,5	39,1
Ecuador	66,9	53,7	34,5	11,7
Perú	75,7	62,6	39,8	14,1
Brasil	65,3	60,5	39,7	20,6
Colombia	66,0	48,1	30,4	10,3
Venezuela	72,2	64,1	37,9	10,0
México	75,6	63,6	34,6	12,4
República Dominicana	s.d.	74,2	35,5	20,8
El Salvador	73,7	72,4	51,6	27,7
Honduras	71,7	66,5	55,5	33,0
Nicaragua	s.d.	61,4	53,0	30,2
Panamá	82,7	53,9	26,7	11,2
Paraguay	68,6	48,0	27,2	10,3
Haití	92,0	91,5	84,3	58,9
Estados Unidos	11,2	4,8	2,1	0,7

Fuente: Rosemary Thorp, *Progress, Poverty and Exclusion. An Economic History of Latin America in the 20th Century,* Washington y Baltimore, IADB / The John Hopkins University Press, 1998, p. 354.

blación adulta desciende levemente, pero en casi todos los países, la proporción supera el 50%. Sólo cinco (Argentina, Uruguay, Cuba, Costa Rica y Chile) se apartan notablemente de la situación promedio, con una proporción de analfabetos que oscila entre 24% y 33%. Pero aun estos casos privilegiados contrastan fuertemente con las cifras de los Estados Unidos, mucho, pero mucho más bajas. El analfabetismo excluye de la participación política y limita brutalmente las posibilidades de movilidad social. La educación es obviamente el primer escalón para la integración en una sociedad moderna.

Podemos ahora entrar de lleno al tema del desdoblamiento o esquizofrenia del sistema político liberal en América Latina: constituciones y leyes que copian en forma impecable los modelos europeos continentales y anglosajones, mientras que en la práctica política reinan la fuerza bruta, el caudillismo y el paternalismo. Reencontramos la vieja fórmula de la burocracia colonial: «Obedezco pero no cumplo».

El Estado colonial, configurado por la Monarquía Católica, era un sistema articulado de corporaciones y estamentos; no había ciudadanos sino súbditos, y el individualismo tenía poco o ningún espacio fuera de las organizaciones colectivas. La centralización promovida por las Reformas borbónicas fue un impulso regalista que no alteró el sistema básico estatal.

La Independencia y las guerras que la siguieron vieron el derrumbe de la legitimidad monárquica y la quiebra del Estado colonial; pero su reemplazo por algo nuevo fue, como ya vimos, un proceso lento y complejo. Las viejas élites criollas ampliaron su composición en el curso de las guerras, incorporando militares, funcionarios, miembros del bajo clero y nuevos ricos, entre otros grupos. Estas élites fueron llenando los casilleros vacíos de los restos del Estado colonial, en un marco jurídico-legal nuevo marcado por el liberalismo y sus variantes, pero que, como se dijo, chocaba con las realidades sociales. Los nuevos Estados fueron así modificando el carácter corporativo colonial, pero se quedaron en un modelo de «Estado patrimonial», si seguimos la clásica conceptualización de Max Weber[97]. El patriarcalismo familiar encontraba su eco en las relaciones paternalistas de la hacienda y la plantación, y las mismas relaciones primarias se extendían a las jerarquías entrelazadas del Estado oligárquico. Brasil y México lo ilustran bien, en dos variantes.

La Monarquía brasileña (1822-1889) garantizó la continuidad y la legitimidad al momento de la Independencia, y el poder moderador del emperador contuvo los conflictos entre las élites; la expansión de la burocracia patrimonial condujo paulatinamente a establecer una red nacional de funcionarios y a la creación de un nuevo orden administrativo[98], pero en las bases mismas del Imperio había una ambigüedad insostenible:

una sociedad esclavista gobernada por instituciones liberales y representativas; una sociedad agraria y analfabeta dirigida por una élite cosmopolita orientada al modelo de civilización europeo[99].

97. El soberano organiza el poder político en forma análoga al poder doméstico; se trata, pues, de relaciones típicamente paternalistas. Véase Max Weber, *Economía y sociedad. Esbozo de sociología comprensiva,* traducido por José Medina Echevarría *et al.,* 2 vols., México, Fondo de Cultura Económica, 1964 [1922], vol. II, pp. 759-760.
98. Fernando Uricoechea, *O minotauro imperial: a burocratização do estado patrimonial brasileiro no século XIX,* Rio de Janeiro, Difel, 1978, pp. 301-305.
99. Carvalho, *A construção da ordem. A élite política imperial. Teatro de sombras. A política imperial,* p. 417.

El México del Porfiriato es otro ejemplo contundente. François-Xavier Guerra escribe al final de una cuidadosa investigación[100]:

> La reflexión de la época sobre el Porfiriato no cesa de invocar esa cumbre del liberalismo mexicano que es la Constitución de 1857. Siempre en vigor, en lo esencial, bajo el Porfiriato, goza de una autoridad que no soñaban en impugnar ni los partidarios, ni los adversarios del régimen. Sin embargo, ninguna de las disposiciones que encierra esta Constitución es verdaderamente respetada; ni las libertades fundamentales del ciudadano, ni la libertad de sufragio, ni la separación de poderes, ni la independencia de los Estados. [...] En la cúspide, constantemente reelegido, se encuentra el presidente Porfirio Díaz. Los poderes inmensos que detenta no se los concede ninguna ley. La función presidencial se ha repuesto de su debilidad original. Ha acabado por sustituir en el inconsciente colectivo la autoridad de la que antes estaba aureolado el rey. Esta lenta ascensión se ha concluido aparentemente de la forma más feliz.

La dictadura personal, la forma de gobierno más practicada y también más desprovista de legitimidad, era sin duda funcional, y eso explica su larga trayectoria latinoamericana. ¿Pero cómo explicar su ilegitimidad? Ya en 1852, el argentino Juan Bautista Alberdi había caracterizado así a la «república posible»[101]:

100. François-Xavier Guerra, *México. Del Antiguo Régimen a la Revolución,* traducido por Sergio Fernández Bravo, 2 vols., México, Fondo de Cultura Económica, 1988, tomo II, pp. 329-330.
101. Juan Bautista Alberdi, *Bases y puntos de partida para la organización política de la República Argentina,* editado por Francisco Cruz, Buenos Aires, La Cultura Argentina, 1915 [1852], p. 75.

Se atribuye a Bolívar este dicho profundo y espiritual: «Los nuevos Estados de la América antes española necesitan reyes con el nombre de presidentes». Chile ha resuelto el problema sin dinastías y sin dictadura militar por medio de una constitución monárquica en el fondo y republicana en la forma: ley que anuda a la tradición de la vida pasada la cadena de la vida moderna. La república no puede tener otra forma cuando sucede inmediatamente a la monarquía; es preciso que el nuevo régimen contenga algo del antiguo; no se andan de un salto las edades extremas de un pueblo.

Como ya se explicó en el capítulo 2, el tránsito a la «república verdadera» pasaba, en la visión de Alberdi, por la inmigración europea y la educación. Una monarquía con máscara republicana era el régimen adecuado para

sacar a la América emancipada del estado oscuro y subalterno en que se encuentra [...] para tener población, para tener caminos de fierro, para ver navegados nuestros ríos, para ver opulentos y ricos nuestros Estados[102].

La evolución social llevaría después a la «república verdadera».

Otros autores teorizaron también el papel modernizante de las oligarquías y las presidencias imperiales. El venezolano Laureano Vallenilla Lanz (1870-1936) fue uno de ellos, con su idea del «gendarme necesario» desarrollada en un opúsculo famoso[103]. Positivista, sociólogo diletante, Vallenilla Lanz estuvo al servicio del dictador Juan Vicente Gómez (gobernó de 1908 a 1935), y fue tildado de «inescrupu-

102. *Ibid.,* pp. 67-68.
103. Laureano Vallenilla Lanz, *Cesarismo democrático y otros textos,* Caracas, Biblioteca Ayacucho, 1991 [1919].

loso apologista» y «filósofo de la dictadura», pero sus ideas no carecen de originalidad. En su visión, la historia de Venezuela, al igual que la de Hispanoamérica, muestra que la única solución para superar la anarquía, la incesante lucha de facciones y el desorden es la fuerza del caudillo. En este sentido, el «poder personal del caudillo era la verdadera constitución efectiva del país». Para Vallenilla, sólo las ideas constitucionales de Bolívar, que buscaban una adaptación de los principios republicanos y democráticos a las realidades sociales latinoamericanas, eran las apropiadas, y habían sido ignoradas por los letrados liberales y conservadores, que no se cansaban de copiar leyes y constituciones «exóticas». Era esta falta de adaptación lo que las convertía en verdaderas «constituciones de papel». Su visión del «César democrático», en este caso Juan Vicente Gómez, da una imagen sintética de sus ideas[104]:

> Sostengo el régimen actual de Venezuela, porque estoy plenamente convencido por los resultados de que es el único que conviene a nuestra evolución normal; porque es el que, imponiendo y sosteniendo la paz a todo trance, está preparando al país para llenar ampliamente las dos grandes necesidades de todas estas democracias incipientes, con enormes desiertos y con poblaciones escasas y heterogéneas que carecen todavía de hábitos, de ideas y de aptitudes para cumplir los avanzados principios estampados en nuestras constituciones escritas...

«César democrático», ««gendarme necesario», «tirano honrado»; tres expresiones de la «república posible» evocada por Alberdi.

104. *Ibid.*, p. 161.

El peruano Francisco García Calderón (1883-1953) publicó reflexiones en la misma dirección en París, en 1912, en una obra muy conocida pero que será publicada integralmente en español recién en 1979[105]. Diplomático, educado, políglota, vivió largos años en París y fue un convencido discípulo de Rodó: vocero de las «civilizaciones latinas». Su estudio recorre con detalle la historia política del siglo XIX y caracteriza en forma simplificada, con gruesas pinceladas, el régimen político imperante en las «democracias latinas de América»:

(1) La historia de estas repúblicas se reduce a la biografía de sus hombres representativos. El espíritu nacional se concentra en los caudillos, jefes absolutos y tiranos bienhechores. Dominan por el valor, el prestigio personal y la audacia agresiva. Se parecen a las democracias que los desafían[106].

(2) Las naciones más juiciosas han sido desgarradas por las guerras civiles. Pero hay algunas repúblicas donde estas luchas se perpetúan, como es el caso de América Central y de las Antillas. Diríase que el clima tropical favorece estas agitaciones. Asesinatos de presidentes, luchas callejeras, enfrentamientos entre facciones y castas, retórica encendida y decepcionante, todo lleva a pensar que estas regiones ecuatoriales son contrarias a la organización y a la paz[107].

(3) ¿Será necesaria la obra de varios siglos para que una población netamente americana se forme? La mezcla de sangre india, europea, mestiza y mulata sigue. ¿Cómo formar con todas

105. Francisco García Calderón, *Las democracias latinas de América. La creación de un continente,* Caracas, Biblioteca Ayacucho, 1979 [1912].
106. *Ibid.,* p. 49.
107. *Ibid.,* p. 107.

estas variedades una raza homogénea? Habrá, a este respecto, un período de dolorosa inquietud: las revoluciones americanas acusan el desequilibrio de las razas y de los hombres[108].

(4) En lugar del referéndum suizo y de la organización federal de los Estados Unidos, la autocracia es, nos parece, el único medio práctico de gobierno. [...] Si un Presidente tutelar es necesario, no es menos conveniente el oponer a su autocracia un poder moderador que por su constitución recordaría al Senado vitalicio de Bolívar[109].

El diagnóstico de García Calderón, mucho más distanciado que el de Vallenilla Lanz, parte de la indudable eficacia de la «tiranía bienhechora» para establecer la paz y el progreso; al intentar profundizar sobre las causas del desorden recurre a explicaciones raciales e incluso al determinismo geográfico. Abanderado de las ideas de Rodó, considera también que el futuro de las civilizaciones latinas estará pronto en las manos de estas repúblicas jóvenes y promisorias, y quiere pensar que estos males son pasajeros y se disiparán en el porvenir.

La república oligárquica constituida en la tiranía y la autocracia debe transformarse[110]. En el capítulo 2 examinamos las utopías que se gestaron para cambiarla, desde el reformismo y sus variantes hasta las explosiones revolucionarias. Veamos ahora el caso de Chile; de allí venía la experiencia de Alberdi. ¿Cómo pasar entonces de la república posible a la república verdadera?

108. *Ibid.,* p. 198.
109. *Ibid.,* p. 206.
110. Brian Loveman, *The Constitution of Tyranny. Regimes of Excepcion in Spanish America,* Pittsburgh, University of Pittsburgh Press, 1993.

En una obra clásica, Alberto Edwards[111] señaló que Chile había quedado al margen del cesarismo militar, típico de la mayoría de los países latinoamericanos durante el siglo XIX, gracias a la república aristocrática instaurada por Diego Portales a partir de 1830; en su visión, Portales se limitó a restaurar bajo la máscara republicana el Estado monárquico, con largos períodos presidenciales y un esquema donde el presidente designaba (o imponía) al sucesor. El poder residía en la élite terrateniente y un ejército y una marina lo suficientemente aguerridos como para derrotar a la Confederación peruano-boliviana de Santa Cruz en 1837-1839, y despojar luego a Perú y Bolivia de extensos territorios mineros en la llamada Guerra del Pacífico (1879-1883). El modelo hizo crisis en 1891, cuando la sociedad se volvió más compleja debido al notable desarrollo económico impulsado por la minería (nitratos y cobre), y el presidente Balmaceda intentó aumentar los poderes presidenciales y disminuir el poder del parlamento, es decir, de la élite. El resultado fue una nueva fronda aristocrática y un refuerzo notable del parlamentarismo, el cual perduró hasta 1925. Los cambios en el sistema político vendrán de la acción combinada de dos caudillos, enemigos entre sí, pero de larga gravitación en la vida política chilena: el Dr. Arturo Alessandri (1869-1950) y el general Carlos Ibáñez del Campo (1877-1960)[112]. La Constitución de 1925 abrió el camino al presidencialismo, varias reformas electorales (especialmente en 1941, 1949, 1958, 1962 y 1970) permitieron universalizar paulatinamente el sufragio y garantizar

111. Alberto Edwards, *La fronda aristocrática en Chile,* Santiago de Chile, Imprenta Nacional, 1928.
112. Mario Góngora, *Ensayo histórico sobre la noción de Estado en Chile en los siglos XIX y XX,* Santiago de Chile, Ediciones La Ciudad, 1981, pp. 57-113.

su pureza, mientras que se conformó un sistema de partidos políticos que cubría un amplio espectro ideológico, desde la derecha extrema hasta el comunismo y el socialismo[113]. La república verdadera parece que se hizo visible en la década de 1920, aunque en un contexto de fuertes conflictos, incluyendo episodios fuertemente represivos contra el movimiento obrero emergente; su consolidación tuvo que esperar a la década de 1950, y tuvo puntos suspensivos con el trágico golpe militar del 11 de setiembre de 1973, hasta la recuperación de la democracia en 1990.

De hecho, el pasaje de la república oligárquica y la «tiranía honrada» a la república verdadera fue un producto de las luchas sociales y las revoluciones; los grupos emergentes, producto de las grandes transformaciones materiales empujadas por las economías de exportación, buscaron su lugar, y disputaron el poder a las élites tradicionales. Ha sido habitual considerar a estos grupos emergentes como sectores medios, aunque es una caracterización poco precisa. Dentro de estos grupos emergentes debemos mencionar los estratos profesionales urbanos, la creciente burocracia estatal, los pequeños y medianos comerciantes y empresarios industriales, los militares y los sectores obreros y campesinos. La incorporación y articulación de estos grupos al juego político y su participación en el poder connotarán profundamente las sociedades latinoamericanas a partir de 1930. Consideraremos esto en la siguiente sección.

La herencia más fuerte y problemática de la república oligárquica es el hecho de que «la dictadura personal ha venido

---

113. Collier y Sater, *A History of Chile, 1808-1994,* p. 257 y p. 379; Ricardo Cruz-Coke, *Historia electoral de Chile, 1925-1973,* Santiago de Chile, Editorial Jurídica de Chile, 1984.

siendo a la vez la forma de gobierno más frecuentemente practicada y la más radicalmente desprovista de toda legitimidad»[114]. Y los casi diecisiete años de dictadura de Pinochet (1973-1990), interrumpiendo lo que parecía ser una democracia sólida y desarrollada, ofrecen en este sentido el ejemplo más contundente. *Mutatis mutandi,* los casi cincuenta años de dictadura revolucionaria de Fidel Castro en Cuba (1959-2008) tampoco ayudan a entender mejor lo que parece ser una maldición o un castigo divino a la vida política latinoamericana. Quizás por esto la novela de dictadores[115] ha sido un género privilegiado desde hace mucho en la creación literaria del subcontinente, al penetrar más hondo que otros instrumentos analíticos cuando la realidad se esfuma en la fantasía, el tiempo se congela y el horror acaba santificado.

Podemos resumir ahora, en pocas líneas, el tercer y triple cortocircuito de la modernidad. La integración al mercado mundial fue un motor de crecimiento muy limitado; la república oligárquica concentró los beneficios en una élite buscadora de rentas y el liberalismo fue una máscara ideológica profundamente reaccionaria.

Interludio: los juegos imperiales

Durante el siglo XIX, Gran Bretaña construyó en América Latina un imperio informal basado, como ya se dijo en el capítulo 1, en el libre comercio, el control de las rutas na-

114. Tulio Halperín Donghi, *El espejo de la historia. Problemas argentinos y perspectivas latinoamericanas,* Buenos Aires, Editorial Sudamericana, 1987, p. 18.
115. Ángel Rama, *Los dictadores latinoamericanos,* México, Fondo de Cultura Económica, 1976.

vieras, la exportación de capitales y una poderosa ideología de superioridad. La persuasión y la fuerza fueron hábilmente combinadas para garantizar el triunfo de los intereses del gobierno británico, los cuales casi siempre coincidían con los de la City londinense. La diplomacia vigente puede caracterizarse, durante todo el siglo XIX, como la diplomacia de las cañoneras; en caso de diferendos, a las protestas diplomáticas le sucedían los bombardeos de puertos y puntos estratégicos, y la ocupación, a menudo solo ocasional, de territorios. La Marina británica patrullaba los mares, y cumplía a cabalidad este papel de policía. Mencionemos apenas algunos ejemplos, los más conocidos, de estas incursiones e incidentes.

En 1832, una fuerza naval británica ocupó las islas Malvinas[116], conocidas por los ingleses como Falkland, expulsando a un destacamento que ocupaba las islas en nombre del gobierno de Buenos Aires; el conflicto por estas islas, situadas en el Atlántico Sur, a unos 500 km de la costa patagónica, era antiguo, y se originaba en su importancia para la pesca y la caza de ballenas. Los franceses habían establecido un asentamiento en 1764, seguido en 1765 por otro de los ingleses. España reclamó su soberanía sobre las islas y obtuvo el abandono de la colonia inglesa en 1774, aunque no la renuncia formal a las pretensiones británicas. Las islas no tuvieron pobladores permanentes hasta 1820, cuando el gobierno de Buenos Aires envió una fragata a tomar posesión del territorio. Hacia fines de esa década el gobierno ar-

116. Véase H. S. Ferns, *Gran Bretaña y Argentina en el siglo XIX,* traducido por Alberto Luis Bixio, Buenos Aires, Solar / Hachette, 1966, pp. 229-237; Harold F. Peterson, *La Argentina y los Estados Unidos, 1810-1960,* traducido por Patricio Canto y Denise Rivero, Buenos Aires, EUDEBA, 1970, pp. 115-136.

gentino otorgó una concesión de ganadería y pesca a Luis Vernet, un aventurero de origen francés; en 1829, Vernet fue nombrado gobernador político y militar de las islas, y como tal intentó controlar todas las actividades pesqueras. En agosto de 1831 Vernet detuvo a tres barcos norteamericanos, y en uno de ellos, el *Harriet,* se dirigió a Buenos Aires. El cónsul estadounidense, George W. Slacum, protestó airadamente, pero el ministro de Relaciones Exteriores, Tomás de Anchorena, aprovechó para recordar que los Estados Unidos no poseían derechos sobre las islas o las pesquerías; en ese momento llegó al puerto de Buenos Aires el navío de guerra *Lexington;* su capitán conminó a la devolución del *Harriet* y al enjuiciamiento de Vernet por piratería; al no obtener respuesta se dirigió a las islas, y a fines de diciembre tomó varios prisioneros y destruyó las instalaciones existentes. En Buenos Aires hubo una gran indignación y el gobierno suspendió las relaciones diplomáticas con los Estados Unidos[117]; entretanto, Washington respaldó las acciones del *Lexington*. En 1832 el gobierno de Buenos Aires envió un barco de guerra y una flotilla a las islas con la finalidad de establecer allí una colonia penal; poco después, a fines de ese mismo año, los ingleses expulsaron a los argentinos y establecieron una pequeña base naval en las Falkland; en 1840 las declararon colonia de la Corona británica. El gobierno de Buenos Aires protestó formalmente por la ocupación desde febrero de 1833; conviene notar que en 1829 el cónsul Woodbine Parish, siguiendo instrucciones de su gobierno, había recordado a las autoridades de Buenos Aires que Su Majestad Británica nunca había renunciado a su pretensión soberana sobre las islas.

117. Las relaciones diplomáticas se reanudaron en 1844.

Hemos resumido con cierto detalle el incidente por varias razones. La disputa sobre las Falkland o Malvinas sigue irresuelta hasta hoy, y provocó una guerra sangrienta en 1982; en ese enfrentamiento bélico el gobierno de Londres obtuvo, como en 1832, el apoyo irrestricto de los Estados Unidos. Por otra parte, el episodio ilustra en vivo y a todo color en qué consistía la diplomacia de las cañoneras: negociaciones, amenazas, uso limitado pero efectivo de la fuerza y reconocimiento a medias de la soberanía de los Estados; en la defensa de los intereses y propiedades de sus súbditos o ciudadanos, las potencias imperiales reclamaban la extraterritorialidad, esto es, la aplicación en el extranjero de sus propias leyes y convenciones jurídicas. En la práctica, esta pretensión significaba una extensión colonial de la judicatura, la cual fue pronto de la mano con la tarea asignada a los barcos de guerra de ejercer el papel de policía ultramarina.

El pago de deudas atrasadas fue uno de los factores predominantes en la diplomacia de las cañoneras. La República Federal de Centroamérica contrató un empréstito con la Casa Barclay y Herring de Londres en 1826[118]; el monto total de la deuda fue de 163.000 libras esterlinas, de las cuales en Guatemala se recibieron unas 65.000; la guerra civil y los malos manejos evaporaron dicha suma, de la que, en 1829, cuando se restableció la paz y los liberales tomaron el poder, quedaba la deuda por el monto total del empréstito, es decir, 163.000 libras esterlinas. El presidente de la Federación, Francisco Morazán, reconoció la deuda, pero las dificultades políticas y financieras dificultaron su pago; en 1836, suma-

118. Véase Mario Rodríguez, *Chatfield, Cónsul británico en Centro América,* traducido por Raúl Cálix Pavón, Tegucigalpa, Banco Central de Honduras, 1970, pp. 157-159.

dos los intereses, la deuda era de 241.000 libras esterlinas. Los tenederos de bonos solicitaron el apoyo del gobierno británico, pero Lord Palmerston, el ministro de Relaciones Exteriores de ese momento, ratificó una decisión anterior de Lord Aberdeen en el sentido de que el gobierno no podía proteger los intereses de los especuladores; sin embargo, pocos años después Palmerston varió de posición y autorizó presiones y amenazas oficiales para obtener el pago de la deuda. Desde 1834 hasta 1852 el cónsul británico en Centroamérica fue Frederick Chatfield, un típico y hábil agente imperialista; los intereses británicos en la región eran territoriales[119], referidos al tránsito interoceánico a través de Panamá y Nicaragua, y por supuesto también comerciales y financieros. Por otra parte, la confrontación con los intereses estadounidenses, crecientes en la zona, era permanente. Agréguese a todo esto un gobierno federal débil, enfrentado a la oposición conservadora, el cual simplemente dejará de existir en febrero de 1839, y se tendrá un panorama completo del campo de acción del belicoso caballero británico[120]. Sus injerencias en la política in-

119. Gran Bretaña ocupaba Belice desde 1638, habiendo recibido de España permiso para efectuar cortes de madera en 1783. La pretensión de ocupación definitiva se concretó con el tratado firmado con Guatemala en 1859 y la proclamación de Belice como Colonia de la Corona en 1871. Belice se convirtió en Estado independiente, reconocido por Guatemala, en 1981. Además de ocupaciones temporales de las islas de la Bahía, en el golfo de Honduras, la otra pretensión territorial inglesa era sobre la Mosquitia, en la costa caribe de Honduras y Nicaragua, con presencia inglesa desde 1633; luego de establecer un protectorado en 1844, Gran Bretaña renunció definitivamente a este territorio en 1905. Véase Hall y Pérez Brignoli, *Historical Atlas of Central America,* pp. 36-37 y pp. 44-45.
120. Chatfield no actuaba sólo; contaba con el apoyo del superintendente de Belice y los escuadrones navales ingleses del Pacífico y el Caribe.

terna fueron continuas; al principio apoyó la Federación Centroamericana, pero luego se convirtió en su acérrimo enemigo luchando contra los intentos de reconstruirla en la década de 1840. La lista de acciones armadas es más que ilustrativa: ocupación de Roatán, en las islas de la Bahía en 1839; secuestro del comandante nicaragüense del puerto de San Juan del Norte en 1841; bloqueo de los puertos centroamericanos en 1842 y 1844; proclamación del protectorado sobre el territorio de la Mosquitia en 1844; ocupación de San Juan del Norte, rebautizado como Greytown en 1848, por una fuerza combinada de ingleses y zambos misquitos; ocupación de la Isla del Tigre en el golfo de Fonseca en 1849; bloqueo de los puertos de El Salvador en 1850-1851. Ante estos atropellos, los gobiernos centroamericanos reaccionaban con un fuerte nacionalismo emocional, pero en forma realista contenían sus acciones ante la fuerza imperial; en una publicación oficial sobre los eventos de 1849 el gobierno de El Salvador decía[121]:

Hay motivos para presumir que no es la miserable suma que se reclama la causa de tantas depredaciones, sino que son miras más grandes y de diferente orden las que impulsan estos movimientos, porque todas las naciones deben y con ninguna se obra de la manera que con Centro América. Hace muchos años que estos reclamos están pendientes y los vienen a agitar ahora, en los momentos precisos en que se trata de la apertura del canal [...]

La ocupación de la Isla del Tigre en 1849 precipitó un conflicto entre Gran Bretaña y los Estados Unidos en rela-

121. Citado en José Dolores Gámez, *Historia de la Costa de Mosquitos (hasta 1894),* Managua, s. ed., 1939, p. 272.

ción con el control de las rutas transístmicas y la eventual construcción de un canal interoceánico. Los Estados Unidos habían firmado un tratado con Colombia en 1846 sobre derechos de tránsito a través de Panamá; dicho acuerdo permitió que una compañía norteamericana construyera un ferrocarril transístmico, el cual fue inaugurado en 1855. El segundo aspecto crítico era la operación de una ruta de tránsito a través de Nicaragua, desde la boca del río San Juan hasta la costa pacífica. Estados Unidos acababa de anexar Oregon en 1846, y en 1847 los territorios mexicanos de California, Arizona y Nuevo México; en 1848 había empezado el *Gold Rush* en California; de repente, el tránsito de pasajeros por el istmo centroamericano resultaba ser la vía más rápida para viajar desde la Costa Este hasta la Costa Oeste de los Estados Unidos. El interés norteamericano sobre el Caribe era tal que en 1848 el presidente Polk intentó comprar Cuba a España.

En este contexto, la presencia colonial británica en el istmo centroamericano amenazaba las pretensiones estadounidenses; la colisión de intereses quedó contenida gracias al tratado Clayton-Bulwer, firmado en 1850 y prontamente ratificado por el Senado de los Estados Unidos. En dicho tratado, ambas potencias acordaban no emprender una construcción canalera unilateralmente, garantizaban la neutralidad de la posible vía interoceánica y se comprometían a no fortificar ni establecer nuevas colonias en el área[122].

La vía del tránsito por Nicaragua fue monopolizada por la compañía de Cornelius Vanderbilt, un famoso capitalista

---

122. Véase Walter LaFeber, *The American Age. United States Foreign Policy at Home and Abroad Since 1750,* Nueva York, W. W. Norton & Co., 1989, pp. 116-118.

de Nueva York que construyó su fortuna con inversiones en ferrocarriles y vapores; pero luego de un corto éxito entre 1851 y 1856, la invasión de los filibusteros de William Walker sumió a Nicaragua en la guerra civil y arruinó la ruta. La vía del tránsito se recuperó entre 1863 y 1868, pero más tarde decayó definitivamente ante la competencia del ferrocarril por Panamá[123] y la conclusión del ferrocarril transcontinental en los Estados Unidos en 1869. La guerra de Secesión (1861-1865) puso un freno, solo momentáneo, a los proyectos de expansión imperialista del Tío Sam.

Hacia 1815, a la caída de Napoleón, Francia había perdido casi todo su imperio colonial, pero no las ambiciones de reconstruirlo. La conquista de Argelia a partir de 1830 inició una nueva época marcada por la política de los puntos de apoyo formulada por el ministro Guizot en 1843, en el sentido de beneficiar con ello a la marina y el tráfico comercial. La presencia francesa se fue así haciendo sentir en África (Senegal, Gabón, Madagascar), Asia (Saigón) y el Pacífico (Tahití). En América Latina quedaban todavía restos del viejo imperio colonial: Martinica, Guadalupe y la Guayana francesa. El bloqueo en el Río de la Plata, impuesto en 1838, fue paralelo a la llamada «guerra de los Pasteles» en México, y combinaban una reacción desproporcionada que bordeaba el ridículo; sin embargo, la crisis en el Medio Oriente en 1840 impuso la retirada francesa de los conflictos latinoamericanos. En 1845 un nuevo bloqueo naval en el Río de la Plata, esta vez junto con la Gran Bretaña,

---

123. Del total de pasajeros entre 1850 y 1869, por la vía del tránsito cruzó un 25% del total; el resto lo hizo a través de Panamá. Véase David I. Folkman, *La ruta de Nicaragua. (El tránsito a través de Nicaragua)*, traducido por Luciano Cuadra, Managua, Banco de América, 1976, p. 236.

tampoco tuvo éxito frente a la defensa organizada tenaz y eficazmente por Rosas. Más seria fue la empresa orquestada contra México en 1861, en el contexto de las veleidades imperialistas de Napoleón III. El pretexto de intervención fue la moratoria de la deuda, proclamada por el gobierno mexicano. La intervención conjunta de Gran Bretaña, Francia y España fue pronto reemplazada por una fuerza militar francesa que, apoyada por los conservadores mexicanos, logró imponer como emperador a Maximiliano de Habsburgo (1864-1867). Pero el Imperio fue de corta vida; las tropas francesas se retiraron en 1866, y al año siguiente Benito Juárez y los republicanos retomaron el poder.

Más duradera que la aventura mexicana fue la presencia francesa en Egipto y la construcción del Canal de Suez. Ferdinand de Lesseps (1805-1894), diplomático y hombre de negocios francés, obtuvo del gobierno egipcio la concesión para la construcción y explotación del canal en 1854, por un período de 99 años; formó la Compagnie universelle du canal maritime de Suez y logró levantar el capital necesario para la construcción del Canal, inaugurado luego de diez años de trabajos, en 1869[124]. Las acciones de la compañía fueron compradas por capitalistas y pequeños ahorristas, sobre todo franceses; el virrey de Egipto, Mohamed Saïd, fue el principal accionista, y de hecho llegó a controlar casi la mitad del capital de la empresa. La compañía se había constituido con una visión utópica de universalidad y neutralidad, en el sentido de que el Canal estaría al servicio

124. Véase André Siegfried, *Suez Panama et les routes maritimes mondiales,* París, Armand Colin, 1940; David S. Landes, *Bankers and Pashas. International Finance and Economic Imperialism in Egypt,* Cambridge, Mass., Harvard University Press, 1979 [1958].

de la humanidad y no de los intereses nacionalistas; pero muy pronto esos ideales quedaron desvirtuados. Una vez construido y en funcionamiento, el Canal de Suez se tornó para Gran Bretaña en una llave preciosa de entrada hacia la India y el Extremo Oriente; no es extraño entonces que Londres se propusiera el control de la ruta.

La ocasión llegó en 1875 cuando el virrey Ismaíl, acosado por las deudas, tuvo que vender sus acciones al gobierno británico; el proceso se completó en 1882 con la ocupación militar del territorio egipcio por las fuerzas británicas y el establecimiento de un protectorado de facto. Francia y la Compagnie universelle no tuvieron más remedio que aceptar la tutela militar y financiera de Londres; al llegar la Primera Guerra Mundial, la colusión de intereses británicos y franceses era ya completa. Como es bien sabido, dicha entente duró hasta 1956, cuando ambas potencias pretendieron impedir la nacionalización y ocupación del Canal por las fuerzas egipcias de Gamal Abdel Nasser.

Lesseps intentó repetir la empresa de Suez en Panamá[125]. La idea de construir un canal interoceánico venía de lejos, pero faltaban proyectos concretos. Este singular personaje –abanderado decidido del progreso decimonónico, creyente sincero en las bondades del imperialismo civilizador y emprendedor empecinado– no dudó en ponerse al frente del proyecto con 74 años, y tuvo la rara habilidad de congregar a geógrafos, financistas y exploradores en un Congreso internacional que se reunió en París, en 1879. En dicha reunión se resolvió construir un canal directo, a nivel, a

125. David McCullough, *The Path Between the Seas: the Creation of the Panama Canal, 1870-1914,* Nueva York, Simon & Schuster, 1977, pp. 45-241.

través del istmo de Panamá, y se confió la dirección de la empresa a Lesseps. En 1881 se constituyó la Compagnie universelle du canal interocéanique de Panamá y se inició la suscripción de las acciones, la cual tuvo un éxito sólo relativo. Lesseps inició entonces una gran campaña publicitaria, involucrando a la prensa, a hombres de negocios y a políticos prominentes de la III República francesa; se consiguieron entonces fondos apreciables y las obras se iniciaron en 1882. Pero la obra resultó extraordinariamente difícil debido al clima tropical lluvioso, a la presencia endémica de la malaria y la fiebre amarilla, y a una topografía muy diversa que incluía desde suelos rocosos hasta zonas pantanosas y ríos con caudales muy inestables. El cálculo de costos y volúmenes de excavación requeridos resultó completamente irrealista, mientras que las enfermedades tropicales producían una gran mortalidad tanto entre los miles de trabajadores afrocaribeños como entre los ingenieros y técnicos europeos.

La situación hizo crisis en 1887 ante la falta de fondos y el lento avance de las obras, y en 1889 se produjo la debacle; al año siguiente la compañía fue disuelta y estalló el escándalo financiero. Hubo miles de ahorristas que perdieron sus fondos, pero también se descubrieron ganancias exorbitantes y un sistema generalizado de corrupción que había impedido la divulgación oportuna de informaciones fidedignas. El espejismo de las ganancias futuras y un tremendo exceso de confianza, en un medio que sólo conocían superficialmente, traicionó a técnicos y financistas, comenzando por el propio Lesseps. Como lo ha explicado bien Jean Bouvier, en Francia el llamado «escándalo de Panamá» fue doble: por un lado afectó al ámbito político-parlamentario, lleno de ministros y diputados comprados, sobornos, publicidad manipulada, etc.; por otro, se trató también de un escándalo financiero y bancario, con unos empresarios que fueron a prisión y muchos otros que hicieron su agosto[126]. En 1894 se formó la Compagnie nouvelle du Canal de Panama, la cual retuvo y renegoció los derechos de la concesión colombiana para la construcción canalera.

Las cosas solo se movieron años después, cuando los Estados Unidos tomaron el asunto entre manos; el episodio tuvo tres momentos impetuosos: a) el tratado Hay-Paucenfote (1901), con Gran Bretaña liberando a los Estados Unidos del compromiso de 1850; b) la compra de los derechos de la Compagnie nouvelle en 1902; y c) en 1903 la independencia de Panamá y la firma del tratado del Canal. Luego de diez años de trabajos, de una inversión mucho mayor que la calculada por Lesseps y de una importante obra de saneamiento ambiental, el Canal de Panamá fue inaugurado en 1914; el diseño de exclusas, rechazado por Lesseps pero aconsejado en su momento por varios ingenieros franceses, fue el que permitió finalmente concluir con éxito la obra canalera[127].

El Canal de Panamá no sólo fue, en el momento de su apertura, un monumento a la tecnología, la ingeniería y la potencia industrial. Obra faraónica, fue el resultado de la acción del gobierno de los Estados Unidos; por sus costos y

126. Jean Bouvier, *Les deux scandales de Panama,* París, Julliard, Collection Archives, 1964.
127. Para todos los detalles sobre la construcción, véase el clásico y erudito estudio de McCullough, *The Path Between the Seas: the Creation of the Panama Canal, 1870-1914.* La diferencia de niveles entre el Atlántico y el Pacífico es lo que vuelve muy difícil y costosa la construcción de un canal directo y a nivel, es decir, sin exclusas, como fue el caso de Suez.

complejidades no era rentable para una empresa puramente privada. Por otra parte, el proyecto involucró cuestiones de soberanía territorial que sólo se solucionaron, si acaso cabe este término, con la apresurada independencia de Panamá. Una vez adquirida la concesión francesa, el gobierno de los Estados Unidos negoció un tratado con Colombia buscando la concesión de una franja territorial a través del istmo, pero exigiendo también la soberanía sobre dicha extensión; esta exigencia fue rechazada por el Senado colombiano en agosto de 1903. El 3 de noviembre estalló un movimiento sedicioso que proclamó la independencia de Panamá, mientras barcos de guerra de los Estados Unidos impedían el desembarco de las fuerzas colombianas enviadas para suprimir el alzamiento; el 6 de noviembre los Estados Unidos reconocieron la independencia de Panamá y el 18 de noviembre se firmó en Washington el tratado del Canal. Esta cascada de acontecimientos no fue para nada casual; resultó más bien de la coincidencia, fríamente calculada, de vastos intereses políticos y financieros.

El ministro plenipotenciario encargado de negociar y firmar el tratado por parte de Panamá fue un caballero francés, egresado de l'École Polytechnique de París, que había llegado al istmo en 1884; se trataba de Philippe Bunau-Varilla (1859-1940)[128]. Este personaje, que parece haber salido de una de las novelas de Joseph Conrad, era un típico agente de los intereses imperialistas, franceses primero y estadounidenses después, tan brillante como audaz y, por supuesto, completamente inescrupuloso. Bunau-Varilla trabajó pri-

---

128. Véase el libro, anecdótico pero documentado de Gabriel Loizillon, *Les frères Bunau-Varilla et le Canal de Panama,* Web, disponible en Amazon.com, 2008.

mero con Lesseps y luego con la Compagnie nouvelle; su idea fija era, al igual que la de su mentor, la construcción a toda costa del canal. Hacia 1899 su preocupación fundamental era la venta de la concesión francesa a los Estados Unidos, ofrecida por más de 100 millones de dólares, pero finalmente vendida en 1902 al gobierno de Washington por un total de 40 millones. El otro asunto crucial era lograr que los norteamericanos se decidieran por la ruta de Panamá, olvidándose de la de Nicaragua. Bunau-Varilla constituyó un *lobby* propagandístico en Nueva York y Washington que finalmente ganó la partida: en 1902 el Congreso de los Estados Unidos aprobó la ruta panameña.

El rechazo del tratado por el Congreso colombiano, en agosto de 1903, fue mal recibido por la élite panameña; el Dr. Manuel Amador, un médico y político prominente, partió en misión secreta hacia Nueva York para lograr el apoyo norteamericano a la secesión; en setiembre de 1903, el Dr. Amador se encontró con Bunau-Varilla y juntos lograron fácilmente dicho objetivo; la tropas estacionadas en Panamá al mando del general Huertas –500 soldados mal pagados– tenían que ser sobornadas; Bunau-Varilla puso los 100.000 dólares necesarios para la operación; lo demás era fácil: bastaba con que la Marina de los Estados Unidos bloqueara la llegada de fuerzas colombianas. El precio fijado por Bunau-Varilla como pago a su contribución fue su nombramiento como ministro plenipotenciario para negociar con Washington el nuevo tratado del Canal[129]. Así se hizo, como ya vimos; el tratado Hay-Bunau-Varilla, firmado el 18 de noviembre de 1903, y pronto ratificado por el gobierno panameño, otorgaba a perpetuidad la franja transístmica necesaria

129. Siegfried, *Suez Panama et les routes maritimes mondiales,* p. 213.

para el Canal al gobierno de los Estados Unidos, dándole además derechos de intervención sobre los asuntos internos de la nueva República de Panamá para garantizar la seguridad del futuro Canal; se establecía así en la *Panama Canal Zone,* un verdadero enclave colonial, y la nueva república quedaba sujeta a un verdadero protectorado. El Dr. Amador, por su parte, asumió el cargo de primer presidente de Panamá en febrero de 1904.

Las reivindicaciones nacionalistas panameñas no se hicieron esperar, pero hubo un largo camino de lucha para terminar con este estatus colonial, lo cual se logró recién en 1977, con los tratados Torrijos-Carter, y el 31 de diciembre de 1999, cuando el gobierno de Panamá pudo finalmente asumir el pleno control del Canal[130].

Bunau-Varilla regresó a Francia en 1914; fue héroe de guerra aunque perdió una pierna en la batalla de Verdún y disfrutó de su fortuna, dedicándose entre otras cosas a publicar varios libros sobre su gesta panameña; su riqueza, junto con la de su hermano Maurice, se originó en los beneficios de la sociedad Artigue, Sonderegger y Cie, contratada para realizar excavaciones en Panamá entre 1887 y 1889, así como en reinversiones en ferrocarriles en España y el Congo belga. Maurice adquirió el diario parisino *Le Matin* y fue su director de 1901 a 1944, convirtiéndose en una influyente figura de la III República francesa; en 1940 apoyó el régimen colaboracionista de Vichy. Cuando Philippe murió, en 1940, había recibido las más altas distinciones republicanas: era caballero de la Legion de Honor y recibió la Gran Cruz en 1938; su obra *De Panama à Verdun,* publicada en 1937,

130. Véase Walter LaFeber, *The Panama Canal: the Crisis in Historical Perspective,* Nueva York, Oxford University Press, 1978.

obtuvo el premio Marcelin-Guérin de la Académie française. Creo que Philippe murió sin entender bien por qué era universalmente odiado en Panamá.

Una vez consolidado el enclave colonial en la *Panama Canal Zone,* el presidente Theodore Roosevelt, luego de varios ensayos, hizo de la construcción del Canal una operación militar. El coronel Goethals se hizo cargo de la dirección de las obras en 1907, mientras que el coronel médico Gorgas enfrentó la tarea de sanear la zona, controlando la fiebre amarilla y la malaria; fue tanto una gran obra de ingeniería como de salud pública. Pero el Canal fue construido como una empresa militar, bajo la supervisión directa del presidente de los Estados Unidos y la Secretaría de Guerra; este es un indicador suficiente para apreciar en su justa dimensión que fue una obra de gran interés comercial pero subordinada, en el fondo, a intereses geoestratégicos. Este aspecto es crucial para entender bien el significado y los alcances del imperialismo de los Estados Unidos. Theodore Roosevelt visitó las obras en 1907; fue la primera vez que un presidente en ejercicio de los Estados Unidos salió fuera del país.

D. W. Meinig ha mostrado brillantemente que hasta 1867 los Estados Unidos se fueron conformando como una federación, como una nación y como un imperio. La federación se origina en la Constitución de 1789, la cual regula, como se sabe, el balance entre el poder y la autonomía de los estados y el gobierno federal. Un problema esencial surge con la gran expansión territorial del país, al plantearse la cuestión de cómo incorporar a los nuevos estados. El tema de la esclavitud hizo estallar la federación en 1861 y provocó la guerra civil o de Secesión; el triunfo de los estados del Norte en 1865 redefinió las relaciones entre los estados: la 13.ª Enmienda de la Constitución abolió la esclavitud (1865), la

14.ª Enmienda redefinió la ciudadanía, incluyendo a todos los nacidos en el territorio de los Estados Unidos (1866), mientras que la 15.ª Enmienda prohibió que se negara el derecho al voto por la raza o el color (1869). Sin embargo, la plena incorporación de los antiguos esclavos a la vida ciudadana requirió todavía de un siglo más de segregación y discriminación, hasta la década de 1960. La guerra civil y el período llamado de la Reconstrucción (1865-1877) provocaron un fuerte aumento de los poderes del gobierno federal y reforzaron notablemente la idea de una nación estadounidense.

La Constitución de 1789 fue la base de la identidad nacional, algo que resulta bastante excepcional cuando se estudian los nacionalismos en forma comparada, ya que se trata de un conjunto de principios más que la adhesión a figuras o lugares míticos y ancestrales[131]. Pero además de esta idea de una comunidad nacional, cimentada por la Constitución, los Estados Unidos se configuran también, como se dijo antes, como un imperio continental.

La primera experiencia imperial vino con la incorporación de la Luisiana en 1803, y siguió, a lo largo del siglo XIX, con el avance colonizador hacia el oeste. El despojo y virtual exterminación de los amerindios y la ocupación de las extensas provincias mexicanas de Texas, California, Arizona y Nuevo México fueron otros tantos jalones imperiales; la extensa red de fortificaciones y la importancia del poder militar no eran muy distintos de los que existían en los imperios coloniales europeos en África y Asia. Por otra parte, durante el período llamado de la Reconstrucción, los esta-

---

131. D. W. Meinig, *The shaping of America. Vol. 2, Continental America, 1800-1867. A Geographical Perspective on 500 Years of History*, New Haven, Yale University Press, 1993, p. 399.

dos del Sur estuvieron bajo la ocupación militar de las fuerzas federales.

La transformación del imperio continental en estados, dentro de la federación, fue un proceso paulatino y prolongado. La construcción nacional a partir de los principios de la Constitución incluye un aspecto paradójico y contradictorio: los principios de alcance universal, derivados del derecho natural y consagrados en los derechos y garantías ciudadanos, tenían de hecho un alcance limitado a los WASP, es decir, a los blancos, anglosajones y protestantes, que constituían una élite privilegiada. A quiénes se ampliaban con el tiempo estos privilegios fue una cuestión compleja que marca toda la historia social de los Estados Unidos en el siglo XX, pero interesa notar que las exclusiones e inclusiones siempre estuvieron marcadas por el filtro racial[132].

La experiencia imperial continental se extendió hacia el Pacífico y el Caribe en un lapso muy corto. En el Pacífico, a la adquisición de Alaska (1867) le siguió la anexión de las islas Hawai, Guam, Samoa y Filipinas (1898-1899). En el Caribe, que acabará convertido en una especie de lago norteamericano, la guerra con España en 1898 precipitó la ocupación de Cuba (1898-1902) y la anexión de Puerto Rico. En 1903, como ya vimos, se firmó el tratado del Canal y surgió la *Panama Canal Zone*. A partir de ese momento la defensa del Canal de Panamá se constituyó en una pieza fundamental de la seguridad de los Estados Unidos, lo cual provocó varias intervenciones y ocupaciones territoriales: arrendamiento de la base de Guantánamo en Cuba (1903); adquisición de las Islas Vírgenes (1917); ocupación de Ni-

---

132. Nell Irvin Painter, *The History of White People,* Nueva York, W. W. Norton, 2010.

caragua (1912-1933), Haití (1915-1934) y República Dominicana (1915-1924); firma con Nicaragua del tratado Bryan-Chamorro (1916-1970), el cual garantizaba el arrendamiento de una base naval en el golfo de Fonseca y de las Islas del Maíz en la costa caribe, y derechos de construcción de un canal interoceánico a través de Nicaragua. A todo esto se agregaba la Enmienda Platt, vigente entre 1901 y 1934, la cual daba al gobierno de los Estados Unidos derechos de intervención militar en Cuba.

Este dispositivo, que fue puesto a prueba durante las dos guerras mundiales, se enmarcó en dos principios de las relaciones exteriores de los Estados Unidos que son bien conocidos: la Doctrina Monroe (1823) y el Corolario Roosevelt de la Doctrina Monroe (1904)[133]. La primera establecía el principio de que las potencias europeas debían de abstenerse de intervenir en el continente americano; era una advertencia contra España y las potencias de la Santa Alianza frente a cualquier posible intento de reconquistar las antiguas colonias de la América luso-hispana; a la vez, confirmaba el rechazo de las pretensiones rusas sobre Alaska ya formulado en 1821. En los hechos, la efectividad de la Doctrina Monroe dependía de la potencia naval británica y de la comunidad de intereses estratégicos entre Londres y Washington. El significado varió a finales del siglo XIX, cuando Gran Bretaña había ya limitado sus pretensiones imperiales en América y los Estados Unidos se habían convertido en una potencia naval de primer orden.

Theodore Roosevelt, en su mensaje al Congreso de diciembre de 1904, formuló el así llamado Corolario: si una

133. LaFeber, *The American Age. United States Foreign Policy at Home and Abroad Since 1750,* pp. 81-85 y pp. 230-235.

nación del continente sabe comportarse «con razonable eficiencia y decencia en los asuntos políticos y sociales, si mantiene el orden y paga sus obligaciones, no tiene por qué temer la interferencia de los Estados Unidos»; pero si el comportamiento no es «civilizado», en virtud de la Doctrina Monroe los Estados Unidos deben de ejercer, en el continente, «una función de policía internacional».

En los hechos, ambas doctrinas justificaban la intervención de los Estados Unidos en América Latina, y el ejercicio abierto o encubierto de la fuerza ha sido parte integral de las relaciones entre Washington y las repúblicas del continente durante los siglos XIX y XX. En diversos grados y lugares, las intervenciones se cuentan por decenas, desde desembarcos breves hasta ocupaciones prolongadas, y todo ello sin declaraciones formales de guerra. De hecho, la *Operation Just Cause,* diseñada para capturar al dictador panameño y antiguo agente de la CIA, Manuel Noriega, en diciembre de 1989, logró su objetivo luego de una invasión militar con casi 30.000 soldados y un total estimado de varios centenares de muertos, además de considerables daños materiales; fue la última operación de este tipo en el siglo pasado. Y por cierto, no existen garantías de que no se vuelvan a repetir situaciones parecidas en el siglo XXI.

Con el gobierno de Franklin D. Roosevelt (1933-1945) la llamada política del «buen vecino» buscó evitar las intervenciones directas y trató de cultivar relaciones relativamente armoniosas con los gobiernos de las repúblicas latinoamericanas; en la Segunda Guerra Mundial, la cooperación con el gobierno norteamericano fue la nota predominante, a pesar de que países como Argentina y Chile se empeñaron en mantener una política de neutralidad. Sin embargo, la relativa ausencia de intervenciones directas no debe llevar a engaño: el apoyo a dictaduras y gobiernos autoritarios fue la norma, bajo el supuesto de que así se garantizaban la estabilidad interna y la lealtad al gobierno de Washington. Con la Guerra Fría (1947-1990) esto se hizo todavía más patente, y volvieron las intervenciones, abiertas como en el caso de la caída de Arbenz en Guatemala (1954), o encubiertas como en el caso del gobierno de Salvador Allende en Chile (1970-1973).

Las intervenciones fueron la cara más vistosa del imperialismo estadounidense; pero en el fondo eran más bien la espuma superficial de redes y mecanismos de control y dominación mucho más complejos. La comparación con el imperialismo británico es por ello particularmente esclarecedora. Al igual que en el caso inglés, detrás de la expansión continental e imperial de los Estados Unidos hubo una poderosa fuerza ideológica expresada en dos ideas sucesivas: el destino manifiesto, bien perfilado ya hacia 1840, y el *American Dream,* incesantemente reformulado desde finales del siglo XIX hasta nuestros días (2016). La idea de un destino providencial que autorizaba la expansión territorial quedó plasmado en un artículo del periodista John L. O'Sullivan, publicado en Nueva York en 1845, en relación con la anexión de Oregón, territorio disputado entonces con los británicos. Allí se alude al

derecho de nuestro destino manifiesto para extendernos y poseer la totalidad del continente que la Providencia nos ha dado para el desarrollo del gran experimento de la Libertad y el autogobierno federativo que nos ha sido otorgado[134].

134. Citado en Alexander DeConde, Richard Dean Burns y Frederik Logevall (eds.), *Encyclopedia of American Foreign Policy: Studies of*

Casi todos los estadounidenses vieron las anexiones territoriales de los territorios mexicanos en 1848, y la posterior expansión hacia el Pacífico y el Caribe, como un resultado concreto de este «destino manifiesto providencial».

El *American Dream* combinó la idea del carácter excepcional del desarrollo norteamericano, visto como un mundo de oportunidades infinitas para los millones de inmigrantes que llegaron a lo largo del siglo XIX, y obtenido gracias a los logros del progreso tecnológico y el crecimiento económico, basados en la libertad empresarial y la garantía estatal del orden y la propiedad privada. El sentido de misión civilizadora, derivado del cristianismo protestante, se desplegó cómodamente en este contexto y fue asumido como parte de la expansión imperialista por un vasto conjunto de inversionistas, diplomáticos, militares, médicos, filántropos, agentes comerciales, misioneros, educadores, etc. Todos creían firmemente en los valores del progreso tecnológico, el capitalismo y las concepciones de la justicia, el gobierno y la democracia plasmados en la Constitución de 1789; lo mejor que podía ocurrirle a la humanidad era la extensión de lo que había posibilitado la excepcionalidad del desarrollo de los Estados Unidos al resto del mundo; dicho en otros términos, se trataba de exportar el *American Dream* a otras tierras y otros pueblos[135].

Otra visión del mismo fenómeno proviene de los estudios, no muy abundantes todavía, sobre la difusión y el impacto del *American way of life* en las sociedades latinoame-

the Principal Movements and Ideas, 3 vols., Nueva York, Charles Scribner's Sons, 2002, vol. I, p. 68.
135. Véase el magnífico estudio de Emily S. Rosenberg, *Spreading the American Dream. American Economic and Cultural Expansion, 1890-1945,* Nueva York, Hill and Wang, 1982.

ricanas. Aunque este proceso va ligado directamente al desarrollo de la sociedad de consumo y es particularmente notorio en las décadas finales del siglo XX, en relación con la globalización acelerada, conviene examinarlo en el largo plazo, como ha hecho Stefan Rinke para el caso chileno[136].

El imperialismo de los Estados Unidos muestra así una peculiar combinación de intereses geoestratégicos, ideológicos y económicos; resulta imposible reducirlo a una sola de estas dimensiones. Las potencias europeas se fueron replegando del continente americano: a partir de 1850 los intereses imperiales británicos se movieron definitivamente hacia la India, incluyendo un vasto conjunto de colonias y protectorados en Asia Oriental, el Oriente Medio, África y Oceanía. Francia tuvo que hacer otro tanto, concentrándose en el norte y el occidente de África, con extensiones en Indochina y la Polinesia. Alemania, como bien se sabe, llegó tarde en la construcción de un imperio colonial fuera de Europa. Así las cosas, en América Latina los intereses comerciales y financieros teutónicos tuvieron que enfrentar una dura competencia, y las ambiciones de influencia política y estratégica diseñadas en Berlín fueron percibidas por los rivales en forma generalmente bastante exagerada[137].

La hegemonía de los Estados Unidos al sur del Río Grande fue notoria al concluir la Primera Guerra Mundial; al

136. Stefan Rinke, *Encuentros con el yanqui: Norteamericanización y cambio sociocultural en Chile, 1898-1990,* traducido por Mónica Perl y Marisol Palma, Santiago de Chile, Ediciones de la Dirección de Bibliotecas, Archivos y Museos, 2013.
137. Véase Nancy Mitchell, *The Danger of Dreams: Germany and American Imperialism in Latin America,* Chapel Hill, University of North Carolina Press, 1999; Thomas Schoonover, *Germany in Central America: Competitive Imperialism, 1821-1929,* Tuscaloosa, University of Alabama Press, 1998.

terminar la Segunda fue decididamente aplastante. Este fue un componente esencial en la posición periférica de los países latinoamericanos en el mercado mundial; se trataba pues de una subordinación económica, ideológica, tecnológica, militar y política.

Industrialización, populismo y Guerra Fría: el cuarto cortocircuito de la modernidad

La industrialización en función del mercado interno fue el motor básico del crecimiento a partir de 1930; en algunos países este proceso comenzó antes, sobre todo a partir de la Primera Guerra Mundial, y en otros se consolidó más tarde, especialmente al concluir la Segunda Guerra Mundial. En 1945 el valor agregado por la industria manufacturera representaba el 19% del producto interno bruto; en 1973 esa proporción llegó al 26%, un máximo que no sería superado después, pero que reflejaba bien la importancia de dicho sector[138].

Entre 1950 y 1980 América Latina experimentó, desde la perspectiva del crecimiento económico, una verdadera edad de oro. El PIB creció a un ritmo promedio del 5,5% anual, mientras que el PIB per cápita lo hizo a un 2,7%[139]. Esto es particularmente significativo dado el contexto de la

138. Cifras de CEPAL a precios constantes de 1980, en Enrique Cárdenas, José Antonio Ocampo y Rosemary Thorp (comps.), *Industrialización y Estado en la América Latina. La leyenda negra de la posguerra*, México, Fondo de Cultura Económica, 2003, p. 33. Nótese que en un país altamente industrializado como los Estados Unidos, hacia 1970 el valor agregado por la industria manufacturera era alrededor del 30% del PIB.

139. Bértola y Ocampo, *El desarrollo económico de América Latina desde la Independencia*, p. 171.

explosión demográfica, producto de la rápida caída en la mortalidad y la persistencia de una fecundidad muy elevada. El Gráfico 3.3 muestra la evolución del PIB per cápita entre 1950 y 2010, mientras que el Gráfico 3.4 (los dos en la página siguiente) ilustra las variaciones interanuales del mismo indicador. El crecimiento sostenido hasta 1980 es notable, con pocas fluctuaciones y prácticamente todas en el cuadrante positivo; la década del 80, en cambio, muestra un estancamiento en el PIB per cápita y fuertes fluctuaciones, muchas de ellas negativas; la lenta recuperación en los noventa tropieza en torno al 2000, retoma luego el ascenso y vuelva a caer en 2008-2009.

La industrialización latinoamericana pasó por diferentes fases[140]: la primera fue la época de la típica sustitución de importaciones durante los *shocks* externos: Primera y Segunda Guerra Mundial, y crisis y depresión en la década de 1930. La producción industrial sustituye, en lo que puede, los bienes importados escasos y difíciles de pagar. La segunda época es la fase que puede llamarse «clásica», entre el fin de la Segunda Guerra Mundial y la década de 1960; la industrialización se consolida con un fuerte apoyo del Estado hasta que encuentra obstáculos crecientes. En la década de 1970, y sobre todo a partir del *shock* del primer aumento de los precios del petróleo en 1973, el proceso de industrialización llega a una fase de madurez que implicaba promover las exportaciones, participar en diversas formas de integración regional, profundizar la sustitución de importaciones llegando al sector de bienes intermedios y de capital, y revisar también el papel del Estado en el desarrollo económico; esto último se explica dado el rol crucial que cumplió el Es-

140. Véase *ibid.,* pp. 198-211.

Gráfico 3.3
América Latina, 1950-2010. PIB per cápita.
En dólares internacionales Geary-Khamis de 1990

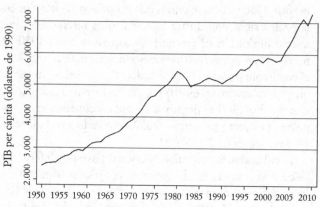

Fuente: Datos de Bértola y Ocampo, 2013, pp. 333-335.

Gráfico 3.4
Variaciones del PIB per cápita de un año al otro (en dólares de 1990)

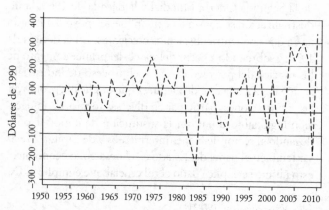

Fuente: Datos del gráfico 3.4.

tado a lo largo de todo el proceso de industrialización de América Latina.

La intervención del Estado no era en modo alguno algo nuevo. Durante la gran expansión exportadora de bienes primarios, el Estado fue un activo promotor del desarrollo garantizando el acceso de los empresarios a los factores de producción, facilitando las inversiones extranjeras y coadyuvando en las obras de transporte, infraestructuras y los sectores comercial y financiero. La intervención estatal fue reforzada para dar respuesta a los *shocks* externos –sobre todo en la década de 1930 y durante la Segunda Guerra Mundial–, y se extendió desde el control de cambios y la organización de un banco central hasta la nacionalización de servicios públicos, la adopción de un fuerte proteccionismo industrial y la canalización de créditos favorables hacia sectores prioritarios. En el mismo período, el gasto estatal se orientó también hacia la educación, la vivienda, la salud y la seguridad social. Por todo esto, y siguiendo las ideas de Bértola y Ocampo[141], conviene denominar a esta nueva estrategia de desarrollo como «industrialización dirigida por el Estado»; este concepto resulta más apropiado que los de «industria sustitutiva» o «sustitución de importaciones» puestos en boga por la CEPAL en la década de 1950.

El papel decisivo en el crecimiento económico del período 1950-1980 se debió a la demanda interna; las exportaciones y la sustitución de importaciones tuvieron mucho menos peso y su comportamiento fue a veces errático; este es un resultado que se deriva de cálculos estadísticos relativamente precisos[142], y que justifica adicionalmente la carac-

141. *Ibid.,* p.193.
142. Véase *ibid.,* pp. 191-193, en particular el cuadro IV.4.

terización que hizo también la CEPAL de este período como el del «desarrollo hacia adentro», en franco contraste con el «desarrollo hacia fuera» que había sido lo típico del período anterior. Hoy, este vocabulario cepalino aparece ya como superado.

El sector agrícola, tanto el de exportación como el que producía para el mercado interno, también se modernizó significativamente: tractores, semillas mejoradas, fertilizantes y obras de irrigación dejaron su impronta, aunque con muchas desigualdades regionales, en el agro latinoamericano. El rápido crecimiento de la población tuvo un fuerte impacto en sociedades que eran todavía básicamente rurales: el minifundio y la expulsión de trabajadores hacia la frontera agrícola, o más frecuentemente, hacia las grandes ciudades buscando empleo en las industrias, se cuentan entre sus efectos más notables. Poblaciones campesinas en movimiento, y muy frecuentemente involucradas en ocupaciones de tierras, huelgas y reivindicaciones sindicales, se hicieron presentes, con gran fuerza, en el escenario sociopolítico. Y las reformas agrarias, asumidas por muchos gobiernos en las décadas de 1950 y 1960, constituyeron una de las respuestas más típicas frente a la creciente conflictividad social en el agro.

El rápido crecimiento económico de América Latina entre 1950 y 1980 no se tradujo, sin embargo, en un aumento en la participación del subcontinente en el comercio mundial. Entre 1880 y 1930, las exportaciones latinoamericanas crecieron de un 6% a un 8% del total del comercio mundial; hacia 1970 la participación latinoamericana se situaba en un 4%; y hacia el año 2000 dicha proporción apenas había subido al 5,5%[143]. Este panorama contrasta con el

143. *Ibid.,* pp. 39-40.

desempeño de las economías emergentes de la posguerra, como Japón, Europa Occidental y sobre todo los llamados «tigres asiáticos» (Taiwán, Corea del Sur, Hong-Kong y Singapur).

La industrialización se expandió en todos los países latinoamericanos, pero fue sobre todo notable en los más grandes: México, Brasil, Argentina, Chile, Colombia, Venezuela y Perú. En Centroamérica, Ecuador, Bolivia, Paraguay, Uruguay y las Antillas, el impacto fue mucho menor, debido sobre todo a lo reducido del tamaño del mercado. Diversos proyectos de integración regional, incluyendo la constitución de mercados comunes, fueron promovidos desde la CEPAL; su éxito fue, sin embargo, relativo. El Mercado Común Centroamericano fue el más sonado, y tuvo su momento de gloria en la década de 1960; pero la guerra entre Honduras y El Salvador en 1969, y una década más tarde, la caída del régimen de Somoza y el inicio de la insurrección y la guerra civil que asoló la región en la década de 1980 lo hizo pedazos. Otros intentos como el Grupo Andino y la mucho más ambiciosa Asociación Latinoamericana de Libre Comercio (ALALC) tuvieron escasa repercusión; recién a finales del siglo, y en el nuevo contexto de la globalización, acuerdos y mercados regionales tendrán un nuevo y más firme florecimiento.

El modelo de industrialización dirigido por el Estado entró en crisis en la década de 1970. Hubo factores externos, como el primer choque de los precios del petróleo en 1973, pero la crisis era más bien de tipo estructural: en el fondo, la industrialización latinoamericana era dependiente de las tecnologías importadas y poco innovadora; aun en los países más grandes y avanzados como México, Brasil y Argentina, la investigación científica y tecnológica era deficiente. La imitación había sustituido a la creatividad y a la innovación genuina desde el puro principio. Por esto el economista chileno Fernando Fajnsylber, uno de los estudiosos más originales del tema, consideró la industrialización latinoamericana como un proceso «truncado»[144]. En otro trabajo sobre el tema, el mismo autor extendió el tema del impacto de la industrialización a sus efectos sobre la equidad: en el caso de América Latina, la industrialización había llevado a tasas de crecimiento económico muy rápidas, pero al mismo tiempo había provocado un aumento en la concentración del ingreso. Esto contrastaba mucho con la situación en países como Estados Unidos, Japón, Corea del Sur y los del Occidente europeo, y se reflejaba también en la escasa capacidad latinoamericana para absorber el progreso técnico en forma creativa[145].

La protección y los incentivos industriales nunca se consideraron como temporales, es decir, aplicables únicamente en actividades incipientes mientras lograban desarrollarse y volverse competitivas; dichos beneficios se tomaron como conquistas permanentes, enmarcados como estaban en instituciones estatales que articulaban intereses de diversos sectores sociales[146]. Las élites empresariales se adaptaron tanto frente a las fuerzas políticas internas cuanto frente a las condiciones del capital extranjero, expresadas en financiamiento, patentes y licencias, tecnologías e inversiones di-

144. Fernando Fajnzylber, *La industrialización trunca de América Latina,* México, Editorial Nueva Imagen, 1983.
145. Fernando Fajnzylber, *Industrialización en América Latina: de la «caja negra» al «casillero vacío». Comparación de patrones contemporáneos de industrialización,* Santiago de Chile, Cuadernos de la CEPAL, 1990.
146. Bértola y Ocampo, *El desarrollo económico de América Latina desde la Independencia,* p. 199.

rectas. Como lo subrayó Albert Hirschman[147] con su habitual perspicacia, en América Latina «se esperaba que la industrialización cambiase el orden social, y ¡todo lo que hizo fue, tan solo ofrecer manufacturas!». No hubo pues, como lo reclamaban ciertos sectores nacionalistas, tanto de izquierda como de derecha, una burguesía industrial dinámica y conquistadora, sino más bien empresarios que se amoldaban con facilidad al statu quo existente.

La sociología de la dependencia –una corriente de pensamiento que en parte se formó en el seno de la CEPAL– intentó sistematizar las dimensiones económicas y sociopolíticas de la inserción latinoamericana en el mercado mundial, configuradas en la época del auge de las exportaciones de bienes primarios, pero redefinidas durante el proceso de industrialización dirigido por el Estado y su crisis subsecuente.

El famoso texto de Cardoso y Faletto, publicado en 1969, y profusamente reeditado en las décadas de 1970 y 1980, partió de la idea de que lo crucial era cómo, en cada contexto histórico específico, se producía la internalización de la dependencia externa. La dependencia externa estaba definida por las condiciones del mercado mundial y la posición periférica que ocupaban en él los países latinoamericanos; la clave para un estudio integrado del desarrollo era precisamente examinar las «condiciones de existencia y funcionamiento del sistema económico y el sistema político, mostrando las vinculaciones entre ellos, tanto en el plano interno como externo»[148]. A partir de esta hipótesis, los au-

---

147. Hirschman, *Desarrollo y América Latina. Obstinación por la esperanza,* p. 122.
148. Fernando Henrique Cardoso y Enzo Faletto, *Dependencia y desarrollo en América Latina. Ensayo de interpretación sociológica,* Buenos Aires, Siglo Veintiuno Editores, 2003 [1969], p. 24.

tores exponen un esquema interpretativo del desarrollo latinoamericano desde la expansión de las exportaciones de bienes primarios hasta la crisis de la industrialización en la década de 1960; un *post scriptum* publicado diez años después de la primera edición, extendió y amplió el análisis a la década de 1970.

La interpretación de Cardoso y Faletto está centrada en la dinámica sociopolítica, es decir, los conflictos, alianzas e intereses de clase que expresan políticamente análisis concretos de situaciones de dependencia. En este sentido, la propuesta de ambos autores no consiste en una teoría, sino en hipótesis de trabajo para orientar el estudio de casos específicos. La propuesta final para orientar el análisis de la crisis de la industrialización dirigida por el Estado en la década de 1970 es la idea del «desarrollo dependiente asociado». Lo que caracteriza a este período es la «internacionalización del mercado interno» con la irrupción de las empresas multinacionales, las inversiones extranjeras directas en el sector industrial y el desarrollo paulatino de las exportaciones de bienes manufacturados; la dependencia, en términos de la toma de decisiones significativas, es notoria pero no antagónica con el desarrollo. Y en la visión de ambos autores ésta es la pauta que marcará el futuro latinoamericano; la situación en las últimas décadas del siglo XX y las primeras del siglo XXI no ha desmentido las líneas generales de este diagnóstico.

Paralelamente a la versión de la sociología de la dependencia que acabamos de resumir, hubo el desarrollo de una visión mucho más radical, inspirada en el marxismo y orientada a defender el camino asumido por la Revolución cubana. Esta línea de pensamiento está asociada a autores como André Gunder Frank, Theotonio dos Santos y Ruy

Mauro Marini, entre otros[149]. La idea dominante en estos autores es que la crisis de la industrialización latinoamericana de la década de 1960 significa que ya no hay oportunidades de desarrollo en el contexto del sistema capitalista. Como lo escribió en 1969 Theotonio dos Santos:

> La perspectiva del desarrollo de la crisis brasileña lleva inevitablemente a la opción entre socialismo o estagnación burguesa. Todas las otras alternativas son utópicas[150].

Vistos en perspectiva, hay que reconocer que estos enfoques interpretativos tenían escaso sustento empírico y poco rigor analítico; deben más bien entenderse como manifiestos de deseos políticos en el contexto efervescente de la década de 1970.

El tema de la dependencia evoca inmediatamente el tema del imperialismo. Durante el período del desarrollo en función de las exportaciones de bienes primarios, América Latina estuvo sujeta a lo que se ha llamado el «imperio informal», esto es, la dependencia comercial y financiera de los mercados externos en repúblicas o reinos independientes. Las inversiones extranjeras –sobre todo en préstamos a los gobiernos y obras de infraestructura (ferrocarriles, etc.)– juegan, en esta relación de dependencia, un papel tan crucial como el ya mencionado de

149. Véase entre muchos textos: André Gunder Frank, *Capitalism and Underdevelopment in Latin America; Historical studies of Chile and Brazil,* Nueva York, Monthly Review Press, 1967; André Gunder Frank, *Lumpenburguesía: lumpendesarrollo; dependencia, clase y política en Latinoamérica,* Santiago de Chile, Ediciones Prensa Latinoamericana, 1970; Ruy Mauro Marini, *Dialéctica de la dependencia,* 5.ª ed., México, Ediciones Era, 1981.
150. Theotonio dos Santos, *Socialismo o fascismo. Dilema latinoamericano,* Santiago de Chile, Ediciones Prensa Latinoamericana, 1969, p. 41.

la conexión comercial (precio y volumen de las exportaciones, etc.); desde el punto de vista sociopolítico, la vinculación dependiente se expresa, como formularon Cardoso y Faletto, en la internalización de dicha relación, personificada en grupos, partidos políticos y empresarios, a través de la toma de decisiones y la institucionalización.

Las inversiones extranjeras a lo largo del siglo XX se pueden seguir en el Cuadro 3.4. Allí se expresan en términos de dólares per cápita, y también como porcentaje del producto interno bruto. Además del total para América Latina, se

Cuadro 3.4
Inversiones extranjeras en América Latina, 1900-1990.
Cifras per cápita en dólares de 1900.

	América Latina	% del PIB	Argentina	Brasil	México	Chile	Perú	Venezuela	Cuba
1900	80	266	337	49	63	80	47	33	160
1913	93	236	279	68	90	122	40	17	175
1929	56	115	140	28	67	131	31	58	171
1938	42	81	104	23	44	122	24	49	115
1950	15	23	16	7	14	47	12	62	42
1970	23	21	28	13	18	54	20	73	s.d
1973	27	22	30	21	22	48	24	65	s.d
1980	44	31	45	39	50	41	34	67	s.d
1989	56	42	101	45	70	68	36	83	s.d
1990	53	41		42	68	67	36	78	s.d

La tercera columna indica las inversiones extranjeras en América Latina como porcentaje del producto interno bruto. Las inversiones extranjeras incluyen inversiones directas y préstamos a los gobiernos.
Fuente: Michael J. Twomey, «Patterns of Foreign Investment in Latin America in the Twentieth Century», en *Latin America and the World Economy Since 1800,* ed. John H. Coastworth y Alan M. Taylor (Cambridge, Mass., Harvard University-David Rockefeller Center for Latin American Studies, 1998), Cuadro 6.4.

incluyen las inversiones per cápita en los casos de Argentina, Chile, Brasil, Venezuela, México, Perú y Cuba[151].

La tendencia general es muy clara: niveles muy altos a comienzos del siglo XX y una declinación pausada que alcanza su mínimo en 1950; luego aumentos también pausados que hacia 1990 llegan a los niveles de 1929. En términos relativos, el peso de las inversiones extranjeras fue mucho más importante en las primeras décadas del siglo XX –durante el auge de las exportaciones de bienes primarios– que después. Nótese además que las cifras de la década de 1980 reflejan el fuerte endeudamiento externo que caracterizó la región en esos años, luego de la fuertes alzas del precio del petróleo a partir de 1973. Parecería, de acuerdo con estas cifras, que durante el período de auge de la industrialización, las inversiones extranjeras pesaron mucho menos que durante la gran expansión exportadora.

Estas conclusiones se confirman todavía más cuando se examinan las inversiones extranjeras en relación al producto interno bruto, y se constata que su participación relativa apenas cambia entre 1950 y 1973. Al considerarse las cifras de las inversiones extranjeras per cápita en los principales países, se observa que la Argentina recibió mucho más capital que los demás países, sobre todo antes de 1930; durante el auge de la industrialización, las diferencias entre los países disminuyen y todos comparten cifras per cápita relativamente parecidas. Venezuela constituye un caso aparte debido a que las inversiones extranjeras obedecen básica-

151. Michael J. Twomey, «Patterns of Foreign Investment in Latin America in the Twentieth Century», en *Latin America and the World Economy Since 1800,* editado por John H. Coastworth y Alan M. Taylor, 171-206, Cambridge, Mass., Harvard University / David Rockefeller Center for Latin American Studies, 1998.

mente a la extracción petrolera, y se mantienen relativamente constantes desde 1929 hasta 1980.

Hacia 1914, el 68% de la deuda pública externa y el 47% de las inversiones directas en América Latina estaban en manos británicas; los activos de propiedad estadounidense representaban sólo un 14% de la deuda pública y un 18% de las inversiones directas[152]; el resto de los activos eran de propiedad europea, básicamente alemana y francesa. Estas proporciones fueron cambiando a lo largo del tiempo; después de 1945 la preeminencia de las inversiones norteamericanas fue manifiesta en todos los países y absolutamente creciente. Debe notarse, sin embargo, que hacia fines del siglo XX tanto el auge del capital financiero como el predominio de las empresas multinacionales tienden a diluir el carácter propiamente nacional de los movimientos internacionales de capital. A diferencia de lo que ocurrió a finales del siglo XIX, en los umbrales del siglo XXI no existe un poder financiero hegemónico equivalente al de Gran Bretaña antes de 1914; a partir de 1972 los Estados Unidos dejaron de exportar capital y pasaron, en una tendencia que no se ha desmentido hasta hoy, a importarlo[153].

¿En qué medida las inversiones extranjeras significaron una contribución positiva a la acumulación de capital, y por ende, al desarrollo? El tema es controversial y no existe una única respuesta[154]. Por una parte, se trata de la llegada de activos, incluyendo tecnología, innovaciones y nuevas formas de organización empresarial; por otro, está el obligatorio pago de intere-

---

152. Bulmer-Thomas, *The Economic History of Latin America since Independence,* p. 104.
153. Niall Ferguson, *The Cash Nexus. Money and Power in the Modern World, 1700-2000,* Londres, Penguin Books, 2001, pp. 285-312.
154. Véase Bulmer-Thomas, *The Economic History of Latin America since Independence,* pp. 104-108.

3. El cortocircuito de la modernidad

ses y la repatriación de al menos una parte de los beneficios obtenidos. También hay situaciones en las cuales los fondos externos simplemente adquieren empresas ya existentes, con lo cual no contribuyen significativamente a la acumulación. Otros aspectos tienen que ver con situaciones de monopolio u oligopolio, particularmente fuertes en países pequeños, pero también presentes en las economías de gran tamaño. La política y el poder siempre estuvieron, y siguen estando, fuertemente mezclados con los intereses extranjeros, desde concesiones, donaciones y exenciones de impuestos hasta políticas cambiarias y financieras extremadamente favorables. Dos ejemplos extremos: el contrato Grace, firmado por el gobierno peruano en 1890, y las concesiones a las empresas bananeras otorgadas en Centroamérica en las primeras décadas del siglo XX.

El contrato Grace fue negociado por Michael P. Grace para solucionar el conflicto entre los tenedores de bonos de la deuda peruana en Inglaterra, impagada desde 1876, y el gobierno peruano, luego del desastre de la Guerra del Pacífico. Las negociaciones se iniciaron en 1886 y llegaron a un arreglo en 1890: los tenedores de bonos recibieron el control de los ferrocarriles del Perú y lo poco que quedaba de los yacimientos de guano; el gobierno del Perú quedó libre de la deuda y pudo retomar la política de atraer nuevas inversiones británicas. El contrato implicó un control extranjero creciente sobre la economía peruana y ha sido repudiado por casi toda la historiografía de ese país. Luego de un cuidadoso estudio del contrato y sus incidencias, Rory Miller llega a la conclusión de que el principal beneficiario fue el mismo Mr. Grace[155]:

155. Rory Miller, «The Making of the Grace Contract: British Bondholders and the Peruvian Government, 1885-1890», *Journal of Latin American Studies,* vol. 8, núm. 1 (1976), pp. 73-100, p. 100.

Aunque no logró su intención original –conseguir que los tenedores de bonos construyeran el ferrocarril hasta las concesiones mineras que tenía en Cerro de Pasco– pudo mantener un tercer interés en las minas del Cerro de Pasco. Además de cualquier especulación que pudo haber realizado con los bonos peruanos ganó considerablemente con el contrato. Por su trabajo en Perú durante los cuatro años de negociaciones recibió un total de 150.000 libras esterlinas, junto con un 3% de comisión sobre los dividendos y pagos en efectivo distribuidos a los tenedores de bonos. Además obtuvo un contrato para la construcción de extensiones al Ferrocarril Central. No sabemos que hizo con esto, pero si los beneficios del 25% que estimó Watson resultan ser correctos, obtuvo más de 100.000 libras esterlinas adicionales.

Las concesiones a las compañías bananeras siguieron un modelo establecido en el contrato Soto-Keith, firmado en Costa Rica en 1883. El empresario Minor Keith se comprometió con el Estado costarricense a consolidar la deuda pública externa y construir las 52 millas de ferrocarril que faltaban para completar la conexión entre San José y el puerto caribeño de Limón; a cambio de esto, el empresario recibió más de 300.000 hectáreas de tierras vírgenes, una exención de impuestos durante 20 años y otros beneficios menores. El ferrocarril se completó en 1890 y permaneció bajo control estatal hasta 1901, en que pasó a manos de la Northern Railway Co.; Keith expandió continuamente sus plantaciones bananeras conformando en 1899 la United Fruit Co. El modelo –contrato ferroviario + concesiones de tierras + exenciones de impuestos– estuvo presente en los contratos firmados en Guatemala en 1904 y 1924, y en Honduras en 1906, 1910, 1912 y 1924[156]. Incumplimien-

---

156. Sobre los contratos véase Mario Posas, «La plantación bananera en Centroamérica (1870-1929)», en *Historia General de Centroaméri-*

tos, arbitrariedades y pocos beneficios netos fueron los resultados habituales de estos contratos y concesiones, enmarcados, sobre todo en los casos de Guatemala y Honduras, en un Estado nacional débil que debía negociar con intereses empresariales particularmente poderosos. Dana G. Munro, avezado diplomático estadounidense y profundo conocedor de la región, lo expresó en forma lapidaria, refiriéndose sobre todo al caso de Honduras[157]:

El deseo de conseguir comunicación por ferrocarril entre la capital y la costa norte ha sido tan fuerte que se han concedido a menudo privilegios valiosos y muy importantes, con poca o ninguna consideración, y sin ninguna protección eficaz, a compañías que han prometido más de lo que tenían intención de realizar.

En suma, en el caso de las inversiones extranjeras privadas no se puede ir más allá del estudio cuidadoso de los casos individuales, ya que, como señaló Albert Hirschman, éstas participan de «la ambigüedad de las mayoría de las invenciones e instituciones humanas, contando con un considerable potencial tanto para el bien como para el mal»[158]. La ayuda directa de los gobiernos, y el financia-

ca. Tomo IV. Las repúblicas agroexportadoras (1870-1945), editado por Victor Hugo Acuña Ortega, 111-165, Madrid, Ediciones Siruela, 1993, pp. 112-132. También el clásico estudio de Ch. D. Kepner Jr. y Jay H. Soothill, El imperio del banano. Las compañías bananeras contra la soberanía de las naciones del Caribe, prólogo y notas de Gregorio Selser, Buenos Aires, Editorial Triángulo, 1957 [1935].
157. Dana G. Munro, The Five Republics of Central America. Their Political and Economic Development and their Relations with the United States, Nueva York, Oxford University Press, 1918, pp. 133-134.
158. Hirschman, Desarrollo y América Latina. Obstinación por la esperanza, p. 218.

miento de instituciones como el Banco Mundial y el Fondo Monetario Internacional, plantea situaciones todavía más complejas que consideraremos a continuación.

El Plan Marshall, establecido en 1947 para la reconstrucción europea, luego de las devastaciones provocadas por la Segunda Guerra Mundial, constituye el marco de referencia obligado de todos los planes de ayuda externa, pero, al mismo tiempo, hay que reconocer que éste tuvo un perfil muy excepcional. Durante la crisis centroamericana en la década de 1980, se oyeron con insistencia llamados al gobierno de Washington para que estableciera el equivalente de un Plan Marshall para la también devastada región centroamericana; como bien sabemos, la ayuda y cooperación del gobierno de los Estados Unidos en estas circunstancias operó en otras direcciones y con otros objetivos, bastante distintos de lo que fue la reconstrucción europea en la posguerra[159]. El Plan Marshall canalizó 17.000 millones de dólares, en cuatro años, a 16 países de Europa Occidental; el grueso de la ayuda fue hacia Gran Bretaña, Francia y Alemania Occidental. Los objetivos básicos del plan eran la renovación de la infraestructura, el fuerte aumento de la producción, sobre todo en la energía y el acero, la racionalización de la agricultura y la industria, y la creación de estructuras que propiciasen la estabilidad monetaria y financiera[160]. Créditos generosos y a

159. Véase John H. Coatsworth, *Central America and the United States. The Clients and the Colossus,* Nueva York, Twayne Publishers, 1994, pp. 163-221.

160. Herman van der Wee, *Prosperidad y crisis. Reconstrucción, crecimiento y cambio, 1945-1980,* traducido por Gustau Muñoz, Barcelona, Editorial Crítica, 1986, p. 415. LaFeber, *The American Age. United States Foreign Policy at Home and Abroad Since 1750,* pp. 455-458.

largo plazo permitieron financiar con holgura la reconstrucción europea; luego de los años iniciales del plan, se esperaba que las economías pudieran crecer por sus propios medios. Los Estados Unidos buscaban «devolver a Europa su papel de socio en igualdad de condiciones»[161], y este objetivo era crucial en los inicios mismos de la Guerra Fría. La prosperidad europea iba a permitir no sólo el mejoramiento de las condiciones de vida de sus habitantes sino, y sobre todo, el rearme para contener los avances del bloque soviético.

Hacia 1947-1948 los países de Europa del Este ocupados por las tropas soviéticas ya tenían regímenes comunistas, aliados de Moscú, mientras que en China las fuerzas lideradas por Mao Zedong tomaron el poder y proclamaron la República Popular en octubre de 1949. En unos pocos años, el mundo se dividió en dos bloques antagónicos, liderados por los Estados Unidos y la Unión Soviética. Así las cosas, el Plan Marshall no sólo fue un generoso plan de cooperación económica, tecnológica y financiera; fue una pieza más de un engranaje que incluía también la Organización del Tratado del Atlántico Norte (OTAN), una poderosa alianza militar liderada por Estados Unidos y establecida en 1949. Los estados europeos del continente, por su parte, avanzaron hacia diversas formas de integración económica, las cuales culminarán en 1958 con la puesta en vigencia de la Comunidad Económica Europea.

La reconstrucción del Japón, ocupado por los Estados Unidos a partir de 1945, siguió pautas muy parecidas a las del Plan Marshall. La guerra de Corea (1950-1953) marcó

161. Wee, *Prosperidad y crisis. Reconstrucción, crecimiento y cambio, 1945-1980,* p. 420.

otro punto de inflexión esencial: tanto en Europa como en Asia, y en el resto del mundo, los Estados Unidos estaban dispuestos no sólo a oponerse a la influencia soviética y china sino a combatir frontalmente el comunismo buscando su destrucción. Estas nuevas líneas de la política exterior de los Estados Unidos quedaron definidas en el famoso memorándum NSC-68 aprobado por el presidente Truman en 1950[162], y en los hechos tuvieron vigencia hasta 1990; entre sus consecuencias más significativas se destacan la carrera armamentista y la búsqueda obsesiva de aliados en la lucha contra el comunismo. En América Latina, esto último tuvo consecuencias particularmente desastrosas.

En la década de 1950 los programas de asistencia técnica y cooperación entre Estados Unidos y los países latinoamericanos estuvieron dominados por la asistencia militar, la venta de armas y la preocupación por garantizar beneficios a las empresas norteamericanas. La Escuela de las Américas[163], un importante centro de entrenamiento militar establecido en Fort Benning (Georgia) y la Zona del Canal en Panamá, formó a partir de 1946 varias generaciones de oficiales especializados en la contrainsurgencia; en 2001, el nombre de esta institución fue cambiado por el de *Western Hemisphere Institute for Security Cooperation.* Aunque existía un marco legal de convenios internacionales, representados por el Tratado Interamericano de Defensa Recíproca (TIAR), suscrito en Rio de Janeiro en 1947, y la Organización de Estados Americanos (OEA), aprobada en Bogotá, en 1948, la asistencia mi-

---

162. LaFeber, *The American Age. United States Foreign Policy at Home and Abroad Since 1750,* pp. 479-504.
163. Lesley Gill, *The School of the Americas. Military Training and Political Violence in the Americas,* Durham, Duke University Press, 2004.

litar se canalizó a través de convenios bilaterales, manejados por la Secretaría de Defensa del gobierno de Washington. La protección de las inversiones norteamericanas chocó con las expropiaciones, originadas en políticas reformistas nacionalistas de algunos gobiernos latinoamericanos. Mencionemos, entre muchos, tres casos particularmente conflictivos.

En Guatemala fue decretada una reforma agraria en el año 1952[164]; afectaba las fincas de más de 90 ha que tuvieran más de un tercio de sus tierras ociosas, las cuales serían luego distribuidas entre campesinos sin tierras. La reforma era moderada, preveía el pago de indemnizaciones a los expropiados y sólo llegó a afectar a un 17 % de las tierras que estaban en manos privadas; en el conjunto, parece que benefició a unas 100.000 familias campesinas, sobre una población total de casi 3 millones de habitantes[165]. Por otra parte, la reforma agraria era parte de un programa de obras públicas y modernización económica que seguía muy de cerca las recomendaciones del Banco Mundial realizadas en 1951[166]. La aplicación de la reforma agraria generó –como era de esperar en un país dominado por terratenientes racistas y muy poco modernos, y cuyas clases medias eran débiles y subordinadas– mucha conflictividad social. Pero el problema principal fue que, entre los propietarios

164. Piero Gleijeses, *Shattered Hope. The Guatemalan Revolution and the U.S. 1944-1954,* Princeton, Princeton University Press, 1991, pp. 149-170; Jim Handy, *Revolution in the Countryside. Rural Conflict and Agrarian Reform in Guatemala, 1944-1954,* Chapel Hill, The University of North Carolina Press, 1994.
165. Handy, *Revolution in the Countryside. Rural Conflict and Agrarian Reform in Guatemala, 1944-1954,* pp. 94-95.
166. International Bank for Reconstruction and Development, *The Economic Development of Guatemala,* Baltimore, The Johns Hopkins Press, 1951.

afectados se encontraba la United Fruit Company; en sus fincas bananeras, el 85% de las tierras se mantenían ociosas, supuestamente como cobertura ante inundaciones, huracanes y el mal de Panamá, una enfermedad que atacaba por entonces las plantaciones. El gobierno expropió 160.000 ha aproximadamente y estuvo dispuesto a pagar el valor fiscal declarado de las tierras de la bananera, es decir, casi 1,2 millones de dólares; la compañía en cambio pretendía un reembolso por el valor «real» de las tierras, que estimaba en poco más de 19 millones de dólares. El reclamo fue apoyado por el Departamento de Estado en 1953[167]. El conflicto se combinó con acusaciones de infiltración comunista; en 1954 la CIA montó una operación dedicada a desestabilizar el gobierno de Guatemala, lo cual ocurrió en junio de ese mismo año. La caída del presidente Arbenz abrió un conflicto político que duró más de cuarenta años y ocasionó miles de muertos, amén de comprometer el desarrollo social y político del país[168].

El choque de intereses fue todavía más violento en el caso de la reforma agraria cubana decretada por el gobierno de Fidel Castro en mayo de 1959[169]: se limitó la tenencia individual a un máximo de 400 ha, decretándose la expropiación de las fincas mayores de esa extensión, y se restringió fuertemente la propiedad de individuos y empresas extran-

167. Gleijeses, *Shattered Hope. The Guatemalan Revolution and the U.S. 1944-1954*, p. 164.
168. Stephen Schlesinger y Stephen Kinzer, *Bitter Fruit. The Untold Story of the American Coup in Guatemala*, Nueva York, Anchor Press Doubleday, 1983; Richard H. Immerman, *The C.I.A. in Guatemala. The Foreign Policy of Intervention*, Austin, University of Texas Press, 1982.
169. Hugh Thomas, *Cuba. The Pursuit of Freedom*, Nueva York, Harper & Row, 1970, pp. 1215-1271.

jeras; las tierras expropiadas serían pagadas con bonos a veinte años plazo[170]. En un país que tenía una fuerte concentración de la propiedad fundiaria y vastos latifundios azucareros y ganaderos, muchos de ellos en manos de empresas norteamericanas, la confrontación de intereses fue rápida y violenta. La oposición del gobierno de los Estados Unidos fue manifiesta, y los choques se combinaron con la radicalización interna del régimen cubano, empujada por la agresión de los exiliados en Florida y el creciente activismo de los comunistas y sus simpatizantes. En febrero de 1960 Cuba firmó un convenio comercial con la Unión Soviética, negociándose, entre otras cosas, la venta de azúcar y la importación de petróleo ruso. Marzo de ese mismo año marcó quizás el punto de no retorno: la explosión de un barco belga cargado de municiones y armas en el puerto de La Habana motivó una vehemente acusación de sabotaje por parte de Fidel Castro al gobierno norteamericano; mucho después se hizo público que en ese mismo momento el presidente Eisenhower autorizó a la CIA a preparar acciones con vistas a una futura intervención en Cuba. En julio de 1960, ante la autorización dada por el Congreso al presidente de los Estados Unidos para suspender las importaciones de azúcar desde Cuba, el gobierno cubano decretó la nacionalización de todas la propiedades de empresas norteamericanas; en términos fundiarios ello implicó 1.200.000 ha. Poco después se firmó el primer acuerdo mi-

---

170. Véase el artículo de Jacques Chonchol en Óscar Delgado (ed.), *Reformas agrarias en América Latina. Procesos y perspectivas,* México, Fondo de Cultura Económica, 1965, pp. 468-516. En los dos primeros años de ejecución de la reforma agraria se distribuyeron más de 4 millones de hectáreas, es decir, aproximadamente la mitad de las fincas agrícolas registradas en el censo de 1945.

litar oficial entre Cuba y la Unión Soviética; el 3 de enero de 1961 el gobierno de Washington rompió relaciones con La Habana; en abril de ese mismo año una expedición de cubanos exiliados, armada y organizada por la CIA, fue derrotada en Playa Girón. La Revolución cubana se consolidará entonces en la vía socialista, y gracias a una estrecha alianza con la Unión Soviética.

El 3 de octubre de 1968 una Junta Militar tomó el poder en Perú, derrocando al presidente Fernando Belaúnde Terry. No fue un golpe más, de los tantos que caracterizaban la historia política del Perú; esta vez, un grupo de militares nacionalistas y reformistas se propuso modernizar la economía y la sociedad, y poner fin, de una vez por todas, a un antiguo régimen que mantenía el Perú en una situación de atraso y dependencia. La primera medida de la Junta, presidida por el General Velasco Alvarado, fue la expropiación de la International Petroleum Company, una subsidiaria de la Exxon, y la ocupación inmediata de los pozos petroleros y la refinería de Talara. La expropiación fue sin compensación, argumentándose que la compañía había explotado excesivamente los recursos naturales peruanos; en los meses siguientes se realizaron otras expropiaciones de empresas extranjeras, y en junio de 1969 comenzó la reforma agraria con la expropiación inmediata de los grandes complejos azucareros de la costa norte pertenecientes, en su mayoría, a la Grace Corporation. En poco tiempo, el Estado peruano fue dueño de un importante grupo de empresas estratégicas (minerales, hidrocarburos, transportes, pesca y comercio exterior) y participó como accionista en bancos y empresas industriales.

Las expropiaciones generaron un conflicto con el gobierno de los Estados Unidos y con los capitalistas, tanto extranjeros como nacionales; pero luego de muchas fricciones que llevaron a congelar los préstamos internacionales destinados al Perú, la situación se suavizó hacia 1970. El gobierno peruano pagó compensaciones –muy generosas en el caso del Chase Manhattan Bank– y dejó claro que contaba con el financiamiento externo, público y privado, para los vastos planes que tenía de obras de infraestructura y desarrollo minero e industrial[171]. La constitución de un importante sector estatizado y el propósito de redistribución en beneficio de campesinos, obreros y sectores medios fueron así parte de un nuevo modo de acumulación capitalista, mucho más moderno e integrado[172]. Los militares reformistas peruanos tuvieron un éxito considerable, dado el contexto nacional e internacional en que les tocó actuar. Si el impacto transformador fue finalmente limitado, ello hay que atribuirlo, entre otros factores, a que la atención de la política económica fue orientada hacia el sector moderno en detrimento de los sectores más pobres y atrasados.

El experimento militar reformista concluyó en 1980. Belaúnde Terry, el derrocado presidente de 1968, volvió a la presidencia tras la Asamblea Constituyente de 1979 y las elecciones de 1980. Pero el perfil social y político del Perú era definitivamente otro: si en algo habían tenido éxito los militares fue precisamente en la eliminación de la vieja oligarquía terrateniente[173].

171. Richard Stuart Olson, «Economic Coercion in International Disputes: The United States and Peru in the IPC Expropriation Dispute of 1968-1971», *Journal of Developing Areas,* vol. 9, núm. 3 (1975), pp. 395-414.
172. E. V. K. FitzGerald, *La economía política del Perú, 1956-1978. Desarrollo económico y reestructuración del capital,* traducido por Cinzia Augi, Lima, Instituto de Estudios Peruanos, 1981.
173. Rosemary Thorp y Geofrey Bertram, *Perú: 1890-1977. Crecimiento y políticas en una economía abierta,* traducido por Universidad

Los tres ejemplos que hemos presentado –Guatemala (1953-1954), Cuba (1959-1962) y Perú (1968-1970)– ilustran bien tanto la complejidad como los grados y variedades de las confrontaciones entre inversionistas y gobiernos, en el contexto del financiamiento para el desarrollo. La pregunta que sigue es si hubo cambios significativos bajo la Alianza para el Progreso, el programa estrella del presidente Kennedy con respecto a América Latina, iniciado en 1961. La respuesta más obvia es que sí hubo cambios, pero con un impacto final bastante limitado. Hay un contraste casi brutal entre lo que se prometió, bajo el acicate primordial de la Revolución cubana, y lo que efectivamente se cumplió.

La Alianza fue un programa incluido dentro de una agenda mucho más ambiciosa que incluyó la creación de la Agencia Internacional del Desarrollo *(Agency for International Development)* y el Cuerpo de Paz; Kennedy proclamó la década de 1960 como la década del desarrollo en un grandioso proyecto de competencia con la Unión Soviética. Se trataba, ante todo, de derrotar los avances del comunismo en el Tercer Mundo y de demostrar de manera contundente la superioridad de la democracia y el capitalismo en todos los niveles. En términos generales, se trató de un capítulo más de la llamada Guerra Fría. La contraparte soviética se expresó en forma muy parecida: en 1961 Nikita Jruschov proclamó que en veinte años la Unión Soviética

del Pacífico, Lima, Mosca Azul Editores / Fundación Friedrich Ebert / Universidad del Pacífico, 1985 [1978]; Abraham F. Lowenthal (ed.), *The Peruvian Experiment: Continuity and Change under Military Rule,* Princeton, Princeton University Press, 1975; Jane S. Jacquette y Abraham F. Lowenthal, «The Peruvian Experiment in Retrospect», *World Politics,* vol. 39, núm. 2 (1987), pp. 280-296.

superaría con creces la potencia económica y el bienestar de los Estados Unidos[174]. Kennedy, mientras tanto, aprobaba las propuestas de la NASA para colocar un hombre en la Luna, con la esperanza de apuntarse así un triunfo espectacular en la carrera espacial, iniciada en 1957, cuando la Unión Soviética logró poner en órbita exitosa el primer satélite artifical, conocido como Sputnik 1.

La promoción del desarrollo como arma frente al comunismo fue justificada en un famoso texto del economista Walt W. Rostow, una de las eminencias grises del equipo de Kennedy y luego de Lyndon B. Johnson[175]. La receta era relativamente simple: los países subdesarrollados podían repetir las etapas alcanzadas por los países desarrollados. Se debería pasar así del despegue o *take-off* del desarrollo industrial al estadio del desarrollo autosostenido, para culminar en la fase del alto consumo de masas. El *take-off,* momento decisivo de todo el proceso, consistía en un fuerte aumento de la tasa de inversión que debía superar el 10% del producto interno bruto. El cambio económico implicaba también profundas transformaciones en las instituciones, la estratificación social, la cultura y los valores, que se resumían en el concepto de «modernización», elaborado

---

174. En el XXII Congreso de Partido Comunista Jruschov lanzó el Tercer Programa Económico con el objetivo de superar, en dos décadas, la producción de bienes industriales de los Estados Unidos. De hecho ese objetivo se cumplió en cuanto al acero, el cemento, el petróleo, el hierro colado y productos similares; el detalle crucial fue que hacia 1984 los productos industriales de punta eran los electrónicos, los microchips y los plásticos, y en ellos los Estados Unidos tenían una superioridad aplastante. Véase Martin Walker, *The Cold War. A History,* Nueva York, Henry Hold and Company, 1995, pp. 233-235.
175. Walt W. Rostow, *The Stages of Economic Growth. A non Communist manifesto,* Cambridge, Cambridge University Press, 1960.

por la sociología, la psicología y la antropología estadounidenses en las décadas de 1950 y 1960[176]. La reconstrucción
europea, y en particular el milagro alemán y japonés proba-
ban, aparentemente, la eficacia de la teoría de la modernización; los antiguos enemigos de la Segunda Guerra Mundial, al adoptar los patrones típicos del *American way of
life,* se habían convertido en ricos y fieles aliados, y además
devotamente democráticos. Kennedy y sus asesores pensaban que ambos ejemplos podían replicarse en el Tercer
Mundo. La Alianza para el Progreso fue un derivado de estas ideas y se inspiró directamente en el caso de Puerto
Rico[177].

En esta isla –«estado asociado» de los Estados Unidos desde 1952–, el gobernador Luis Muñoz Marín (1949-1965) y el
Partido Popular Democrático habían bregado por un Estado
intervencionista, el cual promocionó exitosamente la industrialización e importantes políticas públicas en los campos de
la salud, la nutrición, la vivienda y la educación. El rápido
crecimiento demográfico fue enfrentado con programas de
control de la natalidad y un flujo creciente de emigrantes hacia los Estados Unidos[178]; en las décadas de 1950 y 1960, la
isla vivió un intenso proceso de urbanización y moderniza-

---

176. Véase la «traducción» de estas ideas aplicadas a América Latina
en general y la Argentina en particular en Gino Germani, *Política y
sociedad en una época de transición. De la sociedad tradicional a la sociedad de masas,* Buenos Aires, Editorial Paidós, 1968.
177. Véase el capítulo de Christopher Abel en Marco Palacios y Gregorio Weinberg (eds.), *Historia general de América Latina. Volumen
VIII,* Madrid, Ediciones UNESCO / Editorial Trotta, 2008, p. 228.
178. Nótese, por ejemplo, que según los datos del censo de 1970, la
población total de la isla era de 2,7 millones de habitantes, mientras
que en el mismo año había 1,4 millones de portorriqueños viviendo en
los Estados Unidos.

ción[179]. No es extraño que muchos políticos de Washington pensaran en lo oportuno que podía ser una emulación latinoamericana de Puerto Rico, si agregamos que Muñoz Marín también mantenía relaciones amistosas con influyentes políticos del área, como José Figueres de Costa Rica, Rómulo Betancourt de Venezuela, Alberto Lleras Camargo de Colombia y Juan Bosch de la República Dominicana.

La Alianza para el Progreso fue oficialmente lanzada en agosto de 1961, en una conferencia de la OEA que tuvo lugar en Punta del Este, en Uruguay. Los objetivos aprobados incluían un crecimiento anual del ingreso per cápita del 2,5%, el establecimiento de gobiernos democráticos, acabar con el analfabetismo en 1970, lograr la estabilidad de precios para combatir la inflación, mejorar la distribución del ingreso, la salud y la educación, llevar adelante la reforma agraria y desarrollar la planificación económica y social. Los objetivos reformistas en general y el intervencionismo estatal contaban con un cierto consenso en casi toda América Latina, pero algunos temas específicos, como el de la reforma agraria, provocaban también mucha confrontación.

Lo que se llevó a la práctica varió mucho de país a país y dependió, como no podía ser de otro modo, de las circunstancias políticas internas. La ayuda financiera norteamericana, planeada originalmente en 20.000 millones de dólares a lo largo de diez años estuvo lejos de llegar a esta meta generosa; por otro lado hubo una tendencia creciente a que la ayuda se expresara más bien en créditos y donaciones en beneficio de empresas norteamericanas, con un margen de maniobra muy reducido para los países y gobiernos que

179. Fernando Picó, *Historia general de Puerto Rico,* Río Piedras, Puerto Rico, Ediciones Huracán, 1988, pp. 257-290.

recibían la ayuda. A esto hay que agregar una articulación poco coherente de programas en áreas muy diversas. A los pocos años la Alianza, como lo subrayó uno de sus partidarios más firmes, el presidente de Chile Eduardo Frei Montalva (1964-1970), había perdido su camino[180]. No se había producido el ansiado *take-off,* el ritmo del crecimiento era inestable e insuficiente, proliferaban los golpes militares y las reformas carecían de coherencia y profundidad. Quizás uno de los aspectos más exitosos fue el auge de la planificación familiar, orientada a disminuir la natalidad a través del uso de anticonceptivos, la esterilización de madres con varios hijos y otros programas de salud reproductiva.

La muerte de John Kennedy en noviembre de 1963 y el creciente involucramiento de los Estados Unidos en la guerra de Vietnam pusieron la Alianza en tono menor. De hecho, en abril de 1965, el presidente Lyndon B. Johnson volvió rápidamente a la política del *Big Stick,* enviando más de 20.000 infantes de marina a la República Dominicana, en prevención de una supuesta amenaza de dictadura comunista. La administración Nixon (1969-1976) simplemente terminó con la Alianza, dándole continuidad a algo que nunca había cesado desde la década de 1950: esto es, la asistencia militar a los ejércitos latinoamericanos a través de armas, entrenamiento, asistencia técnica y formación ideológica. Un distinguido historiador de la política exterior de los Estados Unidos como Walter LaFeber resume en pocas palabras lo que fueron miles de sueños y esperanzas enterradas[181]:

180. Eduardo Frei Montalva, «The Alliance That Lost Its Way», *Foreign Affairs,* vol. 45, núm. 3 (1967), pp. 437-448.
181. LaFeber, *The American Age. United States Foreign Policy at Home and Abroad Since 1750,* p. 575.

En América Latina, la Alianza para el Progreso acabó creando una inmensa deuda externa, gobiernos militares y revoluciones, no el progreso.

Antes de llegar al final, conviene recapitular brevemente. La industrialización latinoamericana fue una respuesta a las crisis en el mercado externo y expresó la consciencia creciente de que se imponía la diversificación económica para garantizar el progreso material; por las limitaciones del desarrollo basado en la exportación de bienes primarios –en particular la ausencia de un mecanismo de crecimiento autocentrado–, la industrialización requirió la intervención creciente del Estado. Por otra parte, la industrialización fue de la mano con un rápido proceso de urbanización y modernización, en un contexto de fuerte crecimiento demográfico. Las tensiones sociales y los conflictos políticos adquirieron nuevos rumbos, como cabía esperar ante la aparición de nuevos actores sociales, en sociedades cada vez más complejas y heterogéneas; y la rapidez del cambio social produjo agudos desbalances y profundos desequilibrios.

Es en este contexto estructural donde hay que considerar dos elementos fundamentales de la industrialización latinoamericana: a) la dependencia de la tecnología y las inversiones extranjeras; y b) la necesidad de una intervención permanente del Estado para proteger las industrias. Sobre el primer elemento cabe subrayar, como ya se indicó, que las relaciones con el capital extranjero fueron siempre tensas y ambiguas, pero indispensables, dados sobre todo los requerimientos tecnológicos. Sobre el segundo elemento hay que recordar que las élites empresariales industriales se beneficiaban sobre todo de rentas de monopolio originadas en mercados reducidos y excesivamente protegidos; la conservación y el incremento de estas ventajas fue un aspecto permanente de la agenda empresarial. Dicho esto, se puede entender mejor por qué la industrialización exigió una política económica relativamente compleja[182], o en todo caso, mucho más compleja de lo que había sido durante la fase dorada del crecimiento basado en la exportación de bienes primarios.

La política económica se puede ver como resultado de una demanda de decisiones[183] por parte de las diferentes clases y grupos sociales, articulada, en el corto, mediano y largo plazo, por las instituciones y el juego en la arena política, tanto interna como internacional. Durante la industrialización, la intersección de intereses fue, como ya se dijo, compleja y conflictiva; no sólo se trató de choques intraélite, entre los sectores exportadores y los industriales, sino, y sobre todo, de enfrentamientos originados por la integración de las masas urbanas, y en menor medida rurales, en la política activa. Como vimos, este fenómeno dio lugar a la utopía nacional popular, y a un tipo de régimen político conocido como «populismo». La Revolución mexicana y el primer peronismo argentino (1943-1955), típicos ejemplos de esta clase de regímenes, fueron ya presentados con cierto detalle en el citado capítulo 2. Para cerrar el capítulo,

---

182. Complejas, heterodoxas con respecto a las ideas económicas dominantes y sobre todo pragmáticas, este conjunto de ideas y prácticas alimentará el pensamiento de la CEPAL. Véase Edgar J. Dosman, *Raúl Prebisch (1901-1986). A construção da América Latina e do Terceiro Mundo,* traducido por Teresa Dias Carneiro y César Benjamin, Río de Janeiro, Contraponto / Centro Internacional Celso Furtado, 2011; Celso Furtado, *La fantasía organizada,* traducido por Eleonora Osta Ptak, Buenos Aires, EUDEBA, 1988.

183. Aníbal Pinto, *Política y desarrollo,* Santiago de Chile, Editorial Universitaria, 1968, pp. 10-26.

evocaremos el caso del populismo brasileño, otra forma clásica de la utopía nacional popular, característica del período de la industrialización.

Getúlio Vargas (1882-1954) tomó el poder en 1930 como resultado de un golpe cívico-militar y lo dejó en 1954, con una salida espectacular: un suicidio y un testamento político explosivo. En esos 24 años sólo estuvo fuera del poder entre octubre de 1945 y febrero de 1951[184]. La primera fase de su largo gobierno, entre 1930 y 1937, estuvo caracterizada por concesiones tanto a la clase media como a los obreros industriales, por el reconocimiento de los sindicatos como legítimos representantes del proletariado y por el apoyo decidido al sector industrial emergente, que aprovechaba las oportunidades abiertas por la crisis para la «sustitución de importaciones». El gobierno predicaba la paz social, persiguió a los comunistas brasileños –sobre todo luego de que éstos intentaran una insurrección en 1935– y contó con el firme apoyo de la Iglesia católica. Un momento sintomático fue la inauguración, el 12 de octubre de 1931, de la estatua del Cristo Redentor sobre el Corcovado, dominando una vista espectacular sobre la bahía de Guanabara; el cardenal Leme, frente a todo el gobierno, consagró la nación al Sagrado Corazón de Jesús, «Rey y Señor» del pueblo brasileño.

El golpe de 1930 resultó de una coyuntura muy particular. El equilibrio interoligárquico inestable que caracterizaba a la «República Vieja», conocido en Brasil como *café-com-leite*[185],

184. Richard Bourne, *Getúlio Vargas. A esfinge dos pampas,* traducido por Paulo Schmidt y Sonia Augusto, São Paulo, Geração Editorial, 2012; Fausto, *História do Brasil,* pp. 281-337 y pp. 346-357.
185. La fórmula evoca la alianza entre la burguesía paulista del café y la oligarquía pecuaria de Minas Gerais, las cuales se alternaban en la presidencia del Estado federal.

se quebró en 1929 cuando el presidente Washington Luís designó como sucesor a otro paulista; grupos oligárquicos descontentos sumados a los militares que participaban en el «tenentismo» formaron la Aliança Liberal y proclamaron la candidatura presidencial de Getúlio Vargas.

Vargas era un avezado político gaucho, formado en Rio Grande do Sul, que había sido además diputado en el Congreso Federal y ministro de Hacienda de Washington Luís. El «tenentismo» era un movimiento de tenientes y capitanes, dentro del ejército, que había hecho eclosión en 1922 con una insurrección fracasada en Rio de Janeiro; el movimiento era fuertemente nacionalista y antioligárquico, buscaba la democratización, la modernización estatal y mejoras socioeconómicas para las grandes mayorías. Su programa, reiterado en la insurrección paulista (también fracasada) de 1924, era un compendio amplio de reivindicaciones de los sectores medios urbanos y de los intereses sectoriales propios de la oficialidad baja del ejército. El momento áureo del tenentismo fue la «larga marcha» de la Columna Prestes, realizada entre 1924 y 1927, cuando un grupo de rebeldes, liderados por Luís Carlos Prestes, recorrió 24.000 km por el interior de Brasil, eludiendo las fuerzas del gobierno y desarrollando tácticas propias de la guerra de guerrillas; en febrero de 1927, la columna –reducida a sólo 800 miembros– se internó en Bolivia poniendo fin al intento sedicioso. Los combatientes de la columna se asilaron y su jefe, refugiado en Buenos Aires, se adhirió al Partido Comunista en mayo de 1930. Si un sector del tenentismo acabó adhiriendo a la izquierda, hubo otro que viró hacia la derecha, y simpatizó con el fascismo. Getúlio Vargas fue influenciado por el tenentismo y reinterpretó a su manera, y en su propio beneficio, una buena parte de los ideales de dicho movimiento.

Las elecciones de marzo de 1930 dieron la victoria, como era esperable, al candidato oficial; los políticos más jóvenes de la Aliança Liberal, liderados por Vargas, optaron entonces por el camino de la insurrección, apoyados por los *tenentes;* el triunfo sedicioso en octubre de 1930 contó además, al final, con el apoyo decisivo del ejército. La heterogeneidad de los grupos revolucionarios fue compensada por el liderazgo carismático de Vargas y su notable habilidad política.

Terminar con la *República Velha* y abrir las puertas a la modernización del Brasil no era tarea fácil. El poder de las oligarquías regionales seguía intacto, como lo revelaban las dificultades de los interventores federales en los estados; en 1932, una intentona golpista en São Paulo amenazó la sobrevivencia misma del régimen. Getúlio Vargas pactó con la burguesía paulista y optó por un camino cada vez más autoritario. Su régimen combinaba un notable carisma personal con el paternalismo tradicional y un verticalismo creciente. En su visión y la de sus partidarios, el pueblo era el verdadero sujeto político, pero Vargas era su intérprete y conductor. El nacionalismo identificaba la grandeza del Brasil con la industrialización, la modernización y la integración territorial; dos agentes resultarían de crucial importancia en este empeño: las ciudades, puntas de lanza del progreso en las inmensidades rurales, y el ejército, como institución que podía escapar a los intereses oligárquicos regionales, y tenía una cobertura verdaderamente nacional.

En 1932 se estableció un nuevo código electoral que incluyó el voto secreto y el derecho de las mujeres a votar y ser electas; al año siguiente se realizaron elecciones para una Asamblea Nacional Constituyente, la cual elaboró una nueva Constitución, promulgada en 1934, y eligió como presidente a Getúlio Vargas. Una fracasada insurrección comunista en 1935 fue el principal pretexto para un fuerte aumento del autoritarismo y el golpe de Estado del 10 de noviembre de 1937. El régimen se transformó así en una dictadura populista corporativa.

El *Estado Novo* tuvo como jefe supremo a Getúlio Vargas y se dotó enseguida de una Constitución (1937) centralizadora y autoritaria; de hecho, las disposiciones transitorias otorgaban todo el poder al presidente, en espera de un plesbicito para aprobar la nueva carta magna. Demás está decir que este plesbicito nunca se realizó. Apoyándose en el ejército, la Iglesia y los sindicatos, Getúlio Vargas gobernó con mano de hierro hasta 1945. Los logros principales de este período fueron el desarrollo de una burocracia estatal relativamente profesional, la Consolidación de las Leyes de Trabajo (CLT) en la industria y el sector terciario –incluyendo el salario mínimo, vacaciones remuneradas, regulación del despido y protección a la maternidad– y un fomento decidido de la industrialización. El complejo siderúrgico de Volta Redonda fue iniciado en 1941, mientras que en 1938 se estableció el Conselho Nacional do Petróleo; el énfasis en las industrias de base era notorio, con un discurso que colocaba la industrialización como un tema crucial de la seguridad nacional. Cuando estalló la Segunda Guerra Mundial, Vargas se alineó con los Estados Unidos e incluso llegó a enviar tropas a Italia en apoyo del esfuerzo bélico de los aliados; en 1945 comenzó a propiciar una apertura política electoral, pero los mandos del ejército lo obligaron a renunciar en octubre de ese mismo año. El mariscal Dutra, ministro de Vargas, fue electo presidente en 1946. La maquinaria política y social del varguismo siguió en pie, pero el gobierno dejó de lado el tono fuertemente nacionalista de Getúlio. Retirado temporalmente, Vargas retornó triunfalmente en las elecciones de 1950; pero ahora el populismo autoritario tenía que adaptarse en serio a las reglas de la democracia representativa, establecidas en la Constitución de 1946.

El gobierno de Dutra había profundizado el alineamiento con los Estados Unidos, y el retroceso del nacionalismo permitió abrir nuevas puertas a las inversiones extranjeras. Vargas tuvo que enfrentar una fuerte oposición conservadora que veía cada vez con peores ojos el populismo sindical y la injerencia estatal en la economía; optó entonces por radicalizar el discurso y las medidas populistas, en un contexto de fuerte inflación y dificultades para el sector industrial. Hay que recordar, además, que en 1954 concluyó el ciclo expansivo de los precios del café iniciado al terminar la guerra en 1945; no era posible pues continuar transfiriendo recursos del sector agrícola exportador para financiar la industria y el Estado.

Las tensiones políticas subieron al rojo vivo, y la sombra golpista comenzó a extender sus alas ennegrecidas; a comienzos de agosto un atentado contra el periodista y político opositor Carlos Lacerda, que concluyó con la muerte de un oficial de la fuerza aérea que lo acompañaba, precipitó los acontecimientos; se supo enseguida que la guardia personal de Vargas estaba implicada en el sangriento atentado y los militares exigieron la renuncia del presidente. El 24 de agosto de 1954, luego de redactar una carta-testamento explosiva, Getúlio Vargas eligió el suicidio. Las gigantescas manifestaciones populares que ocurrieron enseguida fueron un momento de increíble suspenso y comunión popular alrededor del dirigente muerto; los enemigos de Vargas quedaron momentáneamente paralizados y tuvieron que facilitar la salida institucional; ésta incluyó varios presidentes

interinos, elecciones en 1955 y la victoria de Juscelino Kubitschek, un presidente cercano al varguismo y devoto par-
tidario del «desarrollismo».

En su último gobierno Vargas decretó un límite del 10%
para las remesas de ganancias al exterior (1952), logró la
creación de Petrobras, la corporación estatal encargada del
petróleo y la energía, propuso la organización de la Eletrobras, corporación equivalente en el plano de la electricidad[186], y decretó, en 1954, un alza del salario mínimo del
100%. Su carta-testamento[187] es un documento que no tiene desperdicio:

Una vez más las fuerzas contra los intereses del pueblo se de-
sencadenan sobre mí [...] Sigo el destino que me es impuesto.
Después de decenios de dominio y expoliación de los grupos
económicos y financieros internacionales, encabecé una revolución y vencí. Inicié el trabajo de liberación e instauré un régimen de libertad social. Tuve que renunciar. Volví al gobierno en
los brazos del pueblo. A la campaña subterránea de los grupos
internacionales se aliaron los grupos nacionales que se oponen

186. La Eletrobrás, propuesta por Vargas en 1953, fue finalmente
creada en 1962.
187. Existen dos versiones de esta carta: una manuscrita, más breve y
concisa, y otra dactilografiada, mucho más larga, que es la que fue
extensamente difundida. El contenido de ambas cartas es similar. Véase los originales en el portal web del *Centro de Pesquisa e Documen-
tação de História Contemporânea do Brasil (CPDOC)* de la *Fundação
Getulio Vargas,* https://cpdoc.fgv.br/producao/dossies/AEraVar-
gas2/artigos/AlemDaVida/CartaTestamento. Véase también Maria
das Graças Soares Rodrigues, João Gomes Silva Neto, Luis Passeggi y
Sueli Cristina Marquesi, «A Carta-Testamento de Getúlio Vargas
(1882-1954): genericidade e organização textual no discurso político», *Filologia e Linguística Portuguesa,* vol. 14, núm. 2 (2012), pp.
285-307.

al régimen de garantías del trabajo. La ley sobre lucros extraordinarios fue detenida en el Congreso. Contra la justicia de la revisión del salario mínimo se desencadenaron los odios. Quise crear la libertad nacional potenciando nuestras riquezas a través de la Petrobras [...] La Eletrobras fue obstaculizada hasta la desesperación. No quieren que el trabajador sea libre. No quieren que el pueblo sea independiente. Asumí el gobierno dentro la espiral inflacionaria que destruía los valores del trabajo. Los lucros de las empresas extranjeras alcanzaban hasta 500% al año.[...] Mi sacrificio nos mantendrá unidos y mi nombre será la bandera de lucha. Cada gota de mi sangre será una llama inmortal en vuestra conciencia y mantendrá la vibración sagrada para la resistencia. Al odio respondo con el perdón. Y a los que piensan que me derrotaron respondo con mi victoria. Era esclavo del pueblo y hoy me libero para la vida eterna. Pero ese pueblo del que fui esclavo ya no será esclavo de nadie. Mi sacrificio quedará para siempre en su alma y mi sangre será el precio de su rescate. Luché contra la expoliación del Brasil. Luché contra la expoliación del pueblo. He luchado a pecho abierto. El odio, las infamias, la calumnia no abatieron mi ánimo. Les di mi vida. Ahora les ofrezco mi muerte. Nada recelo. Serenamente doy el primer paso en mi camino a la eternidad y salgo de la vida para entrar en la Historia.

El gobierno de Juscelino Kubitschek (1956-1961) continuó con el programa de industrialización y desarrollo, con una apertura al capital extranjero vigente desde 1955[188] y

188. Se trata de la instrucción 113 de la Superintendência da Moeda e do Crédito (SUMOC), emitida por el president Café Filho; daba facilidades para la importación de maquinaria, sobre todo para la industria automovilística, el transporte aéreo, los ferrocarriles, la electricidad y el acero.

un énfasis notorio en las grandes obras bajo el lema «*50 em 5*», es decir, adelantar el país cincuenta años en sólo cinco. El traslado de la capital a Brasilia, aprobado en 1956, fue el logro más notable de este voluntarioso empuje. El urbanista Lúcio Costa y el arquitecto Oscar Niemeyer, dos figuras de relieve internacional, dirigieron el proyecto, el cual culminó el 21 de abril de 1960 con la inauguración de la nueva capital, pronto considerada a nivel mundial como un ícono emblemático del urbanismo y la arquitectura modernos. Entre 1955 y 1961, el valor de la producción industrial total aumentó, en términos reales, en un 80%; el PIB per cápita por su parte creció en estos años al 4% anual[189]. La inflación y el control de cambios fueron también parte integral del desarrollo industrial brasileño, al igual que en los casos de Argentina, Chile, Uruguay y Colombia[190].

En Brasil la fuerte elevación de los precios internacionales del café, sobre todo a partir de 1949, aumentó mucho los ingresos del sector exportador, pero el gobierno mantuvo estable la tasa de cambio, lo cual elevó a su vez el nivel de precios internos; al ocurrir esto se produjo una transferencia de ingresos del sector exportador hacia el importador, con el consiguiente abaratamiento relativo de los equipos industriales. Según Celso Furtado, ocurrió así

una transferencia de ingreso dentro del sector privado en beneficio de los grupos más dinámicos, lo que dio lugar al extraordinario crecimiento industrial de los años cincuenta. Se restringió

189. Fausto, *História do Brasil,* pp. 364-365.
190. Furtado, *La economía latinoamericana. Desde la conquista ibérica hasta la Revolución cubana,* pp. 118-132; Osvaldo Sunkel, G. Maynard, Dudley Seers y Julio G. Olivera, *Inflación y estructura económica,* Buenos Aires, Paidós, 1967.

la ola de nuevas inversiones en el sector cafetalero ya afectado por excedentes estructurales y la diversificación del sector industrial se intensificó[191].

Este mecanismo inflacionario se consideró un resultado de las dificultades de un ajuste rápido de los diferentes sectores a los cambios en el mercado, a la vez que expresaba y disimulaba choques de intereses; la inflación operaba como un mecanismo de redistribución del ingreso, tanto entre los grupos económicos como en relación con los asalariados. Por esto mismo, los economistas de la CEPAL consideraron la inflación como un fenómeno estructural y no simplemente monetario, en el contexto de la industrialización y sustitución de importaciones del período 1940-1970[192]. El caso de México es, en este sentido, muy ilustrativo. La inflación muy moderada, que sigue de cerca los índices de los Estados Unidos, en un contexto de fuerte industrialización y crecimiento económico, se puede explicar por una mayor flexibilidad estructural y sobre todo por el férreo control estatal del Partido Revolucionario Institucional (PRI)[193].

En octubre de 1960 llegó a la presidencia de Brasil Jânio Quadros, un político de São Paulo enemigo del varguismo; el vicepresidente electo, sin embargo, fue João Goulart, antiguo ministro de Trabajo y uno de los herederos políticos

---

191. Furtado, *La economía latinoamericana. Desde la conquista ibérica hasta la Revolución cubana,* pp. 129-130.

192. Werner Baer, «The Inflation Controversy in Latin America: A Survey», *Latin American Research Review,* vol. II, núm. 2 (1967), pp. 3-25.

193. Furtado, *La economía latinoamericana. Desde la conquista ibérica hasta la Revolución cubana,* pp. 128-129.

de Getúlio Vargas[194]. La confrontación política de 1954 parecía repetirse; Jânio renunció de forma inesperada el 25 de agosto de 1961 y precipitó al país en una crisis profunda; las fuerzas de la derecha no aceptaron que Goulart asumiera la presidencia, como lo establecía la Constitución. El Congreso estableció entonces un régimen parlamentario, disminuyendo las atribuciones presidenciales, y el 7 de setiembre Goulart juró como presidente del Brasil. La confrontación social fue creciente. El movimiento sindical se extendía al campo, con las ligas campesinas lideradas por Francisco Julião; en sus filas militaban sectores católicos radicales y comunistas. Los estudiantes universitarios y de secundaria también se movilizaban, junto con los trabajadores urbanos que constituían la flor y nata del populismo varguista. A todo ello se agregó una crisis económica creciente, mientras que los militares formados en la Escola Superior de Guerra[195], comenzaban a planear un golpe de Estado.

En enero de 1963 un plesbicito terminó, por amplísima mayoría, con el sistema parlamentario. João Goulart asumió entonces plenos poderes presidenciales. El deterioro económico y la confrontación política siguieron, durante todo ese año, su curso inexorable. El gobierno intentó desentrabar la situación en marzo de 1964 decretando una reforma agraria, nacionalizando las refinerías que no estaban todavía en manos de la Petrobras y anunciando una futura reforma urbana que afectaría los alquileres. Las manifestaciones de apoyo al presidente organizadas en Rio de Janeiro

194. En el sistema electoral brasileño de esta época se votaba para presidente y vicepresidente en papeletas separadas.
195. Esta escuela de élite fue creada en 1949 y contó desde el principio con asesores militares estadounidenses y franceses.

el 13 de marzo, cuando anunció estas medidas, fueron por cierto multitudinarias; pero fueron respondidas por concentraciones igualmente impactantes, como la del 19 de marzo en São Paulo, convocadas por la derecha católica. El 31 de marzo ocurrió el golpe de Estado, encabezado por el general Olímpio Mourão Filho; toda resistencia fracasó rápidamente. El 9 de abril de 1964, los mandos militares emitieron el Acta Institucional Núm. 1, en la cual definían el marco de la intervención militar y quitaban los derechos políticos a varios centenares de personas; el 15 de abril asumió la presidencia el general Humberto Castelo Branco; el régimen militar durará hasta 1985.

La represión sobre toda oposición y el establecimiento de un régimen basado en una utopía autoritaria-conservadora, que ya estudiamos en el capítulo 2, hacen pensar en un quiebre total con el populismo varguista. Sin embargo, esto debe matizarse. Más bien puede postularse la existencia de un legado ambiguo, al cual el nuevo régimen militar no fue completamente ajeno. El énfasis en el nacionalismo y la idea de hacer del Brasil una gran potencia industrial, adoptada por los militares, era sin duda una herencia del varguismo, lo mismo que la promoción de la tecnocracia e incluso la participación política de ciertos personajes importantes. Francisco Campos (1891-1968), un jurista conservador y antiliberal, redactor de las dos primeras Actas Institucionales del régimen militar, había sido ministro de Vargas en la década de 1930 y había elaborado la Constitución del *Estado Novo* en 1937. Por otra parte, el anticomunismo furioso del régimen militar tenía mucho de las doctrinas de la seguridad nacional animadas por el gobierno de los Estados Unidos, pero también parecía un eco del enérgico anticomunismo del gobierno de Getúlio Vargas a partir de 1935.

La carta-testamento de Vargas nos lleva a plantear un problema más general, y de paso, regresar al tema de las inversiones extranjeras y el apoyo financiero externo al desarrollo. ¿Será cierto, como dice Vargas, que el imperialismo asociado a grupos nacionales impide el desarrollo nacional? ¿O, dicho de manera más neutra, que el capital extranjero debe de considerarse, en muchas circunstancias, como parte de los obstáculos externos al desarrollo?

La respuesta a este interrogante es un sí condicionado, en el contexto de la hegemonía imperial norteamericana durante la Guerra Fría. Celso Furtado, autor y actor en las lides del desarrollo latinoamericano en las décadas de 1950 y 1960, lo expresó con toda claridad en 1965[196]:

> La hegemonía que los Estados Unidos ejercen en América Latina constituye un serio obstáculo al desarrollo de la mayoría de los países de la región, al reforzar excesivamente las estructuras anacrónicas de poder.

El problema no es el capital extranjero en sí mismo sino la acción combinada de las grandes empresas norteamericanas y el control preventivo de las «subversiones», lo cual implicó casi siempre el congelamiento del statu quo social.

La expansión de la industria anduvo de la mano con la urbanización y la necesidad de incorporar las masas trabajadoras al consumo y a la vida política nacional. Como ya se vio con cierto detalle, el populismo constituyó (con México, Argentina y Brasil como casos paradigmáticos) la fórmula política latinoamericana que permitió llevar adelante

---

196. Celso Furtado, *Subdesarrollo y estancamiento en América Latina,* traducido por Samira Chuahy, Buenos Aires, EUDEBA, 1966, pp. 56-57.

esta incorporación. Cuando la industrialización llegó a un cuello de botella, hacia 1970, hubo una deriva política mucho más autoritaria: a partir del golpe brasileño de 1964, proliferaron las dictaduras militares[197]. Fue este resultado una consecuencia inevitable del propio proceso de industrialización, como lo argumentó en forma imaginativa Guillermo O'Donnell[198]. Según este autor, fue la profundización de la industrialización dependiente lo que explica los regímenes militares; habría habido así un pasaje casi obligado de una coalición populista, durante la primera fase de la industrialización, a un Estado burocrático autoritario, propio de la segunda fase de industrialización. Propuesta en la década de 1970, esta idea no fue confirmada por los hechos en las décadas siguientes, amén de que no podía aplicarse al caso mexicano. Las dictaduras en Argentina, Brasil y Chile tenían por supuesto un importante *background* de intereses económicos en conflicto, pero no se pueden explicar sin recurrir a factores políticos y sociales, y sin tener en cuenta los problemas de la Guerra Fría y la hegemonía estadounidense[199]. La autonomía relativa de la política con respecto a la economía debe así destacarse; la economía explicativa del reduccionismo es siempre vacía.

197. Argentina en 1966 y 1976; Bolivia en 1964; Chile en 1973; Ecuador en 1972; y Perú en 1968.
198. Guillermo A. O'Donnell, *Modernización y autoritarismo,* Buenos Aires, Editorial Paidós, 1972; Guillermo A. O'Donnell, *El estado burocrático autoritario. Triunfos, derrotas y crisis,* Buenos Aires, Editorial de Belgrano, 1996 [1982].
199. Véase críticas a O'Donnell en Albert O. Hirschman, *Essays in Trespassing. Economics to Politics and Beyond,* Cambridge, Cambridge University Press, 1981, pp. 105-118; Pablo Gerchunoff y Lucas Llach, *El ciclo de la ilusión y el desencanto. Un siglo de políticas económicas argentinas,* Buenos Aires, Ariel, 1998, p. 310.

Hubo pues en este período de industrialización, Guerra Fría y populismo dos cortocircuitos diferentes. El primero se manifiesta en la esfera propiamente económica: la industrialización topa muy pronto con un límite tecnológico, y la dependencia de patentes extranjeras no da tregua alguna en un mercado donde la competencia es feroz y despiadada. En el plano social y político hay otro cortocircuito en las bases: el consumo de masas impuesto por la industrialización y la globalización implica también una movilización y una participación en la esfera política, al menos, en el horizonte definido por la democracia representativa consagrada en las constituciones. El populismo autoritario fue una solución transitoria, y a menudo contradictoria, en esta búsqueda de la modernidad del mercado y la globalización.

Hacia 1980, América Latina entró en una nueva fase de su desarrollo histórico: la crisis de la deuda externa llevó a un cambio drástico en el patrón de desarrollo, y la caída del comunismo precipitó el fin de la Guerra Fría y un retorno a la democracia representativa. Reservaremos el estudio de este período al último capítulo de este libro.

4. Heitor Villa-Lobos. La música con los colores de la nación

Un proyecto ambicioso

El 7 de setiembre de 1940 se realizó en el estadio Vasco da Gama de Rio de Janeiro una gigantesca manifestación coral y cívica bajo el título «Hora de la Independencia». Fue organizada por el Ministerio de Educación y dirigida por Heitor Villa-Lobos, un ya por entonces afamado compositor brasileño, que encabezaba el Serviço de Educação Musical e Artística (SEMA). Cantaron 40.000 escolares, movilizados desde todos los rincones de la capital[1], y asistieron, además de la plana mayor del gobierno, varios miles de personas. En 1959, al escribir sobre la muerte de Villa-Lobos, el gran poeta

---

1. Véase los minuciosos detalles de organización y movilización de los escolares en los documentos reproducidos en Ermelinda A. Paz, *Heitor Villa-Lobos. O Educador,* Brasilia, Instituto Nacional de Estudos e Pesquisas Educacionais, 1989, pp. 116-155.

Carlos Drummond de Andrade recordó así ese momento glorioso[2]:

> Quien lo vio un día dirigiendo un coro de 40.000 voces adolescentes en el estadio Vasco da Gama, jamás puede olvidarlo. Era una furia organizada en ritmo, que se volvía melodía y creaba una comunión más generosa, ardiente y purificadora de lo que sería posible concebir. La multitud vivía una emoción brasileña y cósmica, estábamos tan unidos los unos a los otros, tan participantes y al mismo tiempo tan individualizados y ricos de nosotros mismos, en la plenitud de nuestra capacidad sensorial, era tan bello y avasallante, que para muchos no había otra forma sino llorar, llorar de pura alegría. A través de la cortina de las lágrimas surgía la figura brumosa del maestro que captaba la esencia musical de nuestro pueblo; indios, negros, peones del campo, mestizos, cantores de serenatas de arrabal que él fundía en los ecos y rumores de los ríos, las laderas, las grutas, las labranzas, los juegos infantiles, los silbidos y las risas de los diablillos folclóricos.

Esta comunión colectiva donde coincidían el civismo con el arte y una sincera emoción nacional ha sido rara en América Latina. Abundaban en cambio los desfiles militares y los actos conmemorativos en escuelas y colegios, en honor de la patria y sus héroes; el civismo se modelaba en los altares de la independencia. Otras celebraciones masivas expresaban fuertes emociones colectivas a través del fervor religioso, sobre todo en procesiones y peregrinaciones, o

2. Publicado en *Correio da Manhã* del 19-11-1959, reproducido en Marco Antonio Carvalho Santos, *Heitor Villa-Lobos,* Recife, Fundação Joaquim Nabuco / Editora Massangana, 2010, pp. 131-132.

bien con la adrenalina del fútbol y la catarsis de los carnavales y otras fiestas populares. Pero en todas estas celebraciones colectivas el arte quedaba en segundo plano y a menudo brillaba por su ausencia. Lo extraordinario del ejemplo brasileño es que había una firme voluntad de combinar la educación musical, cívica y patriótica al servicio de un vasto proyecto de afirmación nacional.

Actos grandiosos como el del 7 de setiembre de 1940 fueron frecuentes entre 1931 y 1944. El primero tuvo lugar en São Paulo el 24 de mayo de 1931 y se denominó «Exhortación cívica»; Villa-Lobos dirigió entonces un coro estimado en unas 15.000 voces, reunidas en el estadio de fútbol del club São Bento; el programa incluía arreglos de *Il Guarany* de Carlos Gomes[3], el Himno Nacional y varias composiciones del propio Villa-Lobos, como *Na Bahia tem* y *Pra frente, ó Brasil*. El acto fue auspiciado por el gobierno del Estado, contó con el apoyo de escuelas y colegios, y fue cuidadosamente organizado, en un espíritu casi militar. Villa-Lobos expresó, entre otras cosas:

Cantemos los himnos elevados y las canciones sublimes, en una esplendorosa exhortación de civismo, de fraternidad y de confianza en el futuro de nuestro Brasil.

No se podía pedir un mensaje más próximo al de la ideología de la revolución de 1930[4]. Pero el proyecto de Villa-

---

3. Carlos Gomes (1836-1896) fue un importante compositor brasileño; autor de varias operas en el estilo del *bel canto* italiano; tuvo una importante carrera en Italia. Su ópera *Il Guarany* fue estrenada en 1870, tanto en Milán como en Río de Janeiro.
4. Paulo Renato Guérios, *Heitor Villa-Lobos. O caminho sinuoso da predestinação,* Río de Janeiro, Editoria FGU, 2003, pp. 174-176.

Lobos en São Paulo no pudo continuar, dada la oposición paulista al régimen de Vargas, la cual culminaría en la fracasada revolución constitucionalista de 1932. Entretanto, Villa-Lobos volvió a Rio de Janeiro. Anísio Teixeira, secretario de Educación del Distrito Federal, lo nombró al frente de la recién creada SEMA en febrero de 1932. Ahora sí, Villa-Lobos tenía los recursos y el apoyo necesario para emprender su vasto proyecto de educación cívica y musical a través del canto orfeónico[5]. El nombramiento le daba un buen salario y llegaría a tener a su cargo un total de 92 funcionarios; Villa-Lobos trabajó con una dedicación total en los siguientes campos: a) formación de profesores; b) diseño de programas de educación musical para escuelas y colegios; c) ampliación del proyecto a otros estados como Sergipe, Pará, Paraíba, Minas Gerais, São Paulo y Recife; d) publicación de obras didácticas como la *Guia prática,* un conjunto de 137 arreglos corales de la música brasileña (rondas infantiles, melodías folklóricas y populares), los *Solfejos* y dos volúmenes de *Canto Orfeónico;* e) organización de presentaciones orfeónicas en teatros y auditorios; f) organización de gigantescas concentraciones orfeónicas anuales, con miles de participantes; y g) gran cantidad de actividades adicionales incluyendo conciertos, actos con-

5. El canto orfeónico fue un tipo de canto coral masivo muy practicado en Francia durante el siglo XIX por las clases medias y populares; generalmente contaban con apoyo municipal. Se practicó también en España y otros países europeos; el Orfeón Donostierra y el Orfeó Català descienden de dicho movimiento, aunque hace mucho que dejaron de ser coros de aficionados. Sobre la obra de Villa-Lobos en este campo véase Ricardo Goldemberg, *Heitor Villa-Lobos. The experience of orpheonic singing in Brazil,* archivo Web, consultado el 28-02-2016: http://www.classical.net/music/comp.lst/articles/villa-lobos/orpheonic.php, 1997.

memorativos y giras internacionales[6]. Dentro de estas últimas cabe destacar tres conciertos dirigidos en el Teatro Colón de Buenos Aires en 1935, durante un viaje oficial de Getúlio Vargas a la Argentina, y un viaje a Europa en 1936 para asistir al Congreso de Educación Popular Musical realizado en Praga. En ambos viajes dirige conciertos con sus obras y pronuncia conferencias sobre las experiencias brasileñas del canto orfeónico. En Europa visita también Berlín, Viena y otras ciudades. En 1942 el gobierno decide crear el Conservatorio Nacional de Canto Orfeónico y en 1945 la Academia Brasileira de Musica, ambas instituciones también dirigidas por Villa-Lobos.

Todo el esfuerzo del canto orfeónico, concebido como una simbiosis entre educación musical, cívica y patriótica, orientada hacia los niños y jóvenes pero incluyendo también una amplia participación de la población adulta, culminaba cada año en gigantescas concentraciones. En estos actos estaban representados todos los elementos del corporativismo varguista: escuelas primarias y secundarias, bomberos, policías, militares, operarios, etc.; los temas de las canciones y marchas exaltaban los oficios del día a día y los héroes del pasado y del presente, incluyendo también una poderosa evocación de las florestas, el viento, los ríos y los pájaros[7]. El paisaje natural y el paisaje social del Brasil cabían así en una explosión estética de emociones colectivas. Para la concentración orfeónica de 1934 Villa-Lobos planeaba reunir 34.000 voces en el estadio Vasco da Gama de

6. Sobre todos estos temas véase los documentos reproducidos en Santos, *Heitor Villa-Lobos* y Paz, *Heitor Villa-Lobos. O Educador*.
7. Arnaldo D. Contier, «Villa-Lobos: O Selvagem da Modernidade», *Revista de Historia,* vol. 135, núm. 2.do semestre (1996), pp. 101-120, p. 116.

Río de Janeiro, incluyendo escolares, obreros, soldados y universitarios, además de 20.000 espectadores; al ejecutarse la obra *Legenda mecánica* 100 aviones sobrevolarían el estadio uniendo el ruido de sus motores a la música. Al final Villa-Lobos tuvo que contentarse con menos voces y debió renunciar a los aviones[8]; pero no por eso las concentraciones orfeónicas fueron menos masivas y espectaculares.

Villa-Lobos describió con mucho detalle sus actividades, extendiéndose sobre sus intenciones cívicas y estéticas, en varios documentos publicados entre 1937 y 1946. En una reflexión suya retrospectiva (1946) se lee[9]:

Precisamente en aquel momento, el Brasil acababa de pasar por una transformación radical, se esbozaba una nueva era promisoria de benéficas reformas políticas y sociales. El movimiento renovador de 1930 trazaba con seguridad nuevas directrices políticas y culturales para Brasil, indicando rumbos decisivos de acuerdo con su proceso lógico de evolución histórica. Lleno de fe en la fuerza poderosa de la música sentí que con el advenimiento de ese *Brasil Novo* había llegado el momento de realizar una alta y noble misión educadora dentro de mi Patria. Tenía un deber de gratitud con esta tierra que me brindaba generosamente tesoros inigualables de materia prima y belleza musical. Era preciso poner toda mi energía al servicio de la Patria y de la colectividad utilizando la música como un medio de formación y de renovación moral, cívica y artística de un pueblo. Sentí que era preciso dirigir el pensamiento a los niños y al pueblo. Y resolví iniciar una campaña por la enseñanza popular de la música

8. Guérios, *Heitor Villa-Lobos. O caminho sinuoso da predestinação,* p. 192.
9. Heitor Villa-Lobos, «Educação musical», *Boletim Latino-Americano de Musica,* vol. 6 (1946), pp. 495-588, p. 502.

en el Brasil, creyente de que el canto orfeónico es una fuente de energía cívica vitalizadora y un poderoso factor educacional. Con el auxilio de las fuerzas coordinadoras del actual gobierno, esa campaña echó raíces profundas, creció, fructificó y hoy presenta aspectos ineludibles de sólida realización.

El proyecto de Villa-Lobos se inscribía, obviamente, en un contexto intelectual y político mucho más amplio. El autoritarismo de Getúlio Vargas ha sido caracterizado por Boris Fausto como una «modernización conservadora», es decir, un proyecto que buscaba transformar profundamente un Brasil gigantesco pero desarticulado desde el poder del Estado[10]. Como ya se explicó en el capítulo 3, los pivotes de este proyecto eran la urbanización y la industrialización, pero incluían también fuertes transformaciones en las relaciones sociales, las ideas políticas y la educación. La quiebra del poder oligárquico rural implicó la organización y movilización de los trabajadores urbanos y la recomposición de los empresarios, mientras que en el plano ideológico el nacionalismo alimentó un Estado interventor y centralizador, dejando en segundo plano al liberalismo tradicional. Los cambios en la educación y la participación popular tuvieron una importancia particular. La organización sindical fue promovida y controlada por el gobierno, mientras que la educación sufrió cambios sustanciales, comenzando por la creación del Ministerio de Educación y Salud en noviembre de 1930. Francisco Campos (1930-1932) primero y luego Gustavo Capanema (1934-1945) fueron los ministros que marcaron profundamente las nuevas direcciones de la educación pública.

10. Boris Fausto, *História do Brasil,* 14.ª ed., São Paulo, Editora da Universidade de São Paulo, 2012, p. 305.

Se puso fuerte énfasis en la educación secundaria y hubo, paralelamente, una renovación total de la educación superior. La Universidad de São Paulo fue creada por el gobierno del estado en 1934 y contó desde el principio con la cooperación de jóvenes profesores franceses, como Fernand Braudel, Roger Bastide y Claude Lévi-Strauss; a lo largo del tiempo se fue consolidando como uno de los centros de educación superior más importantes de América Latina. Más azaroso fue el desarrollo de la Universidad de Río de Janeiro, creada en 1935 como Universidad del Distrito Federal.

En el clima crecientemente autoritario del régimen de Vargas florecieron sin embargo tendencias muy diversas y hubo también espacio para las vanguardias artísticas. Hubo una notable expansión de las artes y la vida literaria, de los estudios históricos y sociales, de las editoriales, la prensa y la radio. Al rememorar un ambiente que le tocó vivir de joven, Antonio Candido[11] señala la repercusión que tuvo la publicación de tres obras fundamentales sobre la sociedad brasileña: *Casa Grande e Senzala,* de Gilberto Freyre en 1933, *Evolução política do Brasil,* de Caio Prado Júnior en 1934, y *Raízes do Brasil,* de Sérgio Buarque de Holanda en 1935. Las tres combinaban la investigación histórica y sociológica con agudas perspectivas de interpretación y marcaron el rumbo de una generación que se interesaba cada vez más «por las cosas brasileñas».

La arquitectura y las artes plásticas fue otro ámbito de gran ebullición creadora. Gustavo Capanema encargó a dos jóvenes arquitectos, Lúcio Costa y Oscar Niemeyer, el

---

11. Antonio Candido, *A Educação Pela Noite & Outros Ensaios,* São Paulo, Editora Ática, 1989, capítulo 11, «A Revolução de 1930 e a cultura», publicado originalmente en 1983, pp. 181-198.

proyecto del nuevo edificio del Ministerio de Educación y Salud en Río de Janeiro. La obra, finalmente concluida en 1945, será supervisada por Le Corbusier y contará además con murales pintados por Cândido Portinari, jardines diseñados por Roberto Burle Marx y una escultura de Bruno Giorgi dedicada a la juventud brasileña en la entrada; hoy conocido como Edificio Gustavo Capanema o Palacio Capanema, esta obra es considerada el inicio de una renovación arquitectónica que culminará con la inauguración de Brasilia en 1960.

La «modernización conservadora» del período de Getúlio Vargas replanteó las relaciones entre artistas e intelectuales con el Estado y con la sociedad, produciendo obras y actividades de gran significación. Citemos de nuevo a Antonio Candido[12]:

> No siempre fue fácil la colaboración sin sumisión de un intelectual cuyo grupo se radicalizaba frente a un Estado de cuño cada vez más autoritario [...pero] un análisis más completo muestra que el artista o escritor aparentemente cooptados son capaces, por la propia naturaleza de su actividad, de desenvolver antagonismos objetivos, no meramente subjetivos, en relación al orden establecido [...] Así, durante la dictadura del *Estado Novo,* después de 1937, Cândido Portinari, cumpliendo un encargo oficial, pintó los famosos murales en el Ministerio de Educación; por su concepción, temática y técnica, ellos eran la negación del régimen opresor, al mostrar como representantes de la producción al trabajador y no al patrón, al negro y no al blanco [...]

12. *Ibid.,* pp. 194-195. Véase también Sérgio Miceli, *Intelectuais e classe dirigente no Brasil (1920-1945),* São Paulo, Difel, 1979; Andrea Giunta (comp.), *Cándido Portinari y el sentido social del arte,* Buenos Aires, Siglo XXI editores, 2005.

Un músico brasileño

Heitor Villa-Lobos[13] había nacido en Rio de Janeiro el 5 de marzo de 1887. Era uno de los ocho hijos del matrimonio que formaban Raúl Villa-Lobos y Noêmia Umbelina Santos Monteiro. Su padre era funcionario de la Biblioteca Nacional y una persona cultivada; en su juventud había recibido clases de música y tocaba el violoncelo. Heitor comenzó a aprender ese instrumento al igual que la guitarra y el clarinete. A los 12 años murió su padre y doña Noêmia sacó adelante sus hijos lavando y planchando ajeno. Heitor estudió en el Colegio de São Bento y la expectativa de su madre era que fuese médico; pero su precoz y fuerte vocación musical acabó imponiéndose, a pesar de todas las estrecheces y dificultades. Su formación fue la de un autodidacta con una capacidad asombrosa de asimilar y recrear lo que el ambiente le ofrecía. Bromista por naturaleza, Villa-Lobos decía a menudo que su maestro había sido Pixinguinha en la Universidad de Cascadura[14].

Las primeras influencias vinieron, obviamente, del medio familiar; su padre, ante todo, y luego su tía Zizinha, pianis-

---

13. Véase Luiz Paulo Horta, *Villa-Lobos. Uma Introdução,* Río de Janeiro, Jorge Zahar Editor, 1987; Gerard Béhague, *Heitor Villa-Lobos: The Search for Brazil's Musical Soul,* Austin, Institute of Latin American Studies, University of Texas, 1994; Marcel Beaufils, *Villa-Lobos. Musicien et poète du Brésil,* París, IHEAL & EST, 1988; Vasco Mariz, *Heitor Villa-Lobos, Compositor Brasileiro,* Río de Janeiro, Zahar Editores, 1983.
14. Donatello Grieco, *Roteiro de Villa-Lobos,* Brasilia, Fundação Alexandre de Gusmão, 2009, p. 17. Pixinguinha, seudónimo de Alfredo da Rocha Vianna (1897-1973) fue un famoso flautista, saxofonista, compositor y arreglista de la música popular brasileña; Cascadura es un pequeño barrio de Río de Janeiro que por supuesto no tenía ninguna universidad.

ta, que lo introduce en el mundo del clave bien temperado de Bach. El entorno incluía también la práctica musical del *choro,* en la cual un pequeño conjunto instrumental[15] improvisaba y tocaba melodías populares de todo tipo en fiestas y celebraciones familiares. Adolescente y huérfano de padre, Heitor comenzó a ganarse la vida como guitarrista y arreglista de *choro.* Más adelante, y ahora aprovechando su entrenamiento como violoncelista, empezó a tocar durante las tardes en la Confitería Colombo, una de las más elegantes de Río, y por las noches en el restaurante Assírio; también tocaba en las pequeñas orquestas de las salas de cine. Estas experiencias prácticas se combinaron pronto con el estudio del *Cours de Composition Musicale* de Vincent d'Indy, una obra que lo acompañará a lo largo de muchos años. La formación de Villa-Lobos se movía pues entre la disciplina de las fugas de Bach y la absoluta libertad de improvisación de los *chorões*[16].

Otro elemento fundamental en su formación fueron los viajes. En 1905 recorre Espíritu Santo, Bahía y Pernambuco; en 1907 visita Minas Gerais, Goiás y Mato Grosso. En 1910 se une a una compañía de operetas y recorre el litoral brasileño hasta Recife; luego, con un pianista y saxofonista que conoció en Fortaleza sigue hasta Manaos y la Amazonia; enamorado de una inglesa termina visitando la isla de Barbados; regresa a Río de Janeiro en 1912 para gran felicidad de su madre, que lo creía muerto y había hecho rezar misas en su memoria. Ese mismo año visitó otra vez el nor-

15. Por lo general guitarra, mandolina, pandereta, flauta y trombón; las combinaciones eran muy variadas y podían incluir instrumentos muy diversos.
16. Horta, *Villa-Lobos. Uma Introdução,* p. 17.

deste. Para Villa-Lobos estos viajes por el Brasil profundo fueron ante todo una experiencia vital que lo puso en contacto con el paisaje natural, social y cultural de su país[17]. Aunque seguramente recolectó materiales folklóricos y populares muy variados, no se trató de un trabajo sistemático y meticuloso de etnomusicología como el que realizaron, por ejemplo, Béla Bartók y Zoltán Kodály en Europa Central durante la misma época.

En 1907 se inscribió en el Instituto Nacional de Música, pero casi enseguida abandonó los cursos para emprender uno de los viajes al interior recién indicados. En 1913, a los 26 años, se casó con Lucília Guimarães, pianista y compositora, con la que convivirá veintidós años. Lucília era una pianista profesional y colaboró estrechamente con su marido como intérprete y asistente. Villa-Lobos componía incansablemente desde 1905: obras para guitarra, para piano, música de cámara con variadas combinaciones instrumentales, obras corales y también partituras para orquesta. Poco a poco fue dándose a conocer como compositor, y aunque despertó también fuertes críticas, pocos negaban su innegable talento musical. Los primeros conciertos con sus obras tuvieron lugar en 1915; obras características de esta fase fueron la *Suite Popular Brasileña* (1908-1912)[18] para guitarra y las *Danzas características africanas* (1914)[19] para pia-

17. *Ibid.,* pp. 20-21.
18. Movimientos: Mazurka-choro; Schottis-choro; Valsa-choro; Gavota-choro; Chorinho.
19. Movimientos: Farrapós (Dança dos Moços); Kankukus (Dança dos Velhos); Kankikis (Dança dos Meninos); Villa-Lobos no fue consistente en los títulos, también las llamó, respectivamente, *Dança Indígena* N°.1, N°.2 y N°.3. La version orquestal fue titulada Danses Africaines. Véase Museu Villa-Lobos, *Villa-Lobos. Sua Obra. Versão 1.0.1.,* Río de Janeiro, MinC / IBRAM, 2010 [1965], pp. 70-71 y 131-132.

no y también para octeto (dos violines, viola, chelo, contrabajo, flauta, clarinete y piano), orquestadas en 1916. La *Suite* evoca, en forma simple y romántica las serenatas y danzas de los *chorões,* mientras que las *Danzas africanas,* iniciadas durante la estadía del compositor en Barbados, incluyen sobre todo ritmos indígenas y mestizos, más que africanos, a pesar del título[20].

1917 y 1918 fueron años cruciales en la carrera de Villa-Lobos. En 1917 conoció al joven compositor francés Darius Milhaud, secretario de la Embajada de Francia en Río de Janeiro. A través de su amistad conoció la vanguardia musical parisina de esos años; por su parte, introdujo a Milhaud en la experiencia vital de la música popular carioca. En 1920, Milhaud volcará esos recuerdos en dos obras características: la suite para piano *Saudades do Brasil* y el emblemático ballet-pantomima *Le Boeuf sur le Toit.* En ambas obras utilizó abundantes materiales musicales brasileños; *Le Boeuf* se convirtió en un ícono del Grupo de los Seis, liderado como se sabe por Jean Cocteau, y dio el nombre enseguida a un conocido cabaret de la bohemia parisina.

En 1917 Villa-Lobos compuso dos obras notables que llevaban ya un sello de originalidad inconfundible: el ballet *Uirapuru* y el poema sinfónico *Amazonas,* subtitulado «Bailado indígena brasileiro». *Uirapuru* evoca una leyenda elaborada por el propio compositor sobre un pájaro encantado que se aparece a los indígenas en las selvas del trópico brasileño; la obra dura unos 18 minutos, utiliza una gran orquesta con mucha percusión y algunos instrumentos típicamente brasileños, y tiene una gran fuerza expresiva, con

20. Béhague, Gerard, *Heitor Villa-Lobos: The Search for Brazil's Musical Soul,* pp. 48-49.

colores orquestales más bien típicos del impresionismo; a pesar de lo que se afirma a menudo, Béhague no cree que utilice temas indígenas, ni siquiera en el llamado de la flauta que representa el canto mágico del uirapuru[21]. Esta obra fue estrenada en Buenos Aires en 1935, en la función de gala del Teatro Colón ofrecida el 25 de mayo en honor de Getúlio Vargas; Villa-Lobos dirigió la orquesta mientras que Dora del Grande y Michel Borovsky fueron los bailarines principales, con coreografía de R. Nemanoff y escenografía de Héctor Basaldúa. La primera audición brasileña tuvo lugar meses después en el Teatro Municipal de Río de Janeiro.

Amazonas es una obra todavía más original. Se basa en un argumento de Raúl Villa-Lobos, el padre del autor, y ocupa una orquesta muy grande. En su brevedad (aproximadamente 12 minutos) evoca los sonidos y colores de la selva con un lenguaje atonal, primitivo en el tratamiento melódico y rítmico. A pesar de lo indicado por el autor en el subtítulo –«Bailado indígena brasileiro»–, la obra no parece incluir temas propiamente indígenas. Fue estrenada en París en la Salle Gaveau en 1929 y produjo una gran impresión; en Brasil se la conoció en 1930 en São Paulo; Mario de Andrade la consideró como la mejor expresión del nuevo nacionalismo musical brasileño, que alcanzaba a la vez un lenguaje universal[22].

En 1918 Villa-Lobos se encontró con un también joven pianista polaco que se interesaba por su obra y estaba dando conciertos en Brasil: Arthur Rubinstein. La amistad duró toda la vida del autor[23] y fue fundamental en su forma-

---

21. *Ibid.,* pp. 51-54.
22. *Ibid.,* pp. 54-58.
23. Artur Rubinstein, *My Many Years,* Nueva York, A. A. Knopf, 1980; Carlos Kater, «Villa-Lobos de Rubinstein», *Latin American Music Review,* vol. 8, núm. 2 (1987), pp. 246-253.

ción musical. A través de los recitales de Rubinstein en Brasil, Villa-Lobos conoció a fondo la obra pianística de Debussy, y al parecer también entró en contacto con la obra de Stravinsky[24]. Más importante todavía fue el interés de Rubinstein en algunas piezas de Villa-Lobos. La primera suite de *A Prole do Bebê* fue estrenada por el gran pianista polaco en el Teatro Municipal de Rio de Janeiro en 1922 y formó parte regular de sus conciertos en todo el mundo; la penúltima pieza de la suite, *O Polichinelo,* fue un *encore* obligado no sólo de Rubinstein sino también de muchos otros pianistas del siglo XX. Más adelante Villa-Lobos compuso una pieza dedicada a Rubinstein titulada *Rudepoema,* la cual fue estrenada en París en 1927. Para la formación de Villa-Lobos resultaba esencial un viaje a Europa y en ese aspecto fue también fundamental el apoyo de Rubinstein; él convenció a los ricos hermanos Carlos y Arnaldo Guinle, benefactores de las artes, para apoyar el viaje de Villa-Lobos a París en 1923; a ello se agregó un soporte financiero gubernamental.

La Semana de Arte Moderno celebrada del 13 al 17 de febrero de 1922 en el Teatro Municipal de São Paulo fue otro momento esencial en la carrera de Villa-Lobos y en la vida cultural brasileña. En conmemoración del centenario de la independencia del Brasil, un grupo de escritores y artistas convocaron a un festival de conciertos, conferencias y exposiciones bajo el signo del modernismo[25]. La expresión se refería a una renovación drástica de las artes asumiendo las vanguar-

24. Béhague, *Heitor Villa-Lobos: The Search for Brazil's Musical Soul,* p. 10.
25. Nótese que el modernismo brasileño es más tardío y artísticamente más amplio que el modernismo hispanoamericano; este último alcanzó su apogeo entre 1888 y 1920, y estuvo limitado a la literatura, con énfasis en la poesía.

dias europeas pero creando a la vez un arte auténticamente brasileño, imponiendo un «espíritu nuevo» y exigiendo la «remodelación de la inteligencia nacional»[26]. El modernismo brasileño se movió entre la literatura, la música y las artes plásticas, en un contexto, además, caracterizado por la emergencia del «tenentismo», un movimiento de sectores medios dentro del ejército con ambiciones revolucionarias; las perspectivas de cambio trascendían así, en ese clima intelectual, las meras preocupaciones estéticas. Macunaíma (1928), el personaje central de la novela emblemática del modernismo, es un «héroe sin ningún carácter», pero héroe brasileño al fin de cuentas, confrontado en sus infinitas aventuras a sus «dos fidelidades: el Brasil y Europa»; Mario de Andrade busca en la intersección entre la música y el folklore cómo comprender los complejos procesos de creación colectiva de la cultura brasileña; «Soy un tupí que tañe un laúd», escribió en el poema O Trovador de 1922[27]. Oswald de Andrade, por su parte, proclama en el Manifiesto Antropófago de 1928 la fusión más radical de todas, y en forma satírica tomó como fecha fundacional del Brasil el año 1556, cuando los indígenas devoraron al obispo Pedro Fernández Sardinha.

La Semana de Arte Moderno consistió en conferencias, exposición de pinturas y esculturas, además de tres conciertos en el Teatro Municipal de São Paulo. Los conciertos es-

26. Conferencia pronunciada por Mario de Andrade en 1942, en Mario de Andrade, *Obra escogida: novela, cuento, ensayo, epistolario,* Caracas, Biblioteca Ayacucho, 1979, p. 292.
27. Véase la introducción de Gilda de Mello e Souza en *ibid.,* pp. IX-LVI. Un tupí se refiere a los indígenas de la etnia tupí-guaraní que habitaban el sur de Brasil a la llegada de los portugueses; el laúd se refiere al instrumento musical europeo introducido en las misiones por los evangelizadores. La imagen refleja bien la profunda y compleja simbiosis cultural en juego.

tuvieron dedicados a la música de Villa-Lobos y se constituyeron en columnas básicas de la Semana; fueron a la vez
una especie de *happening,* rodeados de escándalo y polémica, un ejemplo de la música en el contexto de las ideas estéticas modernistas y una representación del lenguaje musical
nacionalista brasileño[28]. Un selecto conjunto de intérpretes
como Lucília Guimarães Villa-Lobos, Ernâni Braga, Fru-
tuoso Vianna y Guiomar Novaes, coordinados por el mismo Villa-Lobos, tocaron la *Segunda Sonata para violoncelo
y piano,* un arreglo para ocho instrumentos de las *Danzas
características africanas,* el segundo y tercer *Trío para piano
y cuerdas,* varias canciones y piezas para piano y el *Cuarteto
Simbólico,* subtitulado «Impresiones de la vida mundana»,
para flauta, saxofón, celesta, arpa y voces femeninas[29]. La
música despertó tanta polémica como las obras plásticas, la
literatura y las ideas estéticas desarrolladas en las conferencias por Graça Aranha, Mario y Oswald de Andrade entre
otros; como lo expresó el poeta Ronald de Carvalho en la
prensa del momento[30]:

La música de Villa-Lobos es una de las más perfectas expresiones de nuestra cultura.[...] Nos muestra cómo una nueva enti-
dad, cómo el carácter especial de un pueblo que empieza a definirse a sí mismo libremente en un medio cósmico digno de los
héroes y los dioses.

28. José Miguel Wisnik, *O Coro dos Contrários. A música em torno da
semana de 22,* São Paulo, Livraria Duas Cidades, 1977, pp. 63-90.
29. En la publicación de la partitura por Max Eschig solo aparece
como cuarteto para flauta, saxofón, celesta, arpa y coro femenino
(1921).
30. *O Estado de São Paulo* del 17 de febrero de 1922; citado en Béhague,
Heitor Villa-Lobos: The Search for Brazil's Musical Soul, p. 13.

Con el tiempo, la Semana se convirtió en un momento simbólico muy significativo de la vida cultural brasileña. Era tanto un punto de quiebre como una mirada hacia la intimidad profunda, y a la vez, también un deletreo del futuro. En esas coincidencias, Villa-Lobos, consagrado a sus 35 años como el mejor compositor brasileño, cumplió un rol primordial. Graça Aranha y otros gestionaron y obtuvieron del gobierno un apoyo financiero para el proyectado viaje a París de Villa-Lobos, que ya contaba con el soporte de la familia Guinle.

Villa-Lobos estuvo en París durante más de un año, en 1923 y 1924, y luego por un lapso más prolongado desde inicios de 1927 a fines de 1930[31]. Durante la segunda estadía también dirigió conciertos con sus obras en Barcelona, Bruselas, Lieja, Viena, Amsterdam y Londres. Puede afirmarse que hacia 1930 Villa-Lobos era el compositor latinoamericano más conocido y apreciado en París; y lo seguirá siendo en las décadas siguientes. Arthur Rubinstein lo presentó a las Ediciones Max Eschig, y es en esa casa editorial que Villa-Lobos publicará lo más significativo de su creación musical; pronto fue conocido en el efervescente medio musical parisino de los años veinte, donde tuvo contactos con compositores como Manuel de Falla, Stravinsky, Prokofiev, Ravel, Honegger, Milhaud y Varèse, y una amistad duradera con Florent Schmitt. Intérpretes y críticos musicales fueron también parte importante del círculo en torno a Villa-Lobos, comenzando con Rubinstein y siguiendo con la mezzo-soprano Vera Janacopulos, el guitarrista Andrés Segovia, los pianistas Aline Van Barentzen, Tomás Terán, Ricardo

---

31. Véase Anaïs Fléchet, *Villa-Lobos à París. Un écho musical du Brésil,* París, L'Harmattan, 2004.

Viñes, Jõao de Souza Lima, Magda Tagliaferro y Marguerite Long, y directores de la talla de Leopold Stokowski, Piero Coppola, Albert Wolff, Robert Siohan, Serge Koussevitsky y Gaston Poulet. En varios conciertos con sus obras, particularmente en la Salle Gaveau, en 1927 y 1930, fue dando a conocer nuevas obras con un lenguaje musical original, depurado y, para el público francés, exótico.

La crítica fue generosa, y Villa-Lobos pasó a formar parte de la vanguardia musical parisina, que absorbía incansablemente los sonidos de la música rusa, eslava, centroeuropea, española y ahora también brasileña. La prensa musical parisina calificó la música de Villa-Lobos como primitiva y salvaje, evocando una naturaleza misteriosa de selvas exuberantes, habitadas por indios y colores fuertes, de las cuales emanaba una energía nueva, vital, esplendorosa, la cual retrocedía hasta el descubrimiento y la conquista del Nuevo Mundo. El exotismo formaba parte integral de la cultura francesa, y el mensaje musical de Villa-Lobos fue deletreado en esos términos: una mezcla entre las imágenes del buen salvaje y el aventurero en tierras lejanas y extrañas.

Según Anaïs Fléchet, la crítica musical francesa creó en torno a Villa-Lobos una verdadera retórica de la alteridad, cuyo momento culminante fue probablemente la crónica publicada en *L'Intransigeant* del 13 de diciembre de 1927 por Lucie Delaru Mardrus bajo el título *«L'aventure d'un compositeur: musique cannibale»*[32]. En este texto la poetisa francesa cuenta que Villa-Lobos, en un viaje al interior del Brasil, fue capturado por los indígenas y estuvo tres días amarrado a un árbol, asistiendo a las ceremonias fúnebres celebradas en su honor. Liberado por los blancos, recogió

32. *Ibid.,* pp. 71-72.

de esa aventura espantosa los ritmos y modulaciones que nutrían ahora su música. La experiencia que Lucie Delaru Mardrus hace pasar a Villa-Lobos no es simbólica, como la que proponían los artistas brasileños del *Manifiesto Antropófago* de 1928; es más bien literal, realista, y de hecho está tomada del famoso relato de Hans Staden publicado en 1557 y luego ilustrado por Théodore de Bry. La publicidad para Villa-Lobos fue sensacional, y el episodio fue repetido por otros autores y comentaristas en los años siguientes. Villa-Lobos no se preocupó por desmentir la fantasía publicada por la escritora y más bien parece que quedó encantado con ella; no era la primera, ni sería tampoco la última, ocasión en que nuestro músico contribuía a crear en torno suyo una aureola de ambigüedad que indudablemente lo hacía feliz. Al fin y al cabo, al igual que Mario de Andrade, Villa-Lobos se sentía como un «tupí tañendo el laúd».

En la Semana de Arte Moderno de 1922, Villa-Lobos brilló como un músico que había logrado conciliar, en un portentoso y nuevo lenguaje, las prácticas populares brasileñas con la música erudita europea, y sobre todo con la de la vanguardia francesa. En las palabras de Paulo Renato Guérios, había nacido un músico erudito. La experiencia parisina, en los años siguientes, fue todavía más profunda, y no sólo provocó en nuestro autor una fabulosa explosión creadora; en la riqueza de un medio que lo exponía a todos los vientos, colores y sensibilidades, el compositor se encontró a sí mismo, y así fue posible el nacimiento de un compositor brasileño[33].

---

33. Guérios, *Heitor Villa-Lobos. O caminho sinuoso da predestinação*, pp. 100-160.

Un creador internacional

En la década de 1920 Villa-Lobos logró consolidar su lenguaje musical a través de un conjunto de obras sumamente originales: los 12 *Choros* (1920-1928); el *Noneto para flauta, oboe, saxo alto, fagot, arpa, celesta, piano, percusión y coro mixto* de 1923, subtitulado «Impresión rápida de todo el Brasil sonoro»; *Momoprecoce,* para piano y orquesta, basada en la suite pianística *Carnaval de los niños brasileños* (1929); los 12 *Estudios para guitarra* (1924-1929) encargados por Andrés Segovia, y que constituyen un pilar fundamental en el repertorio de ese instrumento; las 14 *Serestas para canto y piano* sobre poemas de Manuel Bandeira y Carlos Drummond de Andrade, entre otros; el *Rudepoema* (1921-1926) dedicado a Arthur Rubinstein; el *Quinteto para vientos en forma de Choros* de 1928; y las 16 *Cirandas para piano,* basadas en motivos folklóricos y estrenadas en 1929.

Los *Choros* fueron considerados por el mismo Villa-Lobos como una de sus invenciones más originales[34]. El punto de partida fueron los *chorões* cariocas en los que el compositor participó de joven; como ya se explicó, se trataba de pequeños conjuntos instrumentales basados en la guitarra, la trompeta y otros instrumentos que estuvieran disponibles, con los que tocaban arreglos de las obras de moda, al igual que melodías más tradicionales, en las alegres fiestas de Rio de Janeiro; la improvisación y el contrapunto espontáneo formaban parte de esa práctica musical, y como ya se indicó antes, Villa-Lobos la incorporó en sus composicio-

---

34. «Villa-Lobos: Qu'est ce qu'un Chôros?» (entrevista grabada el 29 de mayo de 1958), en *Villa-Lobos par lui même,* compact disc 5, EMI France, 1991.

nes. Los 12 *Choros* son el producto más elaborado de esa propuesta. La composición instrumental es muy variada: guitarra sola (núm. 1); piano solo (núm. 5); flauta y clarinete (núm. 2); clarinete, saxo alto, fagot, 3 cornos, trombón y coro masculino (núm. 3 subtitulado «Picapau»); 3 cornos y un trombón (núm. 4); flauta, oboe, clarinete, saxo alto, fagot, violín, violoncelo y tam-tam (núm. 7, conocido como «Setimino»); orquesta y coro (núm. 10, subtitulado «Rasga o coração»); orquesta (núms. 6, 8, 9 y 12) y piano y orquesta (núm. 11).

Musicalmente, los *Choros* son una especie de collage rítmico y melódico sobre una estructura armónica que rara vez va más allá del posromanticismo y el impresionismo franceses; el color instrumental es particularmente imaginativo y atmosférico; el tratamiento coral, cuando es el caso, se basa en sílabas y vocalizaciones onomatopéyicas siguiendo el modelo del *Tercer Nocturno* de Debussy o *Daphnis et Chloé* de Ravel; la percusión es particularmente importante y utiliza una amplia gama de instrumentos típicamente brasileños. Los temas son a veces folklóricos, a veces evocan la música indígena o afrobrasileña, pero siempre pasan, como lo afirmó incansablemente el compositor, por su impetuosa creatividad personal. La composición por yuxtaposición de temas, es decir, con poco o ningún desarrollo de los mismos, funciona mejor en obras cortas y concisas; ello es evidente en los *Choros* y en obras similares como el *Noneto,* los *Estudios para guitarra,* las *Cirandas* y las *Serestas*.

Entre 1930 y 1945, cuando Villa-Lobos estuvo involucrado de lleno en el proyecto de música para las masas que ya fue presentado al inicio de este capítulo, llegó a la cima de su genialidad creadora a través de las nueve *Bachianas Brasileiras*. Ellas resumen también su lenguaje musical, producto cruzado de una experiencia brasileña autodidacta, una explosión imaginativa parisina que le permitió fijar su lugar en las fronteras culturales que lo marcaron desde un principio y una participación política más que activa en la sociedad en que vivía. Las *Bachianas*[35] son obras instrumentales que combinan el mundo sonoro brasileño con la geometría musical de Bach; conviene notar que Villa-Lobos consideraba la obra de Bach como parte del folklore universal[36].

La *Bachianas Núm. 1,* para orquesta de violoncelos, fue compuesta en 1930, al igual que la *Núm. 2,* sólo que en este caso utilizó una orquesta completa, con una amplia percusión. La *Bachianas Núm. 3,* creada en 1938, es para piano y orquesta, mientras que la *Núm. 4* (1930) es para piano solo, en su primera versión, siendo luego orquestada (1941). La *Bachianas Núm. 5,* su obra indudablemente más famosa, fue compuesta en 1938 y completada en 1945; Villa-Lobos utiliza una voz de soprano y una pequeña orquesta de ocho violoncelos. La *Bachianas Núm. 6,* también de 1938, es más bien un Choro para flauta y fagot. Las *Bachianas Núm. 7* (1942) y *Núm. 8* (1944) son para orquesta, de nuevo con mucha percusión. La *Bachianas Núm. 9,* de 1945, la cual cierra el ciclo, fue concebida para una orquesta de cuerdas o, en una versión alternativa, para voces a capela.

Las *Bachianas Brasileiras* siguen el modelo formal de la suite barroca, por lo general con un preludio seguido de danzas y arias, y concluyen con una fuga que Villa-Lobos

35. *Bachianas,* al igual que *Choros,* se usa como un nombre propio, sin distinción de plural o singular.
36. Béhague, *Heitor Villa-Lobos: The Search for Brazil's Musical Soul,* p. 105.

denomina también «conversa». Las emociones transmiti-
das son muy variadas, desde la inmersión estática en la contemplación de la selva hasta los diálogos de los *chorões,* las
serenatas, la brillante evocación del pájaro carpintero (To-
cata de la *Bachianas Núm. 3),* la danza (Martelo de la *Bachianas Núm. 5),* la tierna imagen del trencito de vapor
que va por la campiña (final de la *Núm. 2),* o simplemente
una reflexión sublimada mucho más abstracta, como en la
Núm. 9.

A partir de 1945, y hasta su muerte en 1959, Villa-Lobos
logró un gran reconocimiento internacional. Viajó todos los
años a los Estados Unidos y allí dirigió una gran cantidad
de conciertos con sus obras; recibió múltiples encargos y
fue considerado como el representante por excelencia de la
música latinoamericana.

A partir de 1948 volvió también cada año a París, desplegando una actividad incesante; además de los conciertos se
destacan las grabaciones de sus obras más significativas, incluyendo el ciclo completo de las *Bachianas Brasileiras* y varios *Choros*[37]. Las creaciones de este último período incluyen 5 *Conciertos para piano,* un *Concierto para guitarra y
pequeña orquesta* (1951), un *Concierto para arpa* (1953) encargado por Nicanor Zabaleta, un *Concierto para armónica* (1955) y el segundo *Concierto para violoncelo y orquesta* (1953) encargado por Aldo Parisot. A esto se
agregan el ballet *Emperor Jones,* estrenado en Nueva York
en 1956 por José Limón, y basado en la obra teatral de Eugene O'Neil; la «aventura musical» en dos actos *Magdale-*

---

37. Estas grabaciones de referencia, realizadas en París de 1954 a
1958 están disponibles en la colección *Villa-Lobos par lui-même,* edi-
tada por EMI France en 1991, en seis discos compactos.

na, estrenada en Los Angeles en 1948; y la ópera *Yerma,* basada en la obra homónima de Federico García Lorca, compuesta en París en 1955, pero estrenada en Santa Fe (Estados Unidos), en 1971.

Música para películas fue otro ámbito de la creatividad de Villa-Lobos; el primer ensayo fue en 1937 para el film *Descobrimento do Brasil,* dirigido por Humberto Mauro y basado en la carta de Pero Vaz de Caminha al rey de Portugal donde se describe el viaje de Cabral; cuatro suites de concierto para tenor, coro y orquesta, con el mismo título de la película, se derivaron de este proyecto. Al fin de su vida la Metro Goldwin Mayer le encargó la música para el film *Green Mansions* (1958), dirigido por Mel Ferrer y protagonizado por Audrey Hepburn y Anthony Perkins; en la película, la música de Villa-Lobos fue adaptada por Bronislaw Keper; *Floresta do Amazonas,* una extensa suite de concierto con coros y soprano solista, fue el resultado final del experimento con una obra que conquistó enseguida la aceptación del público y reforzó la fama del autor.

Vista en su conjunto, la producción de Villa-Lobos, con alrededor de 800 obras, es una de las más vastas en la historia de la música occidental, superada por la producción de Bach, pero muy por encima de la de Beethoven o Brahms. Todos los géneros musicales están representados; además de las obras ya mencionadas, hay que incluir todavía 17 cuartetos de cuerdas y 12 sinfonías, a la par de una gran cantidad de obras corales, arreglos, transcripciones y obras didácticas elaboradas sobre todo durante el período 1930-1945.

A lo largo de toda su carrera, Villa-Lobos fue un compositor espontáneo y desbordante; le gustaba y podía manejar varias actividades a la vez, aunque como ha sido subrayado muchas veces, esto comprometió a menudo la precisión y cuidado en sus partituras[38]. Su lenguaje musical quedó establecido en la década de 1920; no hubo después innovaciones sino más bien la continuidad en una búsqueda desbordante del *alma brasileira*.

Para entender mejor el lenguaje expresivo de Villa-Lobos, podemos imaginar tres planos triangulares que se intersectan en múltiples direcciones. El primero se refiere al contexto intelectual más general en que se mueve el compositor; en un vértice tenemos la «antropofagia», es decir, el mestizaje radical y sin complejos, propuesto y practicado por los modernistas brasileños; en otro, el proyecto populista de Getulio Vargas, en el cual participó activamente Villa-Lobos; en el tercer vértice del triángulo hay que situar el nacionalismo intelectual que busca incesantemente, desde finales del siglo XIX, el «cuerpo y el alma del Brasil».

El segundo plano se refiere a la creación musical propiamente dicha, donde se localizan tres vértices: el canon de la música occidental, dentro del cual la figura de Bach adquiere una relevancia particular; la música académica brasileña, desde Carlos Gomes hasta Ernesto Nazareth, incluyendo a sus pares y contemporáneos como Francisco Mignone y Camargo Guarnieri; y la música popular carioca, representada por los *chorões* y los autores y piezas en boga.

El tercer plano se refiere al espacio de movimiento de Villa-Lobos: Río y São Paulo por un lado, París (y desde 1945 también Nueva York), por otro, con un tercer referente omnipresente de lo que podemos llamar el Brasil profundo del *sertão,*

---

38. Entrevista al maestro Isaac Karabtchevsky donde narra las vicisitudes de su proyecto para establecer una edición confiable de las sinfonías de Villa-Lobos. En *Isaac Karabtchevsky. Sinfonia de uma vida,* TV Cultura, 2015, disponible en YouTube.

los indios, las selvas, los campesinos, los antiguos esclavos, etc. Las obras de Villa-Lobos surgen pues de estas interacciones complejas, que se renuevan en un caleidoscopio perpetuo, y cristalizan al final, como no puede ser de otro modo, en la creación artística, en un soplo de genialidad individual.

Músico brasileño, compositor universal. Villa-Lobos nunca tuvo complejos y proclamó muchas veces: «El folklore soy yo». Lo brasileño venía de su experiencia vital, y consideró también como suyo tanto el canon como la vanguardia de la música europea; en el París de los años 1920 se encontró finalmente a sí mismo, en un cruce de fronteras y transgresiones. Su búsqueda y su encuentro son similares a las trayectorias de Carlos Chávez en México[39] y de Jorge Luis Borges en Argentina[40], para sólo citar dos ejemplos tan ilustrativos como distinguidos.

El nacionalismo musical

En una perspectiva más general, tratemos ahora de responder a la pregunta sobre qué nos ilustra el caso de Villa-Lobos, compositor brasileño, ciudadano comprometido, músico y artista mundialmente reconocido.

Como ya se mostró, el nacionalismo de Villa-Lobos fue construido a través de una compleja red de apoyos y refe-

39. Carlos Chávez, *El pensamiento musical,* México, Fondo de Cultura Económica, 1964; Alejandro L. Madrid, *Sounds of the Modern Nation. Music, Culture and Ideas in Post-Revolutionary Mexico,* Philadelphia, Temple University Press, 2008.
40. Véase «El escritor argentino y la tradición», conferencia pronunciada por Borges en 1951 y publicada por primera vez en 1953, en Jorge Luis Borges, *Obras Completas 1 (1923-1949),* Buenos Aires, Editorial Sudamericana, 2011, pp. 550-557.

rentes; en términos culturales puede considerarse como un ejemplo sofisticado de mestizaje radical (antropofagia) y transculturación o aculturación. Conviene ahora situar ese nacionalismo artístico en relación con el fenómeno nacional sin más.

La nación como una comunidad de destino imaginada se fue constituyendo lentamente a lo largo del siglo XIX, y arrancó durante los procesos de Independencia; reformulaciones y redefiniciones ocurrieron continuamente en función de las transformaciones económicas, sociales y políticas durante el siglo XX; pero ¿cuál fue el papel de la música en la construcción de estas identidades colectivas? Se han señalado el papel de la imprenta, el mapa, el censo y el museo[41]: también se ha subrayado el rol fundacional de la literatura y de ciertas novelas «nacionales», como *Amalia,* de José Mármol; *María,* de Jorge Isaacs; y *O Guaraní,* de José de Alencar[42]; y tampoco han faltado las referencias a la escuela primaria, las fiestas cívicas, los desfiles militares y las devociones religiosas. El culto de los héroes y las construcciones monumentales, enfatizadas particularmente en torno a los centenarios de las independencias, entre 1910 y 1922, constituyen también, por su lado, otro aspecto de esas devociones seculares.

En la música europea, el nacionalismo musical fue un importante capítulo del romanticismo del siglo XIX; conjugó el uso de materiales folklóricos y populares, lo cual ponía muchas veces un toque pintoresco o exótico, con llamadas

41. Benedict Anderson, *Comunidades imaginadas. Reflexiones sobre el origen y difusión del nacionalismo,* traducido por Eduardo L. Suárez, Buenos Aires, Fondo de Cultura Económica, 2000 [1983].
42. Doris Sommer, *Ficciones fundacionales. Las novelas nacionales de América Latina,* traducido por José Leandro Urbina y Ángela Pérez, Bogotá, Fondo de Cultura Económica, 2004.

al fervor nacional, así entendidas por el público. En el primer caso se sitúan autores como Grieg o Chaikowski, mientras que en el segundo hay que notar las óperas de Verdi y Wagner: el coro «Va, pensiero» de *Nabucco* se convierte para los que luchaban por la unidad italiana en una especie de himno de la libertad; en general, la ópera italiana del siglo XIX funcionó como un ritual colectivo, que daba un amplio sentido de identidad a la par de los cantos populares, las marchas, los himnos y los fuegos artificiales[43].

Una parte importante del imaginario social es emocional, y la música forma parte de él, en un amplio arco que va desde la música popular más sencilla hasta la música académica o erudita más compleja y sofisticada. La acción del Estado puede ser crucial en este aspecto, promoviendo –y a veces imponiendo y exagerando– el uso de ciertos artefactos culturales en la construcción ideológica de la nación. Dos ejemplos extremos, pero bien conocidos, se encuentran en los casos de la Alemania nazi y de la Unión Soviética estalinista; en el primer caso, basta con recordar el uso y abuso de la música de Wagner y la instrumentalización política de los festivales de Bayreuth[44]; en el segundo, el realismo socialista y los cánones dictados para la creación artística por el comisario de Cultura Andréi Zhdánov en 1948 resultan más que sintomáticos[45].

En América Latina los ejemplos están lejos de estos extremismos. El caso mexicano entre 1920 y 1950 muestra como

43. Luciano Berio, *Remembering the Future,* Cambridge, Mass., Harvard University Press, 2006, p. 105.
44. Frederic Spotts, *Bayreuth. A History of the Wagner Festival,* New Haven y Londres, Yale University Press, 1994, pp. 159-211.
45. Carlos Prieto, *Dmitri Shostakóvich. Genio y drama,* México, Fondo de Cultura Económica, 2013, pp. 99-109.

el Estado impulsó, bajo el esquema de la Revolución, una narrativa simbólica que abarcaba las artes plásticas, la música, la arquitectura, los museos y la literatura. Carlos Chávez (1899-1978) lo evoca así[46]:

> Un grupo de pintores, entre los que estaban algunos de los mejores –Orozco, Siqueiros y Rivera– dispusieron de las paredes de los edificios públicos para la pintura mural. El renacimiento de este medio monumental tenía que ser dedicado a propósitos monumentales. Los pintores, declarándose todos revolucionarios de corazón, decidieron pintar la Revolución. Esto es importante: los pintores decidieron pintar la Revolución, no lo decidió el Estado. Vasconcelos, o sea el gobierno o el Estado, nunca dictó ni impuso ningún tema ni asunto, mucho menos ninguna técnica, estilo o estética. Los pintores proclamaron que su propósito era pintar para el pueblo [...] Pero debo decir que cuando su obra alcanzó un valor artístico, sólido y de calidad, más allá del propósito declarado de propaganda, ascendió a niveles cuya importancia ha merecido reconocimiento internacional.

Y enseguida indica cómo al asumir la dirección del Conservatorio Nacional de Música en 1928 se propuso un proyecto similar, subrayando la imperiosa necesidad de que fuera una institución nacional la que lleve adelante tal iniciativa. Entre sus propósitos[47]:

> ...[figuraba] escribir música sencilla y melódica, de un peculiar sabor mexicano, que tuviera cierta dignidad y nobleza de estilo; música que estuviera dentro del alcance de la gran masa del

46. Chávez, *El pensamiento musical,* p. 79.
47. *Ibid.,* p. 80.

pueblo y que eventualmente pudiera reemplazar la música comercial y vulgar entonces en boga, destinada a incitar bajas pasiones. Este plan incluía la creación de conjuntos corales dentro de una extensa organización y cooperación de los compositores.

Chávez dejó la dirección del Conservatorio en 1934, pero continuó su brillante carrera como compositor, educador, director de orquesta y funcionario público. Su *Sinfonía India,* estrenada en 1936, se convirtió pronto en una obra emblemática, y Chávez pasó a ser una especie de compositor oficial del México posrevolucionario; su lenguaje musical, centrado en un nacionalismo basado en la recuperación del pasado indígena, incluyó toques vanguardistas en la década de 1920 (por ejemplo la suite del ballet *Caballos de Vapor)* y más tarde incorporó también elementos de una estética neoclásica próxima a la practicada por Stravinsky a partir de 1920 (como *Concierto para piano y orquesta, Sinfonías 4, 5 y 6).* Otros compositores importantes, como Julián Carrillo (1875-1965), Manuel Ponce (1882-1948) y Silvestre Revueltas (1899-1940) no pudieron alcanzar le preeminencia de Chávez en la narrativa oficial del México posrevolucionario[48]; los dos primeros porque eligieron una estética donde el indigenismo estaba ausente; el tercero, por una posición política muy izquierdista, a lo que se agregó una vida truncada en plena juventud.

El caso argentino, representado por la importante figura de Alberto Ginastera (1916-1983), es mucho más ambiguo y refleja una injerencia estatal menos coherente. Ginastera recibió encargos de instituciones oficiales, y sobre todo al

48. Madrid, *Sounds of the Modern Nation. Music, Culture and Ideas in Post-Revolutionary Mexico.*

comienzo de su carrera obtuvo importantes premios; pero su trayectoria básica fue la de un compositor exitoso, con gran proyección internacional, que se apoyaba en sus propios méritos. A partir de 1968 vivió fuera de la Argentina, afincándose finalmente en Ginebra hasta su muerte en 1983.

Su lenguaje musical evolucionó desde un nacionalismo claramente moderno, que el mismo Ginastera caracterizó como «objetivo», representado por obras como los ballets *Panambí* (1934-1936) y *Estancia* (1941), el tríptico sinfónico *Ollantay* (1947), la *Obertura para el Fausto Criollo* (1943), y varias piezas para piano solo y para canto y piano que pronto ganaron popularidad; a finales de los años cuarenta el compositor buscó un «nacionalismo subjetivo», con un lenguaje más complejo y cada vez más alejado del uso de temas y ritmos directamente folklóricos; la *Pampeana Núm. 3* (1954) y las *Variaciones concertantes para orquesta de cámara* (1953) son las obras que mejor representan esta fase. La última etapa se caracteriza por un neoexpresionismo de contenido más universal a partir del *Segundo Cuarteto de Cuerdas* (1958), e incluye obras como la *Cantata para América Mágica* (1960), el *Concierto para violín* (1965), el *Quinteto para piano y cuerdas* (1963) y las óperas *Don Rodrigo* (1964), *Bomarzo* (1969) y *Beatrix Cenci* (1971).

La carrera de Ginastera se puede entender en el contexto de una ciudad como Buenos Aires, furiosamente cosmopolita y obstinadamente diversa, en la cual la vida musical se apoyaba en instituciones educativas oficiales, organizaciones privadas como la Asociación Wagneriana de Buenos Aires, la Asociación de Amigos de la Música, el Mozarteum Argentino, el Teatro Colón y un vasto movimiento teatral y literario, conectado débilmente con los apoyos oficiales.

Hay que destacar que el Teatro Colón, perteneciente a la Municipalidad de Buenos Aires, tuvo a lo largo del siglo XX una trayectoria única en América Latina; en la ópera, los conciertos y el ballet se daban cita los intérpretes internacionalmente más cotizados, y la calidad de los espectáculos no envidiaba a los de Nueva York, Viena, Londres o Milán. Durante el auge europeo del fascismo y la Segunda Guerra Mundial grandes directores de orquesta como Erich Kleiber y Fritz Busch residieron largos años en Buenos Aires e hicieron escuela. En sus conferencias sobre Borges, Ricardo Piglia llama la atención sobre el hecho, hasta cierto punto extraordinario, de que Borges no salió de la Argentina desde su regreso de Europa en 1923 hasta 1961; su obra literaria centrada en la invención de una «ficción especulativa», profundamente original e innovadora, y absolutamente conectada en las direcciones más inesperadas y heterodoxas, surgió, creció y floreció precisamente en el medio literario y cultural porteño de las décadas de 1940 y 1950[49]. Buenos Aires era pues una isla cosmopolita privilegiada, en un contexto argentino que se alejaba cada vez más de los espejismos que hacia 1910 o 1920 lo visualizaban como similar a lo que sería el futuro de Australia y Canadá.

A diferencia de Villa-Lobos y Chávez, Ginastera no se insertó en un proyecto del Estado populista. Como se explicó en el capítulo 2, en el caso peronista hubo desde 1945-1946 una ruptura fuerte con los intelectuales; por otra parte, el gobierno tampoco tuvo una política cultural coherente, más allá de los consabidos énfasis en el nacionalismo, el de-

49. Cuatro conferencias de Ricardo Piglia en la Biblioteca Nacional de Buenos Aires, setiembre de 2013. Disponibles en línea como *Borges, por Piglia*.

letreo de una argentinidad esencialista y la promoción de la música folklórica y el tango. Hay que apuntar, eso sí, el énfasis estatal en la difusión radiofónica de ópera y conciertos. Se continuó y se profundizó la transmisión de todos los espectáculos del Teatro Colón, algo que había empezado en 1927 a través de la Radio Municipal de Buenos Aires. También se crearon la Orquesta Sinfónica Nacional (1948) y la Orquesta Sinfónica de la Radio Nacional (1951), con la misión específica de realizar conciertos gratuitos, transmitidos por radio, que siempre debían incluir una obra de compositor argentino.

Carlos Chávez fue el compositor mexicano por excelencia de un Estado nacional populista particularmente estable y sofisticado. Alberto Ginastera fue el más notable de los músicos argentinos de su tiempo y estuvo bastante lejos de los compromisos con el poder. Heitor Villa-Lobos fue el compositor oficial de un régimen populista que reinó en Brasil de 1930 hasta 1945. ¿Hasta dónde fue Villa-Lobos un músico realmente comprometido? Los actos musicales masivos fueron, como ya se explicó, momentos mágicos de participación cívica dominados por la emoción; tampoco hay dudas de que incluían la glorificación de la figura de Vargas y su régimen. Villa-Lobos estuvo comprometido con ello y estaba plenamente convencido de lo que hacía; todos sus escritos y los testimonios disponibles apuntan claramente en esa dirección. También está claro que Villa-Lobos manejaba su independencia creadora y que nunca hubo, del lado del gobierno, pretensión alguna de definir líneas sobre cómo debería ser la música brasileña. Dicho en otros términos, Villa-Lobos siempre gozó de la más amplia libertad creadora.

En el texto de 1946 citado antes –en el cual Villa-Lobos resume su trayectoria como hombre público entre 1930 y

1945– es claro que su adhesión al proyecto populista de Vargas estaba motivada por la ambición de desarrollar un arte y una educación musical al alcance de las masas populares. Sabemos que después de 1945 ese proyecto se interrumpió y Villa-Lobos aprovechó los últimos años de su vida para volcarse a una carrera internacional muy exitosa. Su legado del canto orfeónico y las grandes masas corales se fue diluyendo, y al final quedó en la memoria y los recuerdos de varias generaciones de brasileños. Otra es la historia con su música.

Bachianas Brasilerias Núm. 5

Villa-Lobos fue un compositor muy prolífico; se movió en todos los géneros musicales y logró desarrollar, como vimos, un lenguaje estético muy personal e innovador. Su genio creador se explayó mejor en obras cortas, pensadas para conjuntos instrumentales reducidos. Es el caso de la mayoría de los *Choros* y de sus piezas para piano; en el campo de la música para guitarra, los 12 *Estudios* de 1929 y los 5 *Preludios* de 1940 han marcado definitivamente el repertorio de ese instrumento; y algunas de las *Bachianas Brasileiras,* por supuesto, constituyen la cumbre de su universo creativo. El arte de Villa-Lobos quedó lejos al final de obras largas y grandiosas, concebidas para grandes masas corales e instrumentales, y alcanzó su plenitud en pinceladas breves, coloridas y rítmicas; si comparáramos con la pintura, diríamos que está lejos de los grandes murales de Rivera, Orozco o Siqueiros, y muy cerca de los cuadros de Paul Klee. Una mirada sobre la *Bachianas Brasileiras Núm. 5,* posiblemente su obra más inspirada y en todo caso la más conocida, y reconocida, resulta particularmente ilustrativa.

La obra, para soprano y ocho violoncelos, tiene dos movimientos y dura unos 11 minutos[50]. El primer movimiento, compuesto en 1938, sigue la clásica forma ABA y se denomina Aria (cantilena); luego de dos compases de los chelos en *pizzicato,* entra la voz, con vocalizaciones sobre la letra *a,* entonando una melodía lírica, expansiva, misteriosa, y que parece improvisada, sin que se pueda anticipar el fin; el acompañamiento de los ocho violoncelos suena como el de una inmensa y cavernosa guitarra, entre *pizzicatos* que la evocan directamente y largas frases de los chelos que doblan la voz una octava abajo, agregando una extraña, misteriosa y selvática profundidad. La melodía se extiende 11 compases, con cambios de ritmo de 5 a 3 y 4 tiempos; luego de un *allargando* en el compás 11, cuando parece que todo va a concluir, hay una súbita y genial expansión de la melodía durante 6 compases más, hasta que se llega a un nuevo y conclusivo *allargando;* uno de los violoncelos retoma entonces la melodía principal, en forma similar a los primeros 11 compases; luego de una respiración larga y contenida se inicia el episodio central, un recitativo sobre palabras de Ruth V. Correa. El texto es un nocturno que evoca la caída de la tarde, la salida de la luna como una encantadora doncella, el reflejo en el mar y luego el claro de luna que funde los sentimientos más puros con la naturaleza. Es un recitativo sencillo y muy expresivo; luego vuelven los 11 compases de la melodía principal, esta vez a boca cerrada y doblada por los violoncelos, lo que garantiza un efecto de ensueño y éxtasis suspendido; el final, *pianísimo,* es un la al unísono. Esta obra fue estrena-

50. Exactamente 10:46 en la grabación dirigida por el compositor; 10:55 en la version dirigida por Emmanuel Krivine y 11:12 en la conducida por Michel Tilson Thomas.

da en Rio de Janeiro el 25 de febrero de 1939 por Ruth V. Correa, bajo la conducción del autor; en mayo de ese mismo año, Bidu Sayão la estrenó en Nueva York, y en 1940 se tocó en el Teatro Colón de Buenos Aires bajo la dirección del compositor. Desde ese momento la pieza inició una carrera mundial que afianzará su popularidad; el propio Villa-Lobos hizo un arreglo para canto y piano en 1947, y otro (sólo del Aria), para canto y guitarra.

El segundo movimiento fue compuesto en 1945 sobre un poema de Manuel Bandeira, amigo del autor y una de las glorias de la literatura brasileña. Se denomina Danza (Martelo), y retoma el ambiente de la cantilena al despuntar el alba. Los cantos de los pájaros se entremezclan con el ritmo rápido de la danza; todo viene de lo más profundo del *sertão;* amanece rápidamente con el canto del ireré en el *sertão* de Cairiri. El ritmo es muy rápido, en dos y tres tiempos, y la pieza sigue la forma ABA. La ejecución exige mucha agilidad vocal y un canto ligero pero con ritmos muy marcados y breves imitaciones del canto de las aves; el texto dice dos veces: el canto viene del *sertão* «como una brisa que suaviza el corazón».

La obra completa fue estrenada en París en 1947 y desde entonces se convirtió en una especie de ícono de Villa-Lobos y del Brasil. En la melodía de la cantilena, misteriosa y expansiva, algunos han visto un toque pucciniano, otros la evocación de alguna de las arias instrumentales de Bach, y se podría también encontrar algún parecido con el *Vocalise,* Op. 34, núm. 14 de Sergei Rachmaninoff. Lo cierto es que la cantilena, al igual que el martelo, encierran la expresión más pura y emocional de Villa-Lobos.

En la cúspide de su dedicación a una música para las masas, Villa-Lobos alcanzó la más alta plenitud de sus poderes creativos con una obra íntima, breve, absolutamente mágica. No deja de haber algo contradictorio entre ambos momentos, y uno podría argumentar que hubo al final un fracaso en las esperanzas y ambiciones del primero; en el segundo, si agregamos otras *Bachianas,* algunos *Choros* y algunas de las piezas para piano y guitarra, hallamos en cambio un tesoro musical inagotable.

Conclusión

Villa-Lobos es un ejemplo acabado del nacionalismo musical latinoamericano durante el siglo XX; su obra creadora se sitúa en el espacio de la música académica, pero mantiene relaciones fluidas, y muy complejas, con diversas prácticas de la música popular brasileña. Volvamos ahora, por un momento, al problema más general de la nación.

La nación forma parte del imaginario social moderno en casi todas las sociedades y es, como se ha señalado repetidamente, una construcción imaginada, compleja y en perpetua transformación, aunque existan núcleos duros y profundos donde a veces es difícil percibir el cambio. El fenómeno nacional es un hecho estructural, referido a rasgos básicos de la vida social en común (territorio, lengua, economía, historia, etc.) y también un hecho psicológico que se expresa en sentimientos, formas de autoidentificación y reconocimiento, que forman parte de la experiencia vital[51]; obviamente resulta imposible separar, más allá de un propósito analítico arbitrario, ambas dimensiones.

---

51. Pierre Vilar, *La Catalogne dans l'Espagne Moderne. Recherches sur les fondements économiques de structures nationales,* 3 vols., París, SEVPEN, 1962, tomo 1, pp. 29-37.

Al elegir la música de Villa-Lobos como un ejemplo ilustrativo, hemos optado por mostrar el fenómeno nacional a través de la obra de un creador exitoso, que logra expresar como pocos el «alma brasileña». Somos muy conscientes de que es apenas un atisbo para pensar y entender la complejidad de la construcción de la nación; para entenderlo plenamente son necesarios muchos registros, muchas voces y aproximaciones, y muchos y muy diversos artefactos culturales. En la historiografía latinoamericana este es un camino que hemos empezado a recorrer, pero falta todavía mucho, muchísimo por andar.

5. Antonio Berni (1905-1981), pintor de mayorías

Basuras que tus manos, mágico prodigioso ascendieron a extrañas maravillas.

Rafael Alberti, 1975.

Reencuentros, 1997-1963

En 1997 el Museo Nacional de Bellas Artes de Buenos Aires organizó una gran exposición sobre la obra y la vida de Antonio Berni (1905-1981), un notable pintor y artista argentino. Se trató de la exposición más grande y completa realizada hasta ese momento, con contribuciones de todos los museos y coleccionistas particulares importantes, incluyendo la firme colaboración de los hijos y herederos del pintor, Lily y José Antonio Berni. El curador de la muestra, Jorge Glusberg, era el director del museo y elaboró un catálogo de la misma combinando cuidadas reproducciones, riquísima información y apreciaciones de gran valor[1]. Tuve la suerte de poder ver y admirar esta exposición; en el frío y gris invierno de Buenos Aires fui reencontrando colores, formas, espacios de luz, materiales insólitos

---

1. Jorge Glusberg, *Antonio Berni,* Buenos Aires, Museo Nacional de Bellas Artes, 1997.

transformados en poesía, que había visto en mis épocas de estudiante, pero que no había vuelto a ver en muchos años. Fue para mí una experiencia impactante en la cual empezó a delinearse, sin que entonces lo supiera, este capítulo.

En agosto de 1963 había visto, no sin asombro, la exposición de los grabados de Berni en el Museo de Arte Moderno de Buenos Aires, y en junio de 1965 disfruté mucho la retrospectiva *Berni. Obras 1922-1965* presentada en el Instituto Torcuato Di Tella[2]. En el hervidero cultural del Buenos Aires de la década de 1960, Berni se convertía en un pintor «popular», a la par de las figuras literarias del boom, de músicos como Ariel Ramírez, Astor Piazzolla y Atahualpa Yupanqui, de actores como Alfredo Alcón, de roqueros como Los Gatos y de cantantes como Sandro y Palito Ortega. Todo esto formaba parte de la rápida expansión de un consumo cultural que iba en paralelo al de la sociedad de consumo sin más; el éxito de público de las muestras de Berni había que entenderlo a la par de los 50.000 ejemplares del *Martín Fierro* editado por EUDEBA e ilustrado por Juan Carlos Castagnino, que se vendieron en menos de un mes en 1962, o de la enorme popularidad de la colección «Siglo y Medio», de la misma editorial, dedicada a clásicos de la literatura argentina[3]. Al lado de las vanguardias artísticas, representadas por el *happening* y actividades como *La Menesunda* de Marta Minujin, había también, sin lugar a dudas, un profundo mirar hacia adentro buscando las claves del pasado y el presente de la sociedad argentina; y la cultura de masas, inscrita en la ex-

2. Silvia Dolinko, *Arte plural. El grabado entre la tradición y la experimentación, 1955-1973,* Buenos Aires, Edhasa, 2012, pp. 227-242.
3. Adolfo Prieto, «Los años sesenta», *Revista Iberoamericana,* vol. XLIX, núm. 125 (1983), pp. 889-901.

pansión mediática de la televisión, la prensa y el cine, participaba también en esas exploraciones, teñidas a su vez por inevitables tensiones políticas.

A medida que los recuerdos de aquellos años sesenta se entretejían con las obras de Berni exhibidas en el Museo Nacional de Bellas Artes, empecé a preguntarme por su significado profundo. Berni pintaba el mundo de los trabajadoress y la magia de su paleta recorría también una historia, desde la década de 1930 hasta las de 1960 y 1970; era una trayectoria de cambios y transformaciones que afectaban tanto la forma como el contenido de sus obras. Me propuse estudiar esos cambios con la idea de que la obra artística nos abre puertas y significados que complementan e iluminan el conocimiento derivado de las fuentes históricas más convencionales. Pero el ejercicio no es fácil; hay que aprender a ver y lograr trasladarse de un lenguaje a otro, escuchando al final una polifonía que se mueve siempre entre el pasado, la memoria, las interrogaciones del presente, los intersticios del sueño, las ilusiones enterradas y el aire tenue, pero inconfundible, de lo que algún día vendrá.

Antonio, el pintor[4]

Antonio Berni nació en Rosario, Argentina, en 1905, en el seno de una familia de inmigrantes italianos. Desde muy niño mostró una particular habilidad para el dibujo; su pa-

---

4. Jorge López Anaya, *Antonio Berni. Estudio crítico,* Buenos Aires, Banco Velox, 1997; Fernando García, *Los ojos. Vida y pasión de Antonio Berni,* Buenos Aires, Planeta, 2005; Glusberg, *Antonio Berni;* Martha Nanni, *Antonio Berni, obra pictórica, 1922-1981,* Buenos Aires, Museo Nacional de Bellas Artes, 1984; Fermín Fèvre, *Berni,* Buenos Aires, Editorial El Ateneo, 2001.

dre lo pone como aprendiz en el taller de vitrales del maestro catalán Salvador Buxadera. Más tarde toma clases con el pintor, también catalán, Eugenio Fornells. En 1920 realiza su primera exposición en Rosario, con 17 óleos y 8 retratos a la carbonilla; siguen tres exposiciones más en Rosario, y la primera en Buenos Aires en 1923; en 1925 participa en el XV Salón Nacional de Bellas Artes. Gracias a una beca del Jockey Club de Rosario, Berni emprende un viaje a Europa en setiembre de ese mismo año; llega a España y pasa varios meses en Madrid para continuar enseguida hacia París; sigue allí los cursos de André Lhote y Émile-Othon Friesz, y toma contacto con un grupo de artistas argentinos, entre los que se encuentran Horacio Butler, Lino E. Spilimbergo, Héctor Basaldúa y Raquel Forner. Rápidamente absorbe las diferentes tendencias plásticas en boga en esos años: cubismo, surrealismo, la *Scuola metafísica* de Giorgio de Chirico; en 1928 expone en Madrid y asiste a una conferencia de Marinetti, que, confesó años después, le «movió el piso como si fuera un terremoto»[5]. Pero Berni tenía la habilidad de incorporar lo que veía y sentía en un lenguaje inconfundiblemente propio; y eso no varió a lo largo de toda su trayectoria artística.

La principal influencia de esos años parisinos fue, sin duda, la del surrealismo, a través de André Breton y sobre todo de la amistad, que duraría toda la vida, con Louis Aragon; a la búsqueda más allá de las apariencias y un intento de capturar en la pintura sueños y pensamientos, se sumaba una posición de izquierda no conformista, la cual lo acompañará el resto de la vida. Su matrimonio con Paule

5. Jorge López Anaya, *Historia del arte argentino,* Buenos Aires, Emecé, 1997, p. 166.

Cazenave en 1929 –empleada de correos, escultora y secretaria de Henri Barbusse en la revista socialista *Clarté*– y el nacimiento de su hija Lily en 1930 completaron la experiencia vital parisina de Berni.

En octubre de 1931, en plena crisis y suspendida la beca que el gobierno de la provincia de Santa Fe le giraba, una vez concluida la primera del Jockey Club de Rosario, los Berni volvieron a la Argentina. El principio del retorno fue duro; de vuelta en Rosario, Antonio trabajó como empleado municipal; en junio de 1932 expuso 24 obras en Buenos Aires, en Amigos del Arte; fue la primera muestra surrealista realizada en América Latina y también la primera en que se expusieron collages[6]; como era de esperar, no tuvo mayor éxito. Muchos años después Berni recordaba así la situación de crisis que se vivía en la Argentina de entonces[7]:

El artista está obligado a vivir con los ojos abiertos, y, en ese momento, la dictadura, la desocupación, la miseria, las huelgas, las luchas obreras, el hambre, las ollas populares, eran una tremenda realidad que rompía los ojos.

El compromiso social, ya casi sin las mediaciones del surrealismo, se instaló entonces en las preocupaciones centrales de nuestro artista. En 1933-1934 lidera la Mutualidad Popular de Estudiantes y Artistas Plásticos de Rosario[8], organizando talleres, cursos libres, exposiciones y charlas de visitantes, como Lino Spilimbergo y David Alfaro Siqueiros.

6. Glusberg, *Antonio Berni,* p. 37.
7. José Viñals, *Berni. Palabra e imagen,* Buenos Aires, Galería Imagen, 1976, p. 56.
8. Rafael Sendra, *El joven Berni y la mutualidad popular de estudiantes y artistas plásticos de Rosario,* Rosario, UNR Editora, 1993.

La visita de Siqueiros ayudó a disparar fuertes polémicas alrededor del arte comprometido, las cuales incluyeron escritores, periodistas y artistas plásticos; aunque el tema no era nuevo, el contexto internacional, con el ascenso europeo del fascismo y el triunfo del estalinismo en la Unión Soviética, lo puso al rojo vivo. Las posiciones oscilaban entre el rechazo de cualquier compromiso en nombre del arte puro y la disolución de la autonomía artística en el proyecto revolucionario, fuera este comunista o fascista; entre medio cabían, claro está, posiciones de compromisos independientes y limitados, en gradaciones muy diversas. Berni optó, como ya se dijo, por un compromiso de izquierda, pero rechazando ser hombre de partido y definiendo un programa estético que denominó «Nuevo Realismo». Se trataba de «hacer un arte que sirva para informar y formar», pero guardando una «amplia libertad expresiva»; su pincel pasa a privilegiar lo cotidiano, denunciando las injusticias y defendiendo los humildes y los marginados; está lejos del realismo socialista y cercano en cambio del muralismo mexicano, de la *Scuola metafisica* de Giorgio de Chirico y de la *Neue Sachlichkeit* (Nueva objetividad) de Otto Dix y George Grosz[9]. Obras como *Manifestación* (1934) y *Chacareros* (1935), que comentaremos más tarde, forman parte de esta orientación.

La visita de Siqueiros a Buenos Aires y Rosario provocó polémicas en el medio artístico y dejó una obra denominada *Ejercicio plástico* que sólo pudo ser vista por el público

9. López Anaya, *Historia del arte argentino,* pp. 168-169; Guillermo Fantoni, *Berni entre el surrealismo y Siqueiros: Figuras, itinerarios y experiencias de un artista entre dos décadas,* Rosario, Beatriz Viterbo Editora / UNR, 2014, pp. 275-311.

muchos años después[10]. Natalio Botana, un excéntrico y millonario periodista, dueño del periódico sensacionalista *Crítica,* le encargó la obra para su residencia en Don Torcuato, cerca de Buenos Aires; se trató de un mural que cubría paredes, techo y piso (en total 200 m² de superficie) de una bodega semisubterránea que funcionaría como bar o lugar de entretenimiento. Siqueiros buscó la colaboración de Berni, Spilimbergo, Juan Carlos Castagnino y Enrique Lázaro, y utilizó materiales industriales para llevarla a cabo; en diciembre de 1933, ya concluido el trabajo, los autores publicaron un texto sobre el mismo, el cual firmaron como «Equipo poligráfico ejecutor»[11]. Si en algo nos interesa este episodio es porque familiarizó a Berni con las técnicas de la pintura mural moderna, las cuales tuvo más tarde ocasión de utilizar en 1939 (Pabellón Argentino de la Feria de Nueva York), 1941 (Teatro del Pueblo), 1943 (Sociedad Hebraica Argentina) y 1945 (Bon Marché Argentino, hoy denominado Galerías Pacífico). Pero Berni no se engaña en cuanto a las posibilidades del muralismo en Argentina, donde el Estado no tiene ningún interés en apoyarlo; en un artículo publicado en 1935 advertía sus limitaciones, indicando además[12]:

Las formas de expresión del arte proletario en régimen capitalista serán múltiples, abarcando todos aquellos medios que nos

10. Después de mil vicisitudes la obra fue restaurada y se exhibe en el *Museo del Bicentenario* de Buenos Aires, inaugurado en 2011.
11. Fantoni, *Berni entre el surrealismo y Siqueiros: Figuras, itinerarios y experiencias de un artista entre dos décadas,* pp. 212-215; el texto fue reproducido en Sendra, *El joven Berni y la mutualidad popular de estudiantes y artistas plásticos de Rosario,* pp. 85-90.
12. Antonio Berni, *Escritos y papeles privados,* editado por Marcelo Pacheco, Buenos Aires, Temas Grupo Editorial, 1999, p. 198.

puedan ofrecer la clase trabajadora o las contradicciones mismas de la burguesía, desde el periodismo, pasando por el afiche, el grabado y el cuadro de caballete hasta la formación de Blocks de pintores muralistas.

En 1936 Berni mudó su residencia a Buenos Aires, llevando una vida artística sumamente activa, aunque su situación económica familiar no fuera particularmente holgada; vendía algunas obras y trabajaba como profesor de dibujo en la Escuela Preparatoria Manuel Belgrano. Recibe varias distinciones, coronadas en 1943 por el Gran Premio Adquisición del XXXIII Salón Nacional de Artes Plásticas; el cuadro premiado, un retrato de su hija Lily casi adolescente, pasó a formar parte de la colección del Museo Nacional de Bellas Artes de Buenos Aires, junto con otro de 1937 pero adquirido entonces; se trata de *Primeros pasos,* en el cual Lily, entonces una niña de 7 años, da sus primeros pasos de ballet, mientras su madre Paule, sentada en una máquina de coser, mira hacia delante con una profunda melancolía, realzada por un cielo intensamente azul que se cuela a través de una puerta abierta[13]. Pero Berni, pintor de izquierda, no era bien visto por el nuevo gobierno militar impuesto por el golpe de junio de 1943; la prensa fascista ataca el premio con frases como esta:

Le damos nuestra reprobación que es la de todo el mundo, excepción hecha de un grupo sectario de artistas y literatos comunizantes que aspiran a hacer del arte pintura social.

13. Ambas obras se pueden apreciar en alta resolución en el sitio web del museo: www.mnba.gob.ar/coleccion/obra/6534 y www.mnba.gob.ar/coleccion/obra/1771; consultadas el 8 de agosto de 2016.

O esta otra:

Se ha premiado la mistificación y la estulticia, el espíritu de motín y la hibridez. Los funcionarios del Estado son responsables de esta grave desviación. Son ellos lo que no ven ni comprenden que la obra de Berni –dejando de lado su oficio, su técnica– no tiene nada, ni la más remota vibración emocional, que traduzca algo argentino, algo nuestro[14].

Berni se alinea con la Unión Democrática, alianza de partidos opuesta a Perón, la cual pierde las elecciones presidenciales en 1946. Como casi todos los intelectuales opuestos al régimen, tendrá una vida difícil, comenzando con la pérdida de su plaza de profesor ese mismo año de 1946.

Berni sigue pintando y se gana la vida haciendo retratos y vendiendo a coleccionistas de la burguesía industrial emergente, entre los que sobresalen empresarios judíos, muchos de ellos vinculados al Partido Comunista[15]. En 1950 Berni se separa de Paule Cazenave y se casa con Nélida Gerino, hija de un industrial pudiente y muy bien relacionado. Este matrimonio, que dura hasta 1974, mejora notablemente sus condiciones de vida y le permite, sin duda, una notable libertad creativa.

En la década de 1950 pasa algunas temporadas en Río Hondo, en Santiago del Estero, y pinta una serie de telas sobre la vida rural en el norte argentino: *Migración, La mar-*

14. Citadas en García, *Los ojos. Vida y pasión de Antonio Berni,* pp. 143-144.
15. *Ibid.,* pp. 181-183. Berni adhirió brevemente al Partido Comunista en 1931, pero como lo explicó en varias ocasiones, nunca fue hombre de partido; fue más bien un camarada de ruta, a menudo crítico, y que nunca renunció a la plena libertad creativa.

cha de los cosecheros, Los hacheros, La comida, Escuelita rural, Vuelta del colegio, etc. Un poco más tarde, agrega una serie de pinturas y dibujos sobre el Chaco. A través de estampas de la vida cotidiana, documenta la miseria y anhelos de esta Argentina marginal; la pintura es realista al extremo, pero tan fuertemente colorida que en algunos casos los colores parecen tomar vida propia. En 1955 expone 22 de estas telas y 10 dibujos en París, en la galería Creuze; Louis Aragon, su viejo amigo surrealista, escribe como presentación un texto magnífico.

A la exposición de París le seguirán las de Berlín, Varsovia y Bucarest en 1956, y la de Moscú en 1958; las telas también recorren, por supuesto, varias galerías de Buenos Aires y otras ciudades argentinas. Estos cuadros sobre los trabajadores rurales del Chaco y Santiago del Estero se inscriben en una experiencia más amplia que comenzó para Berni en 1936, al viajar al norte argentino[16], y continuó en 1941-1942, cuando realizó un largo viaje por Bolivia, Perú, Ecuador y Colombia; el periplo fue auspiciado por la Comisión Nacional de Cultura del gobierno argentino, que le encarga estudios sobre el arte prehispánico y colonial; Berni toma gran cantidad de fotos, realiza bocetos y escribe varios artículos periodísticos[17]. Su experiencia vital, cir-

16. El óleo *Jujuy* de 1937, que obtuvo el primer premio de composición en el Salón Nacional de Buenos Aires de ese año, es un resultado de este viaje; la obra se conserva en el Museo de la Patagonia, en Bariloche.
17. Véase una lista detallada en Glusberg, *Antonio Berni,* p. 151; sobre el viaje, incluyendo mucha de la correspondencia a su esposa, véase García, *Los ojos. Vida y pasión de Antonio Berni,* pp. 127-168. El mural conocido como *Mercado Colla* o *Mercado del Altiplano,* restaurado y exhibido en el Museo Malba de Buenos Aires desde 2012, es un producto de este viaje de estudio e investigación.

cunscrita hasta entonces a las pampas rioplatenses y la matriz europea, creció así hacia la América profunda, que empieza a vibrar al norte de Córdoba, en las estribaciones de la cordillera de los Andes.

Hacia 1957 la pintura de Berni empieza a sufrir una transformación estética fundamental. Quizás la obra emblemática es *El casamiento de Ramona* de 1959: óleo sobre tela y varios materiales en collage; Berni vuelve a las técnicas de su etapa parisina y reelabora un lenguaje con toques surrealistas y expresionistas. En 1960, *El carnaval de Juanito Laguna* completa el inicio de una saga en torno a dos personajes, Ramona Montiel y Juanito Laguna, la cual ocupará a Berni durante casi veinte años. El collage sobre arpillera, tela, madera o cartón, toma la voz cantante y se traduce en obras de gran tamaño elaboradas con materiales de desecho: latas, botones, clavos, espejos rotos, palos de escoba, restos de máquinas, tornillos, envases vacíos, botellas, restos de telas, encajes, pedazos de cuero, etc., unificados por los trazos de color de pinceles, sopletes y espátulas; a veces es casi una escultura adentro de un cuadro; otras veces son líneas primorosas, puntillas y encajes, en un mundo de sensualidad y sueño. Hacia 1964, con la serie *Los monstruos,* estos desechos se transformarán incluso en esculturas. Rafael Squirru vio en esta explosión creadora la reformulación de un barroco que se le antojaba sólo comparable al arte hindú, dada la «lujuriosa riqueza en el empaste, en la variedad de las formas y los colores, en la estructura sobre la cual construye sus imágenes»[18].

18. Rafael Squirru, «Antonio Berni: Maestro del Arte Latinoamericano», *Journal of Inter-American Studies,* vol. 7, núm. 3 (1965), pp. 285-300, p. 287.

A través de sus dos personajes, Juanito Laguna y Ramona Montiel, Berni crea una vasta serie de obras sobre la vida sencilla pero trascendente, arquetípica, de la marginalidad urbana de las grandes ciudades latinoamericanas. Buenos Aires y sus «villas miseria» es apenas un modelo de algo más general: la exclusión y la pobreza que generan la industrialización y la llegada de migrantes que buscan empleo y vienen de zonas rurales deprimidas. Juanito Laguna es un chico pobre, inocente, hijo de un obrero metalúrgico, que vive su niñez como puede, en la marginalidad, pero también en el sueño de algo mejor; como lo dijo el propio Berni: «Juanito Laguna no pide limosna: reclama justicia»[19]. Ramona Montiel es el caso de una chica pobre, empujada a la prostitución, que pasa de ser costurera a amante de varios individuos; es un personaje de tango en el mundo del arrabal –es decir, la periferia urbana de Buenos Aires– en las décadas de 1910 y 1920. Pero la Ramona de Berni vive, como Juanito, en las décadas de 1950 y 1960, en el mundo urbano y marginal de la industrialización, y es una prostituta rebelde que busca la independencia; como dice su creador:

Goza transitoriamente del lujo imitativo de las vanidades del gran mundo, pero en la soledad desamparada de su habitación, la consciencia atávica de la culpabilidad fabrica en ella monstruos alucinantes y tenebrosos, y sus sueños de madrugada se pueblan de pesadillas, represiones y miedos ancestrales. [...] Es el símbolo de otra realidad social cargada de miseria, ya no en el exclusivo plano material, como en el caso de Juanito, sino también en el otro, en el del espíritu, con sus desequilibrios neuró-

19. Citado en Glusberg, *Antonio Berni,* p. 103.

ticos, propios de una mujer de su condición social, atrapada por la telaraña de la sociedad de consumo[20].

La saga de Juanito y Ramona se entreteje en un metalenguaje complejo que comprende las vastas transformaciones socioeconómicas y socioculturales de la acelerada urbanización latinoamericana a mediados del siglo XX, junto con el impacto de la sociedad de consumo. Los trabajadores marginales dominan el mundo de Juanito; Ramona nos conecta en cambio con las clases altas –militares, obispos, ricos empresarios, embajadores–, en un mundo de bajos fondos donde rápidamente aparecen lo monstruoso y lo grotesco.

El grabado combinado con el collage, en grandes dimensiones, es también practicado por Berni desde finales de la década de 1950. Una serie dedicada a Juanito Laguna obtiene en 1962 el gran premio en la Bienal de Venecia; es este el momento de la consagración internacional de Berni. Se suceden las exposiciones y los premios; el artista vive y pinta, en cortas temporadas, tanto en París como en Nueva York, pero Buenos Aires sigue siendo el centro primordial de sus actividades. Las tensiones políticas argentinas no lo esquivan; en 1972 una bomba estalla en su taller de la calle Lezica, en el barrio bonaerense de Almagro. Berni, artista consagrado, sigue fiel a sus principios, pero se mueve con prudencia.

Al final de la década de 1970 responde a un encargo que lo lleva a la pintura religiosa; se trata de dos murales que prepara para la capilla del Instituto San Luis Gonzaga, en Las Heras, una ciudad de la provincia de Buenos Aires: el

20. *Ibid.,* p. 116.

Apocalipsis de San Juan y la *Crucifixión.* A estos murales se agregan *Cristo en el garaje* y *Cristo en el departamento,* dos obras que, al igual que los murales, retratan la tortura, la matanza y la violencia; cualquier similitud con el terrorismo de Estado practicado sistemáticamente por la dictadura militar a partir de 1976 es, por supuesto, algo más que una simple coincidencia. Como lo había notado el crítico de *Le Monde* en 1973, al comentar una exposición de sus obras en París, el pincel de Berni era, sin duda, un arma de combate[21].

Antonio Berni murió en Buenos Aires el 13 de octubre de 1981. Hoy por hoy, a más de treinta años de su desaparición, es probablemente el pintor más popular y reconocido de la Argentina.

Obreros y campesinos

Manifestación (1934), junto con otra obra de la misma época, titulada *Desocupados,* marca el inicio de un período ya maduro en la pintura de Berni, centrado en lo que después llamará «Nuevo Realismo». Los protagonistas son obreros y campesinos enfrentados a la desocupación y al hambre en la crisis de los años treinta. El soporte en tela de arpillera provenía de bolsas de azúcar, cosidas a máquina para lograr un gran tamaño; luego la arpillera era preparada con tiza y cola, y se podía montar sobre un bastidor; previo lijado, quedaba lista para pintar. Berni y Spilimbergo enseñaron este procedimiento en el taller de la Mutualidad de Rosario; era una opción barata en un contexto de muchas carencias;

---

21. *Le Monde,* 17 de mayo de 1973.

por otra parte, las pinturas en arpillera se arrollaban y se podían transportar fácilmente[22].

Manifestación impacta ante todo por el movimiento y la fuerza de la expresión; los personajes del primer plano miran en todas las direcciones con una mezcla de ansiedad y tristeza; sus expresiones son muy individuales y provienen de fotografías tomadas por el propio Berni como parte de sus apuntes preparatorios; hay así en la multitud una indu-

Manifestación, 1934. Temple sobre arpillera, 180 × 250 cm. Museo Malba. © archivo Berni, Madrid / José Antonio Berni.

22. García, *Los ojos. Vida y pasión de Antonio Berni,* pp. 97-103; Néstor Barrio y Fernando Marte, «Estudio material de la obra *Chacareros* de Antonio Berni. Problemáticas de un soporte atípico», *Ge-conservación. Publicación digital hispano-lusa de conservación y restauración,* vol. 1, núm. 1 (2010), pp. 235-257.

dable fuerza colectiva, pero nada parecido a una masa. En el centro del cuadro un puño cerrado, y más arriba la cara de un niño que llevan alzado introduce una mirada inocente pero firme y decidida; al fondo, las cabezas de los trabajadores se precipitan hacia un punto de fuga en el extremo superior izquierdo, marcado por un edificio de varios pisos contra el cual se recorta el cielo azul oscuro. Las casas de barrio delinean la calle en la parte superior de la composición; una pancarta que dice «pan y trabajo», en blanco, se eleva sobre las cabezas del fondo. La mayoría masculina es evidente, pero en el primer plano se destacan dos mujeres jóvenes que contrastan con los rostros curtidos de los otros personajes. Adelante, a la izquierda y a la derecha, dos hombres miran hacia arriba con una expresión casi religiosa; el que está en el centro, en cambio, mira directamente hacia delante y clava sus ojos en quien mira el cuadro.

Chacareros (1935)[23] evoca el mundo de los arrendatarios, pequeños propietarios y trabajadores rurales de la zona pampeana. Se trata indudablemente de una reunión gremial, y el periódico *El Campo,* desplegado en la mesa, es una referencia explícita a ello. La composición del cuadro, de gran formato, utilizando óleo sobre arpillera, evoca los lienzos típicos del Renacimiento italiano; en la primera fila cinco personajes sentados y una mesa sencilla, un caballo con su jinete y un gaucho de medio perfil, cierran el espacio a la derecha. Solo vemos tres cuartos de los personajes de los extremos, lo cual da inmediatamente la sensación de que hay más gente, y la leve curvatura del primer plano envuelve al observador; no hay dudas de que frente al cuadro,

---

23. López Anaya, *Historia del arte argentino,* p. 170; Glusberg, *Antonio Berni,* pp. 68-69. La obra se puede véase en Adriana Lauria y

junto con el que lo ve, tienen que estar los personajes que dialogan con los trabajadores. En el segundo plano, cinco personas y una arcada muy amplia, más atrás mucha más gente y al fondo una casa verde con arcos y un cielo de azul intenso. El ambiente es sereno, diáfano, realzado por una luz viva y transparente; parece que hay discusión, no conflicto. El centro del cuadro es ocupado por una mujer sentada, con vestido rojo, que tiene en sus brazos a un niño: la evocación de las madonas renacentistas es más que evidente; el niño mira casi sonriendo al obrero que está sentado a la par de su madre. Los personajes son muy variados: el del extremo izquierdo es un joven con traje, sombrero y corbata; el que preside la reunión también viste traje y sombrero; sólo el niño que está a la par del caballo está descalzo. Hay angustia pero no furia en la expresión de los personajes; quizás desencanto; en todo caso, el ambiente parece ser de espera. Los arcos del fondo evocan los cuadros renacentistas, pero también la pintura de la *Scuola metafisica* de Giorgio de Chirico.

Poco después de *Chacareros,* en 1936-1937 Berni pinta un cuadro titulado *Medianoche en el mundo,* el cual evoca la tragedia de la Guerra Civil española. La composición es la de un joven muerto en la pose de un Cristo yacente, rodeado de mujeres que se lamentan sin consuelo; de nuevo el modelo religioso renacentista permite encuadrar el dolor de la gente sencilla, golpeada por la tragedia de la guerra; el clima del cuadro es agobiante, bajo un cielo tormentoso y la luz de un farol que ilumina los caídos[24]. Ocasionalmente, Berni volverá a estos modelos de composición religiosa en

Enrique Llambías, *Antonio Berni (en línea),* Buenos Aires, Centro Virtual de Arte Argentino, 2005; consultado el 30 de agosto de 2016.
24. Véase la obra en Lauria y Llambías, *Antonio Berni (en línea).*

obras como *Domingo en la chacra* (1945-1971), *El obrero muerto* (1949) y *Cristo en el garaje* (1981).

Migración (1954)[25] pertenece a la serie de telas sobre los trabajadores del Chaco y Santiago del Estero pintadas por Berni en la década de 1950. Podría subtitularse «Desolación»; las dos familias de migrantes, alargadas y escuálidas, avanzan con lentitud a un futuro incierto; las miradas son tristes y se extienden también al caballo y al perro. La vegetación y el cielo realzan el clima de desolación e incertidumbre resignada. Estamos en un mundo de pobreza rural muy alejado del de *Chacareros*.

Los tres ejemplos seleccionados ilustran bien dos momentos de la historia de los trabajadores latinoamericanos. Los dos primeros reflejan la protesta social de los obreros y campesinos organizados, golpeados por la depresión de los años treinta. El tercero, en cambio, ilustra la emigración hacia la gran ciudad, una vez que el campo no da para comer. Empleo/desempleo urbano y marginalidad constituirán el campo primordial del pincel de Berni a partir de 1960.

Vida cotidiana y cultura popular

Otra temática en la pintura de Berni, paralela a la de preocupaciones sociales explícitas, es la presencia de la vida cotidiana. Este es un tema que le interesó desde el puro principio de su carrera, en la etapa fuertemente surrealista que se cierra en 1932. La expresión de lo cotidiano se explaya en tres ámbitos básicos: retratos, escenas en fami-

25. Véase la obra en *ibid.*

lia y cuadros de la sociabilidad inmediata de pequeños grupos. *Autorretrato con cactus* (1934-1935) y *La muchacha del libro* (1936)[26] son dos ejemplos típicos de los retratos de Berni antes de 1960: miradas absolutamente expresivas, colores luminosos y una atmósfera diáfana pero también algo extraña; el cuidado por el detalle es casi obsesivo, y recuerda en algo la pintura holandesa del siglo XVII.

Las citas de la pintura clásica, sobre todo religiosa, se encuentran también presentes en *Domingo en la chacra o el almuerzo* (1945-1971)[27], un cuadro de grandes dimensiones que evoca, otra vez, el mundo de los chacareros, es decir, los pequeños propietarios agrícolas de la Pampa argentina; en la mesa alargada con impecable mantel blanco se sientan familiares y amigos de varias generaciones; los animales comparten la fiesta doméstica, mientras que el abuelo corta el pan y un paisano trae el asado; al fondo, a la izquierda, se ven vacas y una parva de granos apilados; sin duda, falta alegría en las miradas; en el puro primer plano se recortan el niño de *sweater* rojo y gorra azul jugando con el gato y la niña de vestido rojo estampado dando de comer al perro; el aire que flota trasciende el mero acento bucólico; se busca algo más allá de lo cotidiano, aunque no sea posible identificarlo con claridad.

La sociabilidad de lo inmediato y ciertos rasgos de la cultura popular son materia también de otras obras muy conocidas de Berni. Los equipos de fútbol de los niños y jóvenes del barrio aparecen en varias ocasiones; la primera en *Club Atlético Nueva Chicago,* de 1937, un óleo sobre tela de grandes dimensiones (185 × 300 cm) adquirido por el Museo de

26. Véase la obra en *ibid.*
27. La obra se puede apreciar en *ibid.*

Autorretrato con cactus, 1934-1935. Temple y óleo sobre arpillera, 110,5 × 85 cm. Colección particular. © archivo Berni, Madrid / José Antonio Berni.

Arte Moderno de Nueva York en 1942[28] y allí exhibido. Colores vivos y un cielo azul intenso lleno de nubes marcan un ambiente algo irreal, enmarcado por un barrilete en tierra a la izquierda y una vendedora de frutas a la derecha, con una mesa plegada y un conjunto de peras, uvas y sandías. Los once miembros del equipo de fútbol posan en dos filas, con expresiones absolutamente individuales, como si cada uno tuviera su propio mundo; otros niños y jóvenes se ven más atrás o flanqueando los jugadores. En un segundo plano, aparece un gran arco que ocupa casi toda la mitad derecha del cuadro; a la izquierda, se ven una cerca, árboles y casas lejanas; en el puro fondo, casas dispersas evocan un ambiente semirrural. Es interesante comparar este cuadro de 1937 con el mismo tema tratado en *Team de futbol o campeones de barrio* (1954), con idéntico soporte material[29]. El equipo de jóvenes, incluyendo al árbitro y a un niño pequeño como mascota, posa en una calle de un pueblo del interior o de un barrio de Buenos Aires; al fondo se recorta la cúpula de una iglesia sobre un cielo púrpura crepuscular; la expresión es sencilla, calma, mucho menos tensa que en el cuadro de 1937.

28. Se puede ver en alta resolución en: http://www.moma.org/collection/works/80169. La obra fue adquirida en Buenos Aires en 1942 por Lincoln Kirstein pagando un total de 1.000 dólares. Véase García, *Los ojos. Vida y pasión de Antonio Berni,* p. 294. En ese mismo viaje, Kirstein conoció a Alberto Ginastera y le encargó el ballet *Estancia* para la compañía American Ballet Caravan, la cual desapareció antes de poder estrenar la obra. El viaje de Kirstein formó parte de la política cultural del gobierno norteamericano en el contexto de las relaciones de buena vecindad promovidas por el presidente Franklin D. Roosevelt.
29. La obra se puede véase en Lauria y Llambías, *Antonio Berni (en línea).* http://cvaa.com.ar/02dossiers/berni/6_obras_1954_1.php, consultada el 30 de agosto de 2016.

Orquesta típica (1939)[30], un óleo sobre tela de gran formato, repintado en 1975, es otro ejemplo de la sociabilidad cotidiana popular trabajada por Berni. Bandoneones y la cantante en primera fila, contrabajo y acordeón en la segunda, y violines al fondo; la boca del escenario es colorida, en celeste, azul y amarillo; las vestimentas de los músicos son muy formales, y el traje del bandoneón de la derecha es de un azul eléctrico encendido. La expresión es simple pero grave, apropiada en todo caso al carácter de los tangos y milongas ejecutados por la orquesta típica.

Hasta finales de la década de 1950, la imagen de la cultura popular que transmiten los pinceles de Berni es la de un espacio «ordenado», racional, si pudiéramos así decirlo. Es el caso de los equipos de fútbol, los retratos, la orquesta típica, el mundo de los trabajadores rurales o las escenas del mercado norteño que se visualizan en *Jujuy,* aquel óleo de 1937 ya mencionado. A veces persisten algunas tensiones surrealistas y también algún eco de la *Scuola metafísica* de Giorgio de Chirico, pero la idea de un espacio diáfano y ordenado acaba imponiéndose. Quizás *Manifestación,* el gran lienzo de 1934, muestra mejor que ninguna otra obra los ojos bien abiertos de Berni antes de 1960. Se trata de un mundo triste, con rabia contenida, pero ordenado. En ciertos cuadros se filtra la esperanza; en este sentido conviene rememorar una obra de 1951 también titulada *Manifestación:* gran formato en temple sobre tela y un conjunto de mujeres, hombres y niños que sostienen un tela blanca con un dibujo de una

30. Véase la obra en *ibid.* También en https://www.bellasartes.gob.ar/coleccion/obra/9850, consultado el 30 de agosto de 2016.

emblemática paloma de la paz que sigue de cerca los trazos de Picasso. Las caras replican en cierta forma los rostros de 1934, pero brilla cierta esperanza, focalizada sobre el observador que contempla el cuadro; los colores son más vivos y el fondo es negro cerrado, lo que crea un espacio universal, sin referencias concretas[31].

Es claro que la obra de Berni se enmarca en el movimiento de intelectuales por la paz, constituido en Francia, México y otros países hacia 1949, al puro comienzo de la Guerra Fría; estos intelectuales –entre los que sobresalían Pablo Neruda, Diego Rivera, Louis Aragon, Pablo Picasso y Jean Paul Sartre– tenían cercanía con los partidos comunistas y una evidente simpatía por la Unión Soviética. El discurso pacifista prosoviético completaba así, de algún modo, el orden del mundo de Berni, donde cabían los trabajadores con sus luchas, su vida cotidiana y sus sueños, y las expresiones de la cultura popular del barrio, del campo, del suburbio y sus orillas.

Juanito Laguna

El Retrato de Juanito Laguna (1961) muestra en forma extrema el nuevo estilo expresivo desarrollado por Berni hacia 1960; se trata de un puro collage de materiales de desecho sobre un tablero de madera, proveniente de un cajón de frutas o algo parecido; los materiales son los mismos que se han utilizado en la construcción de la vivienda precaria donde habita Juanito. El rostro es amablemente monstruoso, como si la figura del niño se hubiera mimetizado en las

31. La obra se puede véase en *ibid.*

Retrato de Juanito Laguna, 1961. Materiales varios sobre madera, 145 × 105 cm. Colección particular. © archivo Berni, Madrid / Luis Emilio De Rosa.

paredes y los objetos de la casa; muestra de un solo golpe la cruda pobreza de las «villas miseria»[32].

Para apreciar mejor la técnica del collage, difícil de visualizar en una fotografía, conviene observar un detalle, como el que se muestra en *Juanito tocando la flauta* (1973); ahí se puede notar el uso de latas y botellas vacías, pedazos de tela, un pincel y un pedazo de escoba, entre otros materiales. Los desechos son modulados con gran maestría, en una sinfonía infinita de colores y texturas que varían de acuerdo a las intenciones del pintor en cada obra.

Entre 1960 y 1979 Berni creó una treintena de obras en torno al personaje de Juanito Laguna. Un ejemplo típico es *Juanito Laguna going to the factory* (1977); se trata de un tablero de casi dos metros de altura y más de un metro de ancho; Juanito, con gorra, chaqueta y *jeans,* camina plácidamente hacia una gran fábrica que se recorta en la línea del horizonte; a los lados del sendero sinuoso, los desechos evocan tanto la basura como la vegetación; a la izquierda, antes de llegar a la fábrica se observa un conjunto de viviendas precarias elaboradas con pedazos de lata. Un cielo azul pintado marca la línea del horizonte, pero sobre él se extienden grandes nubes hechas con pedazos de tela, aluminio y plástico. El efecto es agobiante, como si las nubes reflejaran los desechos, o como si la basura subiera al cielo[33].

---

32. «Villa miseria» es un argentinismo para referirse a los barrios y viviendas precarias marginales; es equivalente a favela, tugurio, chabola, callampa y otros vocablos de uso regional que tienen el mismo significado. Al parecer fue usado por primera vez en la novela de Bernardo Verbitsky, *Villa Miseria también es América,* Buenos Aires, EUDEBA, 1966 [1957].

33. Berni realizó esta obra en Nueva York; fue una de las últimas del ciclo de Juanito Laguna; ello explica el uso de desechos norteamericanos, como las latas de cerveza Budweiser.

5. Antonio Berni (1905-1981), pintor de mayorías

Las obras de Berni establecen una verdadera narrativa en torno al mundo de Juanito Laguna, sus juegos, la vida cotidiana, sus sueños y esperanzas: *Juanito Laguna remontando su barrilete* (1973), *Juanito con la moto* (1972), *Las vacaciones de Juanito* (1972), *Juanito dormido* (1973), *Juanito jugando con su trompo, Juanito en la laguna* (1974), *El cosmonauta saluda a Juanito Laguna a su paso por el bañado de Flores* (1961), *Juanito Laguna y los cosmonautas* (1962), *La familia de Juanito Laguna se salva de la inundación* (1961), etc.

Berni también creó una importante serie de grabados sobre el tema de Juanito Laguna; *Juanito pescando* (1962)[34] es uno entre muchos otros ejemplos. Se trata de un xilo-collage de gran tamaño que formó parte de las obras que Berni presentó en la Bienal de Venecia de 1962; como ya se indicó, en ese evento nuestro pintor obtuvo el gran premio internacional de dibujo y grabado. Técnicamente, la obra comentada era absolutamente innovadora: de un tamaño casi descomunal para una xilografía, Berni combinaba el tradicional bajorrelieve logrado sobre madera con gubias, con la utilización de un altorrelieve obtenido clavando y pegando pedazos de metal y otros desechos; de ahí la denominación de «xilo-collage». Trabajando sobre grandes hojas de madera terciada (*plywood* o contrachapado), y desplegando una extraordinaria habilidad para el entintado y la impresión, lograba así obras muy originales e impactantes[35]. *Juanito pescando* muestra al chico pescando en un río junto con su perro; justo detrás, fábricas, y en un tercer plano el mar o el mismo río con dos barcos pequeños y un sol naciente argentino, similar

34. Véase la obra en Lauria y Llambías, *Antonio Berni (en línea)*.
35. Dolinko, *Arte plural. El grabado entre la tradición y la experimentación, 1955-1973*, pp. 196-202.

al de la bandera, que se anuncia radiante sobre el horizonte; a los pies de Juanito, en el curso de agua amarillenta, un pez y un cangrejo. Las fábricas provienen de placas y pedazos de metal, mientras que el resto del grabado parece venir del tallado tradicional en la madera; blanco, negro, amarillo intenso en el sol, azul en el río y el cielo, ocre en buena parte de las fábricas, y un degradado amarillento en el agua donde pesca Juanito, se combinan con cierta armonía; la figura de Juanito sobresale en blanco y negro, y parece que quiere avanzar, salir del cuadro, quizás volar.

Otras obras de la misma serie son los xilo-collages: *Juanito cazando pajaritos, Juanito pesca con red, Juanito con pescado* y *Juanito bañándose*[36].

Ramona Montiel

La saga de Juanito Laguna es paralela, como ya se explicó, a la de Ramona Montiel. La técnica sigue siendo el collage o el xilo-collage, pero los materiales varían; ya no se trata de las latas y desechos utilizados en las viviendas marginales; para Ramona Berni emplea encajes, puntillas, cintas, plásticos, telas y bisutería, a veces con mucho dorado y efectos brillantes[37]. *El examen* (1976) es un buen ejemplo de la serie: tamaño enorme, un fondo celeste con estampado en azul, Ramona se quita el vestido de encajes frente a la dueña del

---

36. Se pueden apreciar en muy buenas reproducciones en varios autores, *Antonio Berni. A 40 años del Premio de la XXXI Bienal de Venecia, 1962-2002,* Buenos Aires, Centro Cultural Recoleta, 2002. Los originales premiados en Venecia se conservan en el Museo Juan B. Castagnino de Rosario.

37. Glusberg, *Antonio Berni,* p. 116.

El examen, 1976. Materiales varios sobre madera,
250,5 × 140 cm. Colección particular © archivo Berni,
Madrid / Luis Emilio De Rosa.

prostíbulo, una figura grotesca llena de dorado y medias caladas, con un ojo rojo y una expresión horrible.

El sueño de Ramona (1977) muestra un clima diáfano y delicado; la pared con estampado en amarillo claro, la cama color lila con una estructura simple de bronce; Ramona duerme semidesnuda, con su piel de rosado inmaculado, medias negras, zapatos plateados y algunas joyas; acaricia un racimo de uvas y lleva un tocado de tela roja y blanca. A diferencia de Juanito, el personaje de Ramona llama también a otros ámbitos: sus amigos, desde los ricos hasta los maleantes, pasando por obispos, militares y gente sencilla. La crudeza y exuberancia de los sueños y angustias, que se multiplican en los collages y las xilografías de Ramona y su entorno, conduce a planos existenciales todavía más complejos y a veces alucinados.

El sueño de Ramona, 1977. Pintura acrílica, telgopor, yeso, cera, papel, tela y materiales varios sobre madera, 122 × 283 cm. Colección particular. © archivo Berni, Madrid / José Antonio Berni.

Una contradicción de fondo, reiterada muchas veces en la plástica de Berni, es la agria ilusión de la sociedad de consumo; nada mejor para ilustrarlo que el gran díptico en madera de 1962 titulado *La gran tentación* o *La gran ilusión*. Casi la mitad del cuadro está ocupado por una rubia salida de un anuncio o de una película, con un automóvil azul en una mano y un puñado de monedas plateadas en la otra; en primer plano, adelante, y en franco contraste con el espejis-

La gran tentación, 1962. Óleo, collage y *assemblage* sobre madera (díptico), 245 × 241 cm. Museo Malba. © archivo Berni, Madrid / José Antonio Berni.

mo publicitario, el mundo de los pobres y los trabajadores, separado del anuncio publicitario por una suerte de valla de latas y recortes metálicos. Una prostituta grotesca, en el primer plano a la derecha, es como un espejo de la hermosa chica del anuncio; tres personajes más pequeños y un perro, también con expresiones monstruosas, caminan hacia la izquierda, marchando sobre un camino de desechos. A la derecha de la prostituta se ve el perfil de un policía o un guardia. El efecto de conjunto no puede ser más impactante; se trata de un realismo brutal, sin concesiones, de un golpe frontal que golpea y aviva la conciencia.

Crucifixión y *Apocalipsis*

Al final de su carrera Berni retomó, en forma explícita, una meditación religiosa que antes se había expresado más bien como búsqueda metafísica. Un encargo para la capilla del Instituto San Luis Gonzaga, en Las Heras (provincia de Buenos Aires), lo lleva a pintar en 1981 dos grandes murales: la *Crucifixión* y el *Apocalipsis*[38]. Se trata de dos telas de gran tamaño trabajadas con pintura acrílica; los colores son vivos y ambas escenas tienen dos referentes muy claros y distintos: por un lado, hay una composición derivada de la pintura religiosa renacentista; por otro, las figuras evocan personajes del presente, de la vida cotidiana argentina del momento. Ambas referencias son contundentes y no se prestan a dudas o ambigüedades.

38. Patricia Corsani, «Antonio Berni y las pinturas de la Capilla del Instituto San Luis Gonzaga en Las Heras», II Jornadas Hum. H. A., Bahía Blanca, 2007.

La disposición de la *Crucifixión* es la convencional: el Cristo crucificado domina en el centro del cuadro; a su derecha, la Virgen María, María Magdalena y un grupo de hombres y mujeres dolientes entre los que reconocemos varios personajes del mundo de Ramona y Juanito Laguna; a su izquierda, un centurión romano armado con un FAL (fusil automático liviano), el típico del ejército argentino en esos años; a su lado un letrado judío con turbante, una pluma y los pliegos de la Torá; hacia el borde del cuadro, varios personajes sencillos entre los que volvemos a reconocer el mundo de Juanito y Ramona; en el extremo derecho, una madre con un niño en brazos y otro de la mano; al fondo se ven varias personas contra la pared, con las manos en alto.

El *Apocalipsis* cita deliberadamente el famoso grabado de Durero; los cuatro jinetes cabalgan furiosamente haciendo añicos las vanidades de la sociedad de consumo y varios personajes del mundo de Ramona; un hongo atómico se eleva al fondo sobre un mar de fuego; arriba, a la derecha, caen varias estrellas y al centro sube un pequeño dragón monstruoso.

Varios cuadros preparatorios para estos murales coronan la obra pictórica de Berni. *Cristo en el departamento* (1980) muestra al crucificado en una habitación desnuda, con una pequeña ventana azul a la izquierda y una puerta abierta al fondo; el espacio evoca una rigurosa perspectiva renacentista. Igualmente misterioso y aún más conmovedor es *Cristo en el garaje* (1981), un óleo sobre tela que traslada la escena anterior a un ámbito despojado, dominado por el azul; hay una motocicleta contra la pared, una claraboya con cielo en el techo y una pequeña ventana a la derecha a través de la cual se ve un paisaje fabril; el crucificado es un muchacho sencillo, que bien podría ser Juanito Laguna o alguno de sus amigos; la sangre en rojo brillante chorrea por el piso.

Cristo en el garaje, 1981. Óleo sobre tela, 200 × 135 cm. Colección particular. © archivo Berni, Madrid / José Antonio Berni.

Arte y política

Toca ahora comentar la naturaleza y alcances del compromiso político de Berni, o, formulado de manera más amplia, las relaciones entre las artes plásticas y la política.

Desde su juventud, Berni fue un hombre de izquierda, próximo al Partido Comunista argentino pero lejos de la militancia activa; nunca aceptó la subordinación a los cánones del realismo socialista y mantuvo siempre una posición de total independencia creativa. Sostuvo y practicó estos principios, con una coherencia muy firme, a lo largo de toda su vida.

El programa estético del Nuevo Realismo, explicitado por Berni en 1936, consistía en evitar a toda costa la escisión entre el sujeto y la expresión técnica de formas, texturas y colores. El alejamiento progresivo del mundo real, que caracterizó a buena parte de la pintura moderna en el siglo XX, le parecía una quimera, una especie de vuelo de Ícaro en la búsqueda de puras formas y colores, y consideraba que así se llegaba únicamente a un «lirismo desbocado» y a un «decorativismo vulgar y vacío». Pero enseguida insistía en que el Nuevo Realismo no implicaba

una máquina registradora de objetos visibles o un afán de competir con el aparato fotográfico, el Nuevo Realismo observa el mundo subjetivamente, especulativamente, con sus propias ideas y sentimientos, vale decir, con los conceptos de un hombre sensible viviendo en un período de transformaciones trascendentes en todos los órdenes[39].

39. Berni, *Escritos y papeles privados,* pp. 86-89. El texto citado es de 1941.

En el proyecto estético de Berni, el cómo pintar estaba indisolublemente asociado al qué pintar; la forma y el contenido eran indivisibles, y consideraba que

alcanzar esa identidad de forma y contenido para una significación viviente de la obra de arte [era] el problema más difícil que [había tenido que enfrentar] la pintura de todos los tiempos[40].

El Nuevo Realismo se enfrentaba a las vanguardias, devotas sobre todo de la pintura y las artes visuales no figurativas. Pero Berni era enfático:

Yo no estoy contra el arte no figurativo como fenómeno plástico, sino contra el arte no figurativo utilizado con fines extraartísticos, fuera de las intenciones artísticas[41].

Su polémica era contra un arte no figurativo que se constituía como evasión de la realidad y negaba toda expresión de carácter «realista, popular y nacional». Berni pensaba que en América Latina había que permitir la convivencia de todas las «tendencias modernas» sin exclusiones; estas últimas provenían no tanto de los gustos del público, sino más bien de los apoyos y promociones institucionales: museos, concursos, galerías, etc. Pero ¿qué quería decir Berni cuando indicaba «realista, popular y nacional»?

López Anaya considera que la aparición del Nuevo Realismo –del que participan además de Berni, Lino Spilimbergo (1886-1964), Demetrio Urruchúa (1902-1978), Enrique Policastro (1908-1971) y Juan Carlos Castagnino (1908-1972)–

40. *Ibid.,* p. 91. El texto citado es de 1952.
41. *Ibid.,* p. 93. El texto citado es de 1958.

obedeció a la politización creciente de la cultura[42], un movimiento que tuvo amplios alcances internacionales en el período de entreguerras, y que partía de la idea de que el tema o sujeto de una obra de arte debía de ser, al menos en parte, comprendido por todo el mundo. El muralismo mexicano, el realismo socialista soviético y el arte fascista compartieron, entre otras corrientes, este principio, el cual retornará en movimientos estéticos más recientes, como el pop-art y el hiperrealismo de la década de 1960. Pero el retorno del realismo se refiere únicamente a la idea de que debe de existir un tema o sujeto al menos parcialmente accesible a la comprensión de todo el mundo[43]. El arte al servicio de la política –como instrumento de denuncia y/o concientización, o como herramienta pedagógica– sigue siendo un tema abierto: aceptado por muchos, es también rechazado por otros tantos.

«Popular» y «nacional» son otras dos nociones polémicas que requieren aclaración. En 1980 dijo Berni[44]:

A mi obra, muy a menudo se la sindica como muy argentina. Sí creo que es verdad, pero si Ud. me pregunta cuáles son los elementos de lo nacional en mi pintura, yo no podría contestar. Es como si me propusiera decir dónde está lo mágico. Es evidente que lo nacional no está en los elementos seudofolclóricos, si no, cualquier gaucho sería «nacional». Creo que lo nacional está simplemente en una manera de ver la realidad, en una manera de interpretarla y expresarla.

---

42. López Anaya, *Historia del arte argentino,* p. 165. López Anaya usa el término «realismo crítico» en vez de «nuevo realismo».
43. Sobre estas corrientes véase para el caso argentino: *ibid.,* pp. 354-364; para el caso latinoamericano, Edward Lucie-Smith, *Latin American Art of the 20th Century,* 2.ª ed., Londres, Thames & Hudson, 2004, pp. 165-186.
44. Berni, *Escritos y papeles privados,* p. 72.

De estas palabras se desprende una vez más la idea de la unión indisoluble entre el lenguaje artístico, la apreciación de la realidad y el contexto social, político y cultural. Al final es la libertad creadora la que garantiza la autonomía relativa de la obra de arte y su calidad artística irreductible. Cándido Portinari (1903-1962), el gran pintor brasileño que compartía ideas muy parecidas a las de Berni, lo expresó de manera muy sencilla en una conferencia pronunciada en Buenos Aires en 1947. Hay dos categorías de la sensibilidad del artista, la propiamente artística y la sensibilidad colectiva; la pintura social que aspira a dialogar con las masas debe poseer ambas sensibilidades en grado máximo; si alguien pinta y sólo posee sensibilidad colectiva, sería mejor que vaya directamente a la plaza pública y exprese lo que siente en un lenguaje corriente. Todos los artistas tienen altas dosis de ambas sensibilidades, pero por mil circunstancias, en algunos una de ellas supera y embota a la otra[45].

En 1978, en el marco del Encuentro Iberoamericano de Críticos y Artistas Plásticos realizado en Caracas, Berni presentó importantes reflexiones sobre el arte latinoamericano y sus características; allí resumió y redondeó sus ideas expresadas a lo largo de varias décadas[46]. El arte latinoamericano expresaba la multiplicidad de culturas y el pluralismo del espíritu humano; por esta misma diversidad, en él imperaban escalas de valores diferentes, y precisamente en el descubrimiento y cultivo de las diferencias estaba buena parte de su riqueza y originalidad creativa. Este hecho, producto de la historia y la naturaleza misma de las sociedades lati-

---

45. Andrea Giunta (comp.), *Cándido Portinari y el sentido social del arte,* Buenos Aires, Siglo XXI editores, 2005, pp. 309-317.
46. Berni, *Escritos y papeles privados,*, pp. 121-132.

noamericanas, es lo que permite entender por qué Berni abogaba por la diversidad de escuelas y tendencias artísticas. El único criterio válido para juzgar una obra de arte es, al fin de cuentas, su calidad intrínseca, es decir, su valor puramente artístico y su pertinencia social. Y Berni insistía en la necesidad de contar con parámetros propios:

> Recibir elaborando, importar transformando, es la manera de construir lo propio. Usar solo lo hecho por otros o hacer mera imitación es algo transitorio de los que apenas nos quedarán los envases vacíos o el ligero aroma de un flirteo sin consecuencias[47].

Por otra parte, Berni también era consciente de que la función social de la obra de arte cubría un amplio espectro que iba desde lo meramente decorativo y un rol de la cultura como «placer y satisfacción de la sensibilidad», hasta otro, ciertamente mucho más ambicioso, que aspiraba a pensar el mundo y la nación, «reflejo de los linajes históricos y singulares, con sus pasados, presentes y futuros».

En 1951, en una hoy famosa conferencia, Jorge Luis Borges se preguntó sobre el escritor argentino y la tradición. Su respuesta fue contundente: «Nuestra tradición es toda la cultura occidental». Hay que notar enseguida que en la visión de Borges «cultura occidental» es en realidad sinónimo de «cultura universal»[48]. La posición de Borges es similar a la de Villa-Lobos cuando éste declaraba que Bach era

---

47. *Ibid.*, p. 124.
48. Jorge Luis Borges, *Obras Completas 1 (1923-1949),* Buenos Aires, Editorial Sudamericana, 2011, pp. 550-557. El texto de la conferencia fue incluido en *Discusión*, un conjunto de ensayos cuya primera edición data de 1932 y que luego fue ampliado y modificado en la segunda edición de 1957.

parte del folclor universal, y también parecida a la de Berni: se valen de todas las escuelas y tradiciones; el artista busca sus recursos, y lo que al final cuenta es la calidad de la obra. Pero ninguno de los dos explica cómo se juzga lo que es buena literatura o buena pintura, aunque podríamos inferir que ambos rechazan cualquier canon establecido por la unanimidad de la crítica. Más allá de ello, está también el problema del color local, del toque de algo particular que nos distinga del resto del mundo; Borges lo expresó en 1926 con una fórmula sagaz: «[busco] un criollismo que sea conversador del mundo y del yo, de Dios y de la muerte»[49]. En las artes visuales latinoamericanas las búsquedas y soluciones han sido variadas, como las del propio Berni, y si queremos agregar otras de gran clase, no se pueden dejar de mencionar las casi grandilocuentes de los muralistas mexicanos, las temblorosas y poéticas de Pedro Figari y las misteriosas y tensas fusiones de Wifredo Lam[50].

Al filo de 1960, la revolución estética de Berni

La serie de obras en torno a Juanito Laguna y Ramona Montiel marcaron un giro estético notable definido tanto por la temática del mundo de las villas miseria y los trabajadores marginales cuanto por la tecnología del collage, los xilo-collages y el uso de los materiales de desecho. Conviene ahora profundizar en la naturaleza de ese giro estético

49. *Ibid.,* p. 185. La cita es del libro *El tamaño de mi esperanza.*
50. Véase Lucie-Smith, *Latin American Art of the 20th Century,* pp. 34-35, 49-68 y 84-89; Lowery Stokes Sims, *Wifredo Lam and the International Avant-Garde, 1923-1982,* Austin, University of Texas Press, 2003.

de Berni y su inserción en la coyuntura sociocultural de la década de 1960.

En 1960 Berni sufrió un infarto y ya no podía trabajar solo; contrató un joven ayudante, Alejandro Marcos, quien se constituyó en su mano derecha durante varios años. Marcos fue el primero de varios asistentes; lo acompañaba en sus recorridos por los basurales para recoger materiales, vivía en su taller y trabajaba incansablemente en los inmensos collages de Juanito y Ramona. Incluso en una ocasión, posando para una fotografía, una parte de un collage se desprendió y Alejandro terminó con un brazo quebrado. Su testimonio, recogido por Fernando García, es de gran interés[51]:

Dejamos el lugar cuando se terminó de construir el taller de Rivadavia, a fines de 1960. A partir de ahí se plasma un cambio total en su trabajo y yo creo que eso fue a partir del infarto. Se vuelca a esa pintura matérica, se pone a trabajar con los desechos, se vuelve más y más agresivo y ácido. Para mí el límite, la frontera en Berni es el infarto: él vio el límite muy cerca y así fue como se puso a pintar al límite.

La explicación de Marcos debe ser vista como un elemento importante en un contexto de crisis y tensiones mucho más amplio y complejo; lo indudable es que, como él dice, Berni «se puso a pintar al límite». El mundo «ordenado» de los cuadros de las décadas de 1930 y 1940 se había ido desdibujando en los años cincuenta; pero lo que se esfumaba no era sólo el espacio plástico; el mundo circundante comenzaba a hervir, las certitudes de ayer empezaban a volar en pedazos y los ojos de Berni seguían estando bien abiertos.

51. García, *Los ojos. Vida y pasión de Antonio Berni,* p. 213.

Es difícil resumir en pocas frases el vendaval de la década de 1960 y comienzos de la siguiente; se trató de un proceso global que se transmitió, en ondas y frecuencias diferentes, a escala planetaria. En primer término hay que señalar el triunfo y consolidación de la sociedad de consumo, resultado básicamente de la gran expansión económica del período 1945-1975; de la explosión demográfica en el Tercer Mundo y del *baby boom* en los países industrializados había surgido una activa mayoría de población joven, la cual disponía además de un considerable poder adquisitivo y de una creciente disposición a la independencia. En segundo término, hay que notar las rupturas y quiebres que afectaron, en diversos planos, al mundo de la posguerra que, sobre todo gracias a la Guerra Fría, se había definido como fuertemente bipolar; ello era visible en el conflicto China-URSS y los desgarres en el mundo comunista, en las revoluciones del Tercer Mundo (revoluciones cubana y argelina, guerra de Vietnam, guerrillas en África y América Latina, etc.) y en la profunda renovación de la Iglesia católica (Concilio Vaticano II, Teología de la Liberación, opción preferencial por los pobres, etc.). En tercer término, hay que resaltar lo más vistoso de esa década, es decir, los movimientos y rebeliones sociales, desde el Mayo francés de 1968 hasta las luchas por los derechos civiles en los Estados Unidos, pasando por la revolución sexual, las movilizaciones contra la guerra de Vietnam, el movimiento *peace & love* y la rebeldía sonora de los Beatles y los Rolling Stones. Las rupturas tuvieron también un precio en sangre, sudor y lágrimas, como lo atestiguan la muerte del Che Guevara en 1967, los asesinatos de Martin Luther King y Bob Kennedy en 1968 y la invasión soviética de Checoslovaquia en agosto de ese mismo año.

Si hubiera que resumir en dos palabras el vendaval de los 60, apuntando a lo más novedoso, se podrían señalar el predominio del hedonismo individualista (incluyendo los paraísos artificiales de las drogas) y el inicio de una onda libertaria que trasciende el choque entre capitalismo y comunismo, y posa sus ojos en la ecología, el feminismo, la diversidad sexual y la discriminación étnica y racial.

Interrogado por José Viñals, Berni recordó la rebelión estudiantil parisina de 1968, y dijo haber quedado impresionado por una frase anónima, escrita en los muros de la Sorbona, que decía (traducida al argentino): «La mejor obra de arte es un adoquín arrojado a la jeta [cara] de un cana [policía]»[52]. En la opinión de Berni, la frase implicaba que la juventud estaba pidiendo otro tipo de arte, uno que fuera realmente instrumento de transformación de la sociedad. El giro estético de Berni hacia 1960 debe de entenderse precisamente en esa búsqueda, con la cual se había identificado durante toda su vida: la del arte como toma de conciencia y transformación. Sus ojos veían un mundo nuevo y su paleta, sus pinceles, sus manos y su corazón lo plasmaron delicadamente, y también con furia, en los inmensos collages y xilo-collages que hemos comentado. No cabe duda de que su pincel fue siempre un arma de combate.

El giro estético de Berni también le permitió insertarse en la vanguardia de las artes visuales en el Buenos Aires de los años sesenta; así lo atestiguan, además de las exposiciones individuales y colectivas, sus múltiples incursiones en las instalaciones y espectáculos multimedia: *La caverna de Ramona,* en la Botica del Ángel (1966); *Ramona en la caverna* (1967), en la Galería Rubbers; *El mundo de Ramona* (1970),

52. Viñals, *Berni. Palabra e imagen,* pp. 100-101.

en la *exposhow* La Rural de Buenos Aires; *La masacre de los inocentes* y *Los rehenes* (1971), en París; y *La Difunta Correa* (1976), en la Galería Carmen Waugh de Buenos Aires. La apreciación de Jorge Glusberg resulta aquí de interés[53]:

> Al margen de tendencias y vanguardismos, Berni generó sin embargo un arte de avanzada, en lo estético y lo social, que le pertenecía por entero; o, si se quiere, él fue su única tendencia y su única vanguardia.

Berni estuvo cerca de la rebelión juvenil de los sesenta y los setenta, a pesar de su edad; podríamos pensar que al final de su vida reencontró la ebullición surrealista de su juventud parisina. En mucho esto tuvo que ver con su relación de pareja con Silvina Victoria, entre 1974 y 1980; Silvina era una joven y atractiva tucumana, cuarenta años menor que él. Los jóvenes lo admiran, y Berni no se encuentra incómodo con el rock y la música de moda. Mientras tanto, Juanito Laguna se transforma en un personaje popular que aparece en los periódicos, la música y la poesía; nada más significativo que las canciones que le canta Mercedes Sosa, los textos de Armando Tejada Gómez y Hamlet Lima Quintana, y la música de César Isella, Iván Cosentino y Astor Piazzolla, entre otros autores. La edición entera (10.000 copias) de un disco con los temas de Juanito Laguna, producido por Isella y editado por Phillips en 1977, fue secuestrada como subversiva en 1978 por los esbirros de la dictadura del general Videla[54].

---

53. Glusberg, *Antonio Berni,* p. 142.
54. García, *Los ojos. Vida y pasión de Antonio Berni,* p. 404. En 2005, al conmemorarse el centenario del nacimiento de Berni, César Isella

Durante estas dos décadas, Berni estuvo, por cortas temporadas, en París y Nueva York; allí pintó y realizó varias exposiciones, pero siguió residiendo básicamente en Buenos Aires. Hombre de izquierda, como sabemos, no eligió el exilio durante la cruenta dictadura militar del período 1976-1983. Hay que considerar dos elementos importantes para apreciar sus vicisitudes personales durante esta etapa aciaga de la historia argentina: por una parte, Berni era un artista muy conocido, que gozaba de gran reconocimiento internacional, aparecía regularmente en la prensa y sus exposiciones alcanzaron notoria popularidad; por otro lado, su cercanía al Partido Comunista argentino le proporcionaba cierta cobertura, dadas las relaciones comerciales privilegiadas del gobierno militar con la Unión Soviética[55]. Dicho en otros términos, era una figura incómoda pero tolerable mientras mantuviera un perfil relativamente bajo. Obviamente, esto último implicaba la autocensura, y Berni la practicó en esos años: sus obras más explícitas sobre la tortura y la represión sólo se mostraron en el extranjero. Debemos de notar que la situación de un verdadero artista en un régimen dictatorial es siempre difícil y problemática; baste recordar los tristes ejemplos de la Alemania nazi, la Unión Soviética a partir del triunfo de Stalin, o, más cerca de nosotros, la Cuba de Fidel Castro a partir de 1970. Gritar desde el exilio ha sido, casi siempre, mucho más fácil y seguro. En 1976, cuando Berni presentó la instalación *La*

reeditó aquellas interpretaciones en un disco compacto titulado *Berni.100 años. Juanito Laguna.*
55. Estas relaciones privilegiadas hicieron, por ejemplo, que la Unión Soviética bloqueara en las Naciones Unidas varios intentos de condenar al gobierno militar argentino por graves violaciones a los derechos humanos.

Difunta Correa, dentro de la muestra *Mitos y supersticiones de siempre,* junto con Federico Peralta Ramos –todo un emblema de la «anarcoburguesía porteña»–, muchos de izquierda consideraron el espectáculo como un circo o un escapismo[56]; seguramente el pesado clima político de ese año no les permitía disfrutar de los juegos de Arlequín.

En 1977 Berni tuvo un triste incidente con Marta Traba, la fogosa crítica y escritora argentino-colombiana. Invitado por el Museo de Bellas Artes de Caracas, montó una exposición de sus obras centrada en Juanito Laguna, con el patrocinio de la embajada argentina en Venezuela; Marta Traba publicó en el diario *El Nacional* un texto titulado «No todo antihéroe es bueno», atacando a Berni, y acusándolo de compromiso con la dictadura argentina. Es indudable que Traba exagera la nota, aunque señala un problema real: las presiones a que Berni, al igual que todos los artistas que se quedaron en Argentina, estaban sometidos; pero reacciona como si ella fuera la vestal de un templo donde le tocaba cuidar un fuego sagrado[57].

Más complicadas y serias fueron las relaciones de Berni con el almirante Massera; en 1978, este siniestro personaje, jefe de la Marina y miembro de la Junta Militar, lo visitó mientras restauraba los murales de las Galerías Pacífico; hubo una amplia cobertura de prensa, la cual fue sin duda bien calculada; y luego Massera visitó a Berni en dos ocasiones, en su taller y en su departamento[58]. Como se sabe,

56. García, *Los ojos. Vida y pasión de Antonio Berni,* pp. 369-370.
57. Sobre el incidente véase: *ibid.,* p. 393. Berni escribió notas personales que luego fueron publicadas en: Berni, *Escritos y papeles privados,* pp. 117-120.
58. García, *Los ojos. Vida y pasión de Antonio Berni,* pp. 391-396. Véase también Viviana Usubiaga, *Imágenes inestables. Artes visuales,*

Massera estaba tratando de formar un movimiento político con vistas a encumbrarse en el poder y trató de cooptar a varios políticos e intelectuales; parece que Berni formó parte de ese grupo, aunque la información disponible al respecto es muy sumaria; lo cierto es que cuando Berni murió, en octubre de 1981, ese proyecto todavía estaba en curso. Quizás la apreciación del hijo de Berni, José Antonio, recogida en la obra de Fernando García, resulta particularmente certera[59]:

> Si te comprometían así, ¿qué vas a decir, que no? Te cortaban la cabeza. Ahora bien: en esa época mi viejo no tuvo una actitud combativa, no se puso de pie ni en contra; era un tipo grande ya. Él podría haber optado por irse a París, pero con un costo artístico muy grande, aunque a la inversa hubiera ganado, guardando más coherencia con su trayectoria. Quedarse lo obligó a un doble juego que lo jorobó por dentro. En esa época o te callabas o hablabas y terminabas como Walsh...

Un arte de resistencia

Al final de este recorrido conviene retomar una perspectiva más general. Marta Traba consideraba que el lenguaje propio del arte visual latinoamericano podía alcanzarse si se combinaba el rechazo de la entrega a las modas veni-

dictadura y democracia en Buenos Aires, Buenos Aires, Edhasa, 2012, pp. 27-33.
59. García, *Los ojos. Vida y pasión de Antonio Berni,* p. 396. Rodolfo Walsh fue un periodista y escritor que denunció valientemente los asesinatos cometidos después del golpe de 1976; fue asesinado el 25 de marzo de 1977.

das de fuera con un arte de la resistencia[60]. Su enfoque crítico partía de la confluencia de tres factores: la Revolución cubana –y el planteamiento en la década de 1960 de una opción socialista para América Latina como una posibilidad real–, el florecimiento de la literatura del *boom* y el notorio desarrollo de las ciencias sociales con un enfoque propio.

¿A qué se refería con la noción de resistencia? En primer lugar, a la idea de que el arte es un lenguaje, una semiótica, en la cual la «estructura de la obra adquiere su valor al ser interrogada y usada por un grupo humano». En segundo lugar, a la idea de que la resistencia se presenta como estética alternativa a los «comportamientos de moda, arbitrarios, onanistas o destructivos». Y en tercer lugar, a la idea de que «la salvación de los marginales está en acentuar su marginalidad y dotarla de sentido». La resistencia lleva entonces a la afirmación de un arte regional, distante de folclorismos y «nativismos ramplones», el cual implica códigos de comprensión dentro la comunidad en que se mueve el artista.

Marta Traba denunciaba con furia el «terrorismo» de las vanguardias artísticas y la transformación del arte en un mero producto de consumo, el cual incluso llegaba a autodestruirse. Una vez estudiada la obra y la trayectoria de Berni, parece más que evidente que se ajusta perfectamente a la caracterización que hacía Marta Traba de un arte de resistencia.

60. Marta Traba, *Dos décadas vulnerables en las artes plásticas latinoamericanas, 1950-1970,* Buenos Aires, Siglo XXI, 2005 [1973]; ponencia «Somos latinoamericanos» presentada en un simposio realizado en Austin, Texas en 1975, compilada en Damián Bayón (ed.), *El artista latinoamericano y su identidad,* Caracas, Monte Ávila Editores, 1977.

Ahora bien, el análisis de Marta Traba tiene un aspecto prescriptivo, que algunos consideran como teórico[61]: el señalamiento de cómo debe ser el verdadero o auténtico arte latinoamericano. Ella indica, claro está, algunos principios generales que no están muy distantes de los que Berni plasmó en sus artículos sobre estética. Pero en un caso como en el otro sigue en pie el problema de cómo saber, en cada caso específico, si una obra de arte es de calidad y/o si es latinoamericana. En la perspectiva del artista, Berni escribió que definir eso era imposible; era como pedir que se definiera la magia o la belleza poética. En sus trabajos Marta Traba da ejemplos de artistas que ella considera llenan estos requisitos: José Luis Cuevas, Fernando Szyslo, Rufino Tamayo, Fernando Botero, Wifredo Lam, entre otros; no incluye a Berni, aunque como hemos visto, su obra se ajusta perfectamente a los criterios de la estética de resistencia, posiblemente por cierta antipatía personal.

Esto nos sirve para ilustrar el ámbito de la crítica de arte: ella se mueve entre las opiniones estéticas, la información y explicación (decodificación) ante un público que no puede entender bien la obra de arte y los gustos personales del crítico. En ausencia de un canon aceptado por todos, nos movemos necesariamente en el mundo de las opiniones y los gustos personales, marcados éstos, eso sí, por las coordenadas del tiempo y el espacio en que fueron elaborados.

Para poner las valoraciones de la crítica y el uso de la obra de arte como fuente histórica en adecuada perspectiva, conviene recordar ahora un rasgo constitutivo de la

61. Fabiana Serviddio, «La conformación de nuevas teorías sobre el arte latinoamericano en el proceso de crisis epistemológica de la modernidad», *Pós: Revista do Programa de Pós-graduação em Artes da Escola de Belas Artes da UFMG. Belo Horizonte,* vol. 2, núm. 4 (2012), pp. 62-81.

obra de arte: me refiero a su carácter polisémico, lo que le da una vida social propia, más allá de las circunstancias en que fue producida. Basta notar, por ejemplo, que Johann Sebastian Bach[62] compuso casi toda su obra como cantor de la iglesia de Santo Tomás de Leipzig para un público de devotos burgueses luteranos; a partir de 1829, cuando Félix Mendelssohn-Bartholdi rescata *La Pasión según San Mateo* del olvido, su obra vuelve, no a las iglesias sino a la sala de conciertos; durante el siglo XX la obra de Bach gana un reconocimiento y una difusión internacional no sólo notable, sino absolutamente impensable en el marco de las condiciones de su creación, en el siglo XVIII. Hay por tanto una readecuación permanente del mensaje estético, o si se prefiere, de las lecturas que cada época, cada público, cada intérprete, realizan de la obra musical; y es precisamente ese carácter polisémico, que a veces pensamos como inagotable, lo que la constituye, entre otros elementos, en una obra de arte valiosa que persiste a través del tiempo. Eso mismo ocurre también con las artes plásticas y la literatura.

Volvamos ahora al eje principal de este capítulo: la obra y el pintor como fuentes de conocimiento para la investigación histórica. Hemos tratado de seguir los principios metodológicos de la sociología del campo artístico de Bourdieu[63], pero enseguida hay que reconocer que apenas hemos esbozado la problemática, estando ausente la consideración de la posición de Berni en relación con los demás pintores y otros agentes del medio artístico en que le tocó vivir y

---

62. Ernesto Epstein, *Bach. Pequeña antología biográfica,* Buenos Aires, Ricordi, 1985 [1950].
63. Pierre Bourdieu, *Manet. Une révolution symbolique,* París, Raisons d'agir / Seuil, 2013.

crear. El enfoque ha privilegiado, siguiendo la tradición historiográfica más convencional, al pintor como testigo, como un modo de mirar la realidad y aprehenderla, en una sinfonía de colores, espacios y emociones, en una fuga del tiempo hacia atrás, y de los destellos que convierten el instante en un horizonte de futuro.

6. *Banana Republics* y la *Fábula del tiburón y las sardinas*

Banana Republics

El inicio de la película *Bananas,* de Woody Allen, estrenada en 1971, es emblemático para el tema de este capítulo. En una transmisión directa de televisión que remeda un *match* de boxeo comentado por Don Dunphy y Howard Cosell, dos famosos cronistas de este tipo de eventos, asistimos al asesinato del presidente de la «República de San Marcos» y la toma del poder por el general Emilio Molina Vargas; enseguida aparecen los titulares del film con una música de un estilo supuestamente latinoamericano; conviene recordar que en el inglés coloquial norteamericano la expresión *bananas* es sinónimo de algo loco y poco serio. La trama de la película consiste en la historia de Fielding Mellish, un neoyorquino frustrado y neurótico (obviamente Woody Allen) que para calmar sus penas de amor se traslada a la imaginaria República de San Marcos; allí las intrigas van del dictador Molina Vargas a los guerrilleros sublevados, y en una cascada de absurdos, Mellish acaba siendo presidente de la pequeña república; vuelve a Nueva York para buscar fondos para su nuevo país, es aprehendido por el FBI y juzgado en una corte, logrando al final reconquistar a su novia. La escena de cierre es también un evento que se transmite en directo por televisión, salvo que en este caso se trata de la consumación del matrimonio de Mellish, narrada por el mismo Howard Cosell que aparece en la escena inicial.

Si evocamos este film no muy glorioso de Woody Allen es por la fama de su autor y por la imagen de América Latina que se desprende de la película, en particular de la cuidada escena inicial: se trata, ni más ni menos, que de la imagen de la *Banana Republic;* la política es una escena de ópera cómica o de un *match* de boxeo, lo cual resulta, a la vez, muy entretenido para el público norteamericano, prestándose a pedir de boca para una transmisión en directo o un *reality show*. Esta imagen entró hace mucho en el diccionario y su definición no tiene misterios; así, por ejemplo, leemos:

Pequeño país, especialmente en Centroamérica, que es políticamente inestable y que tiene una economía dominada por intereses extranjeros, dependiendo de un solo producto de exportación como las bananas. *(Collins English Dictionary, 1979).*

En las últimas décadas la expresión se ha extendido a cierto estilo poco convencional en la política interna norteamericana, y hay caricaturas sobre los *banana republicans* o comentarios del *New York Times* donde se indica, por ejemplo, que todavía falta mucho para que los Estados Unidos lleguen al «estatus de una *Banana Republic*» (*New York Times*, 1 de agosto de 2011). La expresión está pues bien anclada en el lenguaje coloquial y en la jerga periodística del inglés estadounidense, y no es, como voy a mostrar en lo que sigue, algo intrascendente.

El término fue utilizado por primera vez en 1904, en la obra de O. Henry, *Cabbages and Kings*. La cita textual dice[1]:

At that time we had a treaty with about every foreign country except Belgium and that banana republic, Anchuria.

Las historias entrelazadas que componen este libro transcurren precisamente en Anchuria, nombre literario de la República de Honduras; en ellas se va elaborando una caracterización detallada de una república bananera típica. La imagen literaria elaborada por O. Henry tiene un *alter ego* en *Nostromo*, una importante novela de Joseph Conrad publicada también en 1904. Aunque Conrad no llega a incluir el término de *Banana Republics*, sus personajes y escenarios forman parte de la misma galería y el mismo universo[2].

En los Estados Unidos y Europa nos han visto y nos siguen viendo a través de la noción de *banana republics;* aunque en principio este es un lente pensado para las pequeñas repúblicas centroamericanas, en el límite, toda América Latina cae también dentro de esta representación. Por otra parte, los centroamericanos, e incluso los intelectuales latinoamericanos, también tienden a percibir sus propios países como *Banana Republics*. Y en el límite, también aparece con frecuencia en un ejercicio típico de demarcación: noso-

1. O.Henry, *Cabbages and Kings,* Nueva York, Penguin Books, 2002 [1904], p. 217.
2. Conrad, Joseph. *Nostromo,* Nueva York, Barnes & Noble Classics, 2004 [1904].

tros no somos una *banana republic;* hay otros, en cambio, que sí lo son.

En la novela de O. Henry se pueden distinguir cinco dimensiones de una *Banana Republic*[3]. La primera es el trópico, infierno y paraíso, que todo lo devora e incluso embrutece. El trópico es capaz de sorberle el organismo al hombre más fuerte y es una tierra donde predominan el olvido y la indolencia. Hay quienes no lo resisten ni logran aprovecharse de sus oportunidades; en el fondo, a muchos blancos el trópico les resulta asqueroso e incluso identifican a sus habitantes nativos como animales, parte del exotismo de la fauna y la flora más extraña y a la vez peligrosa.

La segunda dimensión son las peculiaridades de las razas latinas. Aquí pasamos del determinismo ambiental, visible en el trópico, al determinismo biológico, algo muy típico en el momento en que escribe y publica O. Henry. Dice[4]:

Las razas latinas [...] son particularmente aptas para ser víctimas del fonógrafo. Tienen un auténtico temperamento artístico. Les encantan la música, el color y la alegría. Le dan todo su dinero al organillero y hasta entregan la gallina de los huevos de oro cuando están varios meses atrasados en la cuenta del almacén y la panadería.

Pero agrega, casi enseguida, una aparente incompatibilidad con la tecnología y el progreso[5]:

3. Héctor Pérez Brignoli, «El fonógrafo en los trópicos: sobre el concepto de *Banana Republic* en la obra de O. Henry», *Iberoamericana. América Latina-España-Portugal,* vol. 23 (Nueva época), núm. septiembre (2006), pp. 127-142.
4. O. Henry, *Coles y reyes,* traducido por Lillian Llorca, Santiago de Chile, Zig-Zag, 1944 [1904], p. 68.
5. *Ibid.,* p. 70.

El maravilloso invento llamado fonógrafo no ha invadido aún estas playas. La gente de este país no lo ha oído nunca. No creerían en él ni aunque lo oyeran. A estos sencillos hijos de la naturaleza el progreso no ha logrado jamás someterlos a la tarea de hacer las veces de un abridor de tarros para escuchar una obertura, y es muy posible que el *rag-time* los incite a una sangrienta revolución.

La tercera dimensión del concepto se refiere a la dominación neocolonial propiamente dicha. La primerísima imagen aparece en el prólogo de la novela, relatado por el «carpintero». El trópico centroamericano fue antaño explotado por conquistadores, filibusteros y revolucionarios, y la región, aunque pequeña, nunca reconoció en serio a amo alguno. Hoy (en 1904) los explotadores son piratas modernos. La incorporación al mercado mundial capitalista está presente, no tanto como sistema estructural sino más bien en sus personajes cercanos: aventureros, delincuentes y pillos con los bolsillos vacíos, que llegan para ver como los llenan de dinero.

La cuarta dimensión se refiere a las modalidades de la política en la república bananera: ésta no se parece ni siquiera a un drama; es apenas una ópera cómica. Y expresiones como «ópera cómica», *«opera bouffe»*, *«vaudeville»*, «opereta» para referirse a la política latinoamericana han hecho fortuna después de la publicación de la novela de O. Henry. Lo que no resulta claro en todo esto es la similitud con una ópera cómica. Formalmente la situación se parece más a un drama; y la combinación de traiciones, sobornos y ambiciones, presentes casi siempre en este tipo de episodios, parece ser más bien digna de una tragedia shakespeareana. Al convertir el drama en comedia intrascendente se trivializa la situación y se pasa a un mundo donde no hay culpables ni responsables, más allá de virtudes y picardías individuales, o los determinantes ambientales y raciales. También hay un efecto tranquilizador de la conciencia: una ópera cómica no puede dañar a nadie, y la diversión es, por definición, sana. Más allá de la distracción y los disfraces, la explotación neocolonial queda disculpada, y los eventos narrados quedan reducidos a las pícaras aventuras de algunos gringos en la tierra del loto.

La quinta dimensión de la *Banana Republic* es un espacio fragmentado que trasciende las fronteras nacionales pero a la vez globalizado. Anchuria (Honduras) se localiza en el istmo centroamericano, pero cobra sentido frente al espacio marítimo del Caribe y el golfo de México. Internamente, la costa tropical, con los puertos de Coralio y Solitas, contrasta con el interior montañoso donde se encuentra San Mateo, la capital de Anchuria. Nueva Orleans y Nueva York, los puertos que reciben los embarques de banano, y los barcos que realizan el recorrido, completan la geografía. Los vínculos con el sur de los Estados Unidos son también notables: la mayoría de los personajes gringos de la novela vienen de allí o de Nueva York. El espacio en cuestión es multiétnico, con lazos que se vienen tejiendo desde el siglo XVII. Y como es bien conocido, a partir de 1898 pasa a ser el patio de atrás de los Estados Unidos: es precisamente entonces cuando cobran pleno desarrollo las *Banana Republics*.

De O. Henry a Woody Allen, la noción se desarrolla y profundiza en torno a ciertos ejes que conviene especificar ahora, y que marcan profundamente la percepción norteamericana de la América Latina.

El primero es la oposición entre catolicismo ibérico y protestantismo anglosajón. Desde la época de la Independencia, los líderes de los Estados Unidos atribuyen las turbulencias de las revoluciones hispanoamericanas a la herencia ibérica y en particular al atraso derivado del fanatismo católico. Desde Jefferson hasta John Quincy Adams, todos los dirigentes comparten esa visión; y la misma se prolonga y refuerza a lo largo del siglo XIX, culminando en 1898.

El segundo eje es la confianza en una misión civilizadora anglosajona frente a las razas latinas, indígenas y negras; se trata de beneficiar con el progreso, la democracia y la libertad a pueblos atrasados e inferiores. Hubo dos formulaciones sucesivas de esta misión: el destino manifiesto, explicitado en la década de 1840, y la universalización del *American Dream* a finales del siglo XIX[6].

El tercer eje de esta percepción es la definición de las relaciones habidas entre los Estados Unidos y las repúblicas latinoamericanas bajo los esquemas del *Big Stick* (1898-1933), la política del buen vecino (1933-1946) y la Guerra Fría (1947-1990); en los tres casos, la intervención militar limitada formó parte del repertorio de acciones consideradas como normales y permitidas[7].

Las *Banana Republics* –y por extensión el conjunto de América Latina y el Caribe– resultaban así fuera de la racionalidad moderna. Esta imagen, en grados y matices diversos, reciclada y reformulada, persiste hasta hoy en los políticos, periodistas, escritores, académicos, cineastas... de los Estados Unidos.

Un último ejemplo, para cerrar el tema. En el contexto de la Alianza para el Progreso (1961-1970) –quizás el intento

6. Emily S. Rosenberg, *Spreading the American Dream. American Economic and Cultural Expansion, 1890-1945,* Nueva York, Hill and Wang, 1982.
7. Véase Walter LaFeber, *The American Age. United States Foreign Policy at Home and Abroad Since 1750,* Nueva York, W. W. Norton & Co., 1989.

más sincero desarrollado por el gobierno norteamericano para mejorar las relaciones con América Latina– apareció con amplia difusión en la prensa una caricatura significativa[8]: haciendo la siesta bajo un árbol, en el cual está escrita la leyenda «Política del buen vecino», un campesino con sombrero mexicano extiende la mano para pedir limosna, mientras espera que caiga una bolsa de dinero de la AID; la leyenda sobre el campesino dice simplemente «Siesta latinoamericana» (véase página siguiente).

La pregunta pendiente es, naturalmente, por qué resulta tan difícil salir de ese círculo vicioso de incomprensión. Una parte importante de la respuesta parece estar en la forma como los estadounidenses perciben el antiamericanismo. Desde el siglo XIX, y este es un correlato de la doctrina del destino manifiesto, toda oposición a la política norteamericana es vista, no como algo puntual o coyuntural, sino como un rechazo global de los valores fundamentales de la sociedad estadounidense. El razonamiento funciona bajo el supuesto de que los que se oponen a las ideas e interpretaciones del gobierno de turno están fuera de la historia. Recordemos, como un ejemplo que más parece una caricatura, que en 2002, cuando el presidente francés rechazó unirse a la invasión de Irak, los indignados políticos de Washington resolvieron cambiar, en la cafetería del Congreso, la denominación de las típicas y grasientas *French fries* por el más conveniente de *freedom fries*[9].

8. «A Little More Effort, Señor», Hugh Hutton, *Philadelphia Inquirer* (1961).
9. Véase el magnífico estudio de Max Paul Friedman, *Repensando el antiamericanismo. La historia de un concepto excepcional en las relaciones internacionales estadounidenses,* traducido por Eric Jalain y Cristina Ridruejo, Madrid, Machado Libros. Papeles del Tiempo, 2015.

«A Little More Effort, Señor», caricatura de Hugh Hutton,
Philadelphia Inquirer (1961).

«Repúblicas bananas»

En 1950 Pablo Neruda publicó un largo poema épico donde
narra la historia de Chile y América Latina[10]. En una sección
evoca las «Repúblicas bananas» de Centroamérica y el Caribe:

> Cuando sonó la trompeta, estuvo
> todo preparado en la tierra,
> y Jehová repartió el mundo
> a Coca-Cola Inc., Anaconda,
> Ford Motors y otras entidades:
> la Compañía Frutera Inc.
> se reservó lo más jugoso,
> la costa central de mi tierra,
> la dulce cintura de América.
> Bautizó de nuevo sus tierras
> como «Repúblicas Bananas»,
> y sobre los muertos dormidos,
> sobre los héroes inquietos
> que conquistaron la grandeza,
> la libertad y las banderas,
> estableció la ópera bufa:
> enajenó los albedríos
> regaló coronas de César,
> desenvainó la envidia, atrajo
> la dictadura de las moscas,
> moscas Trujillos, moscas Tachos,
> moscas Carías, moscas Martínez,
> moscas Ubico, moscas húmedas [...]

10. Pablo Neruda, *Canto general* (edición clandestina realizada en
Santiago de Chile por el Partido Comunista de Chile), México, América, 1950.

La poética de Neruda se inscribe en una tradición de luchas antiimperialistas que arranca con la oposición a las intervenciones norteamericanas en Centroamérica y el Caribe, liderada por intelectuales, políticos y dirigentes sindicales, y es luego catalizada por las huelgas y el movimiento organizado de los trabajadores en las plantaciones bananeras. Huelgas emblemáticas, libros como el *Imperio del Banano*[11] y novelas famosas –desde *Mamita Yunai* hasta *Cien años de soledad*– marcan la construcción de este concepto de «Repúblicas bananas», pensado y desarrollado en contrapunto con el de *Banana Republics*.

El trópico en las «Repúblicas bananas» es igualmente agobiante. Sigamos la pluma combativa de Ramón Amaya Amador[12]:

Los campeños[13] seguían mordiendo su destino implacable. [...] Vivían pegados a las plantaciones, como si fuesen parte de ellas mismas; se confundían y los confundían con las hojas y los tallos, con las bestias y las máquinas; se adherían a la tierra en lucha contra la naturaleza que hacía surgir los montes ansiosos por devorar las plantaciones. Era el choque entre la fuerza humana y la fuerza vegetal [...]. El invierno se estiraba sobre el va-

---

11. Ch. D. Kepner Jr. y Jay H. Soothill, *El imperio del banano. Las compañías bananeras contra la soberanía de las naciones del Caribe*, prólogo y notas de Gregorio Selser, Buenos Aires, Editorial Triángulo, 1957 [1935]. La edición original, publicada en inglés en 1935, fue rápidamente conocida por los militantes comunistas y socialistas de América Central. Véase Iván Molina Jiménez, «El imperio del banano en Costa Rica», periódico *La Nación* de Costa Rica, 9 de agosto de 2012.
12. Ramón Amaya Amador, *Prisión verde*, Tegucigalpa, Editorial Ramón Amaya Amador, 1974 [1950], p. 191 y 215-216.
13. Hondureñismo que significa trabajador en las plantaciones bananeras.

lle y sobre el tiempo, con pereza de abandono. Los bananales se cubrían del gris tedioso de las lluvias [...]. Las fincas eran para los regadores como un gran monstruo verde, cuyo corazón estaba en la bomba, aquella máquina de potencia sobrehumana, domada como si fuera una bestia, por la técnica de un viejo mecánico venido desde la Europa Central. [...] Los hombres eran unos apéndices humanos del inhumano engranaje del sistema circulatorio del espray. Se fundía la vida de los peones con la vida de los bananos y la fuerza de las máquinas, sobre una tierra que exigía dolor para su fecundación.[...] Bananos. Máquinas. Hombres. La Compañía acumulando el oro. Los campeños persiguiendo un pan. ¿Y qué cara poner al invierno, aliado del patrón?

Para Amaya Amador, novelista y dirigente comunista, la dura vida en las plantaciones y las míseras condiciones de los trabajadores conducían, previa la acción de dirigentes esclarecidos, a un ciclo inevitable de resistencias, huelgas, sabotajes, organización sindical y dura represión, en el contexto de la larga dictadura (1933-1948) del doctor y general Tiburcio Carías Andino. Las bananeras eran una verdadera «prisión verde»; al final de la novela se lee[14]:

Nadie sabe dónde quedó el cuerpo de Máximo Luján, solamente que lo metieron en un hoyo y sobre él sembraron una mata de banano; mas ya eso no importa a ninguno. Ahora han comprendido que lo mataron no sólo por huelguista en aquel día trágico, sino porque él llevaba la verdad y la luz al cerebro y corazón de los proletarios. Y eso no convenía a los explotadores. Por ello lo fusilaron en plena plantación. Y los campeños de los nuevos tiempos demuestran a los amos y a sus testaferros que perpetra-

14. Amaya Amador, *Prisión verde,* pp. 366-367.

do aquel sacrificio y tantos otros después, no lograron mantener en ignorancia y sumisión perpetua a los trabajadores del banano. La prisión verde no es sólo oscuridad. Máximo encendió en ella el primer hachón revolucionario. Otros cientos de hermanos se aprestan a mantenerlo enhiesto.

La última frase de la novela, escrita en la década de 1940, no puede ser más característica: «¿Triunfarán algún día los campeños?». La respuesta llegó en 1954. Durante 69 días, del 3 de mayo al 8 de julio, miles de trabajadores bananeros en las plantaciones de la United Fruit Company y la Standard Fruit Company se mantuvieron en huelga, recibiendo la solidaridad y el apoyo de amplios sectores de la sociedad hondureña. Las reivindicaciones incluían aumentos salariales, mejoras en las condiciones de trabajo y la legalización de los sindicatos. La huelga tuvo dos fases: la primera, la más radical y combativa, concluyó el 6 de junio, cuando el primer comité central de huelga, dominado por dirigentes sindicales comunistas, fue sustituido por otro más reformista y moderado. El cambio del comité no fue por cierto pacífico; obedeció a conflictos entre los líderes sindicales y a fuertes presiones del gobierno y las bananeras; varios de sus dirigentes fueron reducidos a prisión y otros tuvieron que pasar a la clandestinidad. El segundo comité logró, gracias a la intervención del gobierno, un arreglo con las compañías bananeras: hubo aumentos salariales que oscilaron entre el 5 y el 19% (los huelguistas pedían originalmente un 50%) y se lograron varias mejoras en las condiciones laborales; el éxito mayor, sin embargo, fue la legalización de los sindicatos de los trabajadores bananeros. Pero igual que en el caso de la gran huelga de 1934 en Costa Rica, en lo inmediato los beneficios no fueron tantos; la dirigencia sindical fue perseguida, y tras las inundaciones que ocurrieron poco después de la huelga hubo muchos despidos. A pesar de esto, la consolidación de los sindicatos fue una realidad, y en los años siguientes la situación de los trabajadores mejoró notablemente. En el contexto de la sociedad hondureña, la huelga operó como un catalizador: movilizó también a los trabajadores urbanos y «fue un despertar general para el pueblo hondureño»[15].

El racismo contra los trabajadores afrocaribeños fue otro rasgo presente ocasionalmente en las novelas bananeras. Así, por ejemplo, el narrador de *Mamita Yunai* cierra la descripción del baile festivo de los negros afirmando[16]:

Y todos aullaban, y se estremecía el campamento como si millones de demonios estuvieran metidos allí. Terminaban la fiesta tendidos como troncos. Era un montón de carne sudorosa que roncaba con estrépito. «¡Parecen congos!», murmurábamos nosotros.

Notemos que el costarriqueñismo «congo» se refiere a un mono feo, negro y escandaloso, cuyos prolongados y roncos bramidos se oyen a muy largas distancias[17]; la sustitución de «congo» por «negro», algo claramente ofensivo, aparece varias veces a lo largo de *Mamita Yunai*. Debemos notar también que en *Cabbages and Kings* ya habían aparecido, en forma todavía más fuerte y reiterativa, expresiones similares[18]:

15. Testimonio de Andrés Víctor Artiles en Marvin Barahona, *El silencio quedó atrás. Testimonios de las huelga bananera de 1954,* Tegucigalpa, Editorial Guaymuras, 1994, p. 390.
16. Carlos Luis Fallas, *Mamita Yunai,* San José, Editorial Costa Rica, 1986 [1941], p. 127.
17. *Ibid.,* p. 206.
18. O.Henry, *Coles y reyes,* p. 193. En el original en inglés la palabra que aparece es *monkey.*

Una tarde, a las cuatro más o menos, llegamos a la costa de los monos. En la bahía divisamos un barco de desgraciado aspecto, cargando plátanos. Los monos trasladaban el cargamento en grandes barcazas [...].

Las «Repúblicas bananas» se configuran así en una cadena que une la explotación imperialista en el infierno verde, la organización y las luchas sindicales, las grandes huelgas y movilizaciones populares, y por último, las conquistas sociales reformistas. Este último hecho suena algo contradictorio. Las grandes huelgas bananeras son, en la memoria colectiva, un símbolo antiimperialista casi mítico. Estos eventos han nutrido una vasta literatura narrativa en la cual se distinguen tres etapas: la primera, representada, entre otros, por el costarricense Carlos Luis Fallas (1909-1966)[19] y el hondureño Ramón Amaya Amador (1916-1966)[20] está dominada por el naturalismo costumbrista y la pedagogía revolucionaria. Sus autores, militantes comunistas, no ocultan un propósito estético subordinado a fines políticos precisos, y aun coyunturales.

La segunda, personificada en la trilogía bananera de Miguel Ángel Asturias (1889-1974)[21], logra combinar la denuncia política con la literatura de gran clase, y no deja de introducir un elemento mítico que, en cierto modo, lo lleva

19. Carlos Luis Fallas, *Mamita-Yunai [novela]*, San José, Editorial Soley y Valverde, 1941.
20. Amaya Amador, *Prisión verde;* Ramón Amaya Amador, *Destacamento rojo,* México, 1962.
21. Miguel Ángel Asturias, *Viento fuerte,* Buenos Aires, Editorial Losada, 1950; Miguel Ángel Asturias, *El Papa verde,* Buenos Aires, Editorial Losada, 1954; Miguel Ángel Asturias, *Los ojos de los enterrados,* Buenos Aires, Editorial Losada, 1960.

fuera del tiempo. Pero este elemento mítico, importantísimo en la ambientación de la novela, permanece al fin subordinado a los acontecimientos.

La etapa final de la narrativa bananera pertenece a Gabriel García Márquez (1928-2014)[22]; en *Cien años de soledad* la huelga colombiana de 1928 es traspuesta a un clima de fábula fantástica, donde no hay principio ni tampoco fin. Como es bien conocido, esta obra es unánimemente considerada como una especie de saga mágica de toda la historia latinoamericana. Y Eduardo Galeano, un notable periodista uruguayo, se ocupó de escribir, poco después, hacia 1971, en *Las venas abiertas de América Latina,* una narrativa histórica donde los infelices latinoamericanos eran siempre víctimas de colonialistas desalmados; como sabemos bien, en la visión de Galeano este eje intemporal podría ser roto únicamente por la revolución[23].

Las «Repúblicas bananas» son pues un producto del imperialismo, de las oligarquías locales, corruptas y vendidas, y del atraso de un campesinado sin conciencia de clase. Al igual que las *Banana Republics,* están fuera de la racionalidad moderna; sólo que la misión civilizadora corresponde ahora a los militantes sindicales, agrupados e inspirados por las organizaciones comunistas y socialistas. *Banana Republics* y «Repúblicas bananas» son así como dos caras de una misma moneda.

22. Gabriel García Márquez, *Cien años de soledad,* Buenos Aires, Editorial Sudamericana, 1967. Véase también Eduardo Posada-Carbó, «The *bananeras* and Gabriel García Márquez's *One Hundred Years of Solitude*», *Journal of Latin American Studies,* vol. 30 (1998), pp. 395-414.
23. Eduardo H. Galeano, *Las venas abiertas de América Latina,* Buenos Aires, Siglo XXI editores, 1973.

«Chiquita banana»

En la década de 1930, bajo la presidencia de Franklin D. Roosevelt, la política norteamericana hacia América Latina abandonó el *Big Stick* y se autodefinió como «política del buen vecino». La intervención directa cedía el paso a la idea de apoyarse en los amigos: si estos amigos eran feroces dictadores como Somoza y Trujillo no importaba mucho; la paz y la estabilidad eran preferibles, aunque esta fuera la paz de los cementerios.

En este nuevo contexto, la promoción publicitaria del buen vecino se expresó en películas, música y publicaciones, lideradas por las maquinarias de Hollywood y de Broadway. La United Fruit Company, odiada como el pulpo imperialista, tomó la voz cantante y acuñó una marca y un ícono publicitario: «Chiquita banana»[24].

La imagen de un trópico feliz y placentero comienza a abrirse paso al son de la música latinoamericana, sobre todo el bolero y el mambo, y pronto estará también en la publicidad del turismo, con vacaciones soñadas en la playa, bajo las palmeras, el sol y la luna. Estamos lejos del mundo evocado en las novelas bananeras: «Todo lo pudre el suampo del banano. Y el oro de los gringos»[25].

No se trata sólo de un cambio de imagen. La agronomía tropical mejoró sustancialmente a partir de la década de 1930

---

24. John Soluri, *Banana cultures: agriculture, consumption, and environmental change in Honduras and the United States,* Austin, University of Texas Press, 2005, pp. 161-165. Véase imágenes en https://www.pinterest.com/pinknose/miss-chiquita-banana/. La historia de «Chiquita banana» aparece en http://dev.chiquita.com/Our-Company/The-Chiquita-Story/The-Chiquita-Jingle.aspx; ambos sitios consultados en mayo de 2017.
25. Fallas, *Mamita Yunai,* p. 126.

al igual que las condiciones sanitarias y los transportes; aunque se mantuvieron profundas desigualdades y duras condiciones laborales, la vida en los trópicos experimentó cambios positivos. El control de las plagas que afectaban las plantaciones de bananos, el desarrollo de obras de riego y drenaje, el uso de fertilizantes, una cuidadosa planificación de los plantíos, los cortes y los embarques, la experimentación agronómica buscando nuevas y mejores variedades de la fruta, formaron parte, entre otros elementos, de una búsqueda consistente en la calidad final del producto[26]. Estos cambios culminaron en la década de 1960 al reemplazarse, en la mayor parte de las plantaciones, la variedad *Gros Michel* por la *Cavendish,* lo cual condujo a su vez a la exportación del banano en cajas. La imagen del trópico feliz se inscribe así en un conjunto de complejas transformaciones globales.

En este contexto apareció Carmen Miranda (1909-1955) la «bomba brasileña». Bailarina y cantante de origen portugués, Carmen Miranda empezó su carrera en Rio de Janeiro a finales de la década de 1920. En 1939 fue descubierta por Lee Shubert, quien la contrató inmediatamente para Broadway. Durante la década de 1940 Carmen Miranda tuvo un éxito fulminante en Broadway y Hollywood, actuando en varias películas y comedias musicales. Llegó a ser la estrella mejor pagada en los Estados Unidos, pero su carrera declinó al terminar la guerra mundial y murió prematuramente en 1955.

26. Soluri, *Banana cultures: agriculture, consumption, and environmental change in Honduras and the United States;* Ronny José Viales Hurtado y Andrea Montero Mora, *La construcción sociohistórica de la calidad del café y del banano de Costa Rica. Un análisis comparado, 1890-1950,* San José, Alma Máter, 2010; Steve Striffler y Mark Moberg (eds.), *Banana wars: power, production, and history in the Americas,* Durham, Duke University Press, 2003.

Quizás su momento culminante fue la película *The Gang's All Here,* de 1943, donde canta, entre otros números, «The Lady of the Tutti-frutti Hat». Con un vestido estilizado de bahiana, elaborados y exagerados sombreros de frutas y una gracia indudable que siempre bordea el *kitsch,* Carmen Miranda introdujo en Broadway y en Hollywood un toque exótico que nadie dudó en considerar como genuinamente latino[27].

El salto hacia el baile tropical –con su inevitable ambigüedad en la evocación del juego sexual– y el colorido de playas con mar azul, palmeras y lunas plateadas, quedó completo en 1956 cuando Harry Belafonte logró un verdadero *hit* mediático con «Day-O, the banana boat song». Originalmente parece que se trataba de un canto tradicional de los trabajadores de Jamaica, en estilo mento, el cual fue reelaborado como calypso, es decir, un estilo más bien propio de Trinidad[28]. Como quiera que sea, se trata del canto de los trabajadores que cargan racimos de bananos en la noche, esperando el alba, la paga y la vuelta a casa. Trabajan tomando ron, y la suave y evocadora cadencia de la música, con el diálogo entre el solista y el coro, transforma el quehacer de los trabajadores en algo mágico, y hasta cierto punto irreal; surrealista, si lo leemos a la par de la historia de los movimientos sindicales en las zonas bananeras.

Harry Belafonte fue un actor, cantautor y activista, nacido en Nueva York en 1927, de padres caribeños. Tuvo una brillante carrera musical en las décadas de 1950 y 1960; su álbum

27. Véase el film documental de Helena Solberg, *Carmen Miranda. Banana is my business,* realizado en 1994.
28. Daniel J. Crowley, «Toward a Defintion of Calypso. Part I», *Ethnomusicology,* vol. 3, núm. 2 (1959), pp. 57-66; Daniel J. Crowley, «Toward a Definition of Calypso (Part II)», *Ethnomusicology,* vol. 3, núm. 3 (1959), pp. 117-124.

Calypso, en 1956, vendió más de un millón de copias, y Belafonte fue considerado como el «rey del calypso». Amigo de Martin Luther King, participó activamente en las luchas por los derechos civiles en Estados Unidos; también actuó en forma destacada en las luchas por la descolonización de África y contra el *apartheid* sudafricano. La canción «Day-o» fue su *hit* más importante y tuvo un impacto mediático muy significativo, posicionando la música caribeña a nivel internacional.

El texto de la canción es sencillo, en un inglés caribeño coloquial[29]:

> Day-o, day-o
> Daylight come and me wan' go home
> Day, me say day, me say day, me say day
> Me say day, me say day-o
> Daylight come and me wan' go home
> Work all night on a drink of rum
> Daylight come and me wan' go home
> Stack banana till de mornin' come
> Daylight come and me wan' go home
> Come, Mister tally man, tally me banana
> Daylight come and me wan' go home
> Come, Mister tally man, tally me banana
> Daylight come and me wan' go home
> Lift six foot, seven foot, eight foot bunch
> Daylight come and me wan' go home
> Six foot, seven foot, eight foot bunch
> Daylight come and me wan' go home
> Day, me say day-o [...]

29. Songwriters Lord Burgess y Irving Burgie, publicado por lyrics © sony/atv music publishing llc. Solo se reproducen los versos iniciales.

«Chiquita banana», si se me permite el término para caracterizar todo este desarrollo mediático, es así la tercera
cara de las *Banana Republics*. Las tres imágenes giran, si-
multáneamente, a lo largo del tiempo, y como una ruleta, se
detienen en ciertos momentos críticos; 1954 fue uno de
ellos. La «Chiquita banana» de la United Fruit Company
sacó los dientes en el mejor estilo de la *Banana Republics,* y
la CIA se las arregló para botar del gobierno de Guatemala
al presidente constitucional, Jacobo Arbenz y abrir una
guerra civil que durará más de cuarenta años. En ese mismo
año de 1954, la «República banana» de Honduras asistió a
una gran huelga de trabajadores que triunfó y abrió el camino para muchas mejoras en el ámbito social. Carmen Miranda seguía bailando, y dos años después Harry Belafonte llevaría la imagen idílica de los trabajadores bananeros al
microcosmos de una danza casi universalmente compartida.

La *Fábula del tiburón y las sardinas*

Juan José Arévalo (1904-1990), predecesor de Arbenz en la
presidencia de Guatemala, era embajador itinerante en
1954; el golpe lo llevó al exilio y plasmó su protesta en un
texto emblemático, publicado en 1956: *Fábula del tiburón y
las sardinas o América Latina estrangulada*. El libro se publicó en Santiago de Chile, en México y en Buenos Aires[30], y
conoció varias reediciones. Al calor de la denuncia y la protesta política, Arévalo elaboró una imagen amarga de las relaciones entre los Estados Unidos y los países de Centro-

---

30. Juan José Arévalo, *Fábula del tiburón y las sardinas. América Latina estrangulada,* Santiago de Chile, Ediciones América Libre, 1956.

américa y el Caribe. Formalmente la obra se plantea como un ensayo, en la tradición hispanoamericana de autores como Rodó, Ingenieros o Mariátegui, pero se formula como una fábula; como se recordará, literalmente la fábula incluye personajes que son animales y al final una moraleja.

La primera parte, que es la fábula propiamente dicha, comienza con una descripción poética del mar y sus habitantes; aparecen el tiburón, depredador insaciable, y las pobres sardinas, perseguidas y sometidas a muchos peligros; Neptuno envía el Derecho para que los habitantes del mar firmen un tratado de paz, amistad, libre navegación y seguridad mutua; todas las ofensas anteriores quedarían perdonadas, y copias del tratado serían repartidas en inglés, la lengua de los tiburones, y en español, el idioma de las sardinas.

La segunda parte se titula «Historia» y narra las peripecias de Nicaragua, la sardina núm. 9, en relación con la construcción del Canal de Panamá y su defensa; los Estados Unidos invaden y ocupan Nicaragua (1908-1916), y un poco después Haití y la República Dominicana; logran que Nicaragua firme el tratado que ellos consideran conveniente (Bryan-Chamorro) aunque para obtenerlo destruyen la Corte Centroamericana de Justicia y provocan un clima de inestabilidad en toda la región. En la visión de Arévalo, la historia de la sardina núm. 9 es el antecedente directo de la intervención norteamericana en Guatemala, en 1954, y pasa por una interferencia continua en todo el hemisferio, en la que actúan tres expresiones y un sólo personaje: Wall Street, el Pentágono y el Departamento de Estado.

Desde el punto de vista de las relaciones internacionales, el ensayo de Arévalo plantea una visión realista: la asimetría del poder entre el tiburón y las sardinas lleva a que el tiburón, ambicioso e insaciable, no respete las reglas e instituciones que regulan la convivencia entre naciones grandes y pequeñas. Esa misma visión se puede utilizar, por extensión, para caracterizar el conjunto de las relaciones interamericanas; una simple lista de las intervenciones norteamericanas directas después de 1954, confirma fácilmente lo dicho: Cuba (1960-1961), República Dominicana (1965), Chile (1971), Nicaragua y El Salvador (1980-1990), Panamá (1989), Granada (1983), etc. La imagen del tiburón y las sardinas es pues realista y convincente. ¿Pero es posible proponer una conceptualización que vaya más allá de lo meramente descriptivo? Esto es lo que vamos a ver a continuación.

Un hecho fundamental en las relaciones entre los Estados Unidos, Centroamérica y el Caribe es el peso de las variables geoestratégicas en relación con el tránsito interoceánico y el Canal de Panamá. El peso de los intereses económicos directos en términos de inversiones, productos estratégicos o mercados es, y siempre ha sido, secundario. Esto quiere decir que las explicaciones basadas en el imperialismo y la dependencia económica –con horizontes teóricos en las obras de Lenin o Rosa Luxemburgo– tienen un alcance limitado; siguiendo con la metáfora de Arévalo, podríamos decir que el tiburón angurriento no se alimenta únicamente de sardinas.

En este sentido, el modelo de estados clientes o satélites propuesto por John Coatsworth resulta de gran interés[31]. El orden europeo delineado a partir de los tratados de Westfalia (1648) –un modelo de referencia que guarda todavía gran relevancia– se basaba en la idea de la igualdad sobera-

31. John H. Coatsworth, *Central America and the United States. The Clients and the Colossus,* Nueva York, Twayne Publishers, 1994. Véase especialmente el capítulo 1.

na de los Estados y el principio de no intervención, independientemente del cuál fuera su religión y orden interno[32]. El equilibrio internacional del poder requiere, obviamente, un tamaño y una potencia relativamente similares entre los Estados involucrados; de otro modo, las asimetrías conducirían a un desequilibrio casi inevitable. La geopolítica comparada de los imperios permite distinguir dos formas básicas de expansión y dominio de los Estados grandes y poderosos: a) las colonias, en el caso de las potencias marítimas; y b) los Estados o países satélites en el caso de las potencias continentales[33].

En el caso que nos ocupa, los Estados Unidos se expanden primero hasta configurarse como una potencia continental, de un océano a otro, entre 1800 y 1867; lo que sigue es el avance sobre el Caribe y el istmo de Panamá –hasta convertirlo en un «lago americano»–, y la anexión de las islas Hawai, entre 1850 y 1915, con un pivote decisivo en 1898-1903. Centroamérica y el Caribe quedaron sometidos, como un conjunto de estados satélites o clientes, al protectorado (Cuba, Panamá, Nicaragua, República Dominicana y Haití), a los desembarcos de tropas y bloqueos navales, y a presiones continuas en defensa de los intereses norteamericanos, definidos unilateralmente por el Departamento de Estado y/o el Departamento de Defensa. Las colonias europeas en el Caribe fueron reducidas al mismo estatus de Estados clientes durante el siglo XX, sobre todo después de 1945. Basta recordar que la invasión de Granada en 1983

32. Henry Kissinger, *World Order,* Nueva York, Penguin Books, 2014, pp. 11-48.
33. Jaime Vicens Vives, *Tratado general de Geopolítica. El factor geográfico y el proceso histórico,* 3.ª ed., Barcelona, Editorial Vicens-Vives, 1981 [1950], pp. 225-226.

suscitó una protesta diplomática británica, pero contó con la aprobación de casi todos los demás Estados caribeños. Debilidad económica y vulnerabilidad política son rasgos distintivos de los Estados clientes o satélites. La comparación con los países de Europa del Este, satélites de la Unión Soviética entre 1947 y 1990, viene enseguida a la mente, y resulta ilustrativa: Hungría en 1956, República Dominicana en 1965 y Checoslovaquia en 1968 pertenecen al mismo mecanismo político que Teddy Roosevelt definió como el del *Big Stick* en 1904.

Canadá, México y Sudamérica constituyen otros espacios geopolíticos significativos en las relaciones exteriores de los Estados Unidos; se diferencian claramente de los Estados satélites de Centroamérica y el Caribe[34]. A partir de 1920 las relaciones con México han pasado por momentos de fricción, como en 1938, pero las presiones norteamericanas han sido indirectas y sin recurso a la fuerza militar; lo mismo puede decirse de los países sudamericanos. Los gobiernos de los Estados clientes de Centroamérica y el Caribe han tratado de preservar su libertad de acción, resistiendo a las presiones norteamericanas a través de distintos mecanismos[35]: a) la búsqueda de aliados externos poderosos (Unión Soviética, países no alineados, etc.); b) la movilización nacionalista interna; c) alianzas entre los países centroamericanos (Esquipulas II, plan de paz en 1987); d) apoyo de *lobbies* internos, dentro de los Estados Unidos; e) nego-

---

34. Coatsworth, *Central America and the United States. The Clients and the Colossus,* pp. 7-8; Gordon Connell-Smith, *Los Estados Unidos y la América Latina,* traducido por Agustín Bárcenas, México, Fondo de Cultura Económica, 1977.
35. Coatsworth, *Central America and the United States. The Clients and the Colossus,* pp. 11-14.

ciaciones y acomodos con los Estados Unidos a cambio de ciertas concesiones valiosas según la coyuntura en el contexto internacional.

La imagen del tiburón y las sardinas, cargada de fuerza emocional, tiene su contraparte analítica en la conceptualización en términos del coloso y los clientes, fría de sentimientos pero mucho más precisa. Ambos enfoques son, por supuesto, complementarios.

Conclusión

La literatura, la música y las artes visuales permiten un acceso privilegiado a la reconstrucción histórica de los imaginarios sociales. En este texto hemos tratado de estudiar tres imágenes –*Banana Republics,* «Repúblicas Bananas» y «Chiquita Banana»– que se oponen, se complementan y dialogan entre sí a lo largo del siglo XX. A la vez, estas mismas imágenes ilustran las relaciones complejas, conflictivas y cambiantes entre los Estados Unidos y la América Latina.

Estas mismas relaciones son evocadas en otra imagen seductora: la fábula del tiburón y las sardinas, la cual tiene una contrapartida analítica rigurosa en la idea del coloso y los Estados satélites o clientes; el ensayo literario es filtrado así por los rigores de la historia y la ciencia política. En cierto sentido, este capítulo es apenas una exploración, una propuesta de diálogo transdisciplinario en pos de una lectura crítica de algunas imágenes o representaciones. Queda por cierto mucho camino todavía por recorrer.

7. Globalización sin desarrollo, 1980-2010

Si hemos de salvar o no,
de esto naides nos responde,
derecho ande el sol se esconde
tierra adentro hay que tirar,
algún día hemos de llegar
después sabremos a dónde.

José Hernández, *Martín Fierro*, 1872

El período 1980-2010 se abre y se cierra con una fuerte crisis económica. Entre medio se producen profundas transformaciones en al ámbito latinoamericano: retroceden los regímenes militares y se implantan regímenes democráticos, mientras se efectúan varias reformas estructurales que modifican el perfil económico de la región. En la década del 2000, en varios países importantes se imponen regímenes populistas, con una tendencia hacia la izquierda del espectro político, pero se mantienen las reglas del juego de la democracia. Cuba, por su parte, sigue bajo un régimen socialista totalitario que solo acusa lentas y pausadas transformaciones. El auge del narcotráfico, la violencia y el aumento de las desigualdades son otros rasgos del período que conviene mencionar para completar una presentación sumaria.

Así pues, el Bicentenario de la Independencia, en torno al año 2010, llegó en un ambiente agridulce, bastante lejos del de las fanfarrias grandilocuentes que sonaron en 1910. La globalización, es decir, una profundización notable de la inserción en los mercados mundiales, es quizás el rasgo más importante del período estudiado; la noción de «globalización» alude a la escala planetaria del proceso, y por eso hay muchos autores que prefieren hablar de «mundialización»; por la tremenda diversidad de planos y elementos en que se presenta, otros autores prefieren subrayar la «interconexión». En todo caso, no hay duda de que vivimos en un mundo crecientemente globalizado, mundializado e interconectado. La búsqueda del «desarrollo» –o lo que en el siglo XIX se hubiera llamado «progreso»– sigue teniendo algo de quimera; se trata de un anhelo con ya más de doscientos años.

La década perdida

Tres grandes crisis económicas jalonan la historia reciente de América Latina[1]. La primera es la gran depresión de los años treinta; la segunda, la llamada década perdida de los años ochenta; y la tercera, mucho más cerca de nuestro tiempo, en 2008-2009. Las tres se originaron en violentos choques externos, es decir, el colapso en las condiciones del mercado internacional.

La crisis del treinta empezó con una caída espectacular de la bolsa, el famoso «jueves negro» de Wall Street el 24 de

---

1. Carlos Marichal, *Nueva historia de las grandes crisis financieras. Una perspectiva global, 1873-2008,* Bogotá, Debate, 2010; Luis Bértola y José Antonio Ocampo, *El desarrollo económico de América Latina desde la Independencia,* México, Fondo de Cultura Económica, 2013; Angus Maddison, *Dos crisis: América Latina y Asia, 1929-1938 y 1973-1983,* traducido por Eduardo L. Suárez, México, Fondo de Cultura Económica, 1988.

octubre de 1929, al cual siguió una vertiginosa cadena de caídas en espiral: quiebras bancarias, suspensión de pagos, cierres de empresas, enorme desocupación, caída del consumo, etc. La recuperación tardó algún tiempo, pero no fue automática, como pensaban que tenía que ser la mayoría de los economistas; de hecho la recuperación fue empujada por la intervención económica de los gobiernos a través de regulaciones, controles y fuertes inversiones en obras públicas. Las ideas económicas de Lord Keynes, pregonando la necesidad de la intervención del Estado frente a las crisis, se impusieron con gran rapidez en todo el mundo. El mecanismo de propagación de las crisis, desde la bolsa a las fábricas y el consumo, era conocido, lo mismo que su naturaleza cíclica; lo que no se conocía bien, y aún hoy es objeto de debate, eran las condiciones estructurales que hacían que una crisis como la de 1929, que bien podría haber sido corta, apenas coyuntural[2], se convirtiera en una larga depresión, como de hecho sucedió.

En América Latina[3], la crisis comenzó con el derrumbe de las exportaciones, devaluaciones, inconvertibilidad y suspensión en el pago de la deuda externa; enseguida, casi todos los gobiernos emprendieron políticas de expansión de las obras públicas, fomento industrial y apoyo del sector exportador. La recuperación fue relativamente rápida, a partir de 1934, y continuó hasta el estallido de la Segunda Guerra Mundial en 1939. Los costos sociales de la crisis fueron enormes tanto en los países industriales como en los países de la periferia: desocupación, hambre y pobreza.

2. Como las de 1866, 1873, 1882, 1890, 1900, 1907, 1913 y 1921.
3. Rosemary Thorp (ed.), *Latin America in the 1930s. The Role of the Periphery in World Crisis,* Nueva York, St. Martin's Press, 1984.

La crisis de los ochenta también se originó en un violento *shock* externo, pero bastante distinto del ocurrido en 1929. Veamos primero los antecedentes.

Al terminar la Segunda Guerra Mundial se inició un período de gran expansión económica que duró por lo menos hasta 1973; fue el gran momento de consolidación de la hegemonía de los Estados Unidos como primera potencia mundial, la reconstrucción económica y política de Europa y el Japón, la gran expansión industrial y militar de la Unión Soviética, y el desarrollo de la Guerra Fría. América Latina vivió una época, como lo estudiamos en el capítulo 3, caracterizada por la industrialización dirigida por el Estado y un sostenido crecimiento económico.

Las cosas cambiaron en la década de 1970. Lo primero fue, en agosto de 1971, la decisión del gobierno de los Estados Unidos de abandonar el patrón oro y declarar la inconvertibilidad del dólar; el sistema monetario y financiero internacional vigente desde los acuerdos de Bretton Woods (1944) se cayó así en pedazos[4]. Lo segundo fue el fuerte aumento de los precios del petróleo, decidido por los países árabes durante la guerra árabe-israelí del Yom Kipur (octubre de 1973), lo cual puso en aprietos a los países no productores de petróleo y generó un importante flujo financiero de petrodólares, alimentado por las ganancias extraordinarias generadas por dicho aumento. Lo tercero fue el lento crecimiento de las economías desarrolladas, con alto desempleo en un contexto de fuerte inflación, algo que los economistas llamaron «estagflación» *(stagflation)* y que se creía imposible que

---

4. El dólar con respaldo oro era utilizado como divisa fuerte a nivel internacional; el precio del oro fue fijado en 35 dólares por onza por la Reserva Federal, y así permaneció hasta 1971.

sucediera de acuerdo con los cánones del pensamiento neokeynesiano.

Los petrodólares de los países árabes fueron invertidos básicamente en la compra de armas a los Estados Unidos y la Unión Soviética, y como depósitos en los grandes bancos internacionales de Londres, Nueva York, París y Frankfurt. Esto produjo un fuerte aumento en la oferta de dinero y la necesidad, por parte de los bancos, de encontrar buenas oportunidades de inversión. América Latina, con gobiernos militares y economías en expansión[5], resultó un mercado atractivo; así fue como empezó un rápido aumento de la deuda externa, la cual fue utilizada, en principio, para financiar grandes proyectos de obras públicas. Al poco tiempo, las condiciones de los préstamos se fueron haciendo cada vez más leoninas, con plazos más cortos e intereses crecientes y flotantes. Los organismos financieros internacionales como el FMI (Fondo Monetario Internacional), el BM (Banco Mundial) y el BID (Banco Interamericano de Desarrollo) ejercieron escasos controles sobre todo este proceso; más bien lo incentivaron.

En 1979 sobrevino el *shock*. La revolución islámica en Irán produjo un nuevo y fuerte aumento en el precio del petróleo mientras que la economía de los Estados Unidos seguía en recesión, el déficit del sector público aumentaba y la inflación seguía creciendo; en octubre de 1979, Paul Volcker, jefe de la Reserva Federal, tomó medidas que impulsaron una fuerte restricción de la oferta crediticia y dis-

5. Los gobiernos militares eran, en principio, una excelente garantía de cumplimiento; el aumento en la década del setenta, de los precios de algunos bienes primarios como el café, el algodón, el estaño y los cereales, además del petróleo, fue un incentivo que se sumó a favor del endeudamiento.

pararon las tasas de interés bancario; como se puede ver en el Gráfico 7.1, éstas alcanzaron en 1981 casi un 20% anual[6]. La receta del flamante jefe de la Reserva Federal hizo descender la inflación pero provocó una fuerte recesión económica tanto en Europa como en los Estados Unidos; en la literatura económica estas medidas son conocidas como el «efecto Volcker»; el dólar se revaluó y los bonos del Tesoro resultaron muy atractivos para los inversionistas.

En América Latina ello provocó una fuerte fuga de capitales, mientras que el servicio de la deuda, dentro del cual había muchos intereses flotantes, crecía notablemente. El 20 de agosto de 1982 el secretario de Hacienda de México anunció que el gobierno no podría honrar todos los venci-

Gráfico 7.1
Tasa de interés de los títulos de la deuda federal de los Estados Unidos (enero de cada año)

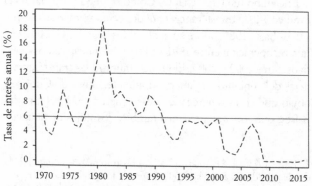

Fuente: Federal Reserve Board, Historical Data.

6. Para el gráfico se utilizó como indicador la cotización a principios de enero de cada año, con la finalidad de mostrar claramente la tendencia; a lo largo del año las tasas fluctuaban mucho más.

mientos que se avecinaban. La crisis de la deuda estaba entre nosotros.

Las opciones frente a la crisis de la deuda eran básicamente dos: suspender los pagos o renegociarlos; predominó la renegociación, impulsada por los gobiernos de los países desarrollados y los organismos financieros internacionales, y aceptada juiciosamente por los gobiernos de los países deudores. El volumen de la deuda[7] era tal que un cese completo y prolongado de los pagos hubiera quebrado los grandes bancos multinacionales, precipitando así una aguda crisis en los países centrales. Los arreglos de pago fueron negociados individualmente por cada uno de los países deudores frente a los bancos, el Fondo Monetario Internacional y el Banco Mundial; el gobierno de los Estados Unidos intervino decisivamente a través de dos planes de reconversión de las deudas: el plan Baker en 1985 y el plan Brady en 1989.

El camino fue largo y lento. Como se puede apreciar en el Gráfico 7.2, la transferencia neta de recursos[8] tuvo saldos positivos hasta 1981, nueve años de saldos negativos hasta 1990, una recuperación entre 1991 y 2001, y de nuevo saldos negativos entre 2002 y 2009. El gráfico muestra las transferencias netas del conjunto de América Latina (excluyendo Cuba); es obvio que en esos agregados pesan fuertemente los grandes países, que son los que tienen también los flujos de financia-

---

7. Entre 1973 y 1981 América Latina absorbió más de la mitad de la deuda privada que fluyó hacia el mundo en desarrollo; véase Bértola y Ocampo, *El desarrollo económico de América Latina desde la Independencia*, p. 249.

8. La transferencia neta de recursos es el balance anual entre entradas y salidas de capital; el indicador se expresa en porcentaje del valor total de las exportaciones anuales de bienes y servicios; los pagos de la deuda se contabilizan, obviamente, como salidas de capital.

Gráfico 7.2
Transferencia neta de recursos (como % de las exportaciones de bienes y servicios)

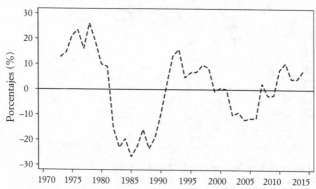

Fuente: CEPAL, Anuario Estadístico de América Latina y el Caribe, 2015 (p. 119), 1988 (p. 780).

miento mayores. Esto se puede ver en el Gráfico 7.3, que muestra la deuda externa total de México, Brasil, Argentina y Chile; en él se puede también apreciar el rápido aumento de la deuda externa a partir de 1975 y su persistencia en las décadas siguientes; América Latina entró así a una globalización financiera de la cual es muy difícil, por no decir imposible, salir.

El arreglo de la deuda y los paquetes de ayuda del BM y el FMI estuvieron condicionados a la realización de una serie de cambios en la economía, conocidos como «programas de reforma y ajuste estructural». Estos programas, cuyos principios fueron resumidos en un decálogo formulado por el economista británico John Willliamson y conocido como «Consenso de Washington», se basaron en tres principios básicos: reorientación hacia el mercado, disminución del tamaño e injerencia del Estado en la economía y apertura frente al

Gráfico 7.3
Deuda externa total (millones de US dólares)

Fuente: Federal Reserve Board, Historical Data.

capital extranjero. Estos principios implicaron la privatización de empresas públicas, la desregulación de los mercados financieros y cambiarios, la disminución de los aranceles de aduanas y el abandono del proteccionismo, la apertura a las inversiones directas, con firmes garantías de los derechos de propiedad, y una fuerte disciplina y reforma fiscal. La disciplina fiscal implicaba la eliminación del déficit del sector público y la contención del gasto estatal; la reforma fiscal suponía una mejor recaudación de los impuestos y un aumento de los mismos; en este último aspecto fueron afectados básicamente los salarios y los impuestos indirectos, y se dejó de lado –a pesar de tibios consejos en esa dirección del BM y el FMI– una afectación importante de las rentas y ganancias de las empresas.

El conjunto de estas medidas suponía abandonar la política económica imperante desde la década de 1930, durante el periodo de industrialización dirigida por el Estado, y su reemplazo por una nueva orientación basada en la filosofía económica neoliberal. Es importante notar que este cambio de orientación provino de presiones desde los países desarrollados a través de agencias como el BM y el FMI; se trataba de emular en América Latina las políticas económicas de los gobiernos de Ronald Reagan (1981-1989) en los Estados Unidos y Margaret Thatcher (1979-1990) en Gran Bretaña que ya fueron anticipadas por los vehementes consejos de los *Chicago Boys* a la dictadura del general Pinochet en Chile (1973-1990). El contraste es muy notable con las políticas de intervención estatal e industrialización vigentes entre 1930 y 1980; en este caso, la experiencia práctica de los diferentes países precedió la teorización basada en la economía neokeynesiana desarrollada desde la CEPAL a partir de 1949; como hoy es ampliamente reconocido, estas elaboraciones teóricas desarrolladas en América Latina constituyeron un pensamiento creativo y original.

La recuperación económica fue lenta. Hay que notar que la crisis de la década del ochenta no fue sólo una crisis protagonizada por la deuda externa: los precios de las exportaciones, excepción hecha del petróleo, declinaron o permanecieron estancados hasta la década del 2000 (Gráfico 7.4); las tasas de interés en términos reales (es decir descontando la inflación) sólo hacia 2005 volvieron a ser tan favorables como en el período 1975-1779.

Hubo pues unos veinticinco años de precios bajos en las exportaciones y crédito externo caro. Si volvemos a examinar, el Gráfico 3.4 (pág. 318) podemos observar cómo el PIB per cápita en términos reales llegó a un máximo en 1980 (5.441 dólares de 1990); hubo que esperar catorce años para llegar a un valor similar (5.516 dólares de 1990 en 1994). Estos datos son suficientes para entender por qué se considera la década de 1980 como una década perdida des-

Gráfico 7.4
Precio de las exportaciones latinoamericanas (1970 = 100)

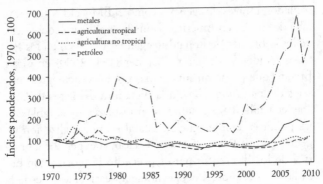

Fuente: MOXLAD, Universidad de la República y Uruguay y Oxford University.

de el punto de vista del desarrollo económico. Los costos sociales de esa década fueron, obviamente, devastadores; el nivel de pobreza creció de un 40,5% en 1980 a un 48,3% en 1990; recién en 2005, el nivel de pobreza bajó a un 39,8%, es decir, un nivel parecido al que había en 1980[9]. Los indicadores pueden multiplicarse y refinarse, pero apuntan invariablemente a la misma conclusión: la crisis que empezó en 1980 tuvo efectos profundamente negativos en los veinticinco años que siguieron.

La crisis de 2008-2009[10], comparable a la gran depresión iniciada en 1929, estalló en los Estados Unidos y se transmi-

9. Bértola y Ocampo, *El desarrollo económico de América Latina desde la Independencia,* pp. 298-299. Datos de la CEPAL.
10. Joseph E. Stiglitz, *Caída libre. El libre mercado y el hundimiento de la economía mundial,* traducido por Alejandro Pradera y Núria Petit, Barcelona, Debolsillo, 2015; Marichal, *Nueva historia de las gran-*

tió luego a Europa y el resto del mundo. En 1999 el Congreso estadounidense suspendió la Ley Glass-Steagal de 1933, la cual separaba estrictamente los bancos comerciales de los bancos de inversión; esta fue una medida crucial en la desregulación del sector financiero, algo que iba de la mano con las políticas neoliberales y la globalización. Por otra parte, frente a la crisis bursátil de marzo de 2000, conocida como la «burbuja *dot-com»,* que vio el desplome de las acciones de las empresas vinculadas a las tecnologías asociadas a internet y la información, la Reserva Federal bajó las tasas de interés a alrededor del 1% (Gráfico 7.1); con ello se produjo una enorme expansión del crédito y la economía norteamericana se recuperó con rapidez; fue esa misma expansión la que trajo la llamada «burbuja inmobiliaria», debido al incremento en la demanda de vivienda (primaria y secundaria).

La invasión a Irak (2003) generó un fuerte aumento del déficit del gobierno de los Estados Unidos, el cual fue financiado con ingentes emisiones de bonos y letras del Tesoro, colocadas sobre todo en los mercados asiáticos; a pesar de las bajas tasas de interés, enormes flujos de inversiones procedentes del exterior fueron canalizadas a través de los fondos de inversión globales a la Bolsa de Nueva York; las reservas internacionales de muchos países fueron así recicladas y alimentaron la burbuja inmobiliaria de los Estados Unidos entre 2001 y 2006[11]. Sin regulaciones ni controles, la banca de inversión ideó una gran variedad de productos financieros, la mayoría de ellos altamente riesgosos (préstamos *subprime);*

des crisis financieras. Una perspectiva global, 1873-2008; Yanis Varoufakis, *The Global Minotaur. America, Europa and the Future of the Global Economy,* Londres, Zed Books, 2015.
11. Marichal, *Nueva historia de las grandes crisis financieras. Una perspectiva global, 1873-2008,* p. 283.

la especulación y expansión desenfrenada alcanzaron su límite en 2008: la firma Lehman Brothers se declara en quiebra el 15 de setiembre, mientras el precio del barril de petróleo, que había llegado a un máximo histórico de 145 dólares el 3 de julio, se hunde rápidamente. Lo que sigue luego no necesita mucho detalle: miles de quiebras en cadena y millones de dólares que se evaporan; la crisis se extiende a todo el mundo desarrollado. Se trató de la peor caída del capitalismo desde la depresión de los años treinta.

¿Cuál fue la repercusión de la crisis de 2008-2009 en América Latina? La contracción mundial del comercio afectó a todos los países, y los exportadores de petróleo como Venezuela, México y Ecuador se vieron particularmente afectados; pero no hubo nada parecido a la crisis de la deuda de 1980-1982. Podría decirse que casi todos los

Gráfico 7.5
Precios anuales del petróleo (US dólares por barril, *Illinois crude*)

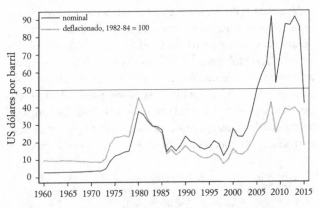

Fuente: Inflationdata.com (13-10-2016); U. S. Bureau of Labor Statistics CPI.

países tenían buenas reservas internacionales y cierta estabilidad en la deuda pública, además de una mayor experiencia en el manejo macroeconómico. México, debido a sus fuertes lazos con la economía norteamericana y a sus múltiples dificultades internas, fue el país más afectado, con una recesión que se extendió más allá de 2009.

El retorno de la democracia y la ofensiva neoliberal

La larga crisis económica de los ochenta fue acompañada de una trayectoria política hasta cierto punto inusual: el retorno al juego político democrático, entendido como una combinación de elecciones competitivas y gobiernos civiles. Desde 1930, golpes militares y gobiernos autoritarios habían sido moneda corriente, mientras que la democracia de masas del nacional populismo había estado lejos de las prácticas políticas del liberalismo y la democracia formal; los militares, por otra parte, habían tenido un importante rol protagónico que culminó en la dictadura chilena del general Pinochet y el terrorismo de Estado argentino entre 1976 y 1982, pasando por el largo régimen militar brasileño (1964-1985) y la no menos prolongada dictadura de la familia Somoza en Nicaragua (1937-1979).

Argentina[12]

El caso argentino ejemplifica en forma extrema estas transformaciones. El ciclo 1955-1972 se caracterizó por una democracia condicionada al intervencionismo militar, con ex-

12. Luis Alberto Romero, *La larga crisis Argentina. Del siglo XX al siglo XXI*, Buenos Aires, Siglo XXI Editores, 2013; David Rock, *Argen-*

clusión del voto peronista. La continua disputa por el poder mostraba una aparentemente insuperable fragmentación de las élites, divididas entre el poder militar –a su vez dividido en tendencias–, el movimiento sindical organizado, los empresarios –también sectorialmente divididos– y los partidos políticos. El peronismo mayoritario estuvo excluido de las elecciones entre 1955 y 1972; el breve lapso de gobiernos civiles, entre 1958 y 1966, fue escenario de continuas presiones militares, las cuales culminaron con el golpe de junio de 1966 y el comienzo de la llamada «Revolución argentina». Este intento de imitar el régimen militar del vecino Brasil, excluyendo los partidos políticos y diseñando un gobierno conservador autoritario, fracasó pronto ante una violenta insurrección popular conocida como el «Cordobazo», ocurrida en la ciudad de Córdoba en mayo de 1969; poco después aparecieron varios movimientos guerrilleros, entre los cuales sobresalían los Montoneros, representantes de un ala significativa del peronismo.

El general Alejandro Lanusse, jefe del ejército y presidente, decide en 1971 una apertura política negociada con Perón. El anciano general retorna del exilio y luego de varias vicisitudes, asume la presidencia el 17 de octubre de 1973; la fecha es simbólica porque veintiocho años antes, el 17 de octubre de 1945, había ocurrido la prueba decisiva del movimiento que lo mantuvo en el poder hasta 1955. Pero la vuelta de Perón no trajo la paz y la estabilidad, como había sido la expectativa predominante en el momento.

tina, 1516-1987. Desde la colonización española hasta Alfonsín, traducido por Nestor Míguez, Madrid, Alianza Editorial, 1988, pp. 397-494; Tulio Halperín Donghi, *Argentina en el callejón. Edición definitiva,* Buenos Aires, Ariel, 1994; Tulio Halperín Donghi, *La larga agonía de la Argentina peronista,* Buenos Aires, Ariel, 1994.

La lucha de tendencias entre la izquierda peronista representada por los Montoneros y la Juventud Peronista, versus la burocracia sindical asentada en la CGT y apoyada por Perón y su círculo de dirigentes más allegados, arreció enseguida y estaba al rojo vivo en julio de 1974, cuando el anciano general murió de un infarto; se había desatado una verdadera guerra civil.

La presidencia quedó en manos de Estela Martínez de Perón, la tercera esposa del general. La guerra de tendencias continuó entre las guerrillas, la policía y organizaciones parapoliciales como la Triple A[13]. El rápido deterioro de la situación llevó a la intervención de las Fuerzas Armadas, las cuales fueron convocadas por la presidenta a «aniquilar la subversión» a inicios de 1975. El régimen peronista cayó el 24 de marzo de 1976, en medio del caos político, la guerra civil y la crisis económica; los tres comandantes de las Fuerzas Armadas asumieron el poder y el general Videla ocupó el cargo de presidente.

La Junta Militar emprendió un «Proceso de Reorganización Nacional» basado en tres ejes principales: la derrota de los grupos guerrilleros utilizando el terrorismo de Estado y un accionar que en buena parte se ubicaba fuera de la legalidad; la desarticulación de los sindicatos y el movimiento peronista, mientras todos los partidos políticos eran suspendidos; y la construcción de un nuevo orden económico basado en el neoliberalismo, con una amplia apertura al capital extranjero y la eliminación del proteccionismo.

---

13. Alianza Anticomunista Argentina, activa entre 1973 y 1976, dirigida por José López Rega, un siniestro personaje del círculo íntimo de Perón y su tercera esposa.

El primer eje fue el único plenamente exitoso: la subversión fue eliminada hacia 1978 al precio de miles de muertos y desaparecidos, incluyendo el robo de niños y la intimidación de cualquier voz disidente. Además de las víctimas en sí mismas, el «Proceso» dejó una fatídica herencia de corrupción, violencia, arbitrariedades e irrespeto continuo de la ley, la cual siguió pesando tristemente sobre la sociedad argentina en las décadas siguientes.

El peronismo y el movimiento sindical se replegaron, sufrieron una fuerte persecución, pero sobrevivieron; en este aspecto hay que destacar que en la Junta gobernante coexistían diferentes tendencias, incluyendo una, encabezada por el almirante Massera, que aspiraba a una reconstitución de la alianza populista entre militares, empresarios y sindicatos.

La política económica estuvo, entre 1976 y 1981, en manos del ministro Martínez de Hoz y acabó en un rotundo fracaso: la prosperidad dependía de la afluencia de capitales y el auge de las exportaciones, y ese flujo se cortó abruptamente en 1981; entre diciembre de 1979 y marzo de 1981 la deuda externa se había triplicado, pasando de un 14% a un 42% del PIB[14]. A estos problemas se unían una elevada inflación y un alto déficit fiscal, en un contexto de fuerte recesión productiva; entre 1973 y 1983 el PIB per cápita de la Argentina permaneció, en términos reales, virtualmente estancado[15].

La Junta Militar impulsó dos serios conflictos internacionales intentando aplicar una fórmula gastada de gloria militar y nacionalismo, que parecía más propia del siglo XIX, pero que

14. Rock, *Argentina, 1516-1987. Desde la colonización española hasta Alfonsín*, p. 460.
15. Pablo Gerchunoff y Lucas Llach, *El ciclo de la ilusión y el desencanto. Un siglo de políticas económicas argentinas*, Buenos Aires, Ariel, 1998, p. 378.

podría haberle redituado una aprobación mayoritaria de la sociedad argentina. En 1971 Chile y Argentina habían sometido a arbitraje británico un viejo diferendo respecto a la soberanía sobre tres pequeñas islas en el canal de Beagle; el fallo del arbitraje, emitido en 1977, daba la soberanía a Chile, lo cual fue rechazado por la Junta Militar; en 1978 el conflicto subió de tono y parecía inevitable un conflicto armado, pero en diciembre de ese mismo año el papa Juan Pablo II logró imponer su mediación y las nubes de guerra se disiparon[16].

En diciembre de 1981 el general Galtieri asumió la presidencia argentina en medio de la crisis económica y un evidente deterioro de la imagen interna y externa de la Junta Militar. En febrero de 1982 Galtieri resolvió activar un viejo plan de la Marina argentina: recuperar las islas Malvinas mediante una operación militar. El ataque naval se produjo el 2 de abril de 1982 y las islas fueron rápidamente ocupadas por las fuerzas argentinas, al igual que las islas Sandwich y Georgias del Sur. La expectativa del gobierno argentino era que, ante los hechos consumados, el gobierno de Londres no tomaría acciones para defender una posesión tan lejana y aparentemente insignificante como lo eran las Malvinas. El fervor nacionalista que estalló en Argentina hizo crecer la popularidad de la Junta Militar a niveles insospechados, pero, como se pudo ver enseguida, el nacionalismo es un juego extremadamente volátil y peligroso. La llamarada nacionalista también se encendió en Londres y el gobierno de Margaret Thatcher envió una importante fuerza naval con un reducido cuerpo militar de élite para recuperar las islas. Los enfrentamientos ocurrieron en mayo y

16. Simon Collier y William F. Sater, *A History of Chile, 1808-1994,* Cambridge, Cambridge University Press, 1996, pp. 363-364.

junio, y terminaron con la rendición incondicional de las fuerzas argentinas el 14 de junio de 1982; hubo más de 2.000 bajas y un costo enorme; la situación quedó exactamente igual que antes de las hostilidades: el gobierno británico siguió sin reconocer la soberanía argentina sobre las islas. El triunfo militar hizo ganar popularidad al gobierno de Thatcher y le trajo una resonante victoria electoral en junio de 1983; los orgullosos británicos, que añoraban los días del imperio, habían tenido un consuelo en las Malvinas.

Los que no tuvieron consuelo alguno fueron los militares argentinos, humillados y derrotados. Galtieri esperaba si no el apoyo, al menos la neutralidad de los Estados Unidos; lejos de eso, el 1.º de mayo, el gobierno de Reagan condenó a la Argentina y le aplicó sanciones económicas en represalia por el «uso ilegal de la fuerza». El vecino Pinochet apoyó discretamente a los ingleses y les facilitó apoyo en logística y comunicaciones, aunque la gran mayoría de los gobiernos latinoamericanos se solidarizaron con la posición argentina. La popularidad interna del gobierno, en su cenit entre abril y junio, se desmoronó enseguida; Galtieri fue reemplazado por el general Bignone.

Dos temas básicos se plantearon entonces: el de los desaparecidos y el de las elecciones y la vuelta a la democracia. Las organizaciones de defensa de los derechos humanos, activas pero continuamente acosadas por la dictadura militar, vieron abrirse un nuevo espacio de lucha; lo mismo ocurrió con los sindicatos y los partidos políticos. Los militares buscaron evitar que se discutiera el tema de la guerra sucia y decretaron una amnistía que les cubría ampliamente las espaldas; la cúpula sindical peronista negoció el tema secretamente con el comandante en jefe del ejército, pero estas maquinaciones fueron denunciadas públicamente en abril de 1983. La presión popular y la crisis económica hicieron inevitable la salida de los militares. En las elecciones del 30 de octubre, Raúl Alfonsín, candidato de la Unión Cívica Radical, obtuvo un resonante triunfo frente al candidato peronista. Se abrió así el camino hacia la democracia republicana.

Alfonsín subió a la presidencia el 10 de diciembre de 1983 en un clima de altas expectativas y muchos condicionamientos. El clamor por la justicia, incentivado permanentemente por el descubrimiento brutal de lo que había sido el terrorismo de Estado del período 1976-1983, chocaba con el poder que todavía tenían los militares; la mayoría republicana de Alfonsín tenía que negociar continuamente con la burocracia sindical peronista y con un Partido Justicialista con liderazgos fragmentados pero con una insaciable vocación para las prebendas. En este contexto, azotado además por la crisis económica, era muy difícil, si no imposible, la construcción de un nuevo pacto social que garantizara la estabilidad.

Alfonsín creó y apoyó la Comisión Nacional sobre la Desaparición de Personas, dirigida por el escritor Ernesto Sábato; sus conclusiones publicadas en 1984 incluyeron un listado con miles de nombres de personas desaparecidas, la identificación de 300 centros clandestinos de detención y tortura, y pruebas acusadoras contra 1.300 miembros de las Fuerzas Armadas[17]. Es importante notar que esta Comisión y su informe se constituirán en modelo, como instrumentos de lucha y recuperación de la memoria de las violaciones a los derechos humanos, para muchos otros países de Améri-

17. CONADEP, *Nunca más. Informe de la Comisión Nacional sobre la Desaparición de Personas,* Buenos Aires, EUDEBA, 1984.

ca Latina. Los miembros de la Junta Militar fueron procesados y condenados a fuertes penas de prisión y se abrieron muchos otros procesos contra los responsables de crímenes y violaciones a los derechos humanos, incluyendo también algunos jefes guerrilleros. Pero al final la presión de las Fuerzas Armadas hizo que el gobierno de Alfonsín aprobara una Ley de «punto final» estableciendo una fecha límite para los procesos contra militares y policías. Hubo varios conatos de rebelión militar y el gobierno estuvo sometido a fuertes presiones; a pesar de esto, Alfonsín logró disminuir los efectivos de las Fuerzas Armadas, redujo el número de oficiales activos y pasó a retiro a un considerable número de jefes militares. Fue ese el inicio de un declive sostenido de la institución militar argentina, algo que sólo podía redundar en beneficio de la institucionalidad y el gobierno civil.

Otro frente de conflicto que tuvo que enfrentar el gobierno de Alfonsín fue el de la jerarquía de la Iglesia católica, furiosamente opuesta a la aprobación de la ley de divorcio en 1987, a pesar de que Argentina era uno de los pocos países en el mundo donde el divorcio vincular era ilegal.

En suma, el gobierno de Alfonsín asumió una transición muy difícil, de la dictadura y el terrorismo de Estado a la república democrática; en el conjunto, tuvo un notable éxito sólo empañado por el fracaso en lograr la estabilidad económica. La hiperinflación desatada en 1989 hizo que los peronistas ganaran las elecciones presidenciales y Alfonsín, en un gesto de sabiduría, entregó el poder en julio de ese año, varios meses antes del fin legal de su período presidencial.

Carlos Saúl Menem, un líder peronista heterodoxo, asumió la presidencia y desarrolló un programa económico neoliberal, radicalmente opuesto a los principios que habían guiado su campaña electoral. Privatizaciones atropelladas de empresas públicas, apertura financiera irrestricta al capital extranjero y fin del proteccionismo y los subsidios a favor de la industria nacional fueron los ejes de ese programa, junto con una reforma monetaria que estableció una nueva moneda nacional en paridad con el dólar estadounidense. El auge de las exportaciones agropecuarias, junto con el reforzamiento de la siderurgia, la petroquímica, el aluminio, el petróleo y la fabricación de automóviles, dentro del esquema del MERCOSUR, permitieron un repunte del crecimiento económico a costa de una elevada desocupación que se volvió permanente (18 al 20% de la población económicamente activa) y de la entronización de la corrupción en la política y en los negocios[18]. Menem, previa reforma constitucional, logró la reelección en 1995, y durante algunos años la prosperidad argentina parecía duradera; sin embargo, ésta dependía estrechamente de la fuerte afluencia de capitales especulativos.

Una crisis cíclica en 1989 facilitó el triunfo de una coalición opositora encabezada por Fernando de la Rúa, de la Unión Cívica Radical. El empeño por mantener la paridad del peso con el dólar llevó a una debacle bancaria («el corralito») a fines de 2001 y comienzos del 2002; hubo una insurrección popular, cuidadosamente manipulada por los peronistas, y el presidente renunció el 20 de diciembre de 2001. De la crisis económica y política surgiría un retorno a la fórmula populista.

18. El desempleo fue, en buena parte, resultado de la ruina de la industria nacional de bienes de consumo duraderos y de la contracción del empleo público; la corrupción, una consecuencia de las concesiones a los diferentes grupos de interés.

Brasil[19]

La dictadura militar brasileña se extendió desde 1964 hasta 1985. El poder estuvo concentrado en la cúpula militar, y dentro de ella siempre hubo tendencias divergentes, desde la línea anticomunista más dura hasta una más moderada y tecnocrática; por otra parte, el gobierno militar tenía el apoyo del empresariado, y el éxito de su política económica le garantizó la firme adhesión de una numerosa clase media emergente. El nacionalismo y un proyecto del Brasil como gran potencia fueron parte esencial del régimen, conservador y autoritario pero totalmente alejado del populismo. La represión fue particularmente fuerte entre 1968 y 1974, y el movimiento guerrillero fue desarticulado por completo en esos años; luego comenzó una lenta y a veces tortuosa normalización institucional que concluyó en 1985.

A diferencia de los regímenes militares argentinos de la misma época, en Brasil siempre hubo una fachada de Congreso y elecciones, aunque con participación restringida y bajo firme tutela de la cúpula militar. En número, las víctimas de la represión y las violaciones a los derechos humanos fueron mucho menores que, por ejemplo, en el caso de las dictaduras argentina, chilena y guatemalteca.

La política económica del gobierno militar se orientó a promover la industrialización, con una fuerte pero selectiva apertura al capital extranjero, y un notorio énfasis en grandes empresas estatales como Petrobrás, Electrobrás y Embratel. Otro impulso destacado fue el de obras públicas faraónicas como la carretera transamazónica y las represas

19. Boris Fausto, *História do Brasil,* 14.ª ed., São Paulo, Editora da Universidade de São Paulo, 2012, pp. 395-521.

hidroeléctricas de Itaipú e Ilha Solteira; menos exitoso fue un programa nuclear. Por otra parte, hay que destacar que en todos estos proyectos no hubo consideraciones serias en torno al costo ecológico y ambiental, el cual fue más que elevado. El rápido crecimiento económico fue acompañado de una elevada concentración de la renta, favorecida por la contención del movimiento sindical y la persecución del movimiento campesino. La crisis de la deuda, en 1981-1982, afectó fuertemente a la economía brasileña, pero sus efectos fueron resueltos con mayor eficacia y rapidez que en el caso de México o Argentina.

Luego de muchas vicisitudes hubo elecciones presidenciales indirectas en enero de 1985, siendo electa la fórmula Tancredo Neves-José Sarney; Neves era un avezado político de la época de Getúlio Vargas y Juscelino Kubitschek, honesto y equilibrado; había sido un opositor moderado del régimen militar y uno de los líderes del proceso de apertura democrática; Sarney era un político conservador que había tenido puestos importantes durante la dictadura. Neves no pudo asumir la presidencia el 15 de marzo, como estaba previsto, pues un día antes tuvo que ser internado de urgencia, ante una aguda dolencia estomacal; Sarney fue investido como vicepresidente en ejercicio; Tancredo Neves murió el 21 de abril, luego de varias operaciones; tenía 75 años de edad.

Las tareas básicas del nuevo gobierno fueron la consolidación de la apertura democrática, y en el plano económico el control de la inflación, una enfermedad crónica desde la década de 1950, jalonada por episodios cíclicos de hiperinflación. En el primer aspecto, Sarney tuvo un éxito notable, al lograr la aprobación de elecciones presidenciales directas en 1986 y la elaboración de una nueva Constitución en el año 1988. En la lucha contra la inflación, el «Plan Cruzado» de 1986 fue un fracaso.

En 1990 subió a la presidencia Fernando Collor de Melo, un político del nordeste que no se entendía demasiado bien con las élites políticas del centro-sur de Brasil; hizo campaña con un discurso anticorrupción y moralizante, unido a una imagen de playboy exitoso. Su plan contra la hiperinflación fracasó y sembró un amplio descontento (el «confisco»); casi enseguida, conflictos en su entorno hicieron pública una vasta red de corrupción. El Congreso inició un juicio político y el presidente prefirió renunciar; asumió el poder el vicepresidente Itamar Franco.

El mayor logro de Franco fue el éxito del «Plan Real», con el cual logró ponerse fin a por lo menos veinte años de hiperinflación recurrente. Fernando Henrique Cardoso, distinguido sociólogo de la Universidad de São Paulo y senador, asumió el ministerio de Hacienda y se rodeó de un eficiente grupo de asesores, reservándose la dirección de las negociaciones políticas en torno al plan. Éste tuvo cuatro componentes: la introducción de una nueva moneda, el real; la eliminación de la indexación de precios y salarios, ya que contribuía al círculo vicioso de la inflación; la reducción del déficit fiscal introduciendo una tasa sobre las transacciones financieras; y la fijación del valor del real en paridad con el dólar estadounidense. El plan tuvo éxito, y en julio de 1994 la inflación descendió notoriamente, manteniéndose a niveles bajos en los años siguientes. El control de la inflación benefició particularmente a los sectores más pobres de la población brasileña, que eran los más vulnerables frente al aumento continuo de los precios.

Con un fuerte prestigio, Fernando Henrique Cardoso ganó las elecciones presidenciales en octubre de 1994, siendo reelecto para un segundo período en 1998. Durante su gestión se consolidaron la institucionalidad democrática y la estabilidad económica del país. Hubo una fuerte apertura al capital extranjero, muchas privatizaciones –incluyendo la concesión de obra pública en el sector de infraestructuras– y una activa política exterior bajo el esquema de autonomía y liderazgo en el contexto de la globalización. El costo social de la modernización tecnológica, muy significativa en la industria, la agroindustria, las comunicaciones y la energía fue una elevada y endémica desocupación, mitigada solo muy parcialmente a través de programas estatales de compensación. Hacia 1999, el impacto de la crisis asiática de 1997-1998 empujó a una fuerte devaluación del real y la economía entró en recesión.

En el conjunto, la gestión de Fernando Henrique Cardoso impulsó una fuerte transformación de la economía brasileña, con una reformulación del intervencionismo estatal y la apertura a las fuerzas del mercado; en sus estudios sociológicos de la década de 1960, Cardoso había anticipado la posibilidad, para América Latina, de lo que llamó el «desarrollo capitalista asociado»[20]; parece evidente que buena parte de su gestión presidencial apuntó precisamente en esta dirección.

En 1991, Brasil, Argentina, Paraguay y Uruguay suscribieron el tratado del MERCOSUR (Mercado Común del Sur), estableciendo una zona de libre comercio, un arancel externo común y diversos mecanismos de integración regional. Venezuela y Bolivia se adhirieron al MERCOSUR

20. Fernando Henrique Cardoso y Enzo Faletto, *Dependencia y desarrollo en América Latina. Ensayo de interpretación sociológica,* Buenos Aires, Siglo Veintiuno Editores, 2003 [1969], p. 179.

en 2006 y 2012, respectivamente. Como proyecto de integración, el MERCOSUR ha funcionado con bastante éxito, movido claro está, por la locomotora de la economía brasileña; no puede ser de otro modo, dado el hecho estructural de que Brasil duplica la población y el PIB de todos los otros integrantes juntos.

Chile[21]

El golpe militar del 11 de setiembre de 1973 puso fin a la «vía chilena al socialismo» liderada por Salvador Allende y estableció una férrea dictadura. El general Pinochet acaparó pronto el poder y lo conservará hasta 1990; durante este largo período, la dictadura atravesó por diferentes fases.

Los primeros años estuvieron dominados por la represión más brutal, con miles de detenidos, torturados, asesinados, desaparecidos y exiliados; también fue el período en que Pinochet consolidó su poder personal, desplazando a los otros jefes de las Fuerzas Armadas. El Congreso fue disuelto, los partidos políticos prohibidos y el poder judicial sólo parcialmente respetado. Al inicio la represión estuvo en manos de los diferentes cuerpos militares y la policía (Carabineros), y fue relativamente descentralizada; pero

---

21. Peter Winn, *La revolución chilena,* traducido por Gloria Casanueva y Hernán Soto, Santiago de Chile, Lom Ediciones, 2013; Collier y Sater, *A History of Chile, 1808-1994,* pp. 359-389; Pablo Policzer, *Los modelos del horror. Represión e información en Chile bajo la Dictadura Militar,* traducido por Hernán Soto Enríquez y Gloria Casanueva, Santiago de Chile, Lom Ediciones, 2014; Rafael Sagredo Baeza, *Historia mínima de Chile,* Madrid, Turner-El Colegio de México, 2014, pp. 242-282.

todo cambió con la organización, a fines de 1973, de la Dirección de Inteligencia Nacional (DINA) –una policía secreta dirigida por el general Manuel Contreras pero dependiente directamente de Pinochet– oficializada en junio de 1974. La DINA será el centro de la represión hasta 1977, utilizando una vasta red clandestina que incluyó acciones como el asesinato del general Prats en Buenos Aires (1974) y de Orlando Letelier en Washington DC en setiembre de 1976. La intensidad de la represión disminuyó hacia 1978, en parte por la eficacia brutal con que había sido deshecha la oposición, y en parte también por la acción interna y externa de organizaciones defensoras de los derechos humanos; en este aspecto conviene destacar el papel de la Iglesia católica, sobre todo a través de la Vicaría de la Solidaridad, y de las continuas presiones de los gobiernos de los Estados Unidos y de algunos países del Occidente europeo. En agosto de 1977 la DINA fue reemplazada por la Central Nacional de Informaciones (CNI), una policía política puesta bajo la jurisdicción del Ministerio del Interior, cuyo titular era ya para ese momento un civil.

Hacia 1975 Pinochet conformó un equipo económico con los llamados *Chicago boys;* eran básicamente economistas de la Universidad Católica formados en la escuela de Milton Friedman y Arnold Harberger, devotos fieles, por lo tanto, de un liberalismo a ultranza. El propio Friedman visitó Chile y recomendó una «terapia de choque» para acabar con la hiperinflación: ésta consistió en una fuerte devaluación, una rápida privatización de muchas empresas públicas, una disminución de la tarifa aduanera evitando el proteccionismo, la contención del gasto estatal y el congelamiento de los salarios del sector privado y del sector público; el área de propiedad social, constituida en el periodo de

Allende por la aplicación de la reforma agraria y las fábricas ocupadas y manejadas por sus trabajadores, fue totalmente desmantelada. La administración de la educación primaria fue entregada al control de las municipalidades, mientras que se producía una notable expansión de la educación privada en secundaria y en los niveles universitario y técnico superior.

La ambición de la dictadura era despolitizar la sociedad y el gobierno; hacia finales de la década, los funcionarios militares fueron paulatinamente remplazados por civiles provenientes de las élites empresariales y tecnocráticas, claramente alineadas a la derecha conservadora. El régimen alcanzó su apogeo en 1980, cuando Pinochet hizo ratificar en un plebiscito una nueva Constitución, claramente autoritaria; Jaime Guzmán Errázuriz, un abogado de la derecha católica, líder del gremialismo, fue uno de sus autores, y quedó así consagrado como uno de los más firmes inspiradores ideológicos de la dictadura de Pinochet[22].

La década del ochenta traerá cambios significativos. La crisis económica de 1981-1982 golpeó fuertemente y puso fin a la recuperación que había caracterizado el final de los setenta. Las protestas sociales y conflictos laborales empezaron a surgir en un ambiente de relativa distensión política, debido en parte a las fuertes presiones del gobierno de Ronald Reagan en pro de elecciones competitivas y la res-

---

22. Guzmán Errázuriz (1946-1991) fundó el Movimiento Gremial de la Universidad Católica, en 1967; desde una derecha que incluía elementos de la doctrina social de la Iglesia, fue un firme opositor a la Unidad Popular e ideólogo de la dictadura de Pinochet. Siendo senador, murió asesinado por el Frente Patriótico Manuel Rodríguez, una organización armada clandestina creada en 1983 y vinculada al Partido Comunista hasta 1987.

tauración del juego democrático. Comenzó el retorno de algunos exiliados y empezó a prepararse la transición.

En 1983 Pinochet rehabilitó los partidos políticos de centro y de derecha, y empezó a negociar con sus dirigentes; la Iglesia católica, por su parte, patrocinó un Acuerdo Nacional y una Asamblea de la Civilidad centrada en los demócratas cristianos y los socialistas moderados. El Partido Comunista, en la clandestinidad, cambió su línea de lucha básicamente política y apoyó durante algún tiempo la lucha armada; el Frente Patriótico Manuel Rodríguez fue ese brazo armado, entre 1983 y 1987, pero sus acciones se saldaron con un rotundo fracaso en 1986: en mayo-julio de ese año, un gran embarque de armas enviado por Cuba fue descubierto, y en setiembre, un atentado contra Pinochet, también falló.

Las fuerzas opositoras a la dictadura se concentraron en el plebiscito convocado en 1988, de acuerdo con lo que establecía la Constitución, para votar si Pinochet continuaba como presidente durante ocho años más (el Sí), o si se convocaban elecciones presidenciales en 1989 (el No). Las presiones del gobierno de los Estados Unidos y de muchas organizaciones privadas obligaron a Pinochet a respetar las reglas del juego democrático, facilitando igual acceso a la televisión, el retorno de los exiliados políticos y el fin de la censura. La oposición constituyó la Concertación de Partidos por el No en febrero de 1988; era una alianza entre la Democracia Cristiana, los socialistas, los radicales socialdemócratas y otros grupos. En las elecciones del 5 de octubre de 1988, y luego de una imaginativa y mediática campaña, la Concertación se impuso con el 56% de los votos[23]. La

---

23. La película chilena *No* (2012), dirigida por Pablo Larraín, con guión de Pedro Peirano y protagonizada por Gael García Bernal, es

coalición de partidos cambió su nombre a Concertación de Partidos por la Democracia y se impuso fácilmente en las elecciones presidenciales del 14 de diciembre de 1989. El 11 de marzo de 1990, el demócrata cristiano Patricio Aylwin asumió la presidencia de Chile, mientras que de acuerdo con la Constitución, Augusto Pinochet siguió siendo el comandante en jefe del ejército. La dictadura había terminado.

La historia que sigue es relativamente sencilla. La Concertación, una coalición que puede definirse como de centro-izquierda, gana las elecciones presidenciales en 1994, 2000, 2006 y 2014, mientras que la alineación de centro-derecha, representada por Renovación Nacional, obtiene el triunfo en 2010. La democracia se fue consolidando paulatinamente, con varias reformas constitucionales sistematizadas en 2005. El modelo económico impuesto durante el régimen de Pinochet fue extendido y perfeccionado, con un éxito bastante notable.

Esto se puede apreciar en el Gráfico 7.6, donde se presenta la evolución del PIB per cápita de Argentina, Brasil y Chile en el período 1970-2010, medido en términos reales. El índice sube levemente entre 1970 y 1972, para caer luego hasta 1975; sólo en 1979 se recuperan los niveles de 1972, y el índice sigue aumentado hasta 1981; luego viene la larga crisis de los ochenta hasta 1989, cuando se volvió a llegar a los niveles de 1981. A partir de 1990 –es decir, cuando retorna la democracia–, el PIB per cápita aumenta continua y sostenidamente, sólo con dos leves caídas en 1999 y

particularmente ilustrativa sobre el clima político, social y cultural vivido en el Chile de esos días; vencer el miedo con un mensaje mayoritariamente atractivo fue el desafío principal a que se enfrentó la Concertación.

Gráfico 7.6
Argentina, Brasil y Chile. PIB per cápita en dólares de 1990

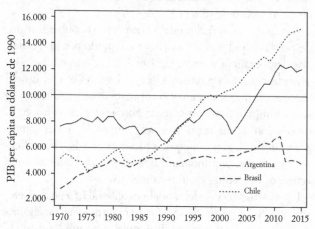

Fuente: Bértola y Ocampo, *op. cit.;* CEPAL.

en 2009; entre 1990 y 2010, el índice se duplica, pasando de 6.400 dólares a un poco más de 13.000 dólares.

La comparación con Argentina es muy ilustrativa: en las décadas de 1970 y 1980, el PIB per cápita de la Argentina es bastante mayor que el chileno, aunque su tendencia es de franca declinación, pero en la década 1990 el PIB per cápita de Chile supera al de Argentina en forma muy notoria. Aunque como bien sabemos, el PIB per cápita es una medida agregada de la riqueza que no refleja su distribución, es obvio que indica, en el caso chileno, un crecimiento económico espectacular a partir de 1990. La comparación con el caso de Brasil es también aleccionadora; en los cuarenta años que van de 1970 a 2010, la economía brasileña crece en forma continua y con relativamente menos crisis, pero los aumentos del PIB per cápita son lentos y pausados, pasando de unos 4.900 dólares en 1990 a 6.700 en 2010, es decir un aumento de sólo el 35%.

¿En qué consistió el modelo económico neoliberal seguido por la dictadura de Pinochet y adoptado por los gobiernos democráticos a partir de 1990? Ya se han evocado las privatizaciones, la apertura al capital extranjero, el fin del proteccionismo aduanero y la contención de los salarios y el gasto público; hay que agregar ahora, el gran éxito en la promoción de las exportaciones, sobre todo en el campo agroindustrial, con una agricultura tecnificada, diversificada y eficiente, una inflación bastante baja y la gestión de acuerdos bilaterales de libre comercio.

Los costos sociales del modelo neoliberal fueron muy elevados, pero a partir de 1990 los gobiernos han hecho esfuerzos considerables para disminuirlos. Según datos de la CEPAL, en 1990 el 38,6% de la población chilena era pobre (un 10,6% era indigente); en 2013, la proporción de pobres había disminuido a un 7,8% (2,3% de indigentes); el desempleo osciló entre un 5 y un 10%. Más difícil de mejorar ha sido la desigualdad en la distribución del ingreso; según datos también de CEPAL, en 1990 el 40% de la población disponía de un 13,2% del ingreso total, mientras que el 10% más rico tenía a su disposición un 41%; en 2013 esa disponibilidad era del 15,3% para el 40% con menores ingresos, y del 36,2% para el 10% más rico[24]. En el campo de la salud, la vivienda y la educación hay todavía, sin duda, muchas deudas pendientes.

24. Véase ECLAC (Economic Commission for Latin America and the Caribbean), *Social Panorama of Latin America,* Santiago de Chile, United Nations, 2014.

La reconciliación con el pasado y la recuperación de la memoria histórica fue algo logrado paulatinamente a partir de 1990. La inauguración en Santiago de Chile del Museo de la Memoria y los Derechos Humanos, el 11 de enero de 2011, constituyó, en este sentido, un momento emblemático que se sumó a muchas otras acciones promovidas tanto por el Estado como por las organizaciones más diversas de la sociedad civil[25].

Perú[26]

En 1980 los militares peruanos entregaron el poder a Fernando Belaúnde Terry, recién electo como presidente constitucional. No deja de ser una paradoja que en 1980 volviera a la presidencia del Perú la misma persona que fue derrocada por los militares en 1968. Eso sí, en los doce años transcurridos la fisonomía del país se había modificado sustancialmente; ahora un tercio de la población vivía en la

---

25. Véase Peter Winn, Steve J. Stern, Federico Lorenz y Aldo Marchesi, *No hay mañana sin ayer. Batallas por la memoria histórica en el Cono Sur,* traducido por Yolanda Westphalen Rodríguez, Santiago de Chile, Lom Ediciones, 2014.
26. Carlos Contreras y Marcos Cueto, *Historia del Perú contemporáneo. Desde las luchas por la independencia hasta el presente,* 5.ª ed., Lima, Instituto de Estudios Peruanos, 2013; Peter F. Klarén, *Nación y sociedad en la historia del Perú,* traducido por Javier Flores, Lima, Instituto de Estudios Peruanos, 2012; Jo-Marie Burt, *Violencia y autoritarismo en el Perú: bajo la sombra de Sendero y la dictadura de Fujimori,* traducido por Aroma de la Cadena y Eloy Neira Riquelme, 2.ª ed., Lima, Instituto de Estudios Peruanos, 2011; Teivo Teivainen, *Enter Economy, Exit Politics. Transnational Politics of Economism and Limits to Democracy in Peru,* Helsinki, The Finnish Political Science Association, 2000.

gran área metropolitana de Lima; la reforma agraria había herido de muerte a la vieja oligarquía terrateniente de la Sierra y el sector de empresas públicas había crecido notablemente; pero hacia 1980 la deuda externa se acumulaba peligrosamente y la crisis económica era manifiesta. Belaúnde se propuso aplicar un paquete de ajuste draconiano, y contaba con el concurso de los *Chicago Boys* del Perú, fieles y aplicados émulos de sus vecinos chilenos. Pero la crisis de la deuda en 1982 y una secuencia de catástrofes climáticas en 1983 precipitaron al país en la peor crisis desde la derrota en la guerra del Pacífico en 1880. A todo esto se le sumó la aparición de las guerrillas: Sendero Luminoso en 1980 y el MRTA (Movimiento Revolucionario Túpac Amaru) en 1985.

A pesar de lo difícil de la situación, las elecciones de febrero de 1985 transcurrieron normalmente y consagraron un aplastante triunfo de Alan García, el joven y carismático candidato del APRA. Después de una larguísima saga, iniciada en la década de 1920, el partido de Haya de la Torre alcanzaba finalmente el poder. El programa de gobierno de Alan García pretendía conjugar la reforma social con el progreso económico; o dicho de otro modo, apoyar tanto a los pobres y desfavorecidos como a las élites empresariales. Alan García desafió al FMI y restringió el pago de la deuda a un 10% del valor de las exportaciones; la industria nacional fue protegida, se impuso un cierto control de precios y se manejaron tipos de cambio múltiples; la economía tuvo una cierta recuperación en 1986 y 1987, pero pronto aumentó el déficit fiscal, se desató la inflación y las protestas sociales se acumularon; en 1987 Alan García intentó nacionalizar totalmente los bancos, algo que el Congreso rechazó, pero precipitó al país en la hiperinflación, mientras se producía una fuga masiva de capitales. Sendero Luminoso desató una fuerte ofensiva en 1988 y 1989, al igual que el MRTA, al tiempo que establecía una alianza temporal con el narcotráfico, cada vez más activo en las laderas andinas de la selva amazónica. Dos finos conocedores de la historia peruana evocan esta coyuntura en los términos siguientes[27]:

> En 1989, el Perú parecía al borde del abismo. Terrorismo, inflación, narcotráfico y pobreza extrema eran como los cuatro jinetes de un apocalipsis bíblico. Las acciones subversivas registradas por la policía, que en 1980 habían sido 219, se incrementaron hasta 3.149 en 1989. Muchos peruanos decidieron emigrar a otros países: entre 1988 y 1994 se estima que emigraron alrededor de un millón de peruanos, la mayoría proveniente de la clase media.

La campaña electoral y las elecciones de 1990 transcurrieron en gran tensión; el electorado ya no confiaba en los políticos de los partidos tradicionales, así que las fuerzas se polarizaron en torno a las candidaturas de Mario Vargas Llosa, el laureado novelista, ahora vocero del neoliberalismo más encendido, y Alberto Fujimori, un ingeniero agrónomo, hijo de un inmigrante japonés, antiguo rector de la Universidad Nacional Agraria, que se lanzó a la campaña montado en un tractor con el lema: «Honradez, tecnología y trabajo». Hábil orador, Fujimori irradió una aureola de eficiencia oriental y compromiso con los mestizos, frente a un Vargas Llosa identificado con la élite blanca, europeizada, y el neoliberalismo conservador. Al final, Fujimori se impuso en la segunda vuelta de las elecciones con un 57% del

27. Contreras y Cueto, *Historia del Perú contemporáneo. Desde las luchas por la independencia hasta el presente,* p. 380.

total, una vez que logró captar los votos del APRA y la izquierda. Los diez años de gobierno de Fujimori, conocido popularmente como «el Chino», marcaron profundamente la historia contemporánea del Perú: derrotó al movimiento subversivo, acabó con la inflación y a partir de 1994 logró retomar el crecimiento económico, al costo de una solución autoritaria, en la que mediaron innumerables violaciones a los derechos humanos y una fuerte corrupción.

Fujimori inició su gobierno con un fuerte paquete de ajuste, pronto bautizado por la prensa como el «fujishock»; liberó los precios, las tasas de interés y la tasa de cambio, bajó drásticamente los aranceles, abrió las puertas al capital extranjero y contuvo el gasto público. Más tarde se agregaron las consabidas privatizaciones, afectando a unas 150 empresas entre 1991 y 1998, sin contar al sector bancario, el cual también fue afectado. Otro aspecto importante fue la renegociación de la deuda externa y la fuerte promoción de las exportaciones, apoyándose en la llegada de la inversión extranjera y la introducción de nuevas tecnologías. Estas medidas, junto con un aumento en el precio internacional de los minerales de exportación, permitieron el retorno del crecimiento económico a partir de 1994.

El otro aspecto central en la gestión de Fujimori fue el éxito en la lucha antisubversiva. Dio carta blanca a los militares, incluyendo la entrega de armas a las «rondas campesinas», que funcionaban en los pueblos y aldeas como comités de autodefensa armada, y la sujeción del delito de subversión al fuero militar sumario. Como Fujimori no contaba con mayoría en el Congreso, la implementación de estas y otras medidas de transformación resultaba a menudo bloqueada por la oposición; ante esta situación Fujimori efectuó un «autogolpe», el 5 de abril de 1992: cerró el Congreso, suspendió la

Constitución e intervino el poder judicial. El manejo autoritario, apoyado por los militares, se reveló eficaz; las reformas económicas avanzaron con rapidez, y en setiembre de 1992 la lucha antisubversiva se apuntó un éxito notable; el líder máximo de Sendero Luminoso fue detenido, y con él cayeron también los archivos digitales de la organización; en poco tiempo el movimiento fue completamente desarticulado.

Las presiones extranjeras contra el autogolpe y la dictadura obligaron a Fujimori a convocar elecciones y elaborar una nueva Constitución de corte autoritario en 1992, la cual fue aprobada en un plebiscito en 1993. En 1995 Fujimori fue reelecto por otros cinco años más; fue sin duda, su momento de gloria, con una economía en crecimiento y una pacificación relativa, a pesar de que había costado miles de víctimas. A fines de 1996, la toma de la embajada de Japón por el MRTA terminó en una operación comando en la cual murieron todos los guerrilleros, incluyendo al líder máximo de dicho movimiento; el éxito de la estrategia antisubversiva de Fujimori se completó con una ley de amnistía, aprobada en 1995, en beneficio de todos los miembros de la policía y las Fuerzas Armadas acusados de violaciones a los derechos humanos durante la lucha antiguerrillera.

Al acercarse el fin de su período, Fujimori decidió postularse nuevamente a la reelección, a pesar de crecientes denuncias de corrupción y de un deterioro creciente del régimen y de su imagen; la Constitución de 1993 sólo permitía la reelección por una única vez, así que tuvo que elaborar una interpretación «auténtica» de la misma, afirmando que sólo se aplicaba a partir de su vigencia, y por lo tanto no a la primera elección de Fujimori, durante la cual había regido la Constitución de 1979; el tribunal constitucional rechazó esta interpretación pero el Congreso la ratificó.

Así las cosas, Fujimori fue reelecto en 2000, en una situación política muy tensa y volátil. En setiembre de ese año la oposición reveló a los medios un conjunto de videos del Servicio de Inteligencia Nacional, dirigido por Vladimir Montesinos, el más cercano colaborador de Fujimori; esos videos habían sido utilizados para comprar y extorsionar a medios de comunicación, políticos y diputados de oposición; el escándalo, acompañado de manifestaciones y protestas, culminó con la renuncia, huida y destitución de Fujimori en noviembre de ese mismo año.

En 2001, el economista Alejandro Toledo fue electo como presidente constitucional del Perú. La Comisión de la Verdad y la Reconciliación, activa entre 2001 y 2003, produjo un detallado informe sobre las violaciones a los derechos humanos entre 1980 y 2000 señalando un total de casi 70.000 víctimas entre muertos y desaparecidos; los grupos insurgentes fueron responsables de alrededor de un 60% de las matanzas, mientras que al Estado y sus agentes debe atribuirse el restante 40%[28]. Parece casi milagroso que a pesar de múltiples tropiezos, la democracia en el Perú acabe consolidándose a partir de 1980, en un clima de fuerte crisis económica y terrible violencia.

El Gráfico 7.7 presenta la evolución del PIB per cápita del Perú entre 1970 y 2010, expresado en dólares de 1990; en él se presenta también la tasa anual de inflación. La evolución de la riqueza por habitante muestra aumentos moderados a inicios de la década de 1970, seguidos de un estancamiento y una caída también moderada; en 1980 el PIB per cápita era de 4.300 dólares; el desplome a partir de 1982 es notorio. El índice se recupera al inicio del período de Alan

28. Burt, *Violencia y autoritarismo en el Perú: bajo la sombra de Sendero y la dictadura de Fujimori,* p. 26.

Gráfico 7.7
Perú. PIB per cápita e inflación anual

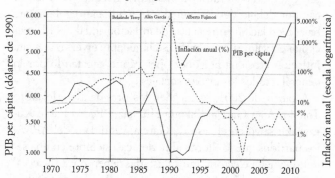

Fuente: Bértola y Ocampo, *ibid.,* Banco Central de la Reserva de Perú, datos históricos en línea.

García, en 1985-1987, pero luego cae abruptamente, llegando a alrededor de 3.000 dólares en 1990 y el inicio del período de Fujimori; el éxito de las políticas neoliberales se puede ver en el rápido crecimiento del PIB per cápita hasta 1997; luego sigue un estancamiento que llega a 2001; en los nueve años siguientes, hasta 2010, el PIB per cápita aumentó en forma sostenida; su valor en 2010 era el doble de lo que había sido en 1992, el punto más bajo en todo el período considerado. El comportamiento del índice de inflación anual ilustra bien un caso extremo de hiperinflación, algo que también afectó a países como Chile, Argentina y Brasil; dada la amplitud de las variaciones, el gráfico utiliza una escala logarítmica, en la cual se señalan varios umbrales significativos. Como se puede observar, en la década de 1970 la inflación creció progresivamente de un 5% anual a casi un 100% a inicios de la década siguiente; a partir de 1988 la inflación se dispara, llegando a un fatídico 7.481% en 1990.

La caída progresiva de la inflación en la década de 1990 fue un resultado del «fujishock»; a partir del 2000 la inflación cae por debajo del 5% anual y se mantiene regularmente baja. La relación entre la tasa de inflación anual y el PIB per cápita en valores constantes es claramente inversa; una alta inflación erosiona la riqueza per cápita, afectando por lo general a todos los niveles sociales.

A partir de 2001, se suceden los presidentes Alejandro Toledo, Alan García, Ollanta Humala y Pedro Pablo Kuczynski; salvo en el caso de García, candidato del APRA, los partidos que los llevan al poder, casi siempre en una segunda vuelta electoral muy ajustada, tienen poca trayectoria y son más bien agrupaciones formadas con propósitos electorales de corto plazo.

En el campo económico domina la opción neoliberal, la cual se consolida progresivamente. Varios tratados de libre comercio, firmados en la década del 2000, reafirman una nueva y dinámica inserción internacional de la economía peruana. A pesar del crecimiento sostenido, e indudables avances, en 2014 un 23% de la población sigue estando en situación de pobreza; en el campo la situación es mucho más extrema, con un 46% de la población en esa situación vulnerable[29].

Colombia[30]

La trayectoria colombiana se aparta notablemente de los patrones sudamericanos más típicos. De 1945 a 2015 el crecimiento económico fue positivo, con pocos sobresaltos; no

29. Datos de la CEPAL, Country Profiles, en línea.
30. Marco Palacios y Frank Safford, *Colombia. País fragmentado, sociedad dividida. Su historia,* traducido por Ángela García, Bogotá, Edi-

hubo episodios de hiperinflación ni tampoco crisis de la deuda en la década de 1980; el PIB per cápita en términos reales creció a un ritmo anual de algo más del 1%, una cifra moderada pero con mínimas oscilaciones (Gráfico 7.8).

Durante casi todo el período considerado, el gobierno de Colombia estuvo en manos del Partido Liberal y del Partido Conservador, dos fuerzas políticas tradicionales con hondas raíces en el siglo XIX. Por otra parte, hasta la década de 1990 el Estado colombiano fue relativamente pequeño y débil en comparación con otros ejemplos latinoamericanos. El gasto público pasó de un 16% del PIB a mediados de los setenta a un 27% en los noventa; mientras, se producía un importante proceso de descentralización[31]. La Constitución de 1991 respondió, al menos en la letra, a las demandas de un Estado más moderno y democrático, con reconocimiento de la pluralidad étnica y la protección del medio ambiente; sin embargo, como siempre ocurre en América Latina, la distancia entre las expectativas y los logros concretos ha sido notoria[32].

Las líneas generales de la historia política de Colombia a partir de 1945 son relativamente simples. El asesinato de

torial Norma, 2002; Salomón Kalmanovitz (ed.), *Nueva historia económica de Colombia,* Bogotá, Taurus, 2010; James A. Robinson y Miguel Urrutia (eds.), *Economía colombiana del siglo XX: un análisis cuantitativo,* Bogotá, Fondo de Cultura Económica, 2007; GRECO, Grupo de Estudios del Crecimiento Económico, *El crecimiento económico colombiano en el siglo XX,* Bogotá, Banco de la República / Fondo de Cultura Económica, 2002.

31. José Antonio Ocampo Gaviria (comp.), *Historia económica de Colombia,* edición revisada y actualizada, Bogotá, Planeta, 2007, pp. 388-389.

32. Palacios y Safford, *Colombia. País fragmentado, sociedad dividida. Su historia,* pp. 612-615.

Jorge Eliécer Gaitán, un connotado abogado y político del Partido Liberal, el 9 de abril de 1948, desató, como bien se sabe, primero una insurrección popular conocida como el «Bogotazo», y luego una sangrienta guerra civil entre liberales y conservadores conocida como «La Violencia». Los niveles y fluctuaciones de la tasa de homicidios por cada 10.000 habitantes, en ese período, se pueden seguir en el Gráfico 7.8. La guerra civil concluyó en 1957 cuando los dos partidos políticos tradicionales firmaron un pacto estableciendo el «Frente Nacional»; fue un acuerdo de alternancia entre presidentes de ambos partidos, el cual estuvo vigente desde 1958 a 1974.

La debilidad relativa del Estado se expresaba también en la ausencia de control sobre muchos territorios de acceso difícil; desde el período colonial, y debido a la peculiar geografía del territorio colombiano, con sus tres cordilleras pa-

Gráfico 7.8
Colombia. Tasa de homicidios y PIB per cápita

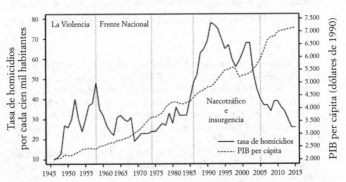

Fuente: PIB per cápita, Bértola y Ocampo, *op. cit.,* homicidios, Instituto de Medicina Legal de Colombia.

ralelas y una extensa franja selvática hacia el Amazonas y el noroeste del litoral pacífico, el poblamiento se parecía más bien a un vasto archipiélago, muchas veces penosamente conectado. Estos espacios fragmentados se articulaban a través de una red de ciudades y los ríos Cauca y Magdalena, pero los costos y dificultades del transporte imponían muy serias restricciones y dejaban muchas zonas fuera de un control estatal efectivo. La colonización agrícola, empujada por el fuerte crecimiento demográfico a partir de la década de 1940, se movió, lenta pero firmemente, hacia estas zonas «vacías»; es precisamente en estas vastas fronteras interiores que se afincan dos fenómenos sociales nuevos: el narcotráfico y las guerrillas insurgentes[33].

Las guerrillas surgen en la década de 1960 a partir de dos corrientes distintas; por un lado, el movimiento agrarista comunista, enraizado en la época de «La Violencia», y por otro, el foquismo guevarista impulsado desde Cuba. De la primera corriente, el principal grupo es el de las FARC (Fuerzas Armadas Revolucionarias de Colombia), mientras que en la segunda se inscribieron grupos como el ELN (Ejército de Liberación Nacional) y en parte también el M-19 (Movimiento 19 de abril de 1970). Las guerrillas inspiradas en el foquismo tuvieron una vida relativamente corta; luego de algunas acciones espectaculares no resistieron los embates de las fuerzas de seguridad y no consiguieron un implante suficiente en las zonas rurales. Muchos de sus miembros, los que no cayeron en combate o tuvieron que exiliarse, se acogieron a programas de amnistía y se reintegraron a la vida civil. Muy distinta fue la trayectoria de las FARC, firme en sus bases campesinas que databan de la

33. *Ibid.,* pp. 643-675, y sobre todo el mapa de la p. 666.

época de «La Violencia». Durante las décadas de 1960 y 1970 estuvieron sujetas a las líneas del Partido Comunista Colombiano (prosoviético), siendo el brazo armado de una estrategia que combinaba todas las formas de lucha, desde huelgas y movimientos de masas hasta la participación electoral; resistiendo la represión del ejército, las FARC se consolidaron en zonas selváticas, alejadas y de difícil acceso, particularmente en el sur de Colombia. A fines de la década de 1980 las FARC abandonaron los vínculos con el Partido Comunista Colombiano y se asumieron como un movimiento guerrillero independiente, estableciendo vínculos estrechos con los campesinos cocaleros y el narcotráfico. Secuestros y extorsiones a la población civil y un enfrentamiento permanente con el ejército, en un marco de inusitada violencia, al igual que una importante visibilidad internacional, formaron parte de las acciones de las FARC, constituidas ahora en el principal grupo insurgente de Colombia. Los terratenientes y los militares organizaron y financiaron grupos armados irregulares para combatir las guerrillas; el más importante de estos grupos paramilitares fue el denominado Autodefensas Unidas de Colombia, el cual operó entre 1996 y 2006; estos grupos actuaron pronto con una dinámica propia, siempre fuera de la ley, en vinculación con sus patrocinadores y también con el crimen organizado.

El narcotráfico combinó actividades económicas y comerciales ilegales con una organización militar sofisticada destinada a enfrentar tanto al Estado (colombiano y estadounidense) como a otras organizaciones mafiosas. Su expansión se produjo en varias fases. Al inicio, en la década de 1970, se trató de la exportación de marihuana a los Estados Unidos, sustituyendo al abastecimiento desde México, el

cual había sido frenado por la política antidrogas del gobierno de Nixon a partir de 1971; la marihuana se exportaba por mar, desde la costa caribe, y también por avión. Pero
el auge «marimbero», como se lo conoce en Colombia,
duró poco; ante las presiones de los Estados Unidos, el gobierno colombiano emprendió grandes operativos militares
impulsando la destrucción de las plantaciones a finales de
la década de 1970. Viéndola en perspectiva, la experiencia
fue más bien un ensayo de lo que vendrá. Dice Krauthausen[34]:

En la bonanza marimbera se encuentran todos los elementos de
una eclosión ilegal: emergentes millonarios que dilapidan sus
dólares; pequeños campesinos y banqueros, mensajeros y políticos que participan en el negocio; ladrones y extorsionistas que
acuden, en este caso con frecuencia desde el interior del país,
para hacerse de su parte del ponqué [versión colombiana del
pound cake]; enfrentamientos permanentes y una corrupción
rampante.

La siguiente etapa fue la de la cocaína. Al comienzo se
importaba pasta de coca desde Perú y Bolivia –ya que la
coca no se cultivaba en Colombia– para procesarla, obtener
la cocaína y exportarla hacia Estados Unidos[35]. Pero pronto
se pasó a sembrarla y el proceso completo se trasladó a tierras colombianas. La tremenda expansión de las exporta-

34. Ciro Krauthausen, *Padrinos y mercaderes. Crimen organizado en
Italia y Colombia,* Bogotá, Espasa Hoy, 1997, p. 144.
35. Sobre el cultivo y uso tradicional de la coca en los Andes, véase
Ruggiero Romano, «¿Coca buena, coca mala? Su razón histórica en el
caso peruano», *Investigación Económica (UNAM),* vol. 43, núm. 168
(1984), pp. 293-331; Paul Gootenberg, *Andean Cocaine: The Making of
a Global Drug,* Chapel Hill, University of North Carolina Press, 2008.

ciones y el consumo, en la década de 1980, condujo a la rápida configuración de una compleja red de organizaciones criminales, centradas en el Cártel de Medellín y el Cártel de Cali[36]. Los empresarios antioqueños de la cocaína se apoyaron en redes preexistentes de contrabando y delincuencia urbana, y organizaron la distribución en los Estados Unidos utilizando los numerosos migrantes colombianos que habían llegado en las décadas de 1960 y 1970; estallaron sangrientos enfrentamientos entre facciones de narcotraficantes, pero pronto los colombianos se impusieron sobre otros competidores, como los cubanos.

En la década del ochenta el Cártel de Medellín controlaba todas las fases del proceso de producción y exportación, disponiendo de una compleja infraestructura; muchas toneladas de cocaína eran así enviadas a los Estados Unidos, Europa y Japón. El sistema requería también de un complejo aparato militar de protección y una red financiera que permitiera legitimar las cuantiosas ganancias obtenidas en las diversas fases del negocio. Es importante notar que el negocio de la droga implica muchos actores en el cultivo de la coca y la elaboración de la pasta, pero el procesamiento que sigue queda concentrado en pocas manos, lo mismo que la exportación; la distribución y el consumo vuelve a implicar muchos actores, en ambientes y grupos sociales muy diversos. El carácter ilegal del negocio empuja a una cadena muy extensa de intermediarios, ya que este es el modo de disminuir los altísimos riesgos del transporte de la mercan-

---

36. El nombre de «cártel» fue puesto por la DEA *(Drug Enforced Administration);* no tiene que ver con la noción económica de cártel en el sentido de empresas que se ponen de acuerdo para mantener los precios de un producto determinado; alude más bien a una alianza entre narcotraficantes.

cía; el cártel es precisamente la forma de controlar esta cadena de participantes[37], cuidando lealtades y garantizando los secretos mediante un uso extremo de la violencia. Los enemigos del narcotráfico son los Estados, en este caso el gobierno de Colombia y el de los Estados Unidos, y también otros narcotraficantes competidores. La confrontación fue siempre liderada por el gobierno norteamericano, con una política que considera el consumo de drogas como un crimen y no una adicción que debería tratarse como un problema de salud pública y de salud individual. El papel de los paramilitares, los narcotraficantes y las guerrillas cobra, en este contexto, una significación particular; hay una extensa zona gris en la cual los límites se confunden y lo único que sobresale es la violencia generalizada.

El Cártel de Medellín tuvo su momento de apogeo entre 1978 y 1993. Una vez que eliminó a los competidores, Pablo Escobar Gaviria, el zar indiscutido de la droga, intentó participar en la política y fue incluso electo como representante suplente al Congreso en 1982; fue la culminación de un esfuerzo por agregar a su notoriedad como uno de los hombres más ricos del mundo, la imagen de un benefactor que financiaba clubes de fútbol y otros emprendimientos en beneficio de los pobres y necesitados. Pero tanto la DEA como el gobierno colombiano estaban detrás de sus negocios; el ministro de Justicia Rodrigo Lara Bonilla lo acusa, al igual que el diario *El Espectador,* y pierde su banca en el Congreso y la inmunidad parlamentaria. En marzo de 1984 la policía nacional y la DEA descubrieron y destruyeron un gran centro de producción de cocaína en la selva, denomi-

---

37. Ver detalles en Krauthausen, *Padrinos y mercaderes. Crimen organizado en Italia y Colombia,* pp. 120-123.

nado «Tranquilandia», que le pertenecía. Al mes siguiente el ministro de Justicia fue asesinado por esbirros de Escobar y lo mismo ocurrió en 1986 con el director de *El Espectador*. Estos eventos desataron una guerra sin cuartel entre el gobierno y los narcotraficantes, involucrando también a las guerrillas y los paramilitares; decenas de jueces, policías, periodistas, funcionarios y políticos fueron secuestrados y asesinados. Momentos particularmente sangrientos fueron la toma del Palacio de Justicia por el M-19, en 1985, en la cual murieron casi todos los jueces de la Corte y se destruyeron los archivos relativos al narcotráfico, y la explosión de una bomba en un vuelo de AVIANCA, en 1989, donde murieron 110 pasajeros. La espiral de violencia incluyó también una guerra entre el Cártel de Medellín y el Cártel de Cali. Esta segunda organización criminal operaba en forma más limitada en otra zona geográfica, pero acabó enfrentada con Escobar hacia 1987; delaciones y ajustes de cuentas pasaron a engrosar la ya enorme lista de una violencia sanguinaria.

La Constitución de 1991 prohibió la extradición de colombianos, algo exigido por los narcotraficantes, siempre temerosos de la justicia norteamericana, que reclamaba con insistencia a los principales capos de la droga. Hubo muchas negociaciones de pacificación, con escasos resultados positivos; algunos narcotraficantes se entregaron a cambio de penas disminuidas, pero de hecho lo que ocurría es que seguían dirigiendo sus negocios desde la cárcel. El caso más extremo fue el de Pablo Escobar: negoció su entrega en junio de 1991 a cambio de la reclusión en una cárcel construida para él, en una finca de su propiedad, custodiada por el ejército; la «prisión» incluía lujosas comodidades y todo el personal estaba sobornado por el capo; así pues, la detención era más bien simbólica; cuando el gobierno se propuso detener en serio a Escobar y trasladarlo a una base militar, logró escapar con toda facilidad en julio de 1992. En diciembre de 1993 un grupo especial de las fuerzas de seguridad lo acorraló en Medellín y el capo murió acribillado sobre unos tejados. En un cuadro notable, Fernando Botero pintó su muerte como parte del paisaje antioqueño más típico, con un aire que tiene algo de un barroco querubín caído[38].

Las rutas de la droga hacia los Estados Unidos son básicamente tres: una a través del Caribe, pasando por las Bahamas y siguiendo hasta Miami y la Costa Este; otra a través del golfo de México, llegando hasta Luisiana y Texas; y una tercera a través de Panamá, Centroamérica y México, orientada principalmente hacia California. Estos largos recorridos impusieron la necesidad de contar con suficientes apoyos logísticos, incluyendo cadenas de intermediarios en varios países y también la correspondiente red financiera de lavado. La política de los Estados Unidos, siempre enfocada hacia el control de la oferta, se endureció notablemente a partir de 1999 con la aprobación del así llamado «Plan Colombia».

En la primera década del siglo XXI tanto Colombia como los Estados Unidos invirtieron fuertemente en programas para destruir los cultivos de coca y los laboratorios donde se elabora la cocaína, además de operativos continuos de vigilancia para terminar con el tráfico. Hacia 2010 el Plan había dado resultados positivos en cuanto a la disminución de

---

38. El cuadro se titula *La muerte de Pablo Escobar;* fue realizado en 2006 y está en el Museo de Antioquia; Botero tiene también otras pinturas sobre el tema.

los cultivos y la producción de cocaína colombiana, pero el costo humano en víctimas fue considerable, lo mismo que los efectos ambientales negativos derivados de la destrucción de los cultivos mediante la fumigación[39]. Los efectos globales sobre el narcotráfico son, en cambio, relativamente tenues; el abastecimiento de hojas de coca se desplaza hacia Bolivia, Ecuador y Perú, mientras que los cárteles mexicanos pasan a controlar casi todo el tráfico hacia los Estados Unidos.

La pacificación de Colombia tardó en completarse y pasó por dos fases diferentes. La primera fue la desmovilización de los paramilitares, en particular las Autodefensas Unidas de Colombia, entre 2003 y 2006, durante la presidencia de Álvaro Uribe; la segunda, mucho más lenta y compleja, fue la paz con las FARC, cuyas negociaciones empezaron en 2011 y recién culminaron a fines de 2016, durante la presidencia de Juan Manuel Santos.

Conviene ahora volver al Gráfico 7.8; allí se puede apreciar el fuerte aumento de la tasa de homicidios entre 1985 y 2005; después de 2010 la caída es continua, pero hay que notar que aun en 2015, con un nivel de 26 por cada 100.000 habitantes, la cifra colombiana es unas cinco veces mayor que la de los Estados Unidos. Lo que llama mucho la atención es el contraste entre los elevados niveles de la violencia y el aumento constante y con escasas fluctuaciones del PIB per cápita; la leve caída en 1998-2000 fue debido a la reper-

39. Daniel Mejía, *Plan Colombia: An Analysis of Effectiveness and Costs,* Foreing Policy, Center for 21st Century Security and Intelligence, Washington DC, The Brookings Institution, 2016; Daniel Mejía y Pascual Restrepo, *The Economics of the War on Illegal Drug Production and Trafficking,* Documentos CEDE, Bogotá, Universidad de Los Andes, 2013.

cusión de la crisis asiática en una economía como la colombiana que desde la década de 1990 estaba experimentando una fuerte apertura al exterior.

Surge enseguida la pregunta acerca del impacto económico del narcotráfico; los estudios disponibles sugieren que en la década del ochenta pudo haber representado un 6,5% del PIB, cayendo hacia 2006 a apenas un 1% del PIB[40]. El PIB per cápita sigue creciendo a pesar de la disminución de los negocios del narco; parecería que hay por lo menos dos factores para explicar este crecimiento singular: la diversificación de la economía colombiana y la fragmentación geográfica, lo que hace que a pesar de la violencia haya zonas bastante estables y relativamente ajenas a los conflictos desatados. La guerra civil colombiana puede caracterizarse entonces como una guerra de baja intensidad, cuyas víctimas son sobre todo poblaciones civiles[41].

En el caso colombiano, la democracia ha seguido progresando en un clima de fuerte violencia y mucha impunidad. El crecimiento económico, tal como lo revela el aumento sostenido del PIB per cápita, oculta sin embargo algunos indicadores sociales relativamente desfavorables. Según datos de la CEPAL, en 1991 el 53% de la población colombiana era pobre y un 20% estaba en situación de pobreza extrema; en 2014 las cifras habían bajado a un 28 y un 8%, respectivamente. El desempleo en 2015 rondaba el 9%.

---

40. Se trata del ingreso repatriable, es decir, el que obtienen los productores e intermediarios dentro del país, antes de la exportación de la droga, véase Kalmanovitz, *Nueva historia económica de Colombia*, p. 316.
41. *Ibid.*, pp. 320-321.

Ecuador[42]

El PIB per cápita del Ecuador casi se duplicó en la década de 1970 (Gráfico 7.9) gracias al despegue de las exportaciones petroleras, que se suman a los buenos precios de las exportaciones de banano. El endeudamiento externo permite la construcción de grandes obras de infraestructura y el financiamiento de un consumo, a menudo ostentoso. El Ecuador se moderniza en torno a los viejos polos de Quito y Guayaquil, a los cuales hay que agregar ahora la región de la selva amazónica debido al petróleo. A esa década de fuerte expansión económica le siguen veinte años de estancamiento, entre 1980 y los comienzos del siglo XXI.

Ecuador es casi el modelo de la llamada «década perdida», en un contexto político en el cual, a partir de 1979, se trata más de construir que de recuperar la república democrática. El estancamiento económico, ocasionado por la caída en los precios del petróleo y la explosión de la deuda externa, estuvo además jalonado por circunstancias climáticas difíciles, como el fenómeno de El Niño en 1982-1983 y 1997-1998, y un devastador terremoto en 1987. Caída en los salarios reales, declive en el gasto público social, privatizaciones y corrupción fueron constantes en todos los gobiernos del período; a pesar de esto, hubo elecciones presidenciales regulares cada cuatro años y tres cartas constitucionales, en 1978, 1998

42. Alberto Acosta, *Breve historia económica del Ecuador,* Quito, Corporación Editora Nacional, 2006; Enrique Ayala Mora, *Resumen de historia del Ecuador,* 3.ª ed., Quito, Corporación Editora Nacional, 2008; Carlos Larrea Maldonado, *Pobreza, dolarización y crisis en el Ecuador,* Quito, Ediciones Abya-Yala, 2004; Jorge Salvador Lara, *Breve historia contemporánea del Ecuador,* Bogotá, Fondo de Cultura Económica, 2012.

Gráfico 7.9
Ecuador. PIB per cápita y remesas

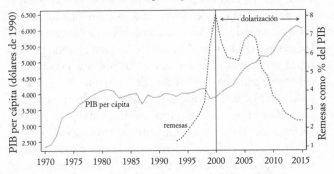

Fuente: PIB per cápita, Bértola y Ocampo, *op. cit.,* remesas, Banco
Central de Ecuador.

y 2008. En febrero de 1997, enero de 2000 y abril de 2005,
ante fuertes movimientos de protesta, los presidentes constitucionales fueron destituidos por el Congreso y reemplazados
por los vicepresidentes (electos o designados por el parlamento); las crisis tuvieron así una repetida salida institucional.
Esto no deja de sorprender, dada la poca consistencia de los
partidos políticos, dominados por el personalismo y una escasa coherencia ideológica. Los militares, la fuerza dominante
en la década de 1970, permanecieron en sus cuarteles a partir
de 1979; solo tuvieron presencia destacada en dos momentos
de un conflicto fronterizo con Perú, en 1981 y 1995, y siempre en el marco de una completa subordinación al poder civil.

El movimiento indígena[43] –recordemos que el Ecuador tenía en 2001 un 7% de la población que se autoidentificaba

43. Yvon Le Bot, *La gran revuelta indígena,* traducido por Danielle Zaslavsky y Nayelli Castro, México, Editorial Océano, 2013, pp. 149-162.

como indígena– experimentó una considerable movilización, sobre todo a partir de 1990; el rol protagónico estuvo en manos de un conjunto de organizaciones comunitarias en red, agrupadas desde 1986 en la Confederación de Nacionalidades Indígenas del Ecuador (CONAIE). La participación política activa se expresó en luchas contra las políticas neoliberales, particularmente en 1997 (caída de Bucaram), 1999 y 2000 (caída de Mahuad), y culminó en 2003 cuando el presidente Lucio Gutiérrez nombró varios ministros indígenas. Luego del fracaso del gobierno de Gutiérrez, el movimiento indígena perdió impulso en la política nacional, lo cual quedó muy claro en las elecciones de 2006, cuando el candidato presidencial del movimiento Pachakutik apenas obtuvo el 2% de los votos.

A fines de 1999 el gobierno de Jamil Mahuad, asediado por el colapso bancario y una fuerte protesta social contra las medidas de ajuste neoliberal, resolvió dar «un salto en el vacío» y proclamó la dolarización; enfrentado a un conato de golpe, Mahuad renunció, pero el nuevo presidente, Gustavo Novoa, continuó con el plan. A una tasa de cambio fijada en 25.000 sucres por dólar, el Banco Central fue retirando la moneda nacional de la circulación, y el país renunció así a la emisión monetaria. Aunque sin mucha experiencia previa en la materia, el FMI apoyó la medida y otorgó auxilios de emergencia a cambio de un paquete de privatizaciones –sobre todo en telecomunicaciones y electricidad–, de una mayor flexibilización del mercado laboral y de una reforma tributaria que elevó el IVA y redujo el impuesto sobre la renta. La economía se recuperó lentamente al costo de un fuerte aumento en el número de pobres y de un incremento constante de la emigración, algo que venía ocurriendo desde varios años atrás; las remesas de los migrantes, provenientes sobre todo de España y los Estados Unidos, se agregaron a los sectores tradicionales de exportación como importantes fuentes de divisas. La trayectoria de esos fondos de las remesas, expresados en porcentajes del PIB, se puede seguir en el Gráfico 7.9; el aumento sostenido del PIB per cápita en términos reales a partir de 2003 tuvo que ver, sin duda, con el impacto positivo de estas remesas unido enseguida al incremento de los precios del petróleo. Baja inflación, retorno de las inversiones extranjeras y descenso en las tasas de interés parecen haber sido los efectos más visibles de la dolarización; es obvio, sin embargo que el aumento continuo en el PIB per cápita se debió sobre todo al incremento en los precios de las exportaciones y a la relativa estabilidad económica.

La dolarización fue una respuesta fuerte ante una crisis económica recurrente; hizo a un lado el poder de las élites para manipular el tipo de cambio y la tasa de interés, pero ató al país, todavía con más fuerza, al carro de la globalización. La respuesta desde abajo a los veinte años de crisis y estancamiento fue la emigración. Miles de ecuatorianos hicieron sus maletas y partieron hacia España y los Estados Unidos, como destinos principales, para buscar trabajo y enviar remesas a sus familiares. Las cifras disponibles[44] indican que si en la década de 1990, el promedio anual de emigración neta fue de unas 30.000 personas, en la década del 2000, superó con creces las 100.000 salidas anuales. En el año 2000 había casi 300.000 ecuatorianos viviendo legalmente en los Estados Unidos; en España, hacia 2005 los ecuatorianos residentes casi llegaban a los 500.000 habitantes. La crisis económica de 2008-2009 interrumpió este flujo migratorio, pero para entonces el Ecuador estaba buscando un rumbo político nuevo.

44. UNFPA y FLACSO, *Ecuador: las cifras de la migración internacional,* Quito, FLACSO, 2006.

Desde 2007, el presidente Rafael Correa estaba convocando a una «Revolución ciudadana» con un fuerte sabor a las recetas populistas y con ingredientes que se distanciaban del neoliberalismo[45]. Alianza País, el partido, o más bien movimiento político, encabezado por Correa, triunfó en las elecciones de noviembre de 2006 gracias al carisma de su líder y al ofrecimiento de nuevas expectativas a un electorado hastiado de la corrupción e ineficiencia de los partidos políticos tradicionales y de las recetas neoliberales. Correa agregó también la denuncia de unos medios de comunicación corruptos, abogando por una democracia participativa y un énfasis en la salud, la educación y las obras de infraestructura. La nueva Constitución de 2008 dio las bases para una democracia plebiscitaria, caracterizada por un poder ejecutivo fuerte, un legislativo condescendiente y un poder judicial escasamente independiente; la legitimidad quedó garantizada por consultas electorales tipo referéndum y una participación ciudadana en organizaciones locales y regionales, de hecho articuladas verticalmente por los poderes constituidos.

Rafael Correa fue reelecto como presidente del Ecuador en abril de 2009 y febrero de 2013; su éxito político fue un claro resultado de la estabilidad económica y el énfasis en la inversión social y obras de infraestructura; pero la prosperidad que se puede apreciar claramente en el incremento del PIB per cápita

---

45. Sofía Vera Rojas y Santiago Llanos-Escobar, «Ecuador: La democracia después de nueve años de la "Revolución Ciudadana" de Rafael Correa», *Revista de Ciencia Política (Universidad Católica de Chile),* vol. 36, núm. 1 (2016), pp. 145-175; Santiago Basabe-Serrano, «La Revolución Ciudadana de Rafael Correa», *Foreign Affairs Latinoamérica,* vol. marzo (2015), pp. 1-5. (disponible para consulta en línea).

(Gráfico 7.9) fue sobre todo un simple resultado de los muy buenos precios del petróleo del período 2005-2014. Y las dificultades del régimen, sobre todo en 2015 y 2016, se explican bien por la conjunción de la disminución de la renta petrolera y el desgaste político de casi diez años de ejercicio del poder.

Vista desde 2016, la «Revolución ciudadana» de Correa se apunta indudables éxitos en la disminución de la pobreza y mejoras en la salud y la educación, pero queda prisionera de la fórmula populista. En su mejor versión, esta fórmula diseña bien el gasto a favor de las mayorías, pero para financiarlo depende enteramente de la renta de las exportaciones (petróleo en este caso); como bien sabemos, esta renta está supeditada a los precios, a menudo volátiles, en el mercado internacional y a la existencia local de un recurso natural, en el caso del petróleo, no renovable y de producción poco costosa. La prosperidad así generada lleva implícita lo que los economistas denominan «síndrome holandés», algo que explicamos con cierto detalle en el capítulo 3, y que puede resumirse ahora en forma muy simple diciendo que se trata de «pan para hoy y hambre para mañana». En suma, la fórmula populista de Correa, se basa en una economía de exportación poco diversificada, que sigue dependiendo básicamente del petróleo.

Uruguay[46]

La trayectoria del Uruguay se aparta en mucho de los promedios latinoamericanos. País pequeño en extensión y po-

---

46. Carlos Real de Azúa, *El patriciado uruguayo,* Montevideo, Ediciones ASIR, 1961; Carlos Real de Azúa, *El impulso y su freno. Tres*

blación[47], se integró con un éxito notable al mercado mundial hacia fines del siglo XIX gracias a las exportaciones agropecuarias, basadas en una dotación privilegiada de recursos (clima benigno y praderas ricas en pastos naturales) y una elevada productividad de la mano de obra[48]. Otra característica muy especial es que desde muy temprano un tercio o más de la población era urbana y habitaba la ciudad de Montevideo; en 2011 más del 90% de la población uruguaya vivía en ciudades, y un 53% lo hacía en Montevideo y su área metropolitana. Esta particularidad estructural creó una notable asimetría entre el sector rural, base del crecimiento económico, y los sectores urbanos mayoritarios pero dependientes de aquella riqueza de los ganados y las mieses.

décadas de batllismo y las raíces de la crisis uruguaya, Montevideo, Ediciones de la Banda Oriental, 1964; Gabriel Oddone e Ivanna Cal, «El largo declive de Uruguay durante el siglo XX», *América Latina en la Historia Económica. Revista de Investigación,* vol. 30, núm. julio-diciembre (2008), pp. 5-65; Benjamín Nahum, *Manual de historia del Uruguay. Tomo 1: 1830-1903,* Montevideo, Ediciones de la Banda Oriental, 1993; Benjamín Nahum, *Manual de historia del Uruguay. Tomo II: 1903-2000,* 16.ª ed., Montevideo, Ediciones de la Banda Oriental, 2007; Adolfo Garcé, *De guerrilleros a gobernantes: El proceso de adaptació del MLN-Tupamaros a la legalidad y a la competencia electoral en Uruguay (1985-2009),* XIV Encuentro de Latinoamericanistas Españoles. Editado por Eduardo Rey Tristán y Patricia Calvo González, Santiago de Compostela, Consejo Español de Estudios Iberoamericanos, 2010; Eduardo Rey Tristán, *La izquierda revolucionaria uruguaya, 1955-1973,* Madrid-Sevilla, CSIC; Universidad de Sevilla, Diputación de Sevilla, 2005.
47. Una superficie de 176.215 km² y 3,3 millones de habitantes en 2011. Junto con Surinam, son los dos países más pequeños, en extensión, de Sudamérica.
48. Exportaciones de carne vacuna, lana de oveja y, hacia finales del siglo XX, soja; la alta productividad no se originaba en la tecnificación, sino en la baja demanda de mano de obra de la ganadería y la elevada dotación de recursos naturales por trabajador ocupado.

En términos sociopolíticos esta dualidad se expresó en el «batllismo», un movimiento liderado primero por el dos veces presidente (1903-1907 y 1911-1915) José Batlle y Ordóñez (1856-1929) y luego por su sobrino Luis Batlle Berres (1897-1964), primer mandatario entre 1947 y 1951. En un lapso muy corto el Uruguay concluyó con el caudillismo rural, al triunfar el constitucionalismo en la guerra civil de 1904, y comenzó la construcción de un Estado benefactor que universalizó la educación, promovió importantes obras públicas y mejoró notablemente las condiciones de los trabajadores. Estas transformaciones modernizaron notablemente la sociedad uruguaya en dos fases sucesivas: la primera entre 1903 y 1933, bajo el influjo de Batlle y Ordóñez, y la segunda entre 1946 y 1958, liderada por Batlle Berres. Por su bienestar social se difundió una imagen del Uruguay como la «Suiza de América», y ese sueño fue ampliamente compartido por casi todos los uruguayos; en 1949 el presidente Batlle Berres decía[49]: «Conquistas como las nuestras, no las vive, en estos momentos, ningún pueblo de la tierra». Pero durante la segunda mitad del siglo XX esta imagen utópica se fue esfumando y el país tuvo que afrontar realidades muy crudas.

La trayectoria económica del Uruguay se puede seguir examinando el Gráfico 7.10, donde se presentan, a lo largo de 145 años, el PIB per cápita medido en dólares de 1990 y el ritmo de crecimiento anual de la población. La riqueza per cápita aumenta a buen ritmo hasta 1955, y cabe destacar que los niveles del Uruguay van apenas por debajo de los índices de la Argentina, y muy por encima de los de

---

49. Luis Batlle, *Pensamiento y acción,* vol. 2, Montevideo, Editorial Alfa, 1965, p. 72.

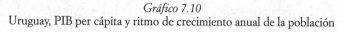

Gráfico 7.10
Uruguay, PIB per cápita y ritmo de crecimiento anual de la población

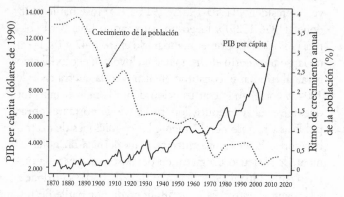

Fuente: PIB per cápita, Bértola y Ocampo, *op. cit.,* población, Pellegrino y CELADE.

México o Brasil; pero las caídas, originadas casi siempre en la coyuntura internacional, son también notables, sobre todo durante la Primera Guerra Mundial y la depresión de los años 1930.

La contracción económica visible entre 1955 y 1975 puso fin al batllismo y abrió una profunda crisis política que desembocó, primero en un gobierno autoritario (presidente Pacheco Areco, 1967-1972) y luego en una virtual dictadura militar (1972-1985), que incluyó los mismos componentes represivos de los regímenes vecinos de Argentina y Brasil. El autoritarismo fue la respuesta de las élites al aumento en la protesta social, canalizada a través de las luchas sindicales y un movimiento subversivo (Movimiento de Liberación Nacional-Tupamaros) de guerrilla urbana que hizo su aparición hacia 1965. En las elecciones de 1971, el Frente Amplio, constituido por grupos de izquierda, trató

de emular la coalición chilena que un año antes había logrado llevar a la presidencia a Salvador Allende en Chile, pero
no logró más que un 18% de los votos; en 1972 los militares
tomaron el poder, primero con una débil fachada institucional y luego en forma directa; al hacerse cargo de la represión, los militares derrotaron con rapidez a los Tupamaros
y diezmaron al movimiento sindical. El PIB per cápita volvió a crecer entre 1973 y 1980 pero al precio de una contracción fuerte de los salarios reales. La crisis de la deuda,
entre 1980 y 1982, comprometió otra vez el crecimiento
económico, agregando, a la ya delicada situación, un fuerte desempleo. En 1985 se produjo el retorno a la democracia, primero condicionado pero luego con una incorporación efectiva de las fuerzas de izquierda, incluyendo a los
antiguos Tupamaros; los partidos tradicionales (Colorado
y Blanco) se alternaron en el poder hasta 2005, en que
gana la presidencia Tabaré Vázquez, del Frente Amplio;
en 2010, José Mujica, antiguo miembro de los Tupamaros
y también candidato del Frente Amplio, llega a la presidencia luego de obtener 52% de los votos en la segunda
vuelta electoral.

El Gráfico 7.10 ilustra otro aspecto de interés de la trayectoria uruguaya, a través del ritmo de crecimiento de la
población. El fuerte aumento al principio del período
considerado se origina, obviamente, en la fuerte inmigración europea; la declinación continua a partir de la década
de 1920 se explica por la disminución de la inmigración y
por una gradual pero firme declinación de la fecundidad,
asociada a la urbanización, en una población en cuya composición predominaban los inmigrantes europeos. El descenso todavía más pronunciado del ritmo de crecimiento
demográfico en las décadas de 1960 y 1990 sigue siendo

resultado de la baja fecundidad, a la que se agrega ahora una fuerte emigración. Exilios políticos (década de 1960) y exilios económicos (finales de los noventa e inicios del nuevo siglo) explican esta situación. El repunte del crecimiento de la riqueza per cápita a partir de 1990, excepción hecha de un fuerte traspié entre 1999 y 2004, se origina en un nuevo auge de las exportaciones agropecuarias –la soja se agrega como producto importante a los tradicionales– y en la apertura económica del país, en el marco del MERCOSUR.

El tratado de Asunción (1991) y el protocolo de Ouro Preto (1994), firmados por los gobiernos de Argentina, Brasil, Paraguay y Uruguay, establecieron el Mercado Común del Sur (MERCOSUR), constituyendo una zona de libre comercio y una unión aduanera que se irían perfeccionando y ampliando a lo largo del tiempo, para culminar algún día también en la coordinación de las políticas macroeconómicas nacionales. Aunque en 2016 muchos de los objetivos originales del MERCOSUR siguen todavía en un horizonte futuro, es obvio que economías pequeñas como las de Uruguay y Paraguay experimentaron prontos beneficios al obtener acceso a los mercados de bienes, servicios y capitales de países mucho más grandes como Argentina y Brasil.

La estabilidad institucional del Uruguay a partir del retorno a la democracia en 1985, y la recuperación casi paralela del crecimiento económico, muestran, sin duda, la persistencia en el largo plazo de una fórmula sociopolítica que logró combinar, con gran éxito, la intervención del Estado, el reformismo social y los valores democráticos.

Paraguay[50]

La historia del Paraguay es, en mucho, una narrativa de largas dictaduras y cruentas guerras. El Dr. José Gaspar Rodríguez de Francia gobernó con mano de hierro de 1816 a 1840, y lo mismo puede decirse del general Alfredo Stroessner entre 1954 y 1989. La Guerra del Paraguay o de la Triple Alianza (1865-1870) destruyó un pujante proyecto modernizador y convirtió al Paraguay en una economía dependiente de Brasil y Argentina; la Guerra del Chaco (1932-1935), librada contra Bolivia, apenas le permitió obtener ganancias territoriales en una zona inhóspita y aislada. La dictadura de Stroessner, apoyada básicamente en el ejército y el Partido Colorado, combinó el paternalismo tradicional con un sistema represivo eficiente y duradero, y promovió, mal que bien, la modernización y el progreso, gracias sobre todo a grandes proyectos hidroeléctricos en asociación con los gobiernos de Brasil (Itaipú, 1984) y Argentina (Yaciretá-Apipé, 1983-1998). A las exportaciones tradicionales (carne vacuna, cueros, yerba mate) se agregan ahora la soja y sobre todo la energía eléctrica, excedente que Paraguay vende a Brasil y Argentina. La otrora somnolienta Asunción adquiere a finales del siglo XX la fisonomía típica de una urbe latinoamericana: rascacielos, infraestructuras modernas y también zonas marginales de vivienda precaria que cuentan con medio millón de habitantes en 2016; debe notarse que estas zonas están marcadas por un área metropolitana que supera los dos millones de habitantes y representa un tercio de la población total del país.

---

50. Paul H. Lewis, *Paraguay under Stroessner,* Chapel Hill, University of North Carolina Press, 1980; Paul H. Lewis, *Socialism, Liberalism and Dictatorship in Paraguay,* Nueva York, Praeger, 1982.

Stroessner, el viejo dictador, fue depuesto por el general Andrés Rodríguez en 1989. La nueva Constitución de 1992 estableció las bases para la consolidación democrática, pero ésta llega muy de a poco; el poder sigue estando en manos del ejército y sobre todo del Partido Colorado: el «stronismo» se recicla y moderniza al cambio de los tiempos. Los presidentes se suceden, abundan las renuncias y las destituciones, pero a pesar de todo se mantiene el marco institucional y se celebran elecciones regularmente. La democracia avanza con muletas pero logra persistir.

En la evolución paraguaya, el MERCOSUR, vigente desde 1991, cumple un papel fundamental ya que da un marco estructurado a la integración regional con Argentina, Brasil y Uruguay, algo indispensable para superar el carácter mediterráneo, el cual es, como se sabe, una imposición secular de la geopolítica.

Centroamérica: guerra, paz y violencia[51]

Las cinco repúblicas centroamericanas –Guatemala, Honduras, El Salvador, Nicaragua y Costa Rica– navegan, a partir de 1979, en aguas tempestuosas y turbulentas.

La dictadura de Anastasio Somoza en Nicaragua cayó en julio de 1979 como resultado de una vasta insurrección popular, apoyada en grados diversos por varios países vecinos, incluyendo a Costa Rica, Panamá, Venezuela, México y Cuba. Entre 1979 y 1990 la Revolución sandinista trató de construir una nueva Nicaragua a través de un proyecto so-

51. Héctor Pérez Brignoli, *Breve historia de Centroamérica,* 4.ª ed., Madrid, Alianza Editorial, 2000 [1985].

cialista propio, el cual despertó, en su momento, amplias simpatías y solidaridades sinceras a través de mares y continentes. Pero los intereses imperiales y la limitada capacidad de los cuadros dirigentes presionaron en otras direcciones. La oposición frontal de los Estados Unidos llevó a una guerra civil no sólo cruenta sino también amenazante para la estabilidad de toda la región; operaciones militares clandestinas, una base militar en Honduras y presiones muy fuertes sobre los gobiernos de Costa Rica y Panamá erosionaron cualquier potencial de transformación social duradera.

En El Salvador, el golpe militar de octubre de 1979 pretendió contener los avances de la guerrilla impulsando un programa de nacionalizaciones, reforma agraria y apertura democrática, pero hacia 1980 el país acabó sumido en una guerra civil que continuará hasta 1992.

En Guatemala y Honduras, los regímenes militares dieron paso a gobiernos civiles, en un cambio político tutelado que se ajustaba a la doctrina del presidente Reagan de promover elecciones, manteniendo a los militares en los cuarteles y marginando la función represiva. En esas turbulencias, la República de Costa Rica, con una democracia estable y sin ejército, parecía una isla extraña y hasta cierto punto maravillosa.

La guerra civil fue cediendo el paso a la pacificación a partir de 1986; el escándalo Irán-Contra en Washington dejó al gobierno de Reagan sin opciones, y éste no tuvo más remedio que aceptar una iniciativa de negociación apadrinada por los mandatarios centroamericanos, en especial los presidentes de Costa Rica (Óscar Arias) y de Guatemala (Vinicio Cerezo). Estos acuerdos, conocidos como Esquipulas II, establecieron elecciones en Nicaragua en 1990, las cuales fueron ganadas por la oposición al régimen sandinista. Terminó así la experiencia revolucionaria nicaragüense con un balance de logros muy moderado, más allá de triunfos iniciales como la campaña de alfabetización y la reforma agraria.

En 1992, bajo el impulso y presión de las Naciones Unidas, la guerrilla salvadoreña y el gobierno firmaron un tratado de paz en la Ciudad de México; el Frente Farabundo Martí para la Liberación Nacional (FMLN) se transformó en un partido político y se integró a la vida institucional del país.

En Guatemala, las fuerzas guerrilleras que actuaban desde 1960 firmaron un tratado de paz con el gobierno en 1996 y también se integraron a la vida civil.

En la década de 1990 la pacificación definitiva de la región parecía algo que estaba a la vuelta de la esquina. Pero, como veremos enseguida, eso era algo más bien ilusorio.

La década del ochenta no sólo fue una época de guerra y grandes conflictos; la crisis de la deuda y la caída en los precios de las exportaciones golpeó a todos los países, incluyendo también a Costa Rica. La solución de la crisis política implicó también una transformación económica en el sentido de la apertura y la promoción de las exportaciones no tradicionales; al café y al banano se agregaron la maquila, los servicios y productos como flores, verduras y frutas que ahora podían llegar rápidamente al mercado norteamericano, e incluso europeo. La apertura económica se fundó sobre todo en tratados de libre comercio, dentro de los cuales sobresale el CAFTA, vigente desde 2006, el cual incluye a Estados Unidos, los países centroamericanos y la República Dominicana. El Gráfico 7.11 presenta la evolución del PIB per cápita en términos reales a partir de 1970 y permite seguir la evolución en el largo plazo. Sólo en Costa Rica se observa un firme aumento, con un fuerte traspié en 1980-1985 y caídas menores hacia el 2000 y durante la crisis 2008-2010; en el extremo opuesto, Honduras muestra una evolu-

Gráfico 7.11
Centroamérica. PIB per cápita (en dólares de 1990)

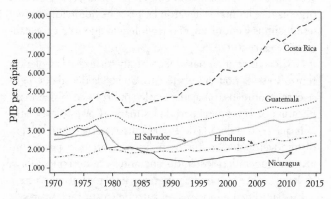

Fuente: Bértola y Ocampo, *op. cit.,* CEPAL.

ción mediocre, ya que el PIB per cápita apenas cambia de valores: alrededor de 1.800 dólares en la década de 1970 a poco más de 2.000 dólares hacia 2015. Guatemala, El Salvador y Nicaragua tenían un PIB per cápita en franco crecimiento en la década de 1970 pero experimentaron fuertes caídas en los ochenta y tardaron muchos años en recuperar los niveles anteriores; el caso de Nicaragua es particularmente catastrófico, con un PIB per cápita que permanece virtualmente estancado desde 1990 hasta 2005.

Las dificultades económicas van de la mano con un aumento de la violencia, las desigualdades, la pobreza y la marginalidad. La emigración hacia Estados Unidos –un fenómeno derivado de la guerra civil en las décadas de 1970 y 1980– tuvo un efecto positivo con las remesas enviadas a los familiares que quedaban en el país, y un efecto perverso con las pandillas («maras») de delincuentes expulsados, que se reprodujeron con rapidez en Guatemala, Honduras y El Salvador. Combinadas con el narcotráfico y el crimen organizado, las maras llevaron las tasas de homicidio a niveles altísimos y enquistaron una violencia que sólo cabe calificar de estructural.

No deja de resultar paradójico y muy triste que la violencia represiva de la policía y el ejército, que en la década de 1970 se cernía sobre los trabajadores y los pobres, acaba siendo replicada por la criminalidad de las maras. Por esto cabe afirmar que si en la década de 1990 Centroamérica ganó la paz y disminuyeron los conflictos políticos, abriendo paso a un juego democrático sostenido que antes era desconocido, la violencia sobre los pobres y marginados, en cambio, no cesó.

En este difícil panorama, el caso de Costa Rica sobresale por el profundo contraste; si hubiera que resumir las razones de esta diferencia exitosa en dos palabras, bastaría decir que, además de indudables raíces históricas, ella se explica por los réditos de la inversión estatal sostenida en salud y educación.

México[52]

1994 fue un año explosivo en la historia de México. El 1.º de enero entró en vigencia el Tratado de Libre Comercio de la América del Norte (NAFTA, por sus siglas en inglés), el

52. Héctor Aguilar Camín y Lorenzo Meyer, *A la sombra de la Revolución Mexicana,* 6.ª ed., México, Cal y Arena, 1991; Peter H. Smith, *Labyrinths of Power: Political Recruitment in Twentieth-Century Mexico,* Princeton, Princeton University Press, 1979; Héctor Aguilar Camín, *Después del milagro,* México, Cal y Arena, 1988; Roger Bartra, *La jaula de la melancolía. Identidad y metamorfosis del mexicano,* 13.ª reimpresión, 1.ª ed., 1987, México, Grijalbo, 2004; Pablo González Casanova, *La democracia en México,* México, Ediciones ERA, 1979 [1965].

cual prometía abrir un nuevo camino para el desarrollo del país en los nuevos tiempos de la globalización; ese mismo día, estalló la rebelión indígena de Chiapas, liderada por el subcomandante Marcos. Apenas repuesto de la sorpresa, el gobierno de Salinas de Gortari optó por la negociación; el sistema político del PRI podía todavía encuadrar y contener esa protesta inesperada. Muy distinto fue el *shock* que provocó el asesinato en Tijuana del candidato presidencial del PRI, Luis Donaldo Colosio, el 23 de marzo, el cual fue seguido el 28 de setiembre por el del secretario general del PRI, José Francisco Ruiz Massieu. El peso mexicano se derrumbó frente al dólar y hubo una salida masiva de capitales; la crisis afectó también los mercados financieros internacionales y fue conocida como el «efecto tequila». El nuevo candidato del PRI, Ernesto Zedillo, triunfó ajustadamente en las elecciones del 21 de agosto, sobre las cuales hubo muchas denuncias de fraude. Asesinatos que nunca fueron debidamente esclarecidos y una mezcla brutal de corrupción, mafia y narcotráfico eran signos más que evidentes de la fragmentación de la élites políticas y empresariales; lo que muchos habían llamado el «Leviatán mexicano» (en referencia al Estado mexicano) estaba llegando a su fin.

El período 1940-1968 bien se puede caracterizar como el del «milagro mexicano»; la proverbial estabilidad política cincelada por el PRI y el rápido crecimiento económico basado en la industrialización y la urbanización convirtieron a México en un país moderno y pujante. La rebelión estudiantil y la matanza de Tlatelolco, el 2 de octubre de 1968, dejaron cicatrices profundas; el régimen ya no procesaba bien las demandas de la izquierda. El presidente Luis Echeverría (1970-1976) impulsó una política internacional tercermundista, acogió con generosidad a exiliados argentinos, chilenos, brasileños y uruguayos, y apoyó la prensa independiente, encabezada por el diario *Excélsior,* dirigido por Julio Scherer, pero tuvo serios enfrentamientos con los sindicatos y hubo huelgas largas y conflictivas. En 1976, al final del sexenio, las cosas se complicaron todavía más: los empresarios provocaron una suerte de golpe financiero y el peso mexicano sufrió una devaluación; en julio de ese año, los periodistas de *Excélsior,* empezando por su director, tuvieron que renunciar; la apertura democrática había terminado. López Portillo, el presidente siguiente, aprovechó las inesperadas rentas del petróleo, gracias a la fuerte elevación del precio internacional y la puesta en explotación de los vastos yacimientos mexicanos; pero el *boom* duró hasta 1982, cuando estalló la crisis de la deuda; la nacionalización bancaria fue una improvisada respuesta de López Portillo, sin futuro efectivo. Miguel de la Madrid, el nuevo presidente a partir de diciembre de 1982, no tuvo más remedio que retroceder, iniciando un severo ajuste estructural, el cual continuará durante el gobierno de Salinas de Gortari. El PIB per cápita de México permaneció virtualmente estancado entre 1981 y 1997, mientras que la proporción de la población en estado de pobreza se mantenía estable, alrededor de un 40%.

En las elecciones de 2000, el PAN (Partido Acción Nacional) ganó la presidencia y obtuvo una importante mayoría legislativa; luego de más de setenta años de hegemonía del PRI, México parecía encaminarse hacia un sistema de partidos competitivos, incluyendo también al PRD (Partido de la Revolución Democrática), una escisión de izquierda del PRI, presente desde 1989. Pero el presidente Vicente Fox (2000-2006) no estuvo, ni como político ni como estadista, a la altura de las circunstancias; sus desatinos culminaron con burdas intervenciones en las elecciones de 2006, y su gobierno estuvo permanentemente envuelto en escándalos de corrupción y vínculos con el narcotráfico. Su sucesor, Felipe Calderón, también del PAN, terminó impuesto en unas elecciones poco transparentes y con resultados muy ajustados. En 2012, el PRI volvió a ganar las elecciones presidenciales.

Dos problemas básicos afectan la vida política mexicana en las dos primeras décadas del siglo XXI: la insuficiencia del crecimiento económico, a pesar de la apertura económica y la diversificación de las exportaciones, y el impacto del narcotráfico, que penetra tanto las instituciones como el entramado social de la nación. Los cárteles mexicanos de la droga reemplazaron a las mafias colombianas y adquirieron pronto un perfil típico de empresas multinacionales, con inversiones diversificadas y un firme implante en el sector financiero. El gobierno de Felipe Calderón en 2006 declaró una guerra total al narcotráfico y llamó a las Fuerzas Armadas para combatirlo, dada la ineficacia y corrupción de la policía; hubo un saldo de miles de muertos y una gran escalada de la violencia sin que al final se hubiera logrado el objetivo de erradicar a las mafias.

Cuando se examina la historia de México desde el umbral del siglo XXI no es posible evitar la sensación de frustración por algo que no pudo ser, por una oportunidad que parecía brillante en las décadas de 1950 y 1960 y acabó malográndose. Las relaciones con los Estados Unidos siguen siendo tan inevitables como difíciles y bien podrían convertirse en explosivas; hacia 2016, un gran signo de interrogación cubre el mapa de México, desde los altos de Chiapas hasta el Río Grande.

Neopopulismo y giro a la izquierda

El retorno a la democracia electoral en la década de 1980 tuvo su réplica en el retorno populista que marcó los inicios del siglo XXI. En el capítulo 2 caracterizamos el nacional populismo de los regímenes de Perón en Argentina, Getulio Vargas en Brasil y la institucionalización de la Revolución mexicana como una combinación particular de nacionalismo, industrialización y reforma social impulsada por el Estado, y un gobierno «popular» de corte autoritario; la movilización e incorporación política de las masas obreras y campesinas fue parte fundamental de este primer populismo latinoamericano que algunos autores califican como «clásico». El populismo se puede definir también en forma más amplia como un estilo de política y gobierno que apela al «pueblo» y se distancia de la institucionalidad democrática convencional; el populismo se caracterizaría así como un discurso o lógica política que articula la soberanía popular al conflicto entre dominantes y dominados[53]. El neopopulismo latinoamericano que aparece a inicios del siglo XXI es considerado de izquierda[54] y se ejemplifica en los regímenes de Hugo Chávez en Venezuela, Evo Morales en Bolivia, Rafael Correa en Ecuador y los Kirchner en Argentina; Lula y el PT en Brasil participarían también de esta tendencia, pero en una nota mucho menos radical.

53. Ernesto Laclau, *On Populist Reason,* Londres, Verso, 2005.
54. Para una versión crítica ver: Jorge G. Castañeda, «Latin American Left Turn», *Foreign Affairs,* vol. 85, núm. 3 (2006), pp. 28-43; para un examen más favorable: Steve Ellner, «The Distinguishing Features of Latin America's New Left in Power: The Governments of Hugo Chavez, Evo Morales y Rafael Correa», *Latin American Perspectives,* vol. 39, núm. 1 (2012), pp. 96-114.

Los rasgos comunes de estos regímenes son un fuerte discurso nacionalista y antiimperialista, un énfasis notorio en la redistribución y disminución de la pobreza y una amplia y poco convencional participación popular en ciertos niveles del gobierno. La confianza en las elecciones, a menudo de carácter plebiscitario, y la carencia de un modelo de crecimiento económico –más allá de la consabida redistribución de las rentas de las exportaciones– son otros rasgos compartidos por estos regímenes. Su carácter, socialista o no, es objeto de mucha discusión; en todo caso, hay que admitir que si la referencia que se maneja de lo que es el socialismo está anclada en el comunismo soviético o en el comunismo cubano, estos regímenes parecen más bien una recreación típicamente latinoamericana de anhelos más que justos por una vida mejor.

Hugo Chávez y la República Bolivariana de Venezuela[55]

Hugo Chávez (1954-2013) fue presidente de Venezuela desde 1999 hasta su muerte en abril de 2013; fue reelecto en 2001, 2006 y 2012 por amplias mayorías. La nueva Constitución de 1999 cambió el nombre del país a República

55. Nikolas Kozloff, *Hugo Chávez. Oil, Politics, and Challenge to the United States,* Nueva York, Palgrave Macmillan, 2007; Steve Ellner, *Rethinking Venezuelan Politics. Class, Conflict, and the Chávez Phenomenon,* Boulder, Lynne Rienner Publishers, 2008; Barry Cannon, *Hugo Chávez and the Bolivarian Revolution. Populism and Democracy in a Globalised Age,* Manchester, Manchester University Press, 2009; Luis Bonilla Molina y Haiman El Troudi, *Historia de la Revolución Bolivariana. Pequeña crónica, 1948-2004,* Caracas, Ministerio de Comunicación e Información / Presidencia de Venezuela, 2004.

Bolivariana de Venezuela, y definió a la sociedad como «democrática, participativa y protagónica, multiétnica y pluricultural»; a la vez garantizó los derechos humanos y el «equilibrio ecológico» en el marco de un Estado federal y descentralizado; el propósito básico de Chávez y el movimiento político que lo llevó al poder era la refundación de la República bajo la advocación de Bolívar, ampliando los canales de la inclusión social y la participación popular.

El gobierno de Chávez se desenvolvió en cuatro etapas[56]: un primer período de preparación (1999-2000) en el cual predominaron objetivos políticos de afianzamiento del régimen; un segundo período (2001-2004) de ofensiva antineoliberal, caracterizado por fuertes choques con la oposición; una tercera fase (2005-2009) de consolidación de un nuevo modelo económico basado en el uso y redistribución de la creciente renta petrolera; la última fase (2010-2013) está marcada por la caída de la renta petrolera y la enfermedad y muerte de Chávez.

En noviembre de 2001 Chávez promulgó 49 leyes especiales para revertir las medidas neoliberales adoptadas en la década de 1990; las más importantes afectaron la industria petrolera, obligando a una propiedad mayoritaria del Estado en el caso de las empresas mixtas; a ellas se agregó la expropiación de tierras ociosas y la renuncia a cualquier intento de privatizar la Seguridad Social. Los conflictos con la oposición, en particular con las cámaras empresariales, estallaron, y en abril de 2002 se produjo un intento de golpe de Estado, el cual fracasó por la falta de unanimidad entre las fuerzas militares y la rápida y organizada reacción popu-

---

56. Ellner, *Rethinking Venezuelan Politics. Class, Conflict, and the Chávez Phenomenon,* pp. 109-138.

lar. Siguió una larga huelga en la empresa PDVSA (Petróleos de Venezuela SA) en diciembre de 2002, la cual pretendió parar la producción y exportación de petróleo; la huelga se extendió durante 62 días y fracasó en su objetivo fundamental, que era la renuncia de Chávez. En 2004 la oposición logró la convocatoria de un referéndum revocatorio, previsto en la Constitución, para destituir al presidente, pero Chávez obtuvo una aprobación del 59%. Luego de estos éxitos notables Chávez declaró a su gobierno antiimperialista y formuló un proyecto que denominó «socialismo del siglo XXI»; el énfasis en las políticas sociales a través de las Misiones Bolivarianas se desplegó en la salud (con un importante aporte de médico cubanos) y la educación; se crearon centenares de cooperativas y varios miles de Consejos Comunales, dotados de financiamiento para obras locales; también se promovió la cogestión en las empresas de propiedad estatal, como PDVSA y la Corporación Venezolana de Guayana.

La disminución de la pobreza es uno de los logros del régimen de Chávez; como se puede observar en el Gráfico 7.12, el porcentaje de población en estado de pobreza superó el 40% durante el período 1997-2003, siendo el resultado de las violentas políticas de ajuste estructural aplicadas en los gobiernos de Carlos Andrés Pérez y Rafael Caldera; a partir de 2004, se puede observar un drástico descenso de esa proporción, el cual debe ser valorado junto con la intensa movilización social y participación promovida por el chavismo: sindicatos, cooperativas y organizaciones comunales llenaron los vacíos existentes en un entramado institucional débil, el cual fue particularmente afectado por las políticas de ajuste estructural aplicadas en los noventa.

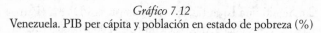

Gráfico 7.12
Venezuela. PIB per cápita y población en estado de pobreza (%)

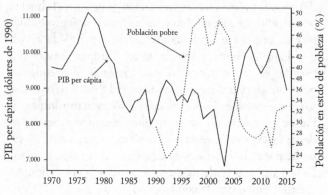

Fuente: Bértola y Ocampo, *op. cit.*, CEPAL.

El gráfico nos permite también observar el PIB per cápita en términos reales entre 1970 y 2015; los niveles de la década de 1970, explicables sobre todo por la inflación de los precios petroleros, no se vuelven a alcanzar en todo el período; entre 1980 y 2002 se observa una notable caída, seguida de un estancamiento y un abrupto descenso en 2002-2003; luego, nuevos aumentos en los precios del petróleo (ver el Gráfico 7.5, pág. 488) llevan a una situación casi tan próspera como la de la década de 1970.

El modelo económico impulsado por Chávez y su Revolución Bolivariana se basa, casi exclusivamente, en la redistribución y la participación; Venezuela sigue siendo extremadamente dependiente de las exportaciones de petróleo (85% en 2013) y el sector minero genera el 28% del valor agregado del PIB (2010) frente a un 14% de la industria manufacturera y un 15% del comercio y los servicios. Esta dependencia extrema del petróleo no es por cierto nueva y más bien señala una continuidad de largo plazo en la historia venezolana desde la década de 1920, marcada por la existencia de una economía rentística; en este sentido puede argumentarse que no hubo cambios sustanciales entre el período 1958-1999, durante el cual las élites se repartieron las rentas del petróleo según el Pacto de Punto Fijo[57], y el período de la Revolución Bolivariana a partir de 1999[58]. Cómo diversificar el sector exportador y la producción para el mercado interno sigue siendo un tema tan imperativo en 2016 como lo era en 1958. Hugo Chávez no fue más allá en el sector petrolero, aparte de las políticas internas de redistribución de las ganancias y de un agresivo liderazgo en el seno de la OPEP (Organización de Países Exportadores de Petróleo), el cual, en el largo plazo no parece haber dado muchos frutos.

Hugo Chávez había nacido en 1954, en un pequeño pueblo de los Llanos venezolanos; fue el segundo de seis hijos de una familia modesta; en 1971 logró ingresar a la Academia Militar de Venezuela, graduándose como subteniente en 1975. Luego tuvo una carrera brillante en el ejército, jalonada por ascensos y cursos de especialización, incluyendo una maestría en ciencias políticas en 1989-1990. Junto con un grupo de oficiales jóvenes fundó, en 1982, el Movimien-

57. Punto Fijo es el nombre de la residencia de Rafael Caldera en Caracas, donde se firmó en 1958 el acuerdo entre los partidos Acción Democrática, Copei (socialcristianos) y Unión Republicana Democrática, el cual estabilizó la vida política de Venezuela en torno a un régimen bipartidista entre 1958 y 1999.
58. Daniele Benzi y Ximena Zapata Mafla, *Petróleo y rentismo en la política internacional de Venezuela. Breve reseña histórica (1958-2012)*, Pre-textos para el debate núm. 3, Quito, Universidad Andina Simón Bolívar, 2014.

to Bolivariano Revolucionario (MBR-200), un grupo clandestino que se proponía refundar la República siguiendo la inspiración de Bolívar. En febrero de 1992, Chávez encabezó un golpe de Estado, el cual fracasó a pocas horas de iniciado; Chávez y los principales involucrados fueron detenidos y quedaron en una prisión militar hasta que, en 1994, el recién electo presidente Rafael Caldera les otorgó una amnistía.

El MBR-200 pasó entonces a la legalidad como Movimiento Quinta República; Chávez desarrolló una intensa campaña política atacando al neoliberalismo e insistiendo en la necesidad de convocar a una Asamblea Constituyente para refundar la República; como candidato de una alianza de partidos denominada Polo Patriótico triunfó en las elecciones presidenciales de diciembre de 1998, obteniendo el 56% de los votos. Chávez y su movimiento no provenían de los partidos políticos tradicionales, aunque obtuvieron el apoyo de varios grupos y partidos de izquierda; su fulgurante triunfo en las elecciones de 1998 debe verse, en buena parte, como un resultado de las políticas neoliberales, aplicadas con violencia y escasa prudencia bajo las presidencias de Carlos Andrés Pérez y Rafael Caldera entre 1989 y 1998; al final, todo el sistema político gestado en el Pacto de Punto Fijo perdió legitimidad y se derrumbó con un estrépito inusitado.

Las bases sociales del chavismo se pueden distinguir ahora con cierta precisión. Por un lado están los millones de dirigentes y militantes de las organizaciones populares creadas desde el gobierno, pero que funcionan paralelamente a las instituciones estatales tradicionales: Consejos Comunales, Círculos Bolivarianos, cooperativas, etc. Por otro lado, se encuentra lo que podemos llamar el «chavismo institucionalizado», agrupado en el Partido Socialista Unido de Venezuela (PSUV) –creado en 2007 como sucesor del Movimiento Quinta República–, los sindicatos y otros grupos políticos menores, como el Partido Comunista de Venezuela. Por último hay que mencionar los militares, integrantes de las Fuerzas Armadas Nacionales Bolivarianas y de las Milicias Bolivarianas (creadas en 2007); bajo el gobierno de Chávez los militares han desplegado un intenso trabajo social, apoyando a las diferentes instituciones del gobierno y al movimiento popular. Luego de la muerte de Chávez en 2013, y una vez que su sucesor, Nicolás Maduro, mostró una incapacidad creciente para controlar la crisis económica y el malestar social –producto básicamente de la caída de los precios del petróleo–, varios sectores fueron militarizados, incluyendo la distribución de alimentos, el control de puertos y el almacenamiento de productos; cada vez más, en un país crecientemente polarizado, los militares se perfilan como los árbitros del conflicto sociopolítico.

El chavismo no se puede entender bien sin considerar el liderazgo de su fundador: en 1992, durante el golpe fracasado, Hugo Chávez capitalizó las frustraciones de miles de venezolanos y emergió como un héroe enviado a prisión por un sistema injusto; su fuerte carisma personal y su tremenda capacidad de comunicación con los sectores populares, unido a un trabajo de militancia incansable, le valieron el gran triunfo en las elecciones de 1998. A partir de ese momento, su liderazgo se expande cada vez más, llegando pronto al plano internacional, alineándose con los miembros de la OPEP opuestos a la política de los Estados Unidos. «Aló Presidente», un programa, primero de radio y luego de televisión, se transmitió cada domingo a partir de las once de la mañana entre mayo de 1999 y enero de 2012; durante varias horas Chávez dialogaba con dirigentes populares y se acercaba a la gente sencilla, tocando los temas más diversos, y a veces inusitados. Poco convencional, orador incansable, dispuesto a romper e incluso burlarse del protocolo salvo cuando se tratara de Bolívar, brilló en los medios nacionales e internacionales como una estrella rara, pero con luz propia. Su personalidad incluía también un toque mesiánico, originado básicamente en la devoción bolivariana, y era propensa fácilmente a la deriva autoritaria; pero Chávez no llegó a usarla porque siempre logró sus propósitos acudiendo en última instancia al referéndum popular.

La Revolución Bolivariana tuvo una amplia y efectiva estrategia de redistribución y participación popular; les dio voz a los que no se oían y favoreció, sin duda alguna, la inclusión social. En la producción no innovó; el país siguió prisionero del petróleo, y por lo tanto, de los vaivenes del mercado internacional.

El entramado institucional se volvió mucho más complejo, sobre todo por la notable participación popular, pero cuando llegó la época de las vacas flacas, a partir de 2011, la corrupción y la ineficiencia, unidos a los controles de precios y de la tasa de cambio, adquirieron gran notoriedad. El tremendo aumento de la criminalidad en Caracas y el narcotráfico son signos contradictorios, que se vuelven difíciles de entender como resultado de una Revolución Bolivariana que pretendió refundar la República y servir de modelo a otros países de la América Latina.

Evo Morales y la refundación de Bolivia[59]

La historia moderna de Bolivia está jalonada por tres revoluciones[60]: la que constituyó las bases de un Estado débil y aislado, entre 1825 y 1841, dominada por la figura del mariscal Andrés Santa Cruz; la revolución nacionalista y reformista conducida por Víctor Paz Estenssoro y Hernán Siles Suazo entre 1952 y 1964; y, a partir de 2005, la revolución indígena y plebeya liderada por Evo Morales.

El gran giro de 2005 fue el resultado del inestable retorno a la democracia a partir de 1982, y en particular de los agudos conflictos sociopolíticos entre 2000 y 2005 «guerra del agua» y «guerra del gas», explosiones populares contra las políticas neoliberales, conflicto regional entre los altiplanos andinos y la dinámica economía de Santa Cruz de la Sierra y Tarija); el Movimiento al Socialismo (MAS) de Evo Morales se impuso como una salida conciliatoria que logró evitar

59. Pablo Stefanoni y Hervé Do Alto, *La Revolución de Evo Morales. De la coca al palacio,* Buenos Aires, Capital Intelectual, 2007; Álvaro García Linera, *La potencia plebeya: acción colectiva e identidades indígenas, obreras y populares en Bolivia,* Bogotá, Siglo del Hombre Editores-CLACSO, 2009; Jeffery R. Webber, «Carlos Mesa, Evo Morales, and a Divided Bolivia (2003-2005)», *Latin American Perspectives,* vol. 37, núm. 3 (2010), pp. 51-70; Clayton Mendonça Cunha Filho y Rodrigo Santaella Gonçalves, «The National Development Plan as a Political Economic Strategy in Evo Morales's Bolivia: Accomplishments and Limitations», *Latin American Perspectives,* vol. 37, núm. 4 (2010), pp. 177-196; Fernando Oviedo Obarrio, «Evo Morales and the Altiplano: Notes for an Electoral Geography of the Movimiento al Socialismo, 2002-2008», *Latin American Perspectives,* vol. 37, núm. 3 (2010), pp. 91-106.
60. James Dunkerley, «Evo Morales, the "Two Bolivias" and the Third Bolivian Revolution», *Journal of Latin American Studies,* vol. 39, núm. 1 (2007), pp. 133-166.

una explosión revolucionaria radical. El discurso indigenista de Evo Morales –plasmado en el plan nacional de desarrollo «Bolivia Digna, Soberana, Productiva y Democrática, para Vivir Bien (2006-2011)»– se tradujo en un esfuerzo sistemático por disminuir la pobreza, mejorar la educación y la salud, y promover el desarrollo a través de una intervención moderada del Estado, una alianza con los empresarios e inversionistas (incluso extranjeros) y el apoyo a miles de cooperativas y pequeñas empresas. Exportaciones relativamente diversificadas, entre las que se destacan las de gas (46% del total en 2015) a Brasil y Argentina, e importantes obras de infraestructura, han coadyuvado al rápido crecimiento del PIB y del PIB per cápita, mientras que el porcentaje de pobres en la población total ha disminuido de un 64% en 2004 a un 33% en 2013. El modelo económico de Evo Morales y el MAS es capitalista, con un rostro humano o moral, como han señalado algunos analistas, pero retiene para el Estado la potestad soberana de controlar las empresas multinacionales. Este aspecto de capitalismo reformista ha sido repetida y tempranamente subrayado por admiradores de la experiencia cubana como James Petras, siempre celosos de la posibilidad de confusiones ideológicas indeseadas[61].

Es significativo señalar que Morales y el MAS nunca han hablado de revolución sino de refundación de la República Plurinacional de Bolivia; así lo establece la Constitución, elaborada en 2007 y aprobada por un referéndum en enero de 2009; los derechos humanos en su sentido más amplio,

61. James Petras, «Evo Morales' Pursuit of Normal Capitalism», *Economic and Political Weekly,* vol. 42, núm. 23 (2007), pp. 2155-2158.

la pluralidad cultural, los derechos ambientales y las autonomías locales y regionales son garantizados en la nueva carta constitucional.

El cultivo y consumo ancestral de la hoja de coca ha sido repetidamente defendido por el gobierno, con relativo éxito, en diversas instancias internacionales. Pero el choque ha sido en cambio frontal con la administración norteamericana, partidaria, como se sabe, de la erradicación violenta de los cultivos; en 2008, Evo Morales expulsó incluso al embajador de los Estados Unidos y a los agentes de la DEA; en 2013, las oficinas de la estadounidense AID (Agencia Internacional del Desarrollo) en La Paz fueron cerradas.

La nacionalización de los hidrocarburos, decretada en 2006, es probablemente la medida más radical del gobierno del MAS; la medida obligó a las empresas privadas a explotar los recursos del subsuelo en asociación con Yacimientos Petrolíferos Fiscales Bolivianos, una corporación estatal fundada en 1936 y refundada en 2006, la cual se reserva al menos el 51% de las acciones en cualquier emprendimiento conjunto.

Evo Morales fue reelecto en 2009 y 2014, con una amplia mayoría (61% en 2014). La Constitución prohíbe una tercera reelección, por lo cual se convocó un referéndum para modificar esa disposición; Evo Morales perdió dicha consulta, por un estrecho margen, en febrero de 2016; el interrogante que se plantea es si a pesar de eso tratará de buscar un camino para la reelección en 2019; si ello ocurriera, no hay dudas de que Evo Morales se estaría convirtiendo en un caudillo latinoamericano típico, como los que nunca han faltado en el largo y tumultuoso pasado boliviano.

La Argentina de los Kirchner[62]

En enero de 2002, el senador justicialista Eduardo Duhalde asumió en forma provisional la presidencia de la Argentina; junto con el ministro de economía Roberto Lavagna logró iniciar la renegociación de la deuda externa, conteniendo así la crisis bancaria y financiera, y pudo conducir el país a las elecciones de abril de 2003.

En ellas triunfó Néstor Kirchner, un político de la provincia de Santa Cruz y candidato del Partido Justicialista que acabará construyendo un liderazgo bastante sólido, el cual logró incluso extender a su cónyuge, Cristina Fernández, luego de su muerte inesperada en 2010. Kirchner retuvo a Lavagna como ministro hasta 2005 lográndose una renegociación exitosa de la deuda externa sin recurrir a drásticas medidas de ajuste; el éxito tuvo mucho que ver, naturalmente, con el fuerte aumento del precio y el volumen de las exportaciones de soja a China e India, unido al incremento de las exportaciones industriales al MERCOSUR. La recuperación económica fue sostenida, como se puede apreciar en el comportamiento del PIB per cápita en el Gráfico 7.6 (pág. 507). En 2007, Cristina Fernández de Kirchner ganó las elecciones presidenciales con un 45% de los votos, éxito que mejoró todavía más en la reelección del 2011 con un 54%. Los Kirchner gobernaron, pues, de 2003 a 2015, con una mínima oposición y un sistema de manejo clientelista del poder que merece ser especificado, aunque sólo sea en forma sumaria.

62. Romero, *La larga crisis Argentina. Del siglo XX al siglo XXI,* pp. 99-133; Hugo Quiroga, *La república desolada. Los cambios políticos de la Argentina (2001-2009),* Buenos Aires, EDHASA, 2010; Jorge Ossona, *Punteros, Malandras y Porongas. Ocupación de tierras y usos políticos de la pobreza,* Buenos Aires, Siglo XXI, 2014.

El motor económico residía en las exportaciones, particularmente del sector agrícola, y el gobierno manejaba con una consumada maestría política el superávit fiscal, dentro del cual las retenciones a las exportaciones de soja cumplían un papel crucial. Subsidios directos (obras públicas, financiamiento a diversos programas sociales, etc.) e indirectos (a las tarifas de la electricidad, el transporte, el gas y la gasolina en el Gran Buenos Aires), y una organización de las poblaciones pobres (piqueteros, cartoneros, etc.) manejada verticalmente, se sumaban a las alianzas más tradicionales del peronismo: empresarios, sindicatos y otras organizaciones populares, incluyendo también a grupos provinciales y municipales que dependían fuertemente del dinero del gobierno federal. Una diferencia importante con el peronismo clásico: la Iglesia católica y las Fuerzas Armadas quedaron relegadas a un segundo plano y perdieron mucho del considerable poder que tuvieron antaño.

El gobierno de los Kirchner controló el Congreso y pronto tuvo también el control de la Corte Suprema de Justicia; esto le permitió moverse con escasos controles institucionnales, recurriendo, cuando fuera el caso, a diferentes pero efectivas formas de intimidación; dádivas y corrupción fueron, obviamente, engranajes constitutivos del sistema.

Dos elementos claves aceitaron esta compleja maquinaria de gobierno: el tema de los derechos humanos y la memoria de las luchas en las décadas de 1970 y 1980, y un conjunto de medios de comunicación infaltablemente leales. En 2003 el gobierno anuló las llamadas «Leyes de impunidad», aprobadas en 1986 (Ley de punto final) y 1987 (Ley de obediencia debida), y los indultos decretados por el gobierno de Carlos Menem en 1989 y 1990; a la vez convocó a las Madres y Abuelas de la Plaza de Mayo –organizaciones emblemáticas en la lucha contra el terrorismo de Estado– y les asignó un lugar de preferencia en el espacio público. Esto dio lugar a innumerables procesos y condenas contra los autores de delitos de lesa humanidad, incluyendo a los jefes militares más altos; al mismo tiempo se promovió la recuperación de la memoria con una multiplicación de testimonios, documentos y esclarecimientos que eran indispensables para una cura colectiva de heridas muy profundas que todavía desgarraban el tejido social argentino. Una pléyade de intelectuales y de medios de comunicación articularon todo esto en un potente discurso[63], centrado en la oposición binaria irreconciliable: el pueblo y sus enemigos, encarnados en lo que se denominó «las corporaciones». La manipulación y el evidente uso político de este discurso en beneficio de los Kirchner no quita su mérito de fondo: el cierre de un capítulo tenebroso de la historia con un conjunto de castigos verdaderamente ejemplarizantes.

En 2008 el gobierno tuvo una seria disputa con los productores rurales por el monto de las retenciones sobre las exportaciones de soja; el conflicto fue muy agudo, y el gobierno perdió el pulso en el Congreso; el superávit fiscal en entredicho fue garantizado con un recurso extremo pero muy efectivo en el corto plazo: el gobierno estatizó los recursos de las Administradoras de Fondos de Jubilaciones y Pensiones (conformadas por capitales privados, estatales o mixtos) que habían sido creadas por el gobierno de Menem en 1993. El sistema siguió boyante por algunos años, permitiendo la brillante reelección de Cristina en 2011. Su límite llegó en 2015, cuando la oposición obtuvo en la segunda

63. Romero, *La larga crisis Argentina. Del siglo XX al siglo XXI*, pp. 115-117.

vuelta electoral el 51% de los votos. La situación económica se había deteriorado (Gráfico 7.6, pág. 507) y las alianzas básicas que sustentaban el sistema se estaban rompiendo; el neopopulismo de los Kirchner ya no tenía futuro.

El Brasil del PT[64]

Luiz Inácio Lula da Silva, un veterano dirigente sindical de São Paulo y fundador del Partido de los Trabajadores (PT), ganó la presidencia del Brasil en 2003 y fue reelecto por amplia mayoría en 2006; en enero de 2011 entregó el mando a Dilma Rousseff, otra militante del PT desde la primera hora; el ciclo se cerró en agosto de 2016, cuando Dilma, que había sido reelecta en octubre de 2014, fue destituida por el Congreso en medio de una fuerte crisis política y económica circundada por grandes escándalos de corrupción.

Lula había sido candidato del PT en 1989, 1994 y 1998; su triunfo en las elecciones de octubre de 2002 fue resultado del desgaste electoral de los partidos de centro y de derecha, y de la moderación del discurso izquierdista del PT; esto le permitió atraer a los sectores medios a la vez que forjó una alianza electoral con el Partido Liberal, el Partido Comunista de Brasil y otros grupos menores; más tarde esa política de alianzas le permitió –primero en el Congreso, y luego en la elección presidencial de 2010– llegar a un acuerdo sostenido con el Partido del Movimiento Democrático Brasileño (PMDB).

Lula se comprometió a seguir con el modelo económico imperante desde la década de 1990, esto es, la apertura eco-

64. Fausto, *História do Brasil;* Brasil Emerge, *Vanguardia-Dossier* núm. 36, julio-septiembre, 2010.

nómica, la industrialización en el contexto del MERCOSUR, el impulso moderado a las privatizaciones, la liberalización de precios y el control de la inflación. Una excelente coyuntura internacional facilitó el crecimiento económico, el cual fue fuerte y sostenido entre 2003 y 2008. Brasil se consolidó como potencia emergente, y el presidente Lula desplegó una intensa actividad internacional con algunos éxitos relativos: no consiguió un puesto permanente en el Consejo de Seguridad de las Naciones Unidas, pero sí logró la sede del Mundial de Fútbol en 2014 y la de los Juegos Olímpicos en 2016.

A la par del crecimiento económico, el éxito mayor de la gestión de Lula fue una sustancial reducción de la pobreza gracias a una serie de programas asistenciales, como la «Bolsa Família», y a un énfasis en el consumo interno (aumento del salario mínimo, ampliación del acceso al crédito); el total de beneficiados se estima en 12 millones de familias entre 2002 y 2009[65]. Según los datos de la CEPAL, el porcentaje de población pobre bajó de un 36% en 2003 a un 14% en 2014.

La gestión del PT en el gobierno de Brasil se ha visto empañada seriamente por dos factores; el primero, las dificultades para reencontrar el crecimiento económico sostenido luego de la crisis internacional de 2008-2009; el segundo, la corrupción, algo que llevaría a la destitución de Dilma Rousseff en 2016 y al encausamiento judicial del propio Lula. El primer gran escándalo de corrupción estalló en 2004, con la llamada «Mensalão» (gran mensualidad); se trató de pagos realizados a los diputados de oposición para comprar sus votos en el Congreso; la investigación concluyó en 2012 y se comprobó el reparto de algo más de 30 millones de dólares; aunque el presidente Lula salió limpio,

---

65. *Ibid.,* p. 534.

José Dirceu, jefe del gabinete y figura histórica del PT, tuvo que renunciar a su cargo en 2005. Mucho más grave fue el segundo escándalo, que estalló en 2014, denominado «Lava-Jato» (lavado express o lavado a presión). En este caso se trató de sobornos y comisiones por más de 100 millones de dólares, repartidos por la Petrobrás, la compañía estatal de petróleo, y la BTP, un complejo de empresas públicas y privadas vinculadas a la construcción y las obras públicas[66]. Aunque la investigación judicial no ha concluido en 2016, parece claro que los pagos beneficiaron a dirigentes del PT, el PMDB y el PP (Partido Progresista). Al «Lava-Jato» se agregaron después escándalos vinculados a la construcción de obra pública para el Mundial de Fútbol de 2014 y los Juegos Olímpicos de 2016. No deja de ser triste que un líder como Lula y un partido como el PT, que gozaron en su momento de un gran prestigio interno e internacional, acaben envueltos en una corrupción muy parecida a la que denunciaron incansablemente en los años heroicos de constitución del partido, allá en las décadas de 1980 y 1990.

Cuba[67]

En la Cuba revolucionaria siguió reinando, durante más de tres décadas, «su majestad el azúcar»; en 1970 todo el país se trastornó para lograr una zafra record de 10 millones de toneladas, pero a pesar del voluntarismo y del empeño re-

66. Entre las empresas de este grupo se encuentran Odebrecht, OAS, Camargo Correia, Mendes Junior, Galvão, Iesa, Engevix, y UTC/ Constran.
67. Consuelo Naranjo Orovio (coord.), *Historia de Cuba,* Historia de las Antillas, volumen I, Madrid, Ediciones Doce Calles / CSIC, 2009;

volucionario, apenas se consiguió llegar a una producción de casi 9 millones de toneladas. El arreglo económico entre Cuba y la Unión Soviética era simple: se intercambiaba azúcar por petróleo y otros bienes producidos en el CAME[68]; los precios eran resultado de un acuerdo entre ministros, sin tener mucho que ver con los precios en el mercado internacional. Cuba exportaba básicamente azúcar y seguía dependiendo del monocultivo como antes de la Revolución; la construcción de una economía socialista centralizada era errática, oscilando entre períodos pragmáticos en los cuales se promovía cierta iniciativa privada, y otros, más bien «idealistas», en los cuales se le ponía freno y se volvía a la colectivización burocrática[69]. Nada sufrió más que la producción agropecuaria, incapaz de abastecer las necesidades internas mínimas y sometida a un sinnúmero de iluminaciones agronómicas del Líder Máximo, todas destinadas al fracaso.

El bloqueo por parte de los Estados Unidos limitaba drásticamente las posibilidades del desarrollo cubano, pero

Hugh Thomas, *Cuba. The Pursuit of Freedom,* Nueva York, Harper & Row, 1970; Rafael Rojas, *Historia mínima de la Revolución Cubana,* Madrid, Turner-El Colegio de México, 2015; Antonio Benítez Rojo, *La isla que se repite. Edición definitiva,* Barcelona, Editorial Casiopea, 1998; Roland T. Ely, *Cuando reinaba su majestad el azúcar. Estudio histórico-sociológico de una tragedia latinoamericana: el monocultivo en Cuba, origen y evolución del proceso,* Buenos Aires, Editorial Sudamericana, 1963.
68. Consejo de Ayuda Mutua Económica, COMECON por sus siglas en inglés; fue un convenio comercial vigente entre 1948 y 1991 que agrupaba a la Unión Soviética y sus satélites, y pretendía emular a la Comunidad Económica Europea.
69. Según Mesa-Lago entre 1959 y 2007 hubo cuatro ciclos idealistas, tres pragmáticos y uno de estancamiento. Para un estudio detallado véase: Carmelo Mesa-Lago, *Cuba en la era de Raúl Castro. Reformas económico-sociales y sus efectos,* Madrid, Editorial Colibrí, 2012.

se convertía también en justificación permanente de las distorsiones y desatinos originados en la burocracia y el combate feroz de cualquier tipo de disidencia. Desde la trágica experiencia estalinista de la década de 1930, nada de eso era enteramente nuevo en un Estado socialista, pero era algo inesperado y difícil de tragar para los sinceros creyentes en la esperanza que desató la Revolución cubana en la década de 1960.

Un momento particularmente traumático ocurrió en el año 1971, cuando el poeta Heberto Padilla, Premio Nacional de Poesía de 1968, fue detenido y obligado a una autocrítica humillante. La persecución policiaca a todo lo que oliera a disidencia se situaba entre dos extremos: a) la purga de funcionarios y responsables políticos y militares, de diversos niveles, lo que incluyó a varios guerrilleros de la primera hora y también a «héroes de la República de Cuba», como el general Arnaldo Ochoa en 1989; y b) la limpieza de la «escoria» y los «depravados que reinciden», lo cual comprendió desde 1961 a los homosexuales y otros practicantes de la contracultura, incluyendo a seguidores de los Beatles y los Rolling Stones[70]; entremedio había por supuesto zonas de grises y mil gradaciones, donde cabían todos los trabajadores de la cultura. El *affaire* Padilla dividió a los intelectuales que acompañaban la Revolución; unos, como García Márquez, Cortázar y Benedetti, siguieron aprobando las decisiones del Líder Máximo; otros, como Mario Vargas Llosa y Carlos Fuentes, se distanciaron de lo que

70. Carlos Monsiváis, *Las esencias viajeras. Hacia una crónica cultural del Bicentenario de la Independencia,* México, Fondo de Cultura Económica / Consejo Nacional para la Cultura y las Artes, 2012, pp. 344-360.

consideraron la construcción de un Estado policiaco y un remedo tropical del estalinismo[71].

A lo largo de los años el régimen cambió poco; sólo la enfermedad apartó del poder a Fidel Castro en 2006, quien con 47 años en el gobierno superaba ya a casi todos los monarcas y dictadores conocidos; a su muerte en 2016, vale la pena recordar el agudo comentario de Carlos Monsiváis:

A los partidarios de Castro el culto a la personalidad no les molesta porque lo califican de «relación entrañable con la Historia». No les parece un dictador sino el líder de la democracia unipersonal[72].

La emigración ha sido una constante en la historia de Cuba desde 1960 hasta hoy; se calcula que el volumen acumulado de personas en el exterior representa un 20% del total de la población cubana. La emigración fue muy fuerte hacia 1960, 1961 y 1962, con unas tasas anuales de alrededor del 9 ‰; luego hubo un alza muy fuerte en 1980, con una salida neta de 140.000 personas, focalizada en el puerto de Mariel, al norte de La Habana, y nuevo pico de salidas en 1994 y 1995; en la década del 2000 la emigración oscila alrededor de 35.000 personas por año, es decir, una tasa de emigración cercana al 3‰[73]. La emigración cumple dos funciones básicas: es una válvula de escape a la disidencia y

71. Un testimonio de gran utilidad sobre el clima político y el control policiaco hacia 1971 aparece en Jorge Edwards, *Persona non grata*, Barcelona, Barral Editores, 1973.
72. Monsiváis, *Las esencias viajeras. Hacia una crónica cultural del Bicentenario de la Independencia*, pp. 356-357.
73. Las cifras indicadas provienen de la estadística oficial, elaborada y publicada por la Oficina Nacional de Estadística de Cuba.

alimenta las remesas en dólares, una entrada de divisas de importancia creciente para la economía cubana, sobre todo una vez que se produjo el colapso de la Unión Soviética.

El turismo, antaño denostado por Fidel Castro como una forma de imperialismo, se convierte en una solución que aporta divisas y empleo: en 1997 llegan más de un millón de turistas, sobre todo provenientes de Europa, Canadá y Sudamérica; la progresión anual es creciente, y en 2014 las llegadas casi alcanzan los tres millones; un éxito de todos modos relativo si se lo compara con el de la República Dominicana, con más de cinco millones de turistas en 2014.

La venta de servicios de salud a extranjeros y el envío de médicos y paramédicos a una suerte de servicio social a países amigos como Nicaragua y Venezuela agregan nuevos recursos a la balanza de pagos. A partir de 1999, con la llegada de Hugo Chávez al gobierno de Venezuela, Cuba recibe otra vez petróleo a precios muy bajos, y ello contribuye sin duda a la sobrevivencia del régimen, con erráticos retrocesos en un programa de reformas económicas que no acaba de implementarse.

Mantener los logros alcanzados en salud y educación, solucionar el déficit en la vivienda y mejorar las condiciones de vida de la mayoría de la población son los desafíos sociales más serios que enfrenta el gobierno cubano en las primeras décadas del siglo XXI. La evolución del PIB per cápita en términos reales (Gráfico 7.13) es reveladora de las vicisitudes de la economía cubana a partir de 1970; los 3.000 dólares de la década de 1980 caen notablemente después de 1990 y sólo unos quince años después se recuperan esos niveles, que fueron los de los buenos tiempos del socialismo; recién a partir de 2005 se observa un crecimiento significativo que permite superar los 4.000 dólares en 2011; en una comparación con otros países

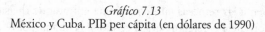

Gráfico 7.13
México y Cuba. PIB per cápita (en dólares de 1990)

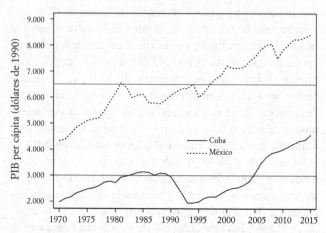

Fuente: Bértola y Ocampo, *op. cit.,* CEPAL.

latinoamericanos, la *performance* cubana va, sin embargo, bien por debajo de la de países como México y Brasil, que representan algo así como un promedio latinoamericano.

El régimen cubano reposó sobre cuatro pilares fundamentales: el carisma autoritario de Fidel Castro, Líder Máximo de la Revolución; las Fuerzas Armadas; el Partido Comunista de Cuba; y los Comités de Defensa de la Revolución, organizados a nivel local en cada barrio o asentamiento humano. Pero hay todavía que especificar la naturaleza de la dominación y sus mecanismos, como se lo propone Vincent Bloch en una obra admirable[74]. La clave última se encontra-

74. Vincent Bloch, *Cuba, une révolution,* París, Vendémiaire, 2016, véase sobre todo pp. 403-407.

ría en la estructuración de la vida cotidiana, regida por tres principios básicos: a) perversión de la ley, en el sentido de que para los calificados de contrarrevolucionarios no hay *habeas corpus* ni acceso a instancias de apelación; b) la ciudadanía sólo se reserva a los ciudadanos revolucionarios, cuyo control, definición y calificación corresponde a las organizaciones de masas; y c) la erosión de todas las formas de solidaridad social, lo cual configura individuos aislados, sujetos al temor permanente a la sospecha, la desconfianza y la denuncia.

En 2016 lo que se propuso como un horizonte de esperanza para el conjunto de América Latina no puede ocultar el sabor amargo de un fracaso económico y sobre todo de un fracaso político. Nada lo expresa mejor que un texto publicado por José Saramago en 2003, cuando el gobierno cubano detuvo a 75 disidentes y fusiló a tres jóvenes que pretendían huir en una lancha[75]:

Hasta aquí he llegado. Desde ahora en adelante Cuba seguirá su camino, yo me quedo. Disentir es un derecho que se encuentra y se encontrará inscrito con tinta invisible en todas las declaraciones de derechos humanos, pasadas, presentes y futuras. Disentir es un acto irrenunciable de conciencia. Puede que disentir conduzca a la traición, pero eso siempre tiene que ser demostrado con pruebas irrefutables. No creo que se haya actuado sin dejar dudas en el juicio reciente de donde salieron condenados a penas desproporcionadas los cubanos disidentes [...] Cuba no ha ganado ninguna heroica batalla fusilando a es-

75. Publicado en *El País* del 14 de abril de 2003, citado en Monsiváis, *Las esencias viajeras. Hacia una crónica cultural del Bicentenario de la Independencia,* p. 358.

tos tres hombres, pero sí ha perdido mi confianza, ha dañado mis esperanzas, ha defraudado mis ilusiones. Hasta aquí he llegado.

Umberto Eco consideraba que el texto, una vez producido, adquiere una vida social propia. En 2016, los famosos versos de Nicolás Guillén publicados en 1947, parecen perforar el tiempo y adquieren un peso emocional que no se puede ocultar entre sollozos:

> ¡Ay, Cuba, si te dijera,
> yo que te conozco tanto,
> que es de sangre tu palmera,
> y que tu mar es de llanto!

Conclusión

Las grandes líneas de la historia latinoamericana a partir de 1980 se pueden trazar ahora con cierta precisión. La crisis de la deuda devasta la región y origina lo que se ha llamado con razón la «década perdida»; el retorno de la democracia electoral y el retroceso de las dictaduras y gobiernos militares se desenvuelve en este contexto, y bajo la presión de los organismos financieros internacionales, como el Banco Mundial y el Fondo Monetario Internacional, se adoptan un paquete de reformas y políticas neoliberales que disminuyen el intervencionismo estatal y propician la apertura comercial y financiera.

América Latina entra así en la globalización con una combinación de éxitos macroeconómicos –incluyendo el fin de las grandes inflaciones– y desastres en el costo social, con un fuerte aumento del desempleo, la pobreza y la desigualdad. En muchos países el giro al neopopulismo de izquierda fue precisamente un resultado de explosiones sociales generadas por el ajuste y las recetas neoliberales aplicadas a finales del siglo XX e inicios del XXI.

La búsqueda de un nuevo modelo de desarrollo sigue siendo un tema abierto, dada la relativa precariedad de las soluciones ensayadas: a) el modelo neoliberal y los tratados de libre comercio; b) el modelo neopopulista, basado en la redistribución de las rentas generadas por la exportación de productos primarios. La necesidad de incorporar innovaciones tecnológicas para lograr una producción con mayor valor agregado, el cuidado del medio ambiente y un aumento sustancial del capital humano, parecen ser, entre otros factores, componentes básicos requeridos por el nuevo modelo de crecimiento.

A la par de estos requisitos, típicamente económicos, hay que considerar lo que los científicos sociales llaman la «cohesión social». Este es un concepto que busca definir un horizonte deseable para la sociedad, basándose en la democracia y el bienestar, minimizando la polarización y la desigualdad. Aparece en el discurso político de la Unión Europea en la década de 1990, pero su utilización se extiende también a América Latina, donde adquiere rasgos propios[76]. En los últimos treinta años América Latina está viviendo un proceso de transformación democrática muy profundo que no viene del ámbito político-institucional, sino más bien de la sociedad y

---

76. CEPAL, *Cohesión social, inclusión y sentido de pertenencia en América Latina y el Caribe,* Santiago de Chile, Naciones Unidas, 2007; Bernardo Sorj y Danilo Martuccelli, *El desafío latinoamericano: cohesión social y democracia,* Buenos Aires, Siglo XXI / Editora Iberoamericana, 2008.

la cultura; se origina en los procesos de urbanización, globalización de la comunicación y expansión del sistema educativo, con nuevas formas de movilización social «desde abajo». La vida social se vuelve mucho más porosa y dinámica, e incluye la diversidad étnica y cambios significativos en las relaciones de género y las relaciones intra e intergeneracionales[77]. La conciencia y conceptualización de estos cambios en el contexto de la modernidad es todavía limitada y por eso no adquiere suficiente visibilidad.

Para cerrar esta conclusión conviene recordar algunos aspectos básicos del orden mundial imperante a inicios del siglo XXI. Durante la Guerra Fría (1947-1990) el mundo fue bipolar, aunque la emergencia de China, en abierto conflicto con la Unión Soviética desde 1960 y reconocida por los Estados Unidos en 1971, introdujo un matiz importante. La caída de la Unión Soviética en 1990 no sólo puso fin a la Guerra Fría; abrió el paso a un orden mundial multipolar, una vez que la reunificación de Alemania y la independencia de los países de Europa del Este permitió la consolidación de la Unión Europea.

Pero este mundo multipolar, en pleno desarrollo a fines del siglo XX y los comienzos del siglo XXI, está lejos de ser estable y muestra un aumento de realidades contradictorias, que un avezado conocedor como Henry Kissinger resume en estos términos[78]:

a) El Estado declina en muchas zonas y aparecen fenómenos extendidos de ingobernabilidad y Estados fallidos;

---

77. Sorj y Martuccelli, *El desafío latinoamericano: cohesión social y democracia,* pp. 239-256.
78. Henry Kissinger, *World Order,* Nueva York, Penguin Books, 2014, pp. 365-371.

b) Hay una profunda asimetría entre la organización económica mundializada y el orden político nacional;

c) No existe un mecanismo efectivo de consulta y cooperación entre las grandes potencias, válido en el mediano o largo plazo, que vaya más allá de declaraciones retóricas;

d) El caso de los Estados Unidos, cuya gravitación sigue siendo crucial, es ambiguo e inestable en cuanto al balance entre la propia experiencia nacional y la confianza idealista en su universalidad.

En su obra más reciente, Kissinger analiza el orden mundial del presente desde la óptica de los intereses de los Estados Unidos, pero utilizando una gran profundidad histórica; casi no hay referencias a los países latinoamericanos, y el foco de la atención, fuera de los Estados Unidos, está en el mundo musulmán, China, India, Japón, Europa y Rusia. Esto confirma un hecho repetidamente citado: en la segunda mitad del siglo XX, América Latina va perdiendo peso relativo en el orden mundial, tanto en términos económicos como en términos políticos; para los Estados Unidos, la necesidad de contener el comunismo en el contexto de la Guerra Fría era lo que guiaba básicamente su política hacia la región y modelaba la valoración de su importancia estratégica. Pasado ese momento, importa mucho menos, y la injerencia militar a través de programas de lucha contrainsurgente se vuelve parte del olvido. Podemos afirmar que en este orden mundial multipolar e inestable, América Latina entra con bajo perfil, participando a su manera en la corriente de la globalización. Dadas las experiencias del pasado, no parece que esta situación sea necesariamente desfavorable, y en algunos casos, podría convertirse en una importante ventaja relativa.

El sentido de la historia latinoamericana

Al final de dos siglos de camino, y en una encrucijada donde las flechas apuntan en direcciones encontradas y hacia senderos sin salida, conviene preguntarse sobre el sentido de la historia latinoamericana. «Sentido» quiere decir aquí tanto dirección como significado profundo. Muchos dirán que esta es una pregunta para filósofos, y sin duda que lo es; pero tampoco podemos esquivarla, pues la sabiduría filosófica solo nos remitirá a otras preguntas e incluso a nociones herméticas.

Si pudiéramos hacerle la pregunta a Alexander von Humboldt hacia 1830, hubiera dicho, sin duda, que las duras realidades de la época de la Independencia cederían pronto el paso a un mundo mejor, gracias a los avances en la educación y la ciencia. Para un hijo de la Ilustración como él, la emancipación humana estaba a la vuelta de la esquina.

En 1936, cuando visitó Brasil y Argentina, Stefan Zweig tuvo la firme convicción de que acababa de «echar un vistazo sobre el porvenir de nuestro mundo». En 1941, cuando concluye su larga reflexión sobre Brasil, Zweig admira la convivencia de razas, clases, religiones y convicciones en forma pacífica, y lo ve como un ejemplo de esperanza en un mundo europeo suicida, desgarrado por el odio y la locura[1].

En 1952, Tibor Mende, húngaro, economista formado en Londres y funcionario de las Naciones Unidas, recorre el subcontinente después de haber visitado y estudiado la India recién independizada; aunque percibe las limitaciones y cuellos de botella del desarrollo, no duda en pensar que América Latina es parte crucial del porvenir mundial, y que los países más grandes como Brasil, México y Argentina, se convertirán en grandes potencias[2]. La confianza en el progreso estaba todavía presente en un mundo ahora dividido entre el campo capitalista y el campo comunista.

Hacia 1960, la Revolución cubana abrió un horizonte nuevo bajo el signo socialista, con la promesa de un mundo mejor, sin explotación imperialista y sin desigualdades. El camino de la revolución en el Tercer Mundo se abría así como un horizonte posible, aplaudido por muchos intelectuales y seguido con fascinación por cientos de jóvenes encandilados por la figura mítica del Che Guevara. Un cristianismo renovado, por su parte, con fuertes raíces en movimientos sociales de base, abrió otra vía posible, y a menudo complementaria, hacia la rebelión.

Pero estos sueños revolucionarios se disiparon décadas después y se rompieron en mil pedazos bajo la onda expansiva que provocó la caída del Muro de Berlín en noviembre

1. Stefan Zweig, *Brasil. País del futuro,* traducido por Alfredo Cahn, Buenos Aires, Espasa-Calpe, 1950 [1941].
2. Tibor Mende, *L'Amérique Latine entre en scène,* traducido por Jeanne N. Mathieu, París, Éditions du Seuil, 1952.

de 1989. Quedamos solos otra vez, siempre desterrados en nuestra propia tierra, como dijo alguna vez, Sergio Buarque de Holanda[3].

Soledad, destierro, extrañamiento, máscaras que ocultan la sensibilidad más profunda, son algunas de las imágenes y metáforas elaboradas por los ensayistas y poetas que han buscado el sentido de la historia y la cultura latinoamericanas. En la segunda mitad del siglo XX, quizás ninguno voló más alto que Octavio Paz[4]. Lo que parece claro para nosotros, en 2016, es que de los futuros posibles no hay ninguno garantizado. Dejamos de creer en los paraísos del progreso y el socialismo, y no entramos, como algunos creyeron ingenuamente en la década de 1990, en un mundo donde ya no habría opciones significativas, más allá de las del mercado capitalista y la democracia liberal.

La globalización ha sido una fuente inevitable de inestabilidad, como de hecho ha ocurrido siempre en todos los grandes virajes históricos. Las tensiones se presentan en por lo menos tres niveles significativos: lo nacional, lo latinoamericano y lo global. Cómo conciliar y articular estos tres niveles es probablemente el desafío más grande que enfrentan los gobiernos, las sociedades y los individuos. La experiencia histórica latinoamericana enseña que el reconocimiento del otro es indispensable para adquirir plena conciencia del nosotros[5]; este no es un logro

---

3. Sergio Buarque de Holanda, *Raízes de Brasil,* São Paulo, Companhia das Letras, 1995 [1936], p. 31.
4. Octavio Paz, *El laberinto de la soledad. Postdata. Vuelta a el laberinto de la soledad,* México, Fondo de Cultura Económica, 1981 [1950]
5. Octavio Paz, *Corriente alterna,* México, Siglo XXI, 1984 [1967], p. 283.

menor en la búsqueda de formas y diseños de la convivencia humana.

La ciencia histórica no descifra significados ocultos en la trayectoria de las sociedades; tampoco utiliza metas trascendentes definidas por las creencias religiosas o los sistemas filosóficos; sus objetivos y métodos son pues limitados. Lo que sí puede ofrecer es mejorar nuestra conciencia, tanto a nivel individual como colectivo, del pasado y el presente que nos toca vivir. También puede contribuir, sin duda, a nuestra imaginación de los futuros posibles.

Bibliografía general seleccionada

ADELMAN, Jeremy, *Sovereignty and revolution in the Iberian Atlantic,* Princeton, Princeton University Press, 2006.

AGUILAR CAMÍN, Héctor y MEYER, Lorenzo, *A la sombra de la Revolución Mexicana,* 6.ª ed., México, Cal y Arena, 1991.

AGUIRRE BELTRÁN, Gonzalo, *El proceso de aculturación y el cambio socio-cultural en México,* México, Fondo de Cultura Económica, 1992 [1970].

ALBERRO, Solange y GONZALBO AIZPURU, Pilar, *La sociedad novohispana: estereotipos y realidades,* México, El Colegio de México, 2013.

ALTAMIRANO, Carlos, *Bajo el signo de las masas (1943-1973),* Biblioteca del Pensamiento Argentino, VI, Buenos Aires, Emecé Editores, 2007.

ANDRADE, Mario de, *Ensaio sôbre a música brasileira,* São Paulo / Brasilia, Martins / Instituto Nacional do Livro, 1972 [1928].

ANDREWS, George Reid, *Afro-Latin America, 1800-2000,* Nueva York, Oxford University Press, 2004.

ANNA, Timothy E., *The Fall of the Royal Government in Mexico City,* Lincoln, University of Nebraska Press, 1978.

ARCHER, Christon I., *The Army in Bourbon Mexico, 1760-1810,* Albuquerque, Universiy of New Mexico Press, 1977.

ARCHILA Neira, Mauricio (ed.), *Historia de América Andina. Volumen 7. Democracia, desarrollo e integración: vicisitudes y perspectivas (1930-1990),* Quito, Universidad Andina Simón Bolívar / Libresa, 2013.

ARGUEDAS, José María, *Formación de una cultura nacional indoamericana,* selección y prólogo de Ángel Rama, México, Siglo XXI, 1975.

ASSADOURIAN, Carlos Sempat, *El sistema de la economía colonial. El mercado interior. Regiones y espacio económico,* México, Editorial Nueva Imagen, 1983.

— *Transiciones hacia el sistema colonial andino,* Serie Estudios Históricos, México, D.F., Lima, Colegio de México, Fideicomiso Historia de las Américas, Instituto de Estudios Peruanos, 1994.

AYALA MORA, Enrique (ed.), *Nueva historia del Ecuador,* 15 vols., Quito, Corporación Editora Nacional / Grijalbo, 1983-1995.

BAGÚ, Sergio, *Economía de la sociedad colonial; ensayo de historia comparada de América Latina,* Buenos Aires, El Ateneo, 1949.

— *Estructura social de la colonia; ensayo de historia comparada de América Latina,* Buenos Aires, El Ateneo, 1952.

BARTRA, Roger, *La jaula de la melancolía. Identidad y metamorfosis del mexicano,* 13.ª reimp., 1.ª ed., 1987, México, Grijalbo, 2004.

BASADRE, Jorge, *Perú, problema y posibilidad, y otros ensayos,* editado por David Sobrevilla, Caracas, Biblioteca Ayacucho, 1992.

BAUD, Michiel, *Intelectuales y sus utopías. Indigenismo y la imaginación de América Latina,* Ámsterdam, Cuadernos del CEDLA, 2003.

BAUER, Arnold J., *Chilean Rural Society from the Spanish Conquest to 1930,* Cambridge, Cambridge University Press, 1975.

BENÍTEZ ROJO, Antonio, *La isla que se repite. Edición definitiva,* Barcelona, Editorial Casiopea, 1998.

BENTON, Lauren A., *Law and colonial cultures: legal regimes in world history, 1400-1900,* Studies in comparative world history. Cambridge, Nueva York, Cambridge University Press, 2002.

BERNAND, Carmen y GRUZINSKI, Serge, *Historia del nuevo mundo: del descubrimiento a la Conquista, la experiencia europea, 1492-1550,* México, Fondo de Cultura Económica, 1996.

BERQUIST, Charles W., *Labor in Latin America: Comparative Essays on Chile, Argentina, Venezuela, and Colombia,* Stanford, Stanford University Press, 1986.

BÉRTOLA, Luis y GERCHUNOFF, Pablo (comps.), *Institucionalidad y desarrollo económico en América Latina,* Santiago de Chile, CEPAL (edición electrónica), 2011.

BÉRTOLA, Luis y OCAMPO, José Antonio, *El desarrollo económico de América Latina desde la Independencia,* México, Fondo de Cultura Económica, 2013.

BETHELL, Leslie (ed.), *Historia de América Latina,* 16 vols. (versión castellana de la *Cambridge History of Latin America),* Barcelona, Crítica, 1990-2002.

BLOCH, Vincent, *Cuba, une révolution,* París, Vendémiaire, 2016.

BONFIL BATALLA, Guillermo, *México profundo. Una civilización negada,* México, Grijalbo, 1990.

BONILLA, Heraclio, *Guano y burguesía en el Perú,* Lima, Instituto de Estudios Peruanos, 1974.

BOTANA, Natalio y GALLO, Ezequiel, *De la República posible a la República verdadera (1880-1910),* vol. III, Biblioteca del Pensamiento Argentino, Buenos Aires, Ariel Historia, 1997.

BOURNE, Richard, *Getúlio Vargas. A esfinge dos pampas,* traducido por Paulo Schmidt y Sonia Augusto, São Paulo, Geração Editorial, 2012.

BOURRICAUD, François, *Poder y sociedad en el Perú,* Lima, Instituto de Estudios Peruanos / Instituto Francés de Estudios Andinos, 1989.

BRADING, David A., *Mineros y comerciantes en el México borbónico (1763-1810),* traducido por R. Gómez. México, Fondo de Cultura Económica, 1975.

— *Orbe Indiano. De la monarquía católica a la República criolla, 1492-1867,* traducido por Juan José Utrilla, México, Fondo de Cultura Económica, 1991.

BUARQUE DE HOLANDA, Sérgio, *Raízes do Brasil,* São Paulo, Companhia des Letras, 1995 [1936].

— (ed.), asistido por Pedro Moacyr Campos y Boris Fausto, *Histórica Geral da Civilização Brasileira,* 10 vols., São Paulo, Difusão Européia do Livro, 1960-1984.

BUCHRUCKER, Cristián, *Nacionalismo y peronismo. La Argentina en la crisis ideológica mundial (1927-1955)*, Buenos Aires, Editorial Sudamericana, 1987.

BULMER-THOMAS, Victor, *The Political Economy of Central America since 1920*, Cambridge, Cambridge University Press, 1987.

– *The Economic History of Latin America since Independence*, Cambridge, Cambridge University Press, 1994.

– *The Economic History of the Caribbean since the Napoleonic Wars*, Cambridge, Cambridge University Press, 2012.

BULMER-THOMAS, Victor, COATSWORTH, John y CORTES-CONDE, Roberto (eds.), *The Cambridge Economic History of Latin America Volume 1. The Colonial Era and the Short Nineteenth Century*, Cambridge, Cambridge University Press, 2005.

– *The Cambridge Economic History of Latin America Volume 2. The Long Twentieth Century*, Cambridge, Cambridge University Press, 2006.

BURUCÚA, José Emilio (ed.), *Nueva historia Argentina. Arte, sociedad y política. Dos volúmenes*, Buenos Aires, Editorial Sudamericana, 1999.

BUSHNELL, David y MACAULAY, Neill, *The Emergence of Latin America in the Nineteenth Century*, Nueva York, Oxford University Press, 1988.

CABALLERO, Manuel, *La Internacional comunista y la revolución latinoamericana, 1919-1943*, Caracas, Editorial Nueva Sociedad, 1987.

CANDIDO, Antonio, *A Educação Pela Noite & Outros Ensaios*, São Paulo, Editora Ática, 1989.

CÁRDENAS, Enrique, OCAMPO, José Antonio y THORP, Rosemary (comps.), *Industrialización y Estado en la América Latina. La leyenda negra de la posguerra*, México, Fondo de Cultura Económica, 2003.

CARDOSO, Ciro Flamarion, *Escravo ou camponês? O protocampesinato negro nas Américas*, São Paulo, Brasiliense, 1987.

– *La Guyanne française (1715-1817). Aspects économiques et sociaux. Contribution à l'étude des sociétés esclavagiste d'Amérique*, Petit Bourg / Guadaloupe, Ibis Rouge Editions, 1999.

- (org.), *Escravidão e abolição no Brasil. Novas perspectivas,* Rio de Janeiro, Jorge Zahar Editor, 1988.

CARDOSO, Ciro Flamarion y PÉREZ BRIGNOLI, Héctor, *Historia económica de América Latina. Tomo I. Sistemas agrarios e historia colonial,* Barcelona, Editorial Crítica, 1979.

- *Historia económica de América Latina. Tomo II. Economías de exportación y desarrollo capitalista,* Barcelona, Editorial Crítica, 1979.

CARDOSO, Fernando Henrique, *Capitalismo e escravidão no Brasil Meridional; o negro na sociadade escravocrata do Rio Grande do Sul,* Corpo e alma do Brasil, 8, São Paulo, Difusão Européia do Livro, 1962.

- *Empresário industrial e desenvolvimento econômico no Brasil,* Corpo e alma do Brasil, 13, São Paulo, Difusão Européia do Livro, 1964.

CARDOSO, Fernando Henrique y FALETTO, Enzo, *Dependencia y desarrollo en América Latina. Ensayo de interpretación sociológica,* Buenos Aires, Siglo Veintiuno Editores, 2003 [1969].

CARMAGNANI, Marcello, *El otro Occidente. América Latina desde la invasión europea hasta la globalización,* traducido por Jaime Riera Rehren, México, Fondo de Cultura Económica, 2004.

CARRERA DAMAS, Germán (ed.), *Historia de América Andina. Volumen 4. Crisis del régimen colonial e Independencia,* Quito, Universidad Andina Simón Bolívar / Librera, 2003.

CARVALHO, José Murilo de, *Os bestializados: O Rio de Janeiro e a República que não foi,* São Paulo, Companhia das Letras, 1987.

CASTAÑEDA, Jorge G., *Utopia Unarmed. The Latin American Left After the Cold War,* Nueva York, Vintage Books, 1993.

CHEVALIER, François, *La formación de los latifundios en México. Haciendas y sociedad en los siglos XVI, XVII y XVIII,* traducido por Antonio Alatorre, 3.ª ed., México, Fondo de Cultura Económica, 1999 [1953].

CHIARAMONTE, José Carlos, *Nación y Estado en Iberoamérica. El lenguaje político en tiempos de las independencias,* Buenos Aires, Editorial Sudamericana, 2004.

COATSWORTH, John H., *Central America and the United States. The Clients and the Colossus,* Nueva York, Twayne Publishers, 1994.

COATSWORTH, John H. y TAYLOR, Alan M. (eds.), *Latin America and the World Economy Since 1800,* Cambridge, Mass., Harvard University / David Rockefeller Center for Latin American Studies, 1998.

COLLIER, David (ed.), *The New Authoritarianism in Latin America,* Princeton, Princeton University Press, 1979.

COLLIER, Simon y SATER, William F., *A History of Chile, 1808-1994,* Cambridge, Cambridge University Press, 1996.

CONNELL-SMITH, Gordon, *Los Estados Unidos y la América Latina,* traducido por Agustín Bárcenas, México, Fondo de Cultura Económica, 1977.

CONTRERAS, Carlos y CUETO, Marcos, *Historia del Perú contemporáneo. Desde las luchas por la independencia hasta el presente,* 5.ª ed., Lima, Instituto de Estudios Peruanos, 2013.

COSÍO VILLEGAS, Daniel (coord.), *Historia moderna de México,* 8 vols., México, Editorial Hermes, 1955-1974.

— *Historia general de México,* 4 vols., México, El Colegio de México, 1976.

COSTA, Emilia Viotti da, *Da senzala à colônia,* São Paulo, Difusão Européia do Livro, 1966.

— *The Brazilian Empire: Myths and Histories,* Chicago, University of Chicago Press, 1985.

— *Da monarquia à república: momentos decisivos,* 6.ª ed., São Paulo, Fundação Editora da UNESP, 1999.

COTLER, Julio, *Clases, estado y nación en el Perú,* Lima, Instituto de Estudios Peruanos, 1978.

DEGREGORI, Carlos Iván, *Qué difícil es ser Dios. El Partido Comunista del Perú – Sendero Luminoso y el conflicto armado interno del Perú: 1980-1999,* Lima, Instituto de Estudios Peruanos, 2010.

DEGREGORI, Carlos Iván y SANDOVAL, Pablo (comps.), *Saberes periféricos: ensayos sobre la antropología en América Latina,* Lima, Instituto de Estudios Peruanos, 2008.

DELGADO, Óscar (ed.), *Reformas agrarias en América Latina. Procesos y perspectivas,* México, Fondo de Cultura Económica, 1965.

DEVÉS VALDÉS, Eduardo, *El pensamiento latinoamericano en el siglo XX. Tomo I. Entre la modernización y la identidad. Del Ariel de Rodó a la CEPAL (1900-1950),* Buenos Aires, Biblos / Centro de Investigaciones Diego Barros Arana, 2000.

– *El pensamiento latinoamericano en el siglo XX. Tomo II. De la CEPAL al neoliberalismo (1950-1900),* Buenos Aires, Biblos / Centro de Investigaciones Diego Barros Arana, 2003.
– *El pensamiento latinoamericano en el siglo XX. Tomo III. Entre la modernización y la identidad,* Buenos Aires, Biblos / Centro de Investigaciones Diego Barros Arana, 2004.

DI TELLA, Torcuato S., «Populismo y reforma en América Latina», *Desarrollo Económico,* vol. 4, núm. 16 (1965), pp. 391-425.

DOSMAN, Edgar J., *Raúl Prebisch (1901-1986). A construção da América Latina e do Terceiro Mundo,* traducido por Teresa Dias Carneiro y César Benjamin, Rio de Janeiro, Contraponto / Centro Internacional Celso Furtado, 2011.

DRAKE, Paul W., *Socialism and Populism in Chile, 1932-1952,* Urbana, University of Illinois Press, 1978.

DROULERS, Martine, *Brésil: une géohistoire,* París, Presses Universitaires de France, 2001.

DUBOIS, Laurent, *Avengers of the New World. The Story of the Haitian Revolution,* Cambridge, Mass., The Belnap Press of Harvard University Press, 2004.

EDWARDS, Sebastián, *Left Behind: Latin America and the False Promise of Populism,* Chicago, The University of Chicago Press, 2010.

ELLIOT, John H., *Imperios del mundo atlántico. España y Gran Bretaña en América, 1492-1830,* traducido por Marta Balcells, Madrid, Taurus, 2006.

ELLNER, Steve, *Rethinking Venezuelan Politics. Class, Conflict, and the Chávez Phenomenon,* Boulder, Lynne Rienner Publishers, 2008.

FAJNZYLBER, Fernando, *Industrialización en América Latina: de la «caja negra» al «casillero vacío». Comparación de patrones contemporáneos de industrialización,* Santiago de Chile, Cuadernos de la CEPAL, 1990.

FAUSTO, Boris, *História do Brasil,* 14a. ed. São Paulo, Editora da Universidade de São Paulo, 2012.

FIFER, J. Valerie, *Bolivia. Territorio, situación y política desde 1825,* traducido por Sergio Aguirre Mac-Kay. Buenos Aires, Editorial Francisco de Aguirre, S.A., 1976.

FLORES GALINDO, Alberto, *Buscando un inca: indentidad y utopía en los Andes, ensayo,* La Habana, Casa de las Américas, 1986.

FLORESCANO, Enrique, *Memoria mexicana. Ensayo sobre la reconstrucción del pasado: época prehispánica-1821,* México, Editorial Joaquín Mortiz, 1987.

FORMENT, Carlos A., *Democracy in Latin America, 1760-1900. Civic Selfhood and Public Life in Mexico and Peru,* Chicago, University of Chicago Press, 2003.

FRENCH, John D., *Drowning in Laws. Labor, Law and Brazilian Political Culture,* Chapel Hill, North Carolina University Press, 2004.

FURTADO, Celso, *Formación económica del Brasil,* traducido por D. Aguilera, México, Fondo de Cultura Económica, 1962.

– *La economía latinoamericana. Desde la conquista ibérica hasta la Revolución cubana,* traducido por Angélica Gimpel Smith, México, Siglo XXI Editores, 1969.

GARAVAGLIA, Juan Carlos, *Mercado interno y economía colonial,* México, Editorial Grijalbo, 1983.

GARCÍA CANCLINI, Néstor, *Culturas híbridas. Estrategias para entrar y salir de la modernidad,* México, Debolsillo, 2009 [1989].

GERMANI, Gino, *Política y sociedad en una época de transición. De la sociedad tradicional a la sociedad de masas,* Buenos Aires, Editorial Paidós, 1968.

GIBSON, Charles, *España en América,* traducido por Enrique de Obregón, Barcelona, Ediciones Grijalbo, 1976.

GILLY, Adolfo, *La revolución interrumpida,* México, Ediciones Era, 1994.

– *El cardenismo. Una utopía mexicana,* México, Ediciones Era, 2001. Originally published as 1994.

GLEIJESES, Piero, *Shattered Hope. The Guatemalan Revolution and the U.S. 1944-1954,* Princeton, Princeton University Press, 1991.

GONZÁLEZ CASANOVA, Pablo, *La democracia en México,* México, Ediciones ERA, 1979 [1965].

GONZÁLEZ ECHEVARRÍA, Roberto y PUPO-WALKER, Enrique (eds.), *The Cambridge History of Latin American Literature,* 3 vols., Cambridge, Cambridge University Press, 1996.

GRAHAM, Richard, *Patronage and Politics in Nineteenth-Century Brazil,* Stanford, Stanford University Press, 1990.

– (ed.), *The Idea of Race in Latin America, 1870-1940,* Austin, University of Texas Press, 1990.

GRANDIN, Greg y JOSEPH, Gilbert M. (eds.), *A Century of Revolution. Insurgent and Counterinsurgent Violence During Latin America's Long Cold War,* Durham, Duke University Press, 2010.

GRUZINSKI, Serge, *La pensée métisse,* París, Fayard, 1999.

GUERRA, François-Xavier, *México. Del Antiguo Régimen a la Revolución,* traducido por Sergio Fernández Bravo, 2 vols., México, Fondo de Cultura Económica, 1988.

– *Modernidad e Independencias. Ensayos sobre las revoluciones hispánicas,* México, Editorial MAPFRE / Fondo de Cultura Económica, 1993.

HALL, Carolyn y PÉREZ BRIGNOLI, Héctor, *Historical Atlas of Central America,* Norman, University of Oklahoma Press, 2003.

HALPERÍN DONGHI, Tulio, *Revolución y guerra. Formación de una élite dirigente en la Argentina criolla,* Buenos Aires, Siglo XXI Argentina Editores, 1972.

– *Reforma y disolución de los imperios ibéricos, 1750-1850,* Madrid, Alianza Editorial, 1985.

– *Historia contemporánea de América Latina,* XIII ed., Madrid, Alianza Editorial, 1990 [1969].

– *Proyecto y construcción de una nación (1846-1880),* Biblioteca del Pensamiento Argentino II. Buenos Aires, Ariel, 1995.

– *La República imposible (1930-1945),* vol. V, Biblioteca del Pensamiento Argentino, Buenos Aires, Ariel Historia, 2004.

– «Two Centuries of South American Reflections on the Development Gap between the United States and Latin America», en *Falling Behind: Explaining the Development Gap between Latin America and the United States,* 10-47, editado por Francis Fukuyama, Oxford, Oxford University Press, 2008.

– *Testimonio de un observador participante. Medio siglo de estudios latinoamericanos en un mundo cambiante,* Buenos Aires, Prometeo libros, 2013.

HAMNETT, Brian, *Revolución y contra-revolución en México y Perú. Liberalismo, realeza y separatismo, 1800-1824,* traducido por Roberto Gómez Ciriza, México, Fondo de Cultura Económica, 1978.

HIRSCHMAN, Albert O., *Desarrollo y América Latina. Obstinación por la esperanza,* traducido por María Teresa Márquez y Manuel Sánchez Sarto. México, Fondo de Cultura Económica, 1973.

- *Essays in Trespassing. Economics to Politics and Beyond,* Cambridge, Cambridge University Press, 1981.

HUMBOLDT, Alejandro de, *Ensayo político sobre el Reino de la Nueva España,* traducido por Vicente González Arnao, edición de Juan A. Ortega y Medina, México, Editorial Porrúa, 1966 [1822].

HUNEEUS, Carlos, *El régimen de Pinochet,* Santiago de Chile, Sudamericana, 2000.

IANNI, Octavio, *A formação do Estado Populista na América Latina,* Rio de Janeiro, Editora Civilização Brasileira, 1991.

JAMES, C. R. L., *Los jacobinos negros. Toussaint L'Ouverture y la Revolución de Haití,* traducido por Ramón García, Madrid, Turner / Fondo de Cultura Económica, 2003 [1938].

JARAMILLO URIBE, Jaime (dir.), *Manual de historia de Colombia,* 3 vols., Bogotá, Instituto Colombiano de Cultura, 1979.

KALMANOVITZ, Salomón (ed.), *Nueva historia económica de Colombia,* Bogotá, Taurus, 2010.

KATZ, Friedrich, *Pancho Villa,* traducido por Paloma Villegas, 2 vols., México, Ediciones Era, 2000.

KEPNER Jr., Ch. D. y SOOTHILL, Jay H., *El imperio del banano. Las compañías bananeras contra la soberanía de las naciones del Caribe,* prólogo y notas de Gregorio Selser, Buenos Aires, Editorial Triángulo, 1957 [1935].

KLARÉN, Peter F., *Formación de las haciendas azucareras y orígenes del APRA,* Lima, Instituto de Estudios Peruanos, 1976.

KLEIN, Herbert S., *Bolivia. The evolution of a multi-ethnic society,* Nueva York, Oxford University Press, 1982.

KNIGHT, Alan, *The Mexican Revolution,* 2 vols., Cambridge, Cambridge University Press, 1986.

KNIGHT, Franklin W., *The Caribbean. The Genesis of a Fragmented Nationalism,* 2.ª ed., Nueva York, Oxford University Press, 1990.

LAFEBER, Walter, *The Panama Canal: the Crisis in Historical Perspective,* Nueva York, Oxford University Press, 1978.

- *Inevitable Revolutions: the United States in Central America,* Nueva York, W. W. Norton & Co., 1983.

LANGLEY, Lester D., *The United States and the Caribbean in the Twentieth Century,* Athens, University of Georgia Press, 1982.

LE BOT, Yvon, *La gran revuelta indígena,* traducido por Danielle Zaslavsky y Nayelli Castro, México, Editorial Océano, 2013.

LEZAMA LIMA, José, *La expresión americana,* edición de Irlemar Chiampi, México, Fondo de Cultura Económica, 1993 [1957].

LINHARES, Maria Yedda (org.), *História Geral do Brasil,* Novena ed. Rio de Janeiro, Editora Campus, 2000 [1990].

LOCKHART, James y SCHWARTZ, Stuart B., *Early Latin America. A History of Colonial Spanish America and Brazil,* Cambridge, Cambridge University Press, 1983.

LÓPEZ ANAYA, Jorge, *Historia del arte argentino,* Buenos Aires, Emecé, 1997.

LOVEMAN, Brian, *The Constitution of Tyranny. Regimes of Exception in Spanish America,* Pittsburgh, University of Pittsburgh Press, 1993.

LUCIE-SMITH, Edward, *Latin American Art of the 20th Century,* 2.ª ed., Londres, Thames & Hudson, 2004.

LYNCH, John, *La revoluciones hispanoamericanas, 1808-1826,* traducido por Javier Alfaya y Bárbara McShane, Barcelona, Editorial Ariel, 1976.

– «The Institutional Framework of Colonial Spanish America», *Journal of Latin American Studies,* vol. 24, Nº. Quincentenary Suplement: The Colonial and Post Colonial Experience, Five Centuries of Spanish and Portuguese America (1992), pp. 69-81.

– *Simón Bolívar. A Life,* New Haven, Yale University Press, 2006.

MADRID, Alejandro L., *Sounds of the Modern Nation. Music, Culture and Ideas in Post-Revolutionary Mexico,* Philadelphia, Temple University Press, 2008.

MAIGUASHCA, Juan (ed.), *Historia de América Andina. Volumen 5. Creación de las repúblicas y formación de la nación,* Quito, Universidad Andina Simón Bolívar / Libresa, 2003.

MAINWARING, Scott y PÉREZ-LIÑÁN, Aníbal, *Democracies and Dictatorships in Latin America. Emergence, Survival, and Fall,* Nueva York, Cambridge University Press, 2013.

MALLON, Florencia, *Peasant and Nation: The Making of Postcolonial Mexico and Peru,* Berkeley, University of Californa Press, 1995.

MARIÁTEGUI, José Carlos, *7 ensayos de interpretación de la realidad peruana,* Caracas, Biblioteca Ayacucho, 1979 [1928].

MARICHAL, Carlos, «Beneficios y costes fiscales del colonialismo. Las remesas americanas a España, 1760-1814», *Revista de Historia Económica,* vol. XV, núm. 3 (1997), pp. 475-505.

- *La bancarrota del Virreinato. Nueva España y las finanzas del Imperio español (1780-1810)*, México, Fondo de Cultura Económica / El Colegio de México, 1999.
- *Nueva historia de las grandes crisis financieras. Una perspectiva global, 1873-2008*, Bogotá, Debate, 2010.

MARIZ, Vasco, *História da música no Brasil*, Rio de Janeiro, Nova Fronteira, 2005 [1981].

MARQUARDT, Bernd, *Los dos siglos del Estado constitucional en América Latina (1810-2010). Historia Constitucional Comparada. Tomo 1, 1810-1880*, Bogotá, Universidad Nacional de Colombia, 2011.

- *Los dos siglos del Estado constitucional en América Latina (1810-2010). Historia Constitucional Comparada. Tomo 2, 1880-2010*, Bogotá, Universidad Nacional de Colombia, 2011.

MARTÍNEZ PELÁEZ, Severo, *La patria del criollo. Ensayo de interpretación de la realidad colonial guatemalteca*, Guatemala, Editorial Universitaria, 1970.

MCCREERY, David J., *Rural Guatemala. 1760-1940*, Stanford, Stanford University Press, 1994.

MCCULLOUGH, David, *The Path Between the Seas: the Creation of the Panama Canal, 1870-1914*, Nueva York, Simon & Schuster, 1977.

MECHAM, J. Lloyd, *Church and State in Latin America*, Chapel Hill, University of North Carolina Press, 1966 [1934].

MERRICK, Thomas William, «Population Pressures in Latin America», *Population Bulletin (PRB)*, vol. 41, núm. 3 (1986), pp. 1-50.

MESA, José de, GISBERT, Teresa y MESA GISBERT, Carlos, *Historia de Bolivia*, 4.ª correg., La Paz, Editorial Gisbert y Cia, 2001.

MEYER, Jean, *La Révolution Mexicaine, 1910-1940*, París, Calmann-Lévy, 1973.

MITRE, Antonio, *Los patriarcas de la plata: estructura socioeconómica de la minería boliviano en el siglo XIX*, Lima, Instituto de Estudios Peruanos, 1981.

MORAZÉ, Charles, *Les trois âges du Brésil. Essai de politique*, Paris, Librairie Armand Colin, 1954.

MORENO FRAGINALS, Manuel, *El ingenio: complejo económico-social cubano del azúcar*, 3 vols., La Habana, Editorial de Ciencias Sociales, 2014 [1978].

MÖRNER, Magnus, *La mezcla de razas en la historia de América Latina,* traducido por Jorge Piatigorsky, Buenos Aires, Paidos, 1969

MORSE, Richard M., *El espejo de Próspero: un estudio de la dialéctica del Nuevo Mundo,* traducido por Stella Mastrangelo, México, Siglo XXI Editores, 1999.

MUNRO, Dana G., *Intervention and Dollar Diplomacy in the Caribbean. 1900-1921,* Princeton, Princeton University Press, 1964.

– *The United States and the Caribbean Republics 1921-1933,* Princeton, Princeton University Press, 1974.

NARANJO OROVIO, Consuelo (coord.), *Historia de las Antillas,* 5 vols., Madrid, CSIC-Ediciones Doce Calles, 2009-2014.

NOHLEN, Dieter, ZOVATTO, Daniel, OROZCO, Jesús y THOMPSON, José (comps.), *Tratado de derecho electoral comparado de América Latina,* México, Fondo de Cultura Económica-Instituto Interamericano de Derechos Humanos, 2007.

O'DONNELL, Guillermo A., *Modernización y autoritarismo,* Buenos Aires, Editorial Paidós, 1972.

O'PHELAN GODOY, Scarlett, *Un siglo de rebeliones anticoloniales. Perú y Bolivia, 1700-1783,* Cusco, Centro de Estudios Rurales Andinos Bartolomé de las Casas, 1988.

OCAMPO, José Antonio, *Colombia y la economía mundial, 1830-1910,* Bogotá, Siglo XXI Editores, 1984.

– «La América Latina en la economía mundial en el largo siglo XX», *El Trimestre Económico,* vol. 71, núm. 284 (2004), pp. 725-86.

OCAMPO GAVIRIA, José Antonio (comp.), *Historia económica de Colombia,* edición revisada y actualizada, Bogotá, Planeta, 2007.

ORTIZ, Fernando, *Ensayos etnográficos. Selección de Miguel Barnet y Ángel L. Fernández,* La Habana, Editoria de Ciencias Sociales, 1984.

– *Contrapunteo cubano del tabaco y el azúcar,* editado por Enrico Mario Santí, Madrid, Ediciones Cátedra, 2002 [1940].

PALACIOS, Marco, *El café en Colombia, 1850-1970: una historia económica, social y política,* 3.ª ed., Bogotá, Planeta, 2002.

– (coord.), *Las independencias hispanoamericanas: interpretaciones 200 años después,* Bogotá, Grupo Editorial Norma, 2009.

PALACIOS, Marco y SAFFORD, Frank, *Colombia. País fragmentado, sociedad dividida. Su historia,* traducido por Ángela García, Bogotá, Editorial Norma, 2002.

PAZ, Octavio, *El laberinto de la soledad. Postdata. Vuelta a El laberinto de la soledad,* México, Fondo de Cultura Económica, 1981 [1950].

PÉREZ BRIGNOLI, Héctor, *Breve historia de Centroamérica,* 4.ª ed., Madrid, Alianza Editorial, 2000 [1985].

PICÓ, Fernando, *Historia general de Puerto Rico,* Río Piedras, Puerto Rico, Ediciones Huracán, 1988.

PINTO SANTA CRUZ, Aníbal, *Chile, un caso de desarrollo frustrado,* Santiago de Chile, Editorial Universitaria, 1959.

PORTANTIERO, Juan Carlos, *Estudiantes y política en América Latina. El proceso de reforma universitaria (1918-1938),* México, Siglo XXI, 1978

POSADA CARBÓ, Eduardo, «Electoral Juggling: A Comparative History of the Corruption of Suffrage in Latin America, 1830-1930», *Journal of Latin American Studies,* vol. 32, núm. 3 (2000), pp. 611-44.

PRADO JÚNIOR, Caio, *Formação do Brasil contemporâneo,* São Paulo, Livraria Martins editora, 1942.

– *Historia económica del Brasil,* traducido por Haydée Jofre Barroso, Buenos Aires, Editorial Futuro, 1960 [1945].

– *Evolução politica do Brasil e outros estudos,* 3.ª ed., São Paulo, Editôra Brasiliense, 1961.

PREBISCH, Raúl, «El desarrollo económico de América Latina y algunos de sus principales problemas», *Desarrollo Económico,* vol. 26, núm. 103 (1986 [1950]), pp. 479-502.

RAMA, Ángel, *La ciudad letrada,* Montevideo, Arca, 1998.

– *Transculturación narrativa en América Latina,* México, Siglo XXI editores, 1982.

REAL DE AZÚA, Carlos, *El patriciado uruguayo,* Montevideo, Ediciones ASIR, 1961.

RIBEIRO, Darcy, *O povo brasileiro. A formação e o sentido do Brasil,* São Paulo, Companhia das Letras, 1995.

RINKE, Stefan, *Encuentros con el yanqui: Norteamericanización y cambio sociocultural en Chile, 1898-1990,* traducido por Mónica Perl y Marisol Palma, Santiago de Chile, Ediciones de la Dirección de Bibliotecas, Archivos y Museos, 2013.

ROCK, David, *Argentina, 1516-1987. Desde la colonización española hasta Alfonsín,* traducido por Nestor Míguez, Madrid, Alianza Editorial, 1988.

RODRÍGUEZ, Mario, *El experimento de Cádiz en Centroamérica, 1808-1826,* traducido por Marita Martínez del Río de Redo, México, Fondo de Cultura Económica, 1984.

ROJAS, Rafael, *Las repúblicas de aire. Utopía y desencanto en la revolución de Hispanoamérica,* Buenos Aires, Taurus, 2010.

ROMANO, Ruggiero, *Mecanismo y elementos del sistema económico colonial americano. Siglos XVI-XVIII,* traducido por Jaime Riera Rehren, México, Fondo de Cultura Económica, 2004.

ROMERO, José Luis, *El pensamiento político de la derecha latinoamericana,* Buenos Aires, Paidós, 1970.

– *Las ideas políticas en la Argentina,* Buenos Aires, Fondo de Cultura Económica, 1975 [1946].

– *Latinoamérica: las ciudades y las ideas,* México, Siglo XXI editores, 1976.

ROUQUIÉ, Alain, *El estado militar en América Latina,* traducido por Daniel Zadunaisky, Buenos Aires, Emecé, 1984.

SÁBATO, Hilda, *Pueblo y política. La construcción de la Argentina moderna,* Buenos Aires, Capital Intelectual, 2010.

SÁBATO, Hilda y LETTIERI, Alberto (comps.), *La vida política en la Argentina del siglo XIX. Armas, votos y voces,* Buenos Aires, Fondo de Cultura Económica, 2003.

SAGREDO BAEZA, Rafael, *Historia mínima de Chile,* Madrid, Turner / El Colegio de México, 2014.

SANTAMARÍA GARCÍA, Antonio, *Sin azúcar no hay país. La industria azucarera y la economía cubana (1919-1939),* Sevilla, Universidad de Sevilla / CSIC / Diputación de Sevilla, 2001.

SCHWARTZ, Stuart B., *Sugar plantations in the formation of Brazilian society: Bahia, 1550-1935,* Cambridge, Cambridge University Press, 1985.

SCHWARZ, Roberto, *Cultura e política,* São Paulo, Paz e Terra, 2009.

SKIDMORE, Thomas E., *Brazil: Five Centuries of Change,* Nueva York, Oxford University Press, 2010.

SMITH, Peter H., *Labyrinths of Power: Political Recruitment in Twentieth-Century Mexico,* Princeton, Princeton University Press, 1979.

SOLURI, John, *Banana cultures: agriculture, consumption, and environmental change in Honduras and the United States,* Austin, University of Texas Press, 2005.

STABB, Martín S., *América Latina en busca de una identidad. Modelos del ensayo ideológico hispanoamericano, 1890-1960,* traducido por Mario Giacchino, Caracas, Monte Avila Editores, 1969.

STEIN, Stanley J. y STEIN, Barbara H., *La herencia colonial de América Latina,* traducido por Alejandro Licona, México, Siglo XXI editores, 1970.

– *Silver, trade, and war: Spain and America in the making of early modern Europe,* Baltimore, Johns Hopkins University Press, 2000.

– *Apogee of empire: Spain and New Spain in the age of Charles III, 1759-1789,* Baltimore, Johns Hopkins University Press, 2003.

STERN, Steve J. (ed.), *Resistencia, rebelión y conciencia campesina en los Andes, siglos XVIII al XX,* traducido por Carlos Iván Degregori y Sandra Patow de Derteano, Lima, Instituto de Estudios Peruanos, 1990.

STOLCKE, Verena, *Cafeiculture: homens, mulheres e capital (1850-1980),* traducido por Denisse Bottman y João Martins Filho, São Paulo, Brasiliense, 1986.

THIBAUD, Clément, *Repúblicas en armas. Los ejércitos bolivarianos en la guerra de Independencia en Colombia y Venezuela,* traducido por Nicolás Suescún, Bogotá, IFEA / Planeta, 2003.

THOMAS, Hugh, *Cuba. The Pursuit of Freedom,* Nueva York, Harper & Row, 1970.

THORP, Rosemary, *Progress, Poverty and Exclusion. An Economic History of Latin America in the 20th Century,* Washington / Baltimore, Inter-American Development Bank / The John Hopkins University Press, 1998.

– (ed.), *Latin America in the 1930s. The Role of the Periphery in World Crisis,* Nueva York, St. Martin's Press, 1984.

THORP, Rosemary y BERTRAM, Geofrey, *Perú: 1890-1977. Crecimiento y políticas en una economía abierta,* traducido por Universidad del Pacífico, Lima, Mosca Azul Editores / Fundación Friedrich Ebert / Universidad del Pacífico, 1985 [1978].

TROUILLOT, Michel-Rolph, *Silencing the Past. Power and the Production of History,* Boston, Beacon Press, 1995.

UNESCO, *Historia General de América Latina,* 9 vols., Madrid / Paris, Ediciones UNESCO / Editorial Trotta, 1999-2006.

VAN YOUNG, Eric, *La otra rebelión. La lucha por la Independencia de México, 1810-1821,* traducido por Rossana Reyes Vera, México, Fondo de Cultura Económica, 2006.

VARGAS LLOSA, Mario, *La utopía arcaica. José María Arguedas y las ficciones del indigenismo,* México, Fondo de Cultura Económica, 1996.

VELIZ, Claudio, *The Centralist Tradition of Latin America,* Princeton, Princeton University Press, 1980.

VILLALOBOS, Sergio, SILVA, Osvaldo, SILVA, Fernando y ESTELLÉ, Patricio, *Historia de Chile,* 4 vols., Santiago de Chile, Editorial Universitaria, 1974.

WEST, Robert C. y AUGELLI, John, P., *Middle America. Its Lands and Peoples. 3rd. ed.,* Englewood Cliffs, Prentice Hall, 1989.

WINN, Peter, «British Informal Empire in Uruguay in the Nineteenth Century», *Past & Present,* vol. 73, número de noviembre de 1976, pp. 100-26.

– *La revolución chilena,* traducido por Gloria Casanueva y Hernán Soto, Santiago de Chile, Lom Ediciones, 2013.

WOLF, Eric J., *Pueblos y culturas de Mesoamérica,* traducido por Felipe Sarabia, México, Ediciones ERA, 1967.

WOMACK, John, *Zapata y la Revolución Mexicana,* traducido por Francisco González Aramburu, México, Siglo XXI, 1969.

ZEA, Leopoldo, *Pensamiento positivista latinoamericano,* 2 vols., Caracas, Biblioteca Ayacucho, 1980.

– (coord.), *América Latina en sus ideas,* México, UNESCO / Siglo XXI, 1986.

Índice de cuadros y gráficos

240 *Gráfico 3.1.* Llegada de metales preciosos a Europa, totales por quinquenio. Totales registrados y estimaciones a partir de las *Gacetas* holandesas según Morineau

258 *Gráfico 3.2.* Precio de las exportaciones latinoamericanas

265 *Cuadro 3.1.* Producto interno bruto per cápita (dólares de 1990), 1600-2000. Según Angus Maddison

277 *Cuadro 3.2.* Indicadores del desarrollo ferroviario hacia 1930 (km)

283 *Cuadro 3.3.* Analfabetismo de la población a partir de 15 años (en %)

318 *Gráfico 3.3.* América Latina, 1950-2020. PIB per cápita. En dólares internacionales Geary-Khamis de 1990

318 *Gráfico 3.4.* Variaciones del PIB per cápita de un año al otro (en dólares de 1990)

326 *Cuadro 3.4.* Inversiones extranjeras en América Latina, 1900-1990. Cifras per cápita en dólares de 1990

481   *Gráfico 7.1.* Tasa de interés de los títulos de la deuda federal de los Estados Unidos (enero de cada año)

483   *Gráfico 7.2.* Transferencia neta de recursos (como % de las exportaciones de bienes y servicios)

484   *Gráfico 7.3.* Deuda externa total (millones de US dólares)

486   *Gráfico 7.4.* Precio de las exportaciones latinoamericanas (1970 = 100)

488   *Gráfico 7.5.* Precios anuales del petróleo (US dólares por barril, *Illinois crude*)

507   *Gráfico 7.6.* Argentina, Brasil y Chile. PIB per cápita en dólares de 1990

515   *Gráfico 7.7.* Perú. PIB per cápita e inflación anual

518   *Gráfico 7.8.* Colombia. Tasa de homicidios y PIB per cápita

529   *Gráfico 7.9.* Ecuador. PIB per cápita y remesas

536   *Gráfico 7.10.* Uruguay. PIB per cápita y ritmo de crecimiento anual de la población

543   *Gráfico 7.11.* Centroamérica. PIB per cápita (en dólares de 1990)

552   *Gráfico 7.12.* Venezuela. PIB per cápita y población en estado de pobreza (%)

570   Gráfico 7.13. México y Cuba. PIB per cápita (en dólares de 1990)

Índice de ilustraciones

414 *Manifestación* (Antonio Berni, 1934)

419 *Autorretrato con cactus* (Antonio Berni, 1934-1935)

423 *Retrato de Juanito Laguna* (Antonio Berni, 1961)

427 *El examen* (Antonio Berni, 1976)

428 *El sueño de Ramona* (Antonio Berni, 1977)

429 *La gran tentación* (Antonio Berni, 1962)

432 *Cristo en el garaje* (Antonio Berni, 1981)

458 «A Little More Effort, Señor», caricatura de Hugh Hutton.
Philadelphia Inquirer (1961)

Índice onomástico

Abad y Queipo, Manuel, 53
Abascal, José Fernando de, 65, 73, 80-81
Aberdeen, lord, 297
Academia Brasileira de Música, 365
Academia Militar de Venezuela, 553
Acción Democrática (Venezuela), 232, 553
Acemoglu, Daron, 213-214
Acuerdo Nacional (Chile), 505
Adams, John Quincy, 456
Adorno, Theodor, 118
África, 50, 127, 130, 234, 268, 275, 279, 373
    esclavitud, 28, 128-129, 132-135, 233, 243-244, 247, 260-261, 274
    guerrillas, 199, 440
    imperialismo europeo, 300, 309, 315, 469
    negritud, 220-221
Agua Prieta, plan (1920), 167
AID (Agencia Internacional del Desarrollo), 340, 457, 559

Alberdi, Juan Bautista, 122-125, 129-131, 135-136, 147, 286-287, 290
Alberti, Rafael, 400
Alcón, Alfredo, 401
Alegría, Ciro, 272
Alemania, 137, 156, 187-189, 236, 574
    desarrollo económico, 277-278, 332, 342
    intereses en América, 110, 262, 315, 328
    Muro de Berlín, 118, 263, 577
    nazis, 118, 126, 389, 443
Alencar, José de, 388
Alessandri, Arturo, 291
Alfonsín, Raúl, 212, 495-496
Aliança Liberal (Brasil), 348-349
Aliança Renovadora Nacional (ARENA, Brasil), 211
Alianza Anticomunista Argentina, véase Triple A
Alianza País (Ecuador), 532
Alianza para el Progreso, 340, 342-345, 456-457

Alianza Popular Revolucionaria Americana, *véase* APRA

Allen, Woody, 450-451, 455

Allende, Salvador, 201-203, 313, 502, 504, 537

Almeida Bosque, Juan, 193

Amador, Manuel, 306-307

Amauta, revista, 155

Amaya Amador, Ramón, 460-461

Amazonas, río, 243, 247, 371, 498, 511, 519, 528

American Ballet Caravan, 420

Amiens, paz de (1802), 51, 54

Ámsterdam, 57, 239, 378

Anchorena, Tomás de, 295

Andes, cordillera, 37, 78, 198, 224, 410

Andrada e Silva, José Bonifacio, 85

Andrade, Mario de, 374, 376, 380

Andrade, Oswald de, 376-377

Angostura (Ciudad Bolívar), 79
Congreso (1819), 94, 133

Antillas, islas, 44, 52, 73, 129, 191, 260, 289, 321

Antioquia, 73, 522, 525

APRA (Alianza Popular Revolucionaria Americana), 154-159, 510, 512, 516

Apure, río, 93

Aragon, Louis, 403, 409, 422

Aranjuez, 63
motín de (1808), 57

Arbenz, Jacobo, 161, 191, 197, 201, 313, 336, 470

Arciniegas, Germán, 151-152

ARENA (Aliança Renovadora Nacional, Brasil), 211

Arendt, Hanna, 38-39

Arequipa, 81

Arévalo, Juan José, 151, 160-161, 191, 470-472; véase también *Fábula del tiburón y las sardinas*

Argelia, 300, 440

Argentina, 120-122, 132, 203, 210, 218, 252, 286-287, 312, 365, 576-577
analfabetismo, 283-284
CGT (Confederación General del Trabajo), 175, 491
Confederación Argentina, 255
«Cordobazo», 203, 490
«corralito», 232, 497
cultura, 30-31, 387, 391-394, 401, 403, 437
economía, 265, 271, 277-278, 321, 327, 354, 483-484, 499, 506-507, 515, 535-536, 539-540, 558
independencia, 82-83
inmigrantes, 260-261
Madres y Abuelas de Plaza de Mayo, 561
MERCOSUR, 497, 501, 538, 560
neoliberalismo, 214, 496-497
neopopulismo, 548, 560-563
peronismo, 163-186, 203-204, 212, 346, 358, 393, 490-492, 494-497, 548, 561
Proceso de Reorganización Nacional (Junta Militar), 204, 212, 359, 443-444, 489-496, 498, 545
y el canal de Beagle, 493
y las Malvinas, 212, 294-296, 493-494
y utopía reformista, 146-147, 151
Véase también Berni, Antonio, y Río de la Plata, virreinato

Arguedas, Alcides, 132, 135

Arguedas, José María, 222-223

Arias, Óscar, 541

Arizona, 105, 256, 299, 309

Arrighi, Giovanni, 265

Artigas, José Gervasio, 74, 86

Artigue, Sonderegger y Cie., compañía, 307

Asamblea de la Civilidad (Chile), 505

Asia, 127, 130, 199, 334
   economía 236, 264-265, 268, 279, 321, 487, 501, 527
   imperialismo europeo, 300, 309, 315
   inmigrantes, 133, 221, 260-262
Asociación de Amigos de la Música, (Buenos Aires), 392
Asociación Latinoamericana de Libre Comercio (ALALC), 321
Asociación Wagneriana (Buenos Aires), 392
Asturias, Miguel Ángel, 145, 464
Asunción, 539
   tratado (1991), 538
Australia, 114, 252, 260-261, 277, 393
Autodefensas Unidas de Colombia, 520
AVIANCA, compañía aérea, 524
Ávila Camacho, Manuel, 172
Ayacucho, 205-207
   batalla (1824), 83
Aylwin, Patricio, 214, 506

Bach, Johann Sebastian, 371, 383, 385-386, 397, 437, 448
Bahamas, islas, 525
Bahia (Brasil), 253, 371
Bahía de Cochinos (Playa Girón), 195
Bahía, islas de la, 297-298
Bairoch, Paul, 265
Baker, plan económico, 482
Bakunin, Mijaíl, 186
Balmaceda, José Manuel, 291
Bananas (W. Allen), 450-451
Banco Interamericano de Desarrollo, véase BID
Banco Mundial (BM), 332, 335, 480, 482, 572
Banda Oriental véase Uruguay
Bandeira, Manuel, 381, 397
Bandung, conferencia (1955), 263

Bangladesh, 279
Barbados, isla, 371, 373
Barbusse, Henri, 404
Barclay y Herring, banco, 296
Bariloche, 409
Bartók, Béla, 372
Basaldúa, Héctor, 374, 403
Basilea, paz de (1795), 51
Bastide, Roger, 368
Batista, Fulgencio, 193-195
Batlle Berres, Luis, 535-536
Batlle y Ordóñez, José, 535-536
Bayly, C. A., 268
Bayona, abdicaciones (1808), 57-58, 63
Bayreuth, festival, 389
Beagle, canal, 493
Beatles, The, 440, 567
Beaumarchais, Pierre-Augustin de, 46
Beethoven, Ludwig van, 385
Béhague, Gerard, 374
Belafonte, Harry, 468-470
   «Day-O, the banana boat song», 469
Belaúnde Terry, Fernando, 338-339, 509-510, 515
Belice, 297
Belzú, Manuel Isidoro, 90
Benedetti, Mario, 567
Benjamin, Walter, 33, 49
Bentham, Jeremy, 131
Berlín, 156, 315, 365, 409
   Muro de Berlín, 118, 263, 577-578
Berni, Antonio, 14, 30-31
   estética pictórica, 402-413, 438-444
   Juanito Laguna, 422-426
   política, 433-438, 445-449
   Ramona Montiel, 426-430
   temática religiosa, 430-432
   temática social, 413-417
   vida cotidiana, 417-422
Berni, José Antonio, 400, 445

Berni, Lily, 400, 404, 407
Bértola, Luis, 319
Betancourt, Rómulo, 161, 343
BID (Banco Interamericano de Desarrollo), 480
Bignone, Reynaldo, 494
Bilbao, Francisco, 124
Bloch, Vincent, 570
Blumenbach, Johann Friedrich, 125-126
BM, *véase* Banco Mundial
Bogotá, 42, 69, 72-73, 79, 334
«Bogotazo», 518
Bolívar, Simón, 79, 81, 83, 88, 91, 93-94, 117-119, 134, 138-139, 157, 287-288, 290, 550, 554, 556
    «Campaña Admirable», 71, 73, 98
    «Carta de Jamaica», 76-78
    con Sucre en Cerro Rico (Potosí), 37, 84
    Congreso de Angostura (1819), 133
    Juramento del Monte Sacro, 37
    «Memoria de Cartagena», 71-72, 76
Bolivia, 132, 348, 359, 409, 521
    analfabetismo, 283
    Confederación con Perú (1837-39), 104, 291
    economía, 110, 272, 277, 321, 558
    Guerra del Chaco, (1932-35), 539
    Guerra del Pacífico (1879-83), 291
    independencia, 89-90, 93
    indigenismo, 135, 162, 178, 218, 224-226
    MERCOSUR, 501
    narcotráfico, 526
    neopopulismo, 186, 225-226, 548, 557-559
    y el Che Guevara, 199-200
    Yacimientos Petrolíferos Fiscales Bolivianos, 559

Borbones, dinastía, 54, 58, 92-93, 96, 116, 244
    Reformas borbónicas, 40, 245-248, 284
Bordaberry, Juan María, 204
Borges, Jorge Luis, 387, 393, 437-438
Borovsky, Michel, 374
Bosch, Juan, 343
Boston, 46
Botana, Natalio, 406
Botero, Fernando, 447, 525
Bourdieu, Pierre, 448
Bouvier, Jean, 303
Boves, José Tomás, 72, 93-94, 98
Boyacá, batalla (1819), 79
Boyer, Jean-Pierre, 50
Braden, Spruille, 179
Brady, plan económico, 482
Braga, Ernâni, 377
Braganza, dinastía, 60
Brahms, Johannes, 385
Brasil, 115, 200, 218, 355-356, 467, 576-577
    analfabetismo, 283
    dictadura militar, 210-212, 357, 359, 489-490, 498, 536, 546
    economía, 251, 253, 265, 275, 277, 321, 325-327, 349, 352-355, 483-484, 506-508, 515, 539, 558, 570
    esclavitud, 44, 110-111, 129, 134-135, 140, 243-244, 254, 273, 282
    globalización, 498-502
    «Grito de Ipiranga», 85
    guerra de los Farrapos (1835-45), 253, 255
    Imperio, 116, 139, 144, 253-254
    Incofidencia Mineira (1789), 43,
    independencia, 84-88, 101, 105, 139, 253, 285
    inmigración, 260-262
    MERCOSUR, 501-502, 538, 540, 564

mestizaje, 140-142
neoliberalismo, 214, 500-501
neopopulismo, 548, 563-565
periodo colonial, 43-44, 239-240, 243, 245, 247-249
populismo (varguismo), 163-164, 185, 347-352, 357-358, 369, 548
República Velha (1889-1930), 144, 147, 254, 347, 349
revueltas revolucionarias, 190, 198, 348
traslado de la corte portuguesa, 58-63
y Estados Unidos, 350-351, 357
Véase también Villa-Lobos, Heitor
Brasilia, 354, 369
Braudel, Fernand, 265-266, 368
Breton, André, 403
Bretton Woods, acuerdos (1944), 479
Broadway, 466-468
Bruselas, 378
Bryan-Chamorro, tratado (1914), 311, 471
BTP (Brazil Port Terminal), empresa, 565
Buarque de Holanda, Sérgio, 368, 578
Bucaram, Abdalá, 530
Bucareli, tratado (1923), 168
Bucarest, 409
Budweiser, cerveza, 424
Buenos Aires, 65, 137, 154-155, 177, 179, 184, 232, 295, 348, 561
centro cultural, 365, 374, 392-394, 397, 401, 405-406, 409, 441, 470
Junta de Buenos Aires, 69-70, 74, 76, 86-87, 102, 104
provincia, 111, 254-255, 412, 430
villas miseria, 411, 424, 438
y Berni, 400-401, 403-404, 407, 409, 412-413, 420, 436, 441-443

Bulwer, Henry Lytton, *véase* Clayton-Bulwer, tratado
Bunau-Varilla, Maurice, 307
Bunau-Varilla, Philippe, 305-308
Burle Marx, Roberto, 369
Busch, Fritz, 393
Bustamante, Carlos María de, 99
Butler, Horacio, 403
Buxadera, Salvador, 403

Cabo de Hornos, 252
Cabo San Vicente, batalla (1797), 51
Cabral, Pedro Álvares, 385
Cádiz, Cortes, 65-66, 75, 79
Café Filho, João, 353
CAFTA, 542
Cairiri, *sertão,* 397
Calasaya (Bolivia), 89
Caldera, Rafael, 161, 551, 553-554
Calderón, Felipe, 547
Cali, cártel, 522, 524
California, 105, 252, 256, 299, 309, 525
Calles, Plutarco Elías, 167-171, 173
CAME (COMECON; Consejo de Ayuda Mutua Económica), 566
Campos, Francisco, 357
Canadá, 114, 217, 260-262, 277, 393, 474, 569
Candido, Antonio, 368-369
Canterac, José de, 81-83
Cantón (China), 190
Capanema, Gustavo, 369
Carabobo, batalla (1821), 79
Caracas, 69-72, 77, 436, 444, 553, 556
«Caracazo», 203, 232
Cárdenas, Lázaro, 171-173
Cardoso, Fernando Henrique, 214, 323-324, 326, 500-501
Carías Andino, Tiburcio, 461
Caribe, mar, 30, 46, 193, 238, 256, 268, 279, 297, 303, 521, 525

Gran Caribe, 55
intervencionismo estadounidense 191, 299, 310-311, 314, 471-474
y las *Banana Republics,* 455-456, 459-460, 463, 468-469,
Carlos I de España y V como emperador, 236
Carlos II, rey de España, 244
Carlos IV, rey de España, 53-54, 57
Carmen Miranda (María do Carmo Miranda da Cunha), 467-468, 470
Carranza, Venustiano, 165-167, 173
Carrera Damas, Germán, 27
Carreras Zayas, Jesús, 195
Carrillo, Julián, 391
Carso, grupo empresarial, 213
Cartagena de Indias, 71-73
Carter, Jimmy, *véase* Trujillo-Carter, tratados
Carvalho, Ronald de, 377
Casanare (Colombia), 72
Castagnino, Juan Carlos, 401, 406
Castelo Branco, Humberto, 357
Castilla, 241-242
Castro, Fidel, 193-198, 293, 336-337, 443, 566-570
Castro, Raúl, 193, 198
Cauca, río, 73, 519
Cazenave, Paule, 395-396
Central Nacional de Informaciones (CNI, Chile), 503
Centroamérica, 21, 30, 67, 75-76, 79, 103-104, 251, 255-256, 299, 329, 332, 525
  Banana Republics, 451-465, 470
  Corte Centroamericana de Justicia, 471
  globalización, 540-544
  Legión del Caribe, 191
  Mercado Común Centroamericano, 321
  República Federal de Centroamérica, *véase* Federación Centroamericana

y Estados Unidos, 465-467, 472-474
CEPAL (Comisión Económica para América Latina y el Caribe), 108, 231-232, 269-270, 319-321, 323, 346, 355, 485, 508, 527, 564
Cerezo, Vinicio, 541
Cerro de Pasco, 330
CGT (Confederación General del Trabajo, Argentina), 175, 491
Chaco, 409, 417
Chaco, guerra (1932-35), 539
Chaikowski, Piotr, 389
Chamorro, Emiliano, *véase* Bryan-Chamorro, tratado
Chamorro, Pedro Joaquín, 209
Chan-Chan (Perú), 158
Chañarcillo (Chile), 252
Chapare (Bolivia), 225
Chase Manhattan Bank, 339
Chatfield, Frederick, 297
Chaunu, Pierre, 103
Chávez, Carlos, 387, 390-391, 393-394
Chávez, Hugo, 186, 232, 548-556, 569
Che Guevara, *véase* Guevara, Ernesto
Checoslovaquia, 440, 474
Chiapas, 221, 223, 545, 547
Chicago Boys, 485, 503, 510
Chihuahua, 165
Chile, 122, 200, 214, 218, 251, 287, 290-292, 312, 315, 344, 459, 509
  analfabetismo, 283-284
  dictadura militar, 202, 210-212, 292, 359, 472, 485, 489, 498, 502-506, 508
  economía, 110, 229-230, 251-252, 321, 354, 483-484, 506-508
  ferrocarriles, 277-278
  gobierno de la Unidad Popular, 201-203, 313, 502

guerra del Pacífico (1879-83), 291

independencia, 74, 76, 78, 82-83

inversiones extranjeras, 326-327

neoliberalismo, 212, 485, 503-504

Norte Chico, 110, 252

y el canal de Beagle, 493

y la Confederación peruano-boliviana, 104

guerrillas, 200

China, 130, 133, 173, 190, 203, 260, 264-265, 277-278, 560, 575

enfrentamiento con la URSS, 440, 574

Revolución china, 196, 198, 333-334

Chuquisaca, 65

Chuschi, 206

CIA *(Central Intelligence Agency)*, 161, 191, 195, 312, 336-338, 470

Cienfuegos, Camilo, 193, 198

Ciudad de Guatemala, 66

Ciudad de México, 21-23, 65, 166-167, 542

Civil Rights Act (EE.UU), 525-526

Clarté, revista, 404

Clayton-Bulwer, tratado (1850), 299

CNC (Confederación Nacional Campesina, México), 171

Coahuila (México), 165

Coatsworth, John, 472

Cocteau, Jean, 373

CODE (Confederación de la Democracia, Chile), 203

Coimbra, 85

Colosio, Luis Donaldo, 545

Collor de Melo, Fernando, 500

Colombia, 122, 151, 218, 343, 409, 465

analfabetismo, 283

economía, 255-256, 275, 277, 321, 354, 516-517, 526-527

Gran Colombia, 104

Gran Colombia, 104

guerrillas, 200-201, 519, 526

independencia, 83

«La Violencia», 201, 518-520

narcotráfico, 201, 520-527, 547

y el Canal de Panamá, 299, 304-306

Véase también Nueva Granada, virreinato

Colón, Cristóbal, 216

Comisión de la Verdad y la Reconciliación (Perú), 207, 514

Comisión Nacional de Cultura (Argentina), 409

Comisión Nacional sobre la Desaparición de Personas (Argentina), 495

Comités de Autodefensa Civil (Perú), 207, 512

Comités de Defensa de la Revolución (Cuba), 570

Compagnie nouvelle du canal de Panama, 304, 306

Compagnie universelle du canal interocéanique de Panamá, 303

Compagnie universelle du canal maritime de Suez, 301-302

Comte, Auguste, 132, 140

Comuneros del Socorro, revuelta (1781), 42

Comunidad Económica Europea, 333, 566

Concertación de Partidos por el No (luego Concertación de Partidos por la democracia, Chile), 505-506

«Consenso de Washington», 483

Confederación de Nacionalidades Indígenas del Ecuador (CONAIE, Ecuador), 530

Confederación de Trabajadores Mexicanos, *véase* CTM,

Confederación General del Trabajo, *véase* CGT

Confederación Nacional Campesina, *véase* CNC
Confederación Nacional de organizaciones Populares (CNOP), 171
Confederación Perú-Bolivia, 104, 391
Congo, 199
Congo belga, 307
Congreso de Educación Popular Musical (Praga, 1936), 365
Conrad, Joseph, 305, 452
Consejo de Indias, 242
Conselho Nacional do Petroleo, 350
Conservatorio Nacional de Canto Orfeónico (Brasil), 365
Conservatorio Nacional de Música (México), 390
Consolidación de las Leyes de Trabajo (CLT, Brasil), 350
Contra nicaragüense, 209, 541
Contrarreforma, 236
Contreras, Manuel, 503
Copei (Venezuela), 232, 545
Copenhague, 59
Coppola, Piero, 379
Córdoba (Argentina), 146, 151, 160, 410
«Cordobazo», 203, 490
Córdoba (México), tratados, 80
Corea, guerra (1950-53), 333-334
Corea del Sur, 321-322
Coriri (Bolivia), 89
Coro, rebelión (1795), 44
Corporación Venezolana de Guayana, 551
Correa, Rafael, 532-533, 548
Correa, Ruth V., 396-397
Corrientes (Argentina), 74, 255
Cortázar, Julio, 567
Cosell, Howard, 450-451
Cosentino, Iván, 442
Costa, Lúcio, 354

Costa Rica, 104, 122, 151, 161, 191, 218, 343, 463-464, 540-541, 544
analfabetismo, 283-284
contrato Soto-Keith (1883), 330
economía, 111, 256, 275, 277-278, 462, 542-543
Couty, Louis, 282
Cristeros, revuelta (1926-29), 169-170
Crítica, periódico, 406
Croce, Benedetto, 25
CTM (Confederación de Trabajadores Mexicanos), 171
Cuba, 55, 137, 151-153, 161, 522
analfabetismo, 283-284
apoyo a movimientos revolucionarios, 196-201, 209, 505, 519, 540
crisis de los misiles (1962), 195-196
economía, 277-278, 326-327, 482, 565-566, 568-570
emigración y exilio, 195, 568-569
esclavismo, 48, 134-135, 273
inmigración, 260-262
Playa Girón (Bahía de Cochinos), 195, 338
reforma agraria, 336-338
Revolución cubana, 193-194, 293, 324, 340, 440, 443, 446, 476, 549, 551, 558, 567
y Estados Unidos, 123, 150, 195-196, 199-200, 299, 310-311, 336-338, 472-473, 565-566
y la URSS, 195-196, 337-338, 566, 569
Cuerpo de Paz, 340
Cuevas, José Luis, 447
Cullen, Henry, 76
Cundinamarca, 73
Cusi, Hilario, 90
Cuzco, 42, 81, 153

d'Indy, Vincent, 371
D'Onoju, Juan, 80
DanteAlighieri, 31
Darío, Ruben, 150
Darwin, Charles, 33
de Bry, Théodore, 380
De Chirico, Giorgio, 403, 405, 416, 421
de la Huerta, Adolfo, 168
de la Madrid, Miguel, 546
de la Rúa, Fernando, 497
de Vries, Jan, 268
DEA (Drug Enforced Administration), 522-523, 559
Debray, Régis, 198
Debussy, Claude, 375, 382
del Grande, Dora, 374
del Valle, José Cecilio, 250
Delaru Mardrus, Lucie, 379-380
Democracia Cristiana (Chile), 201, 505
Deng Xiaoping, 206
Dessalines, Jean-Jacques, 48
Díaz, Porfirio, 23, 135, 145, 147, 164-165, 286
DINA (Dirección de Inteligencia Nacional, Chile), 503
Dinamarca, 59-60
Dirceu, José, 565
Dix, Otto, 405
Dolores, véase Grito de Dolores,
Dopsch, Alfons, 237
Dos Santos, Theotônio, 324-325
Drummond de Andrade, Carlos, 362, 381
Duhalde, Eduardo, 560
Dunphy, Don, 450
Durero, Alberto, 431
Dutra, Eurico Gaspar, 350-351

Echeverría, Luis, 545
Eco, Umberto, 572
Ecuador, 409
    analfabetismo, 283
    dictadura militar, 359
    economía, 272, 277, 321, 488, 528-531
    indigenismo, 135, 162, 218, 272, 529-530
    narcotráfico, 526
    «Revolución ciudadana», 532-533, 548
Edwards, Alberto, 291
Einstein, Albert, 159
Ejército Zapatista de Liberación Nacional, véase EZLN
El Espectador, periódico, 523-524
El Nacional, periódico, 444
El Niño, fenómeno atmosférico, 528
El Salvador, 250, 540
    analfabetismo, 283
    economía, 110, 272, 275, 277, 279, 543
    guerra con Honduras (1969), 321
    independencia, 75, 104
    intervenciones de Estados Unidos, 298, 472
    «maras», 543-544
    revueltas y guerrillas, 44, 190, 205, 208-209, 541
Eletrobras, compañía, 352-353
Elío, Francisco Javier de, 74
ELN (Ejército de Liberación Nacional, Colombia), 519
Embratel, compañía, 498
Encuentro Iberoamericano de Críticos y Artistas Plásticos (Caracas, 1978), 436
Engels, Friedrich, 187-188
Entre Ríos (Argentina), 74, 255
ERP (Ejército Revolucionario del Pueblo, Argentina), 203
Escobar Gaviria, Pablo, 523-525
Escuela de las Américas (Western Hemisphere Institute for Security Cooperation), 334
España, 32, 182, 294, 297, 299, 301, 311, 364, 379, 403

abdicaciones de Bayona, 57-58, 63

desarrollo ferroviario, 277-278, 307

exclusivo colonial, 234, 238, 243, 245, 247

Guerra Civil (1936-39), 416

guerra con Estados Unidos (1898), 123, 150, 310

guerra de la Independencia (1808-14) y Constitución de 1812, 58, 63-68, 75, 79

guerra de Sucesión (1701-13), 244-245

imperio colonial, 28, 106, 121-124, 130-134, 137, 139, 235-236, 238-244, 249, 294, 297

independencia de Estados Unidos y Haití, 38, 47

independencia de las colonias americanas, 37, 88, 90
    primera oleada (1810-14), 68-76
    segunda oleada (1815-22), 76-80, 94
    etapa final (1822-25), 80-84

inmigrantes americanos, 530-531

rebeliones anticoloniales, 39-44, 81

Reformas borbónicas, 244-248

Revolución francesa y Napoleón, 51-59

Trienio liberal (1820-23), 67-68, 79-80, 82 102

España, José María, 43

Espíritu Santo (Brasil), 371

Esquipulas II, acuerdos (1987), 474

Estados Unidos, 55, 77, 122-125, 137, 149, 154, 214, 290, 358, 467, 494, 555
    Alianza para el Progreso, 340, 342-345, 456-457
    American Dream, 313-314, 456

analfabetismo, 283-284

Banana Republics, 450-460, 463, 468-469, 476

Brasil, 350-351, 357

CAFTA, 542

Caribe y Centroamérica, 191-192, 299, 310-311, 314, 470-475, 541

Chile, 503, 505

Civil Rights Act, 125, 525-526

crisis de los misiles (1962), 195-196

crisis económicas, 480-482, 486-488

Cuba, 123, 150, 195-196, 199-200, 299, 310-311, 336-338, 472-473, 565-566

derechos civiles, 125, 440, 469, 525-526

desarrollo económico, 159, 258, 262-265, 271, 277-279, 316, 322, 328, 341

Doctrina Monroe y Corolario Roosevelt, 311-312

Enmienda Platt, 311

Escuela de las Américas, 334

expansión territorial e imperial, 48, 52, 105, 123, 143, 256, 309-315, 473

Guatemala, 201, 313, 335-336, 470-471

guerra con España (1898), 123, 150, 310

guerra de Corea (1950-53), 333-334

guerra de Secesión (1861-65), 300, 308-309

guerra de Vietnam, 199, 203, 208, 344, 440

Guerra Fría, 195-196, 199, 333-334, 341, 358-360, 440, 456, 479, 574-575

independencia, 38-39, 44, 53, 245, 248-249, 281

inmigrantes, 114, 221, 260-262, 342, 530-531, 543

intervencionismo *(Big Stick)*, 199-202, 208-209, 295-296, 298-299, 310-316, 344, 456, 466, 472-473, 541

Ley Glass-Steagal (1933), 487

México, 105, 165-169, 256, 299, 309, 314, 355, 473-474, 547

narcotráfico, 225, 520-526, 559

NASA, 341

Naturalization Act (EE.UU.), 126

neoliberalismo, 214, 485

Plan Marshall, 332-333

Puerto Rico, 123, 150, 310, 342-343

racismo, 126, 129-131, 134-135, 308-309

Reconstrucción (1865-77), período, 309

Trece Colonias, 38-39, 96, 245

y el Canal de Panamá, 298-300, 304-308, 310, 334

y Villa-Lobos, 384-385

Estrada Cabrera, Manuel, 145

EUDEBA, editorial, 401

Europa Central, 188, 372, 461

«Evita», *véase* Perón, Eva

Excélsior, periódico, 546

Exxon, compañía, 338

EZLN (Ejército Zapatista de Liberación Nacional, México), 221, 223-224, 545

Fábula del tiburón y las sardinas (Arévalo), 470-475

Fajnsylber, Fernando, 322

Falcón, Francisco, 248

Faletto, Enzo, 323-324, 326

Falla, Manuel de, 378

Fallas, Carlos Luis, 463-464

FAP (Fuerzas Armadas Peronistas, Argentina), 203

FAR (Fuerzas Armadas Revolucionarias, Argentina) 203

FARC (Fuerzas Armadas Revolucionarias de Colombia), 519-520, 526

Farrapos *(Farroupilha)*, guerra (1835-45), 253, 255

Fausto, Boris, 367

Federación Centroamericana, 104, 296-298

Federación de Estudiantes del Perú, 153

Federación de Estudiantes Mexicanos, 154

Felipe II, rey de España, 236

Felipe V, rey de España, 245

Fernández de Kirchner, Cristina, 548, 560-563

Fernández Félix (Guadalupe Victoria), 100

Fernández Sardinha, Pedro, 376

Fernández, Mauro, 122

Fernando VII, rey de España, 57, 63, 65-68, 79, 83

Ferrer, Mel, 385

Figari, Pedro, 438

Figueres, José, 191-192, 343

Filadelfia, 57

Filipinas, 55, 64, 133, 310

Flandes, 236

Fléchet, Anaïs, 379

Flores Galindo, Alberto, 42

Flores, Juan José, 117

Florescano, Enrique, 99

Florida, 55, 337

FMI (Fondo Monetario Internacional), 480, 482-485, 510, 530

FMLN (Frente Farabundo Martí de Liberación Nacional, El Salvador), 208-209, 542

Fondo Monetario Internacional, *véase* FMI

Fonseca, golfo, 298, 311

Fontainebleau, tratado (1762), 52

FORJA (Fuerza de Orientación Radical de la Joven Argentina), 179
Fornells, Eugenio, 403
Forner, Raquel, 403
Fort Benning (EE. UU.), 334
Fortaleza (Brasil), 371
Fourier, Charles, 186
Fox, Vicente, 546-547
Francia, 110, 122, 182, 236, 294-295, 356, 364, 422, 457
    Declaración de los Derechos del Hombre (1789), 43, 140
    economía, 262, 277-278, 328
    guerras napoleónicas, 51-60, 63, 65, 68, 246
    III República francesa, 303, 307
    imperio colonial, 220, 300-303, 315
    independencia de Estados Unidos, 38, 245
    independencia de Haití, 46-50
    intervención en México, 301
    Mayo de 1968, 440
    Pactos de Familia, 245
    piratería, 234, 238
    Plan Marshall, 332
    Revolución francesa, 43-46, 68, 97, 143, 186, 248-249, 257, 281
    Santa Alianza, 67
    socialismo, 187, 189
    Vichy, régimen colaboracionista, 307
    y el Canal de Panamá, 303-307
    y Villa-Lobos, 375, 378-380, 382
Francia, doctor (José Gaspar Rodríguez de Francia), 539
Franco, Itamar, 500
Frankfurt, 480
Frei Montalva, Eduardo, 202, 344
Frei Ruiz Tagle, Eduardo, 214
Frente Amplio (Uruguay), 536-537
Frente Farabundo Martí de Liberación Nacional, véase FMLN
Frente Nacional (Colombia), 518

Frente Patriótico Manuel Rodríguez (Chile), 504-505
Frente Sandinista de Liberación Nacional, véase FSLN
Freyre, Gilberto, 368
Friedman, Milton, 214-215
Friesz, Émile-Othon, 403
FSLN (Frente Sandinista de Liberación Nacional, Nicaragua), 209, 540-542
Fuentes, Carlos, 228, 567
Fuerzas Armadas Peronistas, véase FAP
Fuerzas Armadas Revolucionarias, véase FAR
Fujimori, Alberto, 511-515
Furtado, Celso, 354-355, 358

Gabón, 300
Gaitán, Jorge Eliécer, 518
Galeano, Eduardo, 229, 465
Galíndez, Jesús de, 192
Galtieri, Leopoldo, 493
Galton, Francis, 126
García Bernal, Gael, 505
García Calderón, Francisco, 289-290
García Lorca, Federico, 385
García Márquez, Gabriel, 465, 567
García Monge, Joaquín, 151
García, Alan, 159, 510, 514-516
García, Fernando, 439, 445
Geertz, Clifford, 227
Generación del 98, 150
Georgias del Sur, islas, 493
Gerino, Nélida, 408
Ginastera, Alberto, 391-394, 420
Ginebra, 392
Ginzburg, Carlo, 34
Giorgi, Bruno, 369
Glass-Steagal, ley (1933), 487
Glusberg, Jorge, 400, 442
Godoy, Manuel, 57
Goethals, George W., 308
Goiás (Brasil), 371

Gómes, Carlos, 363

Gómez, Juan Vicente, 152, 287-288

González de Cillorigo, Martín, 240-241

González Prada, Manuel, 153

Gordon y Murhy, consorcio, 56

Gorgas, William C., 308

Goulart, João, 355-356

Goya, Francisco de, 58

Graça Aranha, Jose Pereira de, 377-378

Grace, Michael P., 329

Grace Corporation, 338

Gran Bretaña, 39, 74, 77, 150, 172, 185, 187-188, 214, 246, 252, 270-271, 277-278, 293, 302, 304, 311, 313, 315, 332, 474, 487
   enfrentamiento con España, 56, 234, 236, 238, 245
   entendimiento con Portugal, 57-62, 86, 243, 245, 248
   guerras napoleónicas, 51-63, 65
   intervencionismo militar, 48, 47, 98, 297-298, 300-301; véase también más abajo Malvinas
   inversiones, 250, 262, 328-329
   liberalización de mercados, 108, 110, 250
   Pax Britannica, 57, 112-114
   piratería, 234, 238
   Revolución Gloriosa (1688), 142, 281
   Revolución Industrial, 143, 244, 257, 259, 264-265, 267-268
   y las Malvinas, 212, 294-296, 493-494

Granada, isla, 472-474

Grau San Martín, Ramón, 161

Grieg, Edvard, 389

«Grito de Asencio», 74

«Grito de Dolores», 99-100

«Grito de Ipiranga», 85

Grosz, George, 405

Grupo Andino, 321

Grupo de los Seis, 373

Guadalupe, archipiélago, 48, 300

Guadalupe Victoria, véase Félix Fernández

Gual, Manuel, 43

Guam, 310

Guanabara, bahía, 347

Guanajuato, 75

Guantánamo, 310

Guarnieri, Camargo, 386

Guatemala, 103, 122, 137, 145, 151, 160-161, 191, 197, 297, 540
   analfabetismo, 283
   dictadura militar, 498, 541
   economía, 110, 272, 275, 277, 296, 330-331, 543
   guerrillas, 200-201, 542
   independencia, 69, 75-76, 80
   indigenismo, 135, 162, 218
   intervención estadounidense (1954), 201, 313, 335-336, 470-471
   «maras», 543-544
   Reglamento de Jornaleros (1877), 273

Guayana francesa, 48, 300

Guayaquil, 528
   entrevista Bolívar-San Martín, 80, 83

Guérios, Paulo Renato, 380

Guerra, François-Xavier, 63, 65-66, 68, 286

Guerra Fría, 163, 190, 199, 211, 217, 263, 313, 340, 358-360, 440, 456, 479, 574-575
   crisis de los misiles (1912), 195-196
   guerra de Corea (1950-53), 333-334

Guevara, Ernesto «Che», 193, 197-200, 208, 440, 577

Guillén, Nicolás, 572

Guimarães, Lucília, 372

Guinle, Arnaldo y Carlos, 375

Guizot, François, 300

Gunder Frank, André, 324
Gutiérrez, Lucio, 530
Guzmán Blanco, Antonio, 145
Guzmán Errázuriz, Jaime, 504
Guzmán Reinoso, Abimael («Camarada Gonzalo»), 205-208

Habermas, Jürgen, 96
Habsburgo, dinastía, 236, 244, 301
Haití, 78, 135, 253, 311, 471, 473
    analfabetismo, 283
    economía, 277
    revolución e independencia, 44, 46-51, 101
Halperín Donghi, Tulio, 87
Harberger, Arnold, 503
Harriet, barco, 295
Hawai, 310, 473
Hay-Bunau-Varilla, tratado (1903), 306-307
Hay-Paucenfote, tratado (1901), 304
Haya de la Torre, Víctor Raúl, 153-160, 510
Hayek, Friedrich von, 214
Henry, O., 452-455
Hepburn, Audrey, 385
Hernández, José, 476
Hidalgo y Costilla, Miguel, 24, 69, 75, 99-100
Hirschman, Albert, 269, 323, 331
Hobsbawn, Eric, 45-46
Holanda, 38, 53, 56, 110, 243
    pintura del siglo XVII, 418
    piratería, 234, 238
    síndrome holandés, 240, 280-281, 533
Hollywood, 192, 466-468
Honduras, 122, 208, 218, 250, 297, 452, 455, 460-464, 470, 540-541
    analfabetismo, 283
    economía, 277, 179, 330-331, 542-543
    guerra con El Salvador (1969), 321
    «maras», 543-544

Honduras, golfo, 297
Honegger, Arthur, 378
Hong-Kong, 431
Hope-Baring, consorcio, 56
Horkheimer, Max, 118
Huamanga, universidad, 205
Huaqui, batalla (1811), 104
Huerta, Victoriano, 165
Huertas, Esteban, 306
Humala, Ollanta, 516
Humboldt, Alexander von, 33, 39, 132, 576
Hungría, 474, 577

Ibáñez del Campo, Carlos, 291
Iguala, plan (1821), 80
Ilha Solteira, presa hidroeléctrica, 499
Ilustración, 96, 117-118, 142, 246, 248-249, 281, 576
Incofidencia Mineira (1789), 43,
India, 160, 260, 264, 279, 302, 315, 575, 577
Indian Citizenship Act (1924), 126
Indias, 40, 54, 64, 235, 238-239
    Consejo de Indias, 242
Índico, océano, 260
Indochina, 315
Indonesia, 260
Ingenieros, José, 151
Inglaterra, véase Gran Bretaña
Inquisición, 67, 131, 244, 246
Instituto Libertad y Democracia, 215
Instituto Nacional de Música (Brasil), 372
International Petroleum Company, 338
Ipiranga, véase «Grito de Ipiranga»
Irak, guerra (2003), 457, 487
Irán-Contra, escándalo, 541
Isaacs, Jorge, 388
Isella, César, 442
Islas del Maíz, 311

Ismaíl, virrey de Egipto, 302
Itaipú, presa hidroeléctrica, 499, 539
Italia, 182, 211, 277-278, 350, 363, 389, 402, 415
Ituzaingó, batalla (1827), 86
Iturbide, Agustín de, 80, 99, 104
Iturrigaray, José de, 65
Ivanissevich, Óscar, 180-181

Jamaica, 48, 76, 468
Janacopulos, Vera, 378
Japón, 159, 333, 511, 513, 522, 575
    desarrollo económico, 265, 277-268, 321-322, 342, 479
Jaureche, Arturo, 179
Jaurès, Jean, 187
Jefferson, Thomas, 456
Jim Crow laws, 134
Jockey Club (Rosario), 403-404
Johnson, Lyndon B., 125, 341, 344
José Bonaparte, rey de España, 58
José I, rey de Portugal, 248
Jruschov, Nikita, 195, 340-341
Juan Pablo II, papa, 293
Juan VI, rey de Portugal, 59-63, 84, 86
Juana de la Cruz, sor, 24
Juarez, Benito, 23, 301
Juegos Olímpicos de Rio (2016), 564-565
Julião, Francisco, 356
Junín, batalla (1824), 83
Junot, Jean-Andoche, 59-60
Junta Militar, *véase* Argentina
Juventud Peronista, 174, 491

Kahlo, Frida, 23
Karabtchevsky, Isaac, 386
Katz, Friedrich, 166
Kautsky, Karl, 187
Keith, Minor, 330
Kennedy, Bob, 440
Kennedy, John F., 195, 340-342, 344
Keper, Bronislaw, 385

Keynes, John Mayard, 214, 278, 480, 485
Keyserling, Hermann de, 160
King, Martin Luther, 125, 440
Kirchner, Néstor, 548, 560-563
Kirstein, Lincoln, 420
Kissinger, Henry, 574-575
Klee, Paul, 395
Kleiber, Erich, 393
Knight, Alan, 164, 173
Kodály, Zoltán, 372
Koussevitsky, Serge, 379
Krauthausen, Ciro, 521
Kubitschek, Juscelino, 352-353, 499
Kuczynski, Pedro Pablo, 516
Kuomintang, 173

La Habana, 148, 196, 198, 337-338, 568
La Hispaniola, 48, 51
La Paz, 65, 81, 559
La Plata, universidad, 176
La Puerta, batalla (1814), 72
La Rioja, (Argentina), 121
La Serna, José de, 81-83
Lacerda, Carlos, 351
Lafargue, Paul, 187
Lafaye, Jacques, 100
LaFeber, Walter, 344
Lam, Wifredo, 447
Landes, David, 265, 267-268
Lanusse, Alejandro, 490
Lara Bonilla, Rodrigo, 523
Larraín, Pablo, 505
Las Heras, 412, 430
Lastarria, José Victorino, 122
«Lava-Jato», escándalo, 565
Lavagna, Roberto, 560
Lázaro, Enrique, 406
Le Bon, Gustave, 136
Le Bot, Yvon, 217, 222, 225
Le Cap Français, 46
Le Corbusier (Charles-Édouard Jeanneret-Gris), 369

L'Intransigeant, periódico, 379
Le Matin, periódico, 307
Le Monde, periódico, 413
Le Moniteur, 60
Legión del Caribe, 191
Leguía, Augusto, 153, 156
Lehman Brothers, compañía, 488
Leipzig, iglesia de Santo Tomás, 448
Leme, Sebastião 347
Lenin (Vladímir Ilich Uliánov), 188, 206, 472
Lequepalca (Bolivia), 91
Lesseps, Ferdinand de, 301-304, 306
Letelier, Orlando, 503
Lévi-Strauss, Claude, 368
Lexington, barco, 295
Lhote, André, 403
Lieja, 378
Lima, 65, 82-83, 153, 155-156, 158, 206, 208, 215, 510
Lima Quintana, Hamlet, 442
Limón (Costa Rica), 330
Limón, José, 384
Linneo, Carlos, 125
Lircay, batalla (1830), 251
Lisboa, 59-61, 63, 84-85, 101
Lleras Camargo, Alberto, 343
Lobo, Arístides, 282
London School of Economics, 154
Londres, 57, 60, 113, 154, 296, 302, 378, 393, 480, 577
Long, Marguerite, 379
López Anaya, Jorge, 434-435
López Portillo, José, 546
López Rega, José, 491
Los Angeles, 385
Los Gatos, grupo musical, 401
Luís, Washington, 348
Luisiana, 48, 52, 309, 525
Lula da Silva, Luiz Inácio, 563-565
Luxemburgo, Rosa, 472
Lynch, John, 239, 247

M-19 (Movimiento 19 de abril de 1970, Colombia), 519. 524
Machado, Gerardo, 152
Machado de Assis, Joaquim, 142
Madagascar, 300
Maddison, Angus, 264
Madero, Francisco, 145-146, 165, 168
Madres y Abuelas de Plaza de Mayo, 561
Madrid, 57-58, 60, 245, 403
Maduro, Nicolás, 555
Magdalena, río, 519
Mahuad, Jamil, 530
Maipú, batalla (1818), 78
Malvinas (Falkland), islas y guerra, 212, 294-296, 493-494
Manaos, 371
Manchuria, 260
Manifiesto Comunista, 187
Mannheim, Karl, 226-227
Mao Zedong, 205-206, 233
MAPU (Movimiento de Acción Popular Unitaria, Chile), 202
Maracaibo (Venezuela), rebelión, 44
Maranhao (Brasil), 253
Marcos, Alejandro, 439
Marcos, subcomandante, 221, 224, 545
María de la Gloria (María II), reina de Portugal, 87
María I, reina de Portugal, 59-60, 63
María Luisa de Parma, reina de España, 57
Marialva, marqués de, 60
Mariátegui, José Carlos, 155, 205, 471
Marichal, Carlos, 55
Mariel (Cuba), 568
Marighella, Carlos, 198
Marinetti, Filippo Tommaso, 403
Marini, Ruy Mauro, 324

Mármol, José, 388

Martí, José, 23, 137-139, 142-143, 149

Martín Fierro (José Hernández), 401, 476,

Martínez de Hoz, José Alfredo, 492

Martínez de Perón, Estela, 491

Martínez de Perón, Isabel, 204

Martinica, 48, 300

Marx, Karl, 187-188, 206, 265-266

MAS (Movimiento al Socialismo, Bolivia), 557-559

Massera, Emilio Eduardo, 444-445, 492

Mato Grosso, 371

Matos, Hubert, 195

Matos, Hubert, 195

Matthews, Herbert L., 193-194

Mauro, Humberto, 385

Max Eschig, editora musical, 377-378

Maximiliano I, emperador de México, 136, 301

Mayflower, 39

Mazo, Gabriel del, 179

MBR-200, *véase* Movimiento Bolivariano Revolucionario

MDB (Movimiento Democrático Brasileiro), 211; *véase también* PMDB

Medellín, 525
    Cártel de Medellín, 523-524

Meinig, D. W., 308

Mella, Julio Antonio, 155

Mende, Tibor, 577

Mendelssohn-Bartholdi, Félix, 448

Mendoza, 76

Menem, Carlos Saúl, 214, 496-497, 561-562

«Mensalão», escándalo, 564

Mercado Común Centroamericano, 321

MERCOSUR, 497, 501-502, 538, 540, 560, 564

Metro Goldwin Mayer, compañía, 385

Meyer, Jean, 172

México, 122, 137, 148, 151, 153, 193, 197, 285, 387, 457, 540
    crisis económicas, 481-484, 488-489, 499
    Cristeros, revuelta (1926-29), 169-170
    cultura, 21-25, 35-36, 389-391, 394, 405, 422, 435, 438, 470
    economía, 109-110, 256-257, 265, 277-278, 283, 321, 326-327, 355, 358-359, 536, 570, 577
    globalización, 544-547
    guerra de los Pasteles (1838-39), 300
    Imperio mexicano (1821-24 y 1863-67), 104, 301
    independencia, 24, 65-67, 69, 75, 79-80, 94, 98-102, 108
    mestizaje e indigenismo, 132-133, 135-138, 162, 169, 224
    narcotráfico, 520, 525-526, 545, 547
    neoliberalismo, 213-214
    periodo colonial, 55-56, 169, 234, 237, 256, 274
    Porfiriato, 23, 135, 145-147, 164-165, 286
    Revolución mexicana, 24, 160, 163-174, 185, 346, 548
    Sueño de una tarde dominical en la Alameda Central (Rivera), 21-25, 35-36
    Tlatelolco, matanza (1968), 545
    y el APRA, 154-155
    y Estados Unidos, 105, 165-169, 256, 299, 309, 314, 355, 473-474, 547
    zapatistas, 221, 223-224, 545
    Véase también Ciudad de México y Nueva España

Miami, 525
Michoacán, 53
Mignone, Francisco, 386
Miguel I, rey de Portugal, 87
Milán, 363, 393
Milhaud, Darius, 373
Miller, Rory, 329
Minas Gerais, 247, 253, 347, 364, 371
Minujín, Marta, 401
MIR (Movimiento de Izquierda Revolucionaria, Chile), 202
Miranda, Francisco de, 71
«Misiones Bolivarianas», 551
MNR (Movimiento Nacional Revolucionario, Bolivia), 186, 225
Mohamed Saïd, virrey de Egipto, 301
Mohosa (Bolivia), 90
Molière, (Jean-Baptiste Poquelin), 46
Moncada, cuartel (Cuba), 193
Monroe, doctrina, 311-312
    Corolario Roosevelt, 311-312
Monsiváis, Carlos, 568
Monte Sacro (Roma), 37
Montesinos, Vladimir, 514
Monteverde, Domingo, 71
Montevideo, 69, 74, 86, 104, 148, 154, 534
Montoneros (Argentina), 174, 203-204, 490-491
Morales, Evo, 224-225, 548, 557-559
Morazán, Francisco, 296
Morelos (México), 165
Morelos, José María, 24, 75, 80, 99-100
Moreno, Mariano, 249-250
Morillo, Pablo, 72-73, 76, 88, 94
Morrow, Dwight, 170
Moscú, 190, 409
Mosquitia, 297-298
Mourão Filho, Olímpio, 357

Moutoukias, Zacarías, 238-239
Movimiento 19 de abril de 1970, véase M-19
Movimiento 26 de Julio (Cuba), 194
Movimiento al Socialismo; véase MAS
Movimiento Bolivariano Revolucionario (MBR-200, Venezuela), 553-554
Movimiento de Liberación Nacional-Tupamaros, véase Tupamaros
Movimiento Gremial de la Universidad Católica (Chile), 504
Movimiento Nacional Revolucionario, véase MNR
Movimiento Quinta República (Venezuela), 554-555
Movimiento Revolucionario Túpac Amaru (MRTA, Perú), 510-511, 513
Mujica, José, 537
Munro, Dana G., 331
Muñoz Marín, Luis, 342-343
Murat, Joachim-Napoléon, 57
Mutualidad Popular de Estudiantes y Artistas Plásticos (Rosario), 404, 413
Myrdal, Gunnar, 281

Nabuco (Verdi), 389,
Naciones Unidas, véase ONU
NAFTA (Tratado de Libre Comercio de la América del Norte), 544-545
Napoleón Bonaparte, 48, 51-52, 54, 56-60, 63, 98, 248, 300
Napoleón III de Francia, 301
Nariño, Antonio, 43-44, 73
NASA (National Aeronautics and Space Administration), 341
Nasser, Gamal Abdel, 302
Naturalization Act (EE.UU.), 126

Nazareth, Ernesto, 386
Neiva (Colombia), 73
Nemanoff, R., 374
Nepal, 279
Neruda, Pablo, 422, 459-460
Neves, Tancredo, 499
New York Times, 194, 451
Nicaragua, 75, 134, 200, 218, 250, 279, 283
   Contra, 209, 541
   economía, 277, 543
   sandinismo, 209, 540-541, 569
   Somoza, dictadura de la familia, 193, 489, 540
   y el Canal de Panamá, 297-300, 306, 311
   y la *Fábula del tiburón y las sardinas,* 471-473
Niemeyer, Oscar, 354, 368
Nixon, Richard, 344, 521
Noriega, Manuel, 312
Northern Railway Co., 330
Nostromo (Conrad), 452,
Novaes, Guiomar, 377
Novoa, Gustavo, 530
NSC-68, memorándum, 334
Nueva España, virreinato, 53, 55-56, 80, 102, 105, 133
Nueva Granada, virreinato, 69, 71-72, 76, 79, 89, 94, 98, 102
   Comuneros del Socorro, revuelta (1781), 42
   Provincias Unidas de Nueva Granada, 73
Nueva Inglaterra, 245
Nueva objetividad *(Neue Sachlichkeit),* 405
Nueva Orleans, 55, 279, 455
Nueva York, 192, 279, 300, 306, 313, 451, 455, 468, 480, 487
   y Berni, 406, 412, 420, 424, 443
   y Villa-Lobos, 384, 386, 393, 397
Nueva Zelanda, 114, 260-261
Nuevo México, 105, 256, 299, 309

Nuevo Realismo, 405, 413, 433-434
Núñez, Rafael, 152

O'Donnell, Guillermo, 359
O'Higgins, Bernardo, 76
O'Neil, Eugene, 384
O'Sullivan, John L., 313
Obra Social (Argentina), 175
Obregón Santacilia, Carlos, 22
Obregón, Álvaro, 165-168, 170-171, 173
Ocampo, José Antonio, 319
Oceanía, 315
Ochoa, Arnaldo, 567
OEA (Organización de Estados Americanos), 195-196, 334, 343
OIT (Organización Internacional del Trabajo). Convenio 169, 218-219
Olañeta, Pedro de, 83
ONU (Organización de Naciones Unidas), 218-219, 270, 443, 542, 564, 577
OPEP (Organización de Países Exportadores de Petróleo), 553, 555
Operation Just Cause (Panamá), 312
Oporto, 84
Oregón, 299, 313
Oreja de Jenkins, guerra (1739-48), 245
Orfeó Català, 364
Orfeón Donostierra, 364
Organización de Estados Americanos *véase* OEA
Organización de Países Exportadores de Petróleo, *véase* OPEP
Organización Internacional del Trabajo, *véase* OIT
Oriente Medio, 240, 300
Orinoco, río, 79, 93
Orozco, José Clemente, 390, 395

Orquesta Sinfónica de la Radio Nacional (Argentina), 394
Orquesta Sinfónica Nacional (Argentina), 394
Ortiz Rubio, Pascual, 171
Oruro (Bolivia), 225
OTAN (Organización del Tratado del Atlántico Norte), 333
Ouro Preto, protocolo (1994), 538
Ouvrard, Gabriel-Julian, 56
Owen, Robert, 186
Oxford, 154

Pachakutik (Ecuador), 530
Pacheco Areco, Jorge, 536
Pacífico, guerra del (1879-83), 291, 329, 510
Pacífico, océano, 110, 252, 260, 262, 297, 300, 304, 310, 314, 519
Pactos de familia, 245
Padilla, Heberto, 567
Padres Peregrinos, 39
Páez, José Antonio, 98
Pakistán, 279
Palacios, Alfredo L., 151, 153
Palito Ortega, cantante, 401
Palmerston, lord, 297
Pamplona (Colombia), 72-73
PAN, véase Partido Acción Nacional
Panamá, 153, 156, 297, 308, 312, 473, 525, 540-541
    analfabetismo, 283
    Canal de Panamá, 154, 278, 302-307, 310, 471-472
    economía, 277
    ferrocarril transístmico, 110, 299-300
    independencia, 305, 307
    mal de Panamá, 336
    Panama Canal Zone, 307-308, 310, 334
Pará (Brasil), 253, 364
Paraguay, 218, 255

analfabetismo, 283
comuneros, 43
economía, 277, 321, 539
globalización, 539-540
guerra del Paraguay (o de la Triple Alianza, 1865-70), 539
independencia, 69, 74, 102, 104
MERCOSUR, 501, 538, 540
Paraíba (Brasil), 110, 254, 364
Paraná, río, 255
París, 21, 33, 57, 60, 131, 151, 155, 289, 302, 305, 307, 480
    y Berni, 403-404, 409-410, 412-413, 441-443, 445
    y Villa-Lobos, 373-375, 378-380, 383-387, 397
Parish, Woodbine, 295
Parisot, Aldo, 384
Partido Acción Nacional (PAN, México), 546-547
Partido Blanco (Uruguay), 537
Partido Colorado (Paraguay), 539-540
Partido Colorado (Uruguay), 537
Partido Comunista Brasileño, 348, 563
Partido Comunista Colombiano, 520
Partido Comunista Cubano, 196, 570
Partido Comunista de Chile, 459, 504-505
Partido Comunista de la Argentina, 408, 433, 443
Partido Comunista de la Unión Soviética, 188, 341
Partido Comunista de Venezuela, 555
Partido Comunista del Perú Sendero Luminoso; véase Sendero Luminoso
Partido Comunista del Perú, 205
Partido Comunista Peruano Bandera Roja, 205

Partido Comunista Salvadoreño, 209
Partido Conservador (Colombia), 517
Partido de la Revolución Democrática, *véase* PRD
Partido de los Trabajadores (Brasil), *véase* PT
Partido del Pueblo Cubano, 193
Partido Justicialista (Argentina), 181, 495, 560
Partido Liberal (Brasil), 563
Partido Liberal (Colombia), 517-518
Partido Movimiento Democrático Brasileño, *véase* PMDB
Partido Nacional Revolucionario, *véase* PNR
Partido Popular Democrático (Puerto Rico), 342
Partido Progresista (PP, Brasil), 565
Partido Revolucionario Institucional, *véase* PRI
Partido Socialista Unido de Venezuela (PSUV), 555
Pasteles, guerra de los (1838-39), 300
Pasto (Colombia), 72
    batalla (1814), 73
Patria y Libertad (Chile), 202
Paz Estenssoro, Víctor, 557
Paz, Octavio, 578
PDVSA (Petróleos de Venezuela S. A.), empresa, 551
Pedro I de Brasil y IV de Portugal, 60, 84-87, 101, 139, 253
Pedro II de Brasil, 253
Peirano, Pedro, 505
Peralta Ramos, Federico, 444
Pérez Zujovic, Edmundo, 202
Pérez, Carlos Andrés, 551, 554
Perkins, Anthony, 385
Pernambuco (Brasil), 84, 253, 371
Perón, Eva («Evita»), 174, 182-185
    Fundación Eva Perón, 183

Perón, Juan Domingo, 174-185, 203, 408, 490-491, 548; *véase también* Partido Justicialista
Perú, 153, 228, 289, 340, 409, 521, 526, 529
    Alto Perú, 41, 65, 69, 74, 82-83, 102, 104
    analfabetismo, 283
    Comisión de la Verdad y la Reconciliación, 207, 514
    Confederación con Bolivia (1836-39), 104, 291
    economía, 110, 262, 272, 277, 321, 326-327, 329-330, 510, 514-516
    gobiernos militares, 338-339, 359, 509
    Guerra del Pacífico (1879-83), 291, 329, 510
    guerrillas revolucionarias, 205-209, 510-514
    independencia, 65-67, 69, 72-74, 76, 80-83, 101-102
    indigenismo, 135, 162, 218, 222
    neoliberalismo, 215
    periodo colonial, 234-235
    populismo, 186, 338-339
    revueltas, 39, 41-42, 101
    Servicio de Inteligencia Nacional, 514
    Sierra, 42, 82-83, 153, 206, 510
    Véase también APRA
Pétion, Alexandre, 50
Petras, James, 558
Petrobras, compañía, 352-353, 356, 498, 565
Pezuela, Joaquín de la, 81-82
Philips, compañía, 442
Piazzolla, Astor, 401, 442
Picasso, Pablo Ruiz, 422
Piglia, Ricardo, 393
Pinochet, Augusto, 202, 210-212, 293, 485, 489, 494, 502-506, 508
Pinto Santa Cruz, Aníbal, 230

Pío XII, papa, 182
Pixinguinha (Alfredo da Rocha Viana), 370
Plan Colombia, 525
Plan Cruzado (Brasil), 500
Plan Marshall, 332-333
Plan Real (Brasil), 500
Platt, enmienda, 311
PMDB (Partido del Movimiento Democrático Brasileño), 563, 565
PNR (Partido Nacional Revolucionario, México), 171
Policastro, Enrique, 434
Polinesia, 315
Polk, James K., 299
Polo Patriótico (Venezuela), 554
Polvorel, Étienne, 47
Pombal, marqués de, 248
    Reformas pombalinas, 248
Ponce, Manuel, 391
Porfiriato, véase Díaz, Porfirio
Portales, Diego, 252, 291
Portes Gil, Emilio, 171
Portinari, Cândido, 369, 436
Portugal, 28, 57, 84, 87, 134, 141-142, 238, 244, 247, 249, 376, 467
    entendimiento con Gran Bretaña, 57-62, 86, 243, 245, 248
    independencia de Brasil, 85-86, 101, 105
    invasión de Uruguay, 74, 86
    revolución liberal (1820), 63, 84-85
    traslado de la corte a Brasil, 58-63
Posada, José Guadalupe, 23
Potosí (Cerro Rico), 37, 84
Poulet, Gaston, 379
Prado Junior, Caio, 368
Praga, 365
Prats, Carlos, 503
PRD (Partido de la Revolución Democrática, México), 546

Prebisch, Raúl, 268-270
Prestes, Luís Carlos, 190, 348
PRI (Partido Revolucionario Institucional, México), 224, 355, 545-547
Primera Guerra Mundial, 88, 113, 123, 144, 167, 188, 258, 278, 302, 315-317, 536
Prío Socarrás, Carlos, 161
Proceso de Reorganización Nacional, véase Argentina
Prokofiev, Serguéi, 378
Proudhon, Pierre-Joseph, 186
Provincias Unidas de Nueva Granada, véase Nueva Granada
Provincias Unidas del Río de la Plata, véase Río de Plata
PT (Partido de los Trabajadores, Brasil), 548, 563-565
Puerto Cabello, 71
Puerto Rico, 277-278
    estado asociado de los EE. UU, 123, 150, 310, 342-343
Pumacahua, Mateo, 81
Punta del Este, 196, 343
Punto Fijo, pacto (Venezuela), 553-554
punto final, ley de (Argentina), 561

Quadros, Jânio, 355
Quebec, 245
Quintana, Manuel, 66
Quito, 65, 69, 72, 74, 102, 528

Rachmaninoff, Serguéi, 397
Ramírez, Ariel, 401
Rancagua, batalla (1814), 76
Ravel, Maurice, 378, 382
Reagan, Ronald, 214, 485, 494, 504, 541
Real Compañía Guipuzcoana de Caracas, 43
Recife (Brasil), 364, 371
Reforma protestante, 236

Renovación Nacional (Chile), 506
República Dominicana, 192-193, 277, 283, 311, 343-344, 542, 569
  intervención de EE.UU., 344, 471-474
Revolución Industrial, 143, 244, 257, 259, 265, 267-268
Revueltas, Silvestre, 391
Ricardo, David, 249
Ricoeur, Paul, 226-227
Riego, Rafael del, 67, 79
Rinke, Stefan, 315
Rio de Janeiro, 61, 84-85, 111, 139, 243, 253, 282, 334, 348, 356, 368-369, 373, 467
  capital, 61, 84-85
  Corcovado, cerro, 347
  Juegos Olímpicos (2016), 564-565
  y Villa-Lobos, 361, 363-366, 370-371, 374-375, 381, 386, 397
Río de la Plata, virreinato, 69, 74, 76, 102, 104, 108, 135, 249, 254-255, 300
  Provincias Unidas del Río de la Plata, 70, 86
Río Grande, 315, 547
Rio Grande do Sul, 86, 255, 348
Río Hondo, 408
Rivadavia, Bernardino, 87
Rivera, Diego, 21-25, 35, 390, 395, 422
  Sueño de una tarde dominical en la Alameda Central, 21-24
Roatán (islas de la Bahía), 298
Robespierre, Maximilien, 45
Robinson, James A., 213-214
Roca, Julio A., 147
Rodó, José Enrique, 148-150, 162, 289-290, 471
Rodríguez, Abelardo, 171
Rodríguez, Andrés, 540

Rodríguez, Simón, 37
Rolland, Romain, 160
Rolling Stones, 440, 567
Romano, Ruggiero, 237
Romero, José Luis, 28, 31, 279
Romero, Sílvio, 140-143
Roosevelt, Franklin D., 172, 312, 420, 466
Roosevelt, Theodore, 308, 474
  Corolario Roosevelt de la Doctrina Monroe, 311-312
Rosa, Ramón, 122
Rosario, 402-405, 413
Rosas, Juan Manuel de, 120-121, 255, 301
Rostow, Walt W., 341
Rousseau, Jean-Jacques, 138
Rousseff, Dilma, 563
Rubinstein, Arthur, 374-375, 378, 381
Ruiz Massieu, Francisco, 545
Ruiz, Samuel, 233
Rusia, 59, 188, 192, 575; véase también Unión Soviética

Sábato, Ernesto, 495
Saigón, 300
Saint-Domingue, 46-47, 51
Saint-Simon, Henri de, 186
Salinas de Gortari, Carlos, 214, 545-546
Salvador de Bahía (Brasil), 61
Samoa, 310
Samper, José María, 122
San Francisco, 221
San José (Costa Rica), 330
San Juan del Norte (Greytown), 298
San Juan, río, 299
San Martín, José de, 78-83
San Salvador, 75, 104
San Ysidro, 221
Sánchez Cerro, Luis Miguel, 156
Sandro, cantante, 401
Sandwich, islas, 493

Santa Alianza, 67, 311

Santa Clara, 198

Santa Cruz (Argentina), 560

Santa Cruz de la Sierra (Bolivia), 557

Santa Cruz, Andrés de, 104, 291, 557

Santa Fe (Argentina), 74, 146, 255, 404

Santa Fe (Estados Unidos), 385

Santander, Francisco de Paula, 88

Santiago de Chile, 69, 470, 509

Santiago de Cuba, 198

Santiago del Estero, 408-409, 417

Santo Domingo (República Dominicana), 148

Santo Domingo, *véase* República Dominicana

Santos Monteiro, Noêmia Umbelina, 370

Santos, Juan Manuel, 526

São Paulo, 85, 243, 253-254, 347-349, 355, 357, 363-364, 374, 386, 563

   Semana de Arte Moderno (1922), 375-378, 380

   universidad, 368, 500

Saramago, José, 571

Sarmiento, Domingo Faustino, 120-125, 129-131, 135-136, 138-140, 143, 150

Sarney, José, 499-500

Sartre, Jean Paul, 422

Sauvy, Alfred, 263

Sayão, Bidu, 397

Scalabrini Ortiz, Raúl, 179

Scherer, Julio, 546

Schlögel, Karl, 34

Schmitt, Florent, 378

Schneider, René, 202

Schorske, Carl, 31

Schumpeter, Joseph Alois, 265

Scuola metafísica, 403, 405, 416, 421

Secesión estadounidense, guerra de (1861-65), 300, 308-309

Secretaría de Trabajo y Previsión (Argentina), 175-178

Segovia, Andrés, 378, 381

Segunda Guerra Mundial, 118, 125-126, 190, 228, 312, 316-317, 319, 332, 342, 350, 393, 478-479

SEMA (Serviço de Educação Musical e Artística), 361, 364

Semana de Arte Moderno, *véase* São Paulo

Sendero Luminoso (Perú), 205-209, 510-511, 513

Senegal, 300

Sergipe (Brasil), 364,

Servicio de Inteligencia Nacional (Perú), 514

Serviço de Educação Musical e Artística, *véase* SEMA,

Sevilla, 63, 69, 239

Shakespeare, William, 148, 454

Shubert, Lee, 467

Sierra Maestra (Cuba), 193-194

Sierra, Justo, 122, 135-138, 142

Siete Años, guerra de los (1756-63), 245

Siglo y Medio, colección literaria, 401

Siles Suazo, Hernán, 557

Singapur, 321

Siohan, Robert, 379

Siqueiros, David Alfaro, 390, 395, 404-406

Slacum, George W., 295

Slim, Carlos, 213-214

Smith, Adam, 249, 265-266, 271

Smith, Sidney, 60-61

Socorro (Colombia), 42, 72

Solórzano y Pereira, Juan de, 235

Somoza, Anastasio, 193, 209, 321, 466, 540

Somoza, familia, 209, 489

Sonora, 165-167

Sonthonax, Léger-Félicité, 47

Sorí Marín, Humberto, 195

Sosa, Mercedes, 442
Soto-Keith, contrato (1883), 330
Soto, Hernando de, 215
South Sea Company, 245
Souza Lima, Jõao de, 379
Spencer, Herbert, 132, 138-140, 143
Spilimbergo, Lino E., 403-404, 406, 413
Sputnik 1, satélite, 341
Squirru, Rafael, 410
Staden, Hans, 380
Stalin, Iósif, 189, 196, 389, 405, 443, 467
Standard Fruit Company, 462
Stokowski, Leopold, 379
Strangford, vizconde de, 59
Stravinsky, Ígor, 375, 378, 391
Stroessner, Alfredo, 539-540
Stuart Mill, John, 132, 143
Sucesión española, guerra (1701-13), 244-245
Sucre, Antonio José de, 37, 83
Sudáfrica, 114, 221, 260, 469
Suecia, 59, 277
Suez, canal, 301-302, 334
Surinam, 534
Szyszlo, Fernando, 447

Tagliaferro, Magda, 379
Tahití, 300
Taine, Hippolyte, 140
Taiwán, 321
Talara (Perú), 156, 338
Tamayo, Rufino, 447
Tarija (Bolivia), 557
Teixeira, Anísio, 364
Tejada Gómez, Armando, 442
Telmex, empresa, 214
Teología de la Liberación, 209, 223
Terán, Tomás, 378
Tercer Mundo, 228, 263, 266, 268, 340, 342, 440, 545, 577
Tercera Internacional, 189-190

Texas, 105, 256, 309, 446, 525
Thapar, Romila, 36
Thatcher, Margaret, 214, 485, 493-494
Thibauld, Clément, 98
TIAR (Tratado Interamericano de Defensa Recíproca), 334
Tierra del Fuego, 217
Tigre, isla del, 298
Tijuana, 545
Tilsit, tratado de (1807), 59
Titicaca, lago, 104
Tiwanaku (Bolivia), 224,
Tlatelolco, matanza (1968), 545
Toledano, Lombardo, 514
Toledo, Alejandro, 514, 516
Tolstói, León, 186
Toro, Fernando del, 37
Torrijos-Carter, tratados (1977), 307
Toussaint Louverture, François Dominique, 47
Traba, Marta, 444-447
Trafalgar, batalla (1805), 51-52, 56, 59
Tricontinental, 199-200
Trinidad, isla, 48, 51-52, 55, 468
Triple A (Alianza Anticomunista Argentina), 491
Trouillot, Michel-Rolph, 49
Trujillo (Perú), 153, 155, 158
Trujillo, Rafael Leónidas, 192-193, 466
Truman, Harry S., 334
Tucumán, 70
Tumusla, batalla (1825), 83
Tunja (Colombia), 73
Túpac Amaru II, levantamiento (1780-81), 39, 41, 81, 246
Tupamaros (Movimiento de Liberación Nacional-Tupamaros, Uruguay), 204-205, 534, 536-537
Turquía, 195

Ubico, Jorge, 60
Uchuraccay (Perú), 207

Ugarte, Manuel, 154
Unidad Popular (UP, Chile), 201-203
Unión Cívica Radical (Argentina), 179, 495, 497
Unión Democrática (Argentina), 180
Unión Europea, 574
Unión Republicana Democrática (Venezuela), 553
Unión Revolucionaria (Perú), 156
Unión Soviética (URSS), 154, 188-189, 199, 209, 263, 389, 405, 422, 435, 443, 480, 549
    CAME (COMECON), 566
    economía, 265, 566
    enfrentamiento con China, 440, 574
    Guerra Fría, 333-334, 340-341, 479, 574
    invasiones de Hungría (1956) y Checoslovaquia (1968), 440, 474
    y Cuba, 195-196, 337-338, 566, 569
United Fruit Company, 161, 191, 330, 336, 462, 466, 470
Universidad Católica (Chile), 503-504
UP, *véase* Unidad Popular
Urales, montes, 260
Uribe, Álvaro, 526
Urruchúa, Demetrio, 434
URSS, *véase* Unión Soviética
Uruguay, 148, 229, 255, 343, 465, 546
    analfabetismo, 283-284
    Banda Oriental, 74, 86
    dictadura militar, 204-205, 537
    economía, 277-278, 321, 354, 536, 540
    «Éxodo oriental», 74
    globalización, 533-538
    independencia, 74, 86

    inmigración, 260-261
    MERCOSUR, 501, 538
Uruguay, río, 255
Uslar Pietri, Arturo, 232
Utrecht, tratados (1713), 245

Valdés, Gerónimo, 81
Valencia (España), 148
Vallejo, César, 153
Vallenilla, Lanz, Laureano, 287-288, 290
Valparaíso, 252
Van Barentzen, Aline, 378
Van Young, Eric, 94-95
Vanderbilt, Cornelius, 299
Varèse, Edgar, 378
Vargas, Getúlio, 31, 347-353, 356-358, 499, 548
    Estado Novo, 164, 350, 357, 369
    y Villa-Lobos, 364-369, 374, 386, 394-395
Vargas, José Santos, 89-90
Vargas Llosa, Mario, 207, 215, 222-223, 228, 511, 567
Varona, Enrique José, 151
Varsovia, 409
Vasconcelos, José, 151, 154, 167-168, 390
Vaticano II, concilio, 440
Vaticano, 170, 182
Vaz de Caminha, Pero, 385
Vázquez, Tabaré, 537
Velasco Alvarado, Juan, 158, 186
Venecia, Bienal, 412, 425-426
Venezuela, 102, 145, 161, 287-288, 343, 444, 540
    analfabetismo, 283
    «Caracazo», 203, 232
    Corporación Venezolana de Guayana, 551
    «Patria Boba», 71, 73
    economía, 109-111, 251, 277, 321, 326-328, 488, 502, 552
    independencia, 69-71, 73, 77,